Drwy'r
# BEIBL,
Drwy'r
# FLWYDDYN

Cyflwynwyd y fersiwn gwreiddiol
i
Frances Whitehead
a gyflawnodd, ar 9 Ebrill 2006,
hanner can mlynedd fel
fy ysgrifenyddes hollddigonol a ffyddlon

*John Stott*

Cyflwynir yr addasiad hwn
i
Sarah, Catrin, Steffan, Siôn a Hanna
am eu hamynedd a'u dealltwriaeth
wrth fyw efo fi!

*Meirion Morris*

# Drwy'r
# BEIBL,
# Drwy'r
# FLWYDDYN

Myfyrdodau dyddiol o Genesis i'r Datguddiad

## John Stott

Addasiad Cymraeg

Meirion Morris

CYHOEDDIADAU'R
GAIR

Cyhoeddwyd gan Gyhoeddiadau'r Gair 2010

Cyhoeddwyd yn wreiddiol dan y teitl
'Through the Bible, through the year : daily reflections from Genesis to Revelation'
gan Candle Books / Lion Hudson plc.

Testun gwreiddiol: John Stott
Addasiad Cymraeg: Meirion Morris

Golygydd Cyffredinol: Aled Davies

Delweddau: Fred Apps
Cysodi: Rhys Llwyd

Cyd-argraffiad byd-eang wedi'i drefnu gan Lion Hudson plc, Rhydychen

Argraffwyd yng Ngwlad Thai.

Mae'r cyhoeddwr yn cydnabod cymorth ariannol Cyngor Llyfrau Cymru.

Cyhoeddwyd gan:
Cyhoeddiadau'r Gair
Ael y Bryn, Chwilog,
Pwllheli, Gwynedd
LL53 6SH.

# Cynnwys

**Rhan 1: O'r Creu at Grist: Trosolwg o'r Hen Destament (Bywyd Israel)** *Medi i Ragfyr*

**Rhan 2: O'r Nadolig i'r Pentecost: Trosolwg o'r Efengylau (Bywyd Crist)** *Ionawr i Ebrill*

**Rhan 3: O'r Pentecost i'r Ailddyfodiad: Trosolwg o'r Actau, y Llythyrau a'r Datguddiad (Bywyd yn yr Ysbryd)** *Mai i Awst*

# Dilyn y Calendr Cristnogol

## Esboniad

Yn 1963 ffurfiwyd y Joint Liturgical Group ym Mhrydain yn cynrychioli wyth o enwadau gwahanol. Teitl eu hadroddiad answyddogol oedd *The Calendar and Lectionary: A Reconsideration*. Cynigiwyd calendr a fyddai'n canolbwyntio yn nhymor yr Adfent (mis Rhagfyr) ar ddyfodiad cyntaf Crist, heb y chwithdod o geisio dathlu ei ddau ddyfodiad gyda'i gilydd. Mi fyddai hefyd yn ymestyn yn ôl i'r Suliau wedi'r Pentecost, ac yn hyn byddai blwyddyn yr eglwys mwy neu lai yn gyflawn.

Ers hynny, cafwyd sawl ymdrech i geisio darparu calendr a darlleniadur ar gyfer yr eglwys, yn arbennig felly fel canllaw i addoliad y Sul.

Fy nghonsýrn i beth bynnag yw darparu adnodd ar gyfer myfyrdod personol dyddiol. Fe ddylai ein galluogi, os ydym yn perthyn i eglwys litwrgaidd neu beidio, i ailadrodd bob blwyddyn y stori Feiblaidd gyflawn o'r creu yn Genesis hyd at gyflawniad popeth yn Datguddiad 22. Ymhellach, o ystyried y flwyddyn eglwysig fel hyn, mae'n rhannu'n hwylus yn dair rhan, pob un ohonynt yn bedwar mis o hyd.

Mae'r rhan gyntaf yn mynd o Fedi (pan fydd Eglwysi Uniongred yn dathlu'r flwyddyn newydd ac eglwysi Ewropeaidd yn dathlu'r cynhaeaf) hyd at y Nadolig. Mae'n ein galluogi i ail-fyw hanes yr Hen Destament o'r creu hyd at ddyfodiad Crist.

Mae'r ail gyfnod yn rhedeg o Ionawr hyd ddiwedd Ebrill, gan gyrraedd uchafbwynt adeg y Sulgwyn, neu'r Pentecost. Mae'n ein galluogi i ail-fyw hanes Iesu yn yr Efengylau, o'i eni, drwy ei weinidogaeth, i'w farwolaeth, ei atgyfodiad, ei esgyniad a rhodd yr Ysbryd.

Mae'r trydydd cyfnod yn rhedeg o Fai hyd ddiwedd Awst, yr wythnosau yn dilyn y Pentecost. Mae'n ein galluogi i ail-fyw hanes yr Actau ac i gofio bod yr Ysbryd Glân yn rym Duw ar gyfer bywyd yn awr ac yn ernes o'n hetifeddiaeth derfynol ar ddyfodiad Crist. Yn ystod y cyfnod hwn, yr ydym yn myfyrio ar y bywyd Cristnogol a'r gobaith Cristnogol fel y cyflwynir y rhain inni yn y Llythyrau ac yn llyfr y Datguddiad.

Drwy hyn, mae'r calendr eglwysig yn rhannu'n dri chyfnod, y Beibl yn rhannu'n dair adran, a'r Duw Hollalluog yn ei ddatguddio ei hun mewn tri pherson, y Tad, y Mab a'r Ysbryd Glân.

Ymhellach gellir deall y tri tri yma mewn ffordd drindodaidd iach! Mae'r holl hanes Beiblaidd yn dod o fewn ei gwmpawd. Yn y cyfnod cyntaf (Medi i Ragfyr), byddwn yn myfyrio ar waith Duw'r Tad, ac ar y modd y mae'n paratoi ei bobl drwy'r Hen Destament ar gyfer dyfodiad y Meseia. Yn yr ail gyfnod (Ionawr i Ebrill), byddwn yn myfyrio ar waith Duw'r Mab, ac ar ei weinidogaeth achubol, a'r disgrifiad o'r weinidogaeth honno yn yr Efengylau. Yn y trydydd cyfnod (Mai i Awst), byddwn yn myfyrio ar waith Duw'r Ysbryd Glân, a'i weithgarwch drwy lyfr yr Actau, y Llythyrau a llyfr y Datguddiad.

Dylai cael cyfle i ail-fyw ac i gael ein hatgoffa o'r stori ddwyfol, a'i dathlu, ein harwain at ffydd drindodaidd wastad, dylai ein harwain i adnabyddiaeth lwyrach o fframwaith yr hanes a chynnwys y Beibl, a sefydlu ein gobaith yn y Duw sy'n Arglwydd hanes, yr un a fu, ac sydd yn parhau i weithredu ei bwrpas cyn, yn ystod, ac wedi bywyd ymgnawdoledig ein Harglwydd Iesu Grist, nes y daw eto mewn nerth a gogoniant.

## Gair i'r Darllenydd am y Pasg

Mae testun *Drwy'r Beibl, Drwy'r Flwyddyn* wedi ei drefnu mewn ffordd sy'n caniatáu i'r darllenydd gychwyn ar unrhyw un o'r tair rhan.

Er enghraifft, mae'n naturiol i ddechrau gyda'r creu (Wythnos 1) ym mis Medi, gan ddilyn yr hanes Beiblaidd o'r dechrau i'r diwedd.

Ond bydd ambell ddarllenydd yn dymuno aros tan Ragfyr/Ionawr, a dechrau gyda hanes y geni (wythnos 17).

Y trydydd dewis yw dechrau gyda'r Pasg ym Mawrth/Ebrill. Gan nad yw dyddiad y Pasg yn sefydlog (o fewn cyfnod o bum wythnos rhwng 22 Mawrth a 25 Ebrill), mae'n amhosibl ei nodi, nac ychwaith y gwyliau Cristnogol eraill sydd yn dibynnu am eu dyddiad ar ddyddiad y Pasg.

Y ffordd orau o gadw'r Calendr Cristnogol yw darganfod dyddiad y Pasg yn y flwyddyn y byddwn yn defnyddio'r llyfr. Yna, yn ystod y pythefnos cyn hyn medrwn ddarllen y myfyrdodau am Wythnosau 31 a 32. Ar ddydd y Pasg a gweddill diwrnodau'r wythnos honno byddwn felly yn darllen y myfyrdodau am Wythnos 33.

Bydd hyn yn sicrhau ein bod yn darllen myfyrdodau ac adnodau priodol yn yr wythnosau allweddol cyn ac wedi'r Pasg. Bydd hefyd yn bosibl inni osod unrhyw wythnosau a gollwyd yn y bylchau, ac i gadw Gŵyl yr Esgyniad (deugain niwrnod wedi'r Pasg) a Sul y Pentecost (deg diwrnod yn ddiweddarach). Sul y Drindod yw'r uchafbwynt arferol; dyma'r Sul sydd bob amser yn dilyn y Pentecost.

# Cydnabyddiaeth

Yr wyf yn ddiolchgar i Lion Hudson a Baker Books, cyhoeddwyr y llyfr hwn, ac yn benodol i Tim Dowley a Peter Wyart o Three's Company am y dylunio, ac i Fred Apps am y gwaith darlunio.

Diolchaf i Matthew Smith, fy Nghynorthwyydd Astudio o 2002 hyd 2005, am ddarllen y testun yn ofalus ac am ei awgrymiadau lu i oleuo a gwella'r cynnwys.

Uwchlaw dim, yr wyf yn ddyledus i Frances Whitehead, nid yn unig am deipio un llawysgrif arall, ond yn Ebrill 2006, bydd wedi cyflawni hanner can mlynedd ardderchog fel fy ysgrifenyddes hollddigonol.

John Stott
Medi 2005

# Cyflwyniad i'r addasiad Cymraeg

Un o'm hatgofion cyntaf yn dilyn fy nhröedigaeth oedd cael benthyg copi o gyfrol yn dwyn y teitl *Basic Christianity*. Roedd yr awdur, fel popeth arall yn y byd newydd yma yr oeddwn newydd ei brofi, yn gwbl anghyfarwydd imi. Ond drwy ddarllen y gyfrol honno (cyfrol sydd bellach wedi gwerthu dros ddwy filiwn a hanner o gopïau) ac yna drwy ddeall rhywfaint mwy dros y blynyddoedd o hanes Cristnogaeth yn y Deyrnas Unedig ac ymhellach yn ystod ail hanner yr ugeinfed ganrif, deuthum i barchu a gwerthfawrogi gwaith a chyfraniad arbennig John Stott.

Treuliodd ei weinidogaeth yn Eglwys All Souls, Langham Place, Llundain, ac os ydych erioed wedi cael y cyfle i fod yn rhan o'r gynulleidfa yno, mi fyddwch yn ymwybodol fod Duw wedi gwneud gwaith rhyfeddol ym mywydau llu o bobl yno. Ond nid dyma unig faes ei lafur. Yn ogystal â'i waith yn cyhoeddi llu o esboniadau, astudiaethau a chyfrolau ar ddiwinyddiaeth, bu'n siaradwr ac yn arweinydd ymgyrchoedd a gwyliau Cristnogol ledled y byd. Drwy hyn i gyd, llwyddodd i oleuo meddwl a chalon llu o Gristnogion yn ei ymdrech i anrhydeddu Duw, i sicrhau anrhydedd i air Duw, a sicrhau bod Cristnogion yn cymhwyso eu ffydd i fywyd ymarferol sy'n gogoneddu Iesu.

Mae'r gyfrol hon yn drysorfa ysbrydol. Cewch ynddi ddeunydd a fydd yn gyfarwydd yn ogystal â deunydd a fydd yn ymestynnol. Cewch ddiwinyddiaeth ddiogel a chyfarwyddyd ymarferol defnyddiol. Drwy'r cwbl, hyderaf y bydd Duw yn parhau i siarad drwy ei air a thrwy gyfraniad yr awdur arbennig hwn, a thrwy'r cyfan y bydd cenhedlaeth newydd yn byw i'r Iesu yng Nghymru, wrth fyfyrio ar air Duw o ddydd i ddydd.

Yn rhwymau'r efengyl,

Meirion Morris
Mai 2010

# O'R CREU AT GRIST

## TROSOLWG O'R HEN DESTAMENT (BYWYD ISRAEL)

### ～ MEDI I RAGFYR ～

Mae yna broblem gynhenid efo'r ffaith fod y flwyddyn seciwlar yn dechrau ar 1 Ionawr tra bod y flwyddyn Gristnogol yn cychwyn gyda'r Adfent yn hwyr ym mis Tachwedd neu yn gynnar ym mis Rhagfyr.

Hefyd, rwyf am wthio'r Adfent ymhellach yn ôl yn y calendr hwn a hynny o dri mis; yn rhannol er mwyn rhoi cyfnod hirach i ni o baratoi at y Nadolig ac yn rhannol er mwyn gallu rhannu'r flwyddyn i dri cyfnod cyfartal. Yr wyf am dreulio pedwar mis i fynd drwy'r Hen Destament gan ymestyn o'r creu at ddyfodiad Iesu Grist.

Yn naturiol rydym am roi ffocws yn ystod yr wythnos gyntaf ar Genesis 1: Hanes y Creu. Er hynny, os bydd y darllenydd yn awyddus i ddechrau'r flwyddyn newydd gyda genedigaeth Crist, mae'n rhwydd iawn i wneud hynny.

# Wythnos 1: Creu

"Does 'na ddim yn fwy hardd na Genesis na dim yn fwy defnyddiol," yn ôl Luther. Credaf y dylem gytuno â'i ddatganiad oherwydd mae harddwch a defnyddioldeb ymarferol yn y llyfr hwn. Yma, yn arbennig felly yn y penodau cynharaf, mae prif athrawiaethau'r Beibl yn cael eu sefydlu: penarglwyddiaeth Duw fel Creawdwr, grym ei air, mawredd cynhenid dyn, yn wryw ac yn fenyw, cael ein creu ar ei ddelw a derbyn stiwardiaeth y ddaear i gyd, cydraddoldeb y ddau ryw, daioni'r greadigaeth, urddas gwaith a'r rhythm sy'n perthyn i orffwys. Mae'r gwirioneddau canolog hyn yn cael eu gosod i lawr ar ddechrau llyfr Genesis fel cerrig sylfaen anferth ac ar y cerrig sylfaen hyn yr adeiledir gweddill y dystiolaeth Feiblaidd.

**Dydd Sul:** Symbyliad y Creawdwr
**Dydd Llun:** O Anhrefn i Drefn
**Dydd Mawrth:** Goleuni o Dywyllwch
**Dydd Mercher:** Sobreiddiwch y Naratif yn Genesis
**Dydd Iau:** Delw Duw
**Dydd Gwener:** Rhywioldeb y Ddynoliaeth
**Dydd Sadwrn:** Y Saboth er mwyn Gorffwys

# Symbyliad y Creawdwr

*Yn y dechreuad creodd Duw y nefoedd a'r ddaear.*
Genesis 1:1

**M**ae'r pum gair cyntaf yn y Beibl ("Yn y dechreuad creodd Duw") yn rhan annatod o gyflwyniad y cyfan. Mae'r geiriau ynddynt eu hunain yn dweud wrthym na allwn ni rag-weld yr hyn mae Duw am ei wneud, na rhedeg o flaen yr hyn mae Duw am ei wneud. Ond mae e bob amser yno yn y dechreuad. Mae pob gweithred ac arweiniad yn gorwedd gyda Duw.

Mae hyn yn arbennig o wir am y creu. Mae Cristnogion yn credu nad oedd dim yn bod cyn i Dduw ddechrau ar y gwaith o greu. Doedd ond Duw yn y dechreuad. Dim ond Duw sy'n dragwyddol. Mae'r ffaith fod Genesis 1 yn gwbl Dduw-ganolog yn sefyll allan yn y naratif. Yn wir, Duw yw goddrych bron pob berf. Mae "dywedodd Duw" yn ymadrodd sy'n cael ei nodi ddeg o weithiau a'r ymadrodd "gwelodd Duw fod hyn yn dda" saith o weithiau.

Does dim angen i ni ddewis rhwng yr adroddiad yn Genesis 1 a'r astudiaethau diweddarach mewn ffiseg sy'n edrych ar wyddoniaeth y creu. Dydy'r Beibl erioed wedi ei fwriadu gan Dduw i fod yn werslyfr gwyddonol. Yn wir dylai fod yn amlwg i ddarllenwyr Genesis 1 fod gennym yma gerdd sydd yn hardd ac mewn arddull arbennig iawn. Mae'r ddau grynodeb o'r creu – y gwyddonol a'r gerdd – yn wir. Maent yn cael eu cyflwyno o bersbectif gwahanol ond eto yn cyd-fynd â'i gilydd.

Yn ôl Credo'r Apostolion yr ydym yn credu yn "Nuw Dad Hollalluog" ac yn y datganiad hwn mae'r credo yn cyfeirio nid yn gymaint at ei hollalluogrwydd, ond yn hytrach at ei reolaeth dros y cyfan mae wedi ei wneud.

Mae'r hyn a greodd Duw yn cael ei gynnal gan Dduw. Mae'n bresennol yn y byd, mae'n cynnal ei greadigaeth ac yn rhoi trefn ar y cwbl. Mae anadl einioes pob creadur yn ei law ef. Mae'n peri i'r haul ddisgleirio, yn peri i'r glaw ddisgyn. Mae'n bwydo'r adar, yn gwisgo'r blodau. Eto fyth, barddoniaeth sydd yn berffaith wir.

Mae yna rinwedd mawr mewn eglwysi sydd yn cynnal gwasanaethau diolchgarwch yn flynyddol a hefyd y Cristnogion hynny sy'n gofyn bendith cyn bwyta. Mae'n iawn ac yn ddefnyddiol i gydnabod Duw a'n dibyniaeth arno am ein bywyd a phopeth, a gwneud hynny yn rheolaidd. Rydym yn gwneud hynny fel cydnabyddiaeth o'r Un sydd wedi creu a'r un sydd yn cynnal ei greadigaeth.

Darllen pellach: Mathew 5: 43–45 a 6: 25–34

# O Anhrefn i Drefn

*Yr oedd y ddaear yn afluniaidd a gwag, ac yr oedd tywyllwch ar wyneb*
*y dyfnder, ac ysbryd Duw yn ymsymud ar wyneb y dyfroedd.*
Genesis 1:2

E r bod Eseia yn ein sicrhau bod Duw "yr un a'i creodd, nid i fod yn afluniaidd, ond a'i ffurfiodd i'w phreswylio" (Eseia 45: 18), roedd y byd ar y cychwyn yn wag, heb ffurf, yn dywyll a heb neb yn byw ynddo. Felly o gam i gam yn Genesis 1 rydym yn gweld y Duw sy'n datgymalu'r anhrefn ac yn gosod trefn yn ei le. Mae'n amlwg fod awdur Genesis yn deall bod y creu yn broses, er nad ydym yn medru nodi union hyd y broses honno.

Mae'r broses hon yn cael ei darlunio yn rymus yn adnod 2. Mae rhai cyfieithwyr yn deall hyn fel cyfeiriad at ffenomenon amhersonol fel storm ar y môr. Yn ôl un cyfieithiad clywn fod yna rym dwyfol yn chwythu dros y dyfroedd. Rwy'n tueddu i gytuno ag esbonwyr eraill sydd yn nodi bod y cyd-destun yn cyfeirio nid at wynt amhersonol ond at yr Ysbryd Glân sydd yn bersonol, a'i waith creadigol yn cael ei gymharu i aderyn yn hedfan dros ei gywion.

Ymhellach, yn ychwanegol at waith Ysbryd Duw yn y greadigaeth mae'r awdur yn cynnwys cyfeiriad at air Duw – "dywedodd Duw". "Oherwydd llefarodd ef, ac felly y bu; gorchmynnodd ef, a dyna a safodd" (Salm 33: 9). Nid wyf yn credu am eiliad nad oes yma ond cyfeiriad at Dduw'r Tad, cyfeiriad at ei Air, a chyfeiriad at ei Ysbryd. Mewn geiriau eraill, cyfeiriad at y Drindod.

Mewn dyddiau lle mae gorbwyslais yn aml ar un neu'r llall o bersonau'r Duwdod mae bob amser yn iach i ddychwelyd at y tri pherson. Yn wir, y mae'n bwysig i nodi o adnodau cyntaf y Beibl fod tystiolaeth y Gair yn dwyn tystiolaeth i'r Drindod fendigedig. Ar ddechrau ein hastudiaethau rydym am lawenhau wrth gydnabod ein bod yn Gristnogion trindodaidd.

Darllen pellach: Salm 104: 29–31

# Goleuni o Dywyllwch

*A dywedodd Duw, "Bydded goleuni." A bu goleuni.*
Genesis 1:3

R oedd tiriogaeth fechan Israel wedi ei gwasgu rhwng ymerodraethau anferth Babilon i'r gogledd a'r Aifft i'r de ac yn y ddwy wlad roedd rhyw ffurf ar addoli'r haul, y lleuad a'r sêr yn boblogaidd iawn. Yn yr Aifft, er enghraifft, canolbwynt addoliad yr haul oedd On, a'i enw Groegaidd oedd Heliopolis, "dinas yr haul", ychydig o filltiroedd y tu allan i Cairo. Ym Mabilon roedd nifer o astronomegwyr eisoes wedi datblygu ffurf fanwl iawn o fesur symudiadau'r pum planed roedden nhw'n ymwybodol ohonyn nhw ac wedi dechrau ar y gwaith o fapio'r sêr.

Nid yw'n syndod felly fod llawer o Israeliaid, yn arbennig eu harweinwyr, wedi eu halogi eisoes gan y cwltiau gwahanol oedd yn eu hamgylchynu. Roedd yn peri braw i Eseciel i weld pump ar hugain o ddynion "[â'u] cefnau at deml yr ARGLWYDD, a'u hwynebau tua'r dwyrain, ac yr oeddent yn ymgrymu i'r haul yn y dwyrain" (Eseciel 8: 16). Mae Jeremeia hefyd yn condemnio arweinwyr y genedl am eu bod yn addoli "yr haul a'r lleuad a holl lu'r nefoedd" (Jeremeia 8: 2).

Fe ddylid darllen yr adnodau hyn yn Genesis 1 ar gefnlen yr eilunaddoliaeth yma. Roedd yr Eifftiaid a'r Babiloniaid yn addoli'r haul, y lleuad a'r sêr. Mae awdur Genesis yn mynnu nad duwiau mohonynt i'w haddoli ond yn hytrach yn greadigaeth yr un gwir Dduw.

Fe addawodd Duw i Abraham ddisgynyddion niferus "fel sêr y nefoedd ac fel y tywod ar lan y môr" (Genesis 22: 17). Y peth rhyfeddol yw fod ein gwybodaeth ni am ryw gan biliwn o sêr, a hynny ddim ond yn ein bydysawd ni, ac am y biliynau o fydysawdau, y mae eu pellter y tu hwnt i'n dirnadaeth, yn cadarnhau gwirionedd y disgrifiad o'r cyfan fel tywod a sêr.

Mae'r apostol Paul yn cymryd cyhoeddiad urddasol Duw, "Bydded goleuni", yn fodel o'r hyn sydd yn digwydd yn y greadigaeth newydd. Mae'n cyffelybu'r galon sydd heb ei haileni i'r anhrefn oedd yn bodoli cyn i oleuni ddod, a'r enedigaeth newydd i'r cyhoeddiad, "Bydded goleuni". Dyma'n wir oedd ei brofiad personol. "Oherwydd y Duw a ddywedodd, 'Llewyrched goleuni o'r tywyllwch', a lewyrchodd yn ein calonnau i roi i ni oleuni'r wybodaeth am ogoniant Duw yn wyneb Iesu Grist" (2 Corinthiaid 4: 6).

Darllen pellach: 2 Corinthiaid 4: 3–6

# Sobreiddiwch y Naratif yn Genesis

*Yna dywedodd Duw, "Bydded..." A bu
felly ... A gwelodd Duw fod hyn yn dda.*
Genesis 1:6, 9–10

Fe honnir yn aml fod tebygrwydd nodedig rhwng mythau creu'r Dwyrain Canol Agos (yn arbennig felly fyth fyth Babilon a adnabyddir fel "Enuma Elish") a'r adroddiad Beiblaidd yn Genesis 1. Ond yr hyn sy'n rhyfeddol o edrych ar yr adroddiad Babilonaidd a'r hanesion yn y Beibl yw, nid yr hyn sydd yn debyg, ond yr hyn sydd yn annhebyg. Nid ailadrodd adroddiad Babilon mae Genesis 1, ond beirniadu a herio diwinyddiaeth yr adroddiad hwnnw. Yn y mythau o du Babilon ac eraill mae'r duwiau, sydd yn anfoesol, yn ymladd ac yn dadlau gyda'i gilydd. Mae Mardiwc, y duw pennaf, yn ymosod ar Tiamat, y fam-dduw, ac yn ei lladd. Yna mae'n mynd ymlaen i rannu ei chorff, hanner ei chorff yn dod i fod yr hyn a adwaenwn fel yr awyr a'r hanner arall, y ddaear. Mae'n braf iawn i fedru troi o'r amldduwiaeth hon at yr undduwiaeth foesol sydd yn Genesis 1 lle mae'r greadigaeth i gyd yn cael ei phriodoli i orchymyn yr un gwir a bywiol Dduw, sy'n sanctaidd ac yn gyfiawn.

Yn ôl llyfr y Datguddiad, mae holl addoliad y nefoedd yn ffocysu ar y Creawdwr.

Teilwng wyt ti, ein Harglwydd a'n Duw,
i dderbyn y gogoniant a'r anrhydedd a'r gallu,
oherwydd tydi a greodd bob peth,
a thrwy dy ewyllys y daethant i fod ac y crewyd hwy.

Datguddiad 4: 11

Bydd gwyddonwyr yn parhau i archwilio dechreuadau, natur a datblygiad y bydysawd. Ond yn ddiwinyddol mae'n ddigon i ni wybod fod Duw wedi creu pob peth yn ôl ei ewyllys ac mae hyn yn cael ei fynegi yn ei air syml ac urddasol. Oherwydd dyma gytgan Genesis 1: "Creodd Duw ...". Ymhellach, wrth i Dduw edrych a gweld yr hyn yr oedd wedi ei greu, mae'n cyhoeddi, "a gwelodd mai da oedd". Mae angen i ni felly lawenhau ymhob agwedd o weithgarwch Duw, ymhob peth y mae wedi ei greu – prun ai bwyd a diod; priodas a theulu; celf a cherddoriaeth; adar, anifeiliaid, glöynnod byw a llawer o bethau eraill ar ben hynny.

Oherwydd y mae pob peth a greodd Duw yn dda, ac ni ddylid gwrthod dim yr ydym yn ei dderbyn â diolch iddo ef ...

1 Timotheus 4: 4

Darllen pellach: Jeremeia 10: 12–16

# Delw Duw

*Felly creodd Duw ddyn ar ei ddelw ei hun;*
*ar ddelw Duw y creodd ef.*
Genesis 1:27

Uchafbwynt gwaith creadigol Duw oedd ymddangosiad pobl, a'r ffordd y mae Genesis yn mynegi'r uchafbwynt hwn yw trwy eu disgrifio fel rhai oedd wedi eu creu ar ddelw Duw. Ond nid yw ysgolheigion yn cytuno yn gyfan gwbl ar beth yw ystyr delw Duw mewn pobl. Mae rhai yn credu mai cynrychiolwyr Duw yw dynoliaeth, yn ymarfer rheolaeth dros ei greadigaeth yn ei le. Mae eraill yn dod i'r casgliad fod delw Duw yn cyfeirio at y berthynas arbennig mae Duw wedi ei sefydlu rhyngddo ef ei hun a ninnau. Ond o edrych ar yr ymadrodd yn ei gyd-destun yn Genesis ac yna yn y cyd-destun Beiblaidd yn gyffredinol, mae'n ymddangos mai cyfeiriad sydd yma at y rhinweddau a'r galluoedd hynny sydd yn peri ein bod yn wahanol iawn i'r anifeiliaid eraill ac yn debyg i Dduw. Beth yw'r rhain?

Yn gyntaf, fel pobl rydym yn medru rhesymu ac fe berthyn i ni hunanymwybyddiaeth. Yn ail, rydym yn foesol. Mae inni gydwybod sydd yn ein cymell i wneud yr hyn a dybiwn sy'n iawn. Yn drydydd, rydym yn greadigol fel ein Creawdwr, yn medru gwerthfawrogi'r hyn sydd yn hardd i'r glust ac i'r llygad. Yn bedwerydd rydym yn gymdeithasol. Rydym yn medru sefydlu gyda'n gilydd y berthynas sydd yn real a pherthynas o gariad. Oherwydd cariad yw Duw a thrwy ein gwneud ar ei ddelw ei hun, mae wedi rhoi i ni'r gallu i'w garu ef ac eraill. Yn bumed, mae inni allu ysbrydol sydd yn peri ein bod yn newynu am gwmni Duw. Yn hyn, rydym yn gwbl unigryw yn ein gallu i feddwl a dewis, i greu, caru ac addoli.

Yn anffodus, er hynny, rhaid ychwanegu bod delw Duw ynom ni wedi ei chwalu, i'r fath raddau fel bod pob rhan o'n dynoliaeth wedi ei halogi gan yr awydd i roi'r hunan yn y canol. Eto, er bod y ddelw wedi ei chwalu, nid yw wedi ei dinistrio'n llwyr. I'r gwrthwyneb yn wir. Mae'r Hen Destament a'r Testament Newydd yn cadarnhau bod pobl yn parhau i ddal delw Duw ynddyn nhw, ac am y rheswm hwn dylem barchu'r ddynoliaeth. Mae santeiddrwydd bywyd pobl yn deillio o'r gwerth sydd yn perthyn i'r ffaith ein bod yn cario'r ddelw. Mae'r ddynoliaeth yn debyg i Dduw. Mae'n haeddu ei charu a'i gwasanaethu.

Darllen pellach: Iago 3: 7–12

# Rhywioldeb y Ddynoliaeth

*Felly creodd Duw ddyn ar ei ddelw ei hun ...*
*Yn wryw ac yn fenyw y creodd hwy.*
Genesis 1:27

Mae'r ffaith fod y Beibl o'r bennod gyntaf yn cadarnhau mai heterorywoliaeth yw pwrpas Duw yn ei greadigaeth, yn cael ei amlygu fel gwirionedd hardd iawn. Mae dynion a merched yn gyfartal o ran urddas a gwerth gerbron Duw eu Creawdwr; gan fod y ddau wedi eu creu ar ei ddelw a'r ddau wedi eu bendithio â'r gorchymyn i fod yn ffrwythlon, i ddarostwng y ddaear ac i ofalu am y creaduriaid. Felly, mae gwŷr a gwragedd yn cludo'r ddelw yn gyfartal ac yn dal yr un cydraddoldeb gyda golwg ar stiwardiaeth o'r ddaear. Does dim a ddywedir yn ddiweddarach (e.e. yn Genesis 2) yn tanseilio, heb sôn am wrth-ddweud, y cydraddoldeb cynhenid hwn sy'n perthyn i'r ddau ryw. Ni all unrhyw ddiwylliant chwalu'r hyn y mae'r creu wedi ei sefydlu. Mae'n wir nad yw cydraddoldeb yn golygu unfathiant. Er bod y ddau ryw yn gyfartal, maent yn wahanol; mae'r cydraddoldeb hwn yn gwbl gyson â'r gwahaniaeth hefyd.

Ac mae angen dweud rhywbeth pellach. Er bod ein hanufudd-dod dynol a'r cwymp yn gyffredinol wedi tarfu ar ein perthynas rywiol, bwriad Duw yw adfer a hyd yn oed ddyfnhau'r berthynas hon drwy'r Efengyl. Oherwydd hyn mae Paul yn medru ysgrifennu at y Cristnogion yn Galatia, "Nid oes rhagor rhwng Iddewon a Groegiaid, rhwng caeth a rhydd, rhwng gwryw a benyw, oherwydd un person ydych chwi oll yng Nghrist Iesu" (Galatiaid 3: 28).

Nid yw hyn yn golygu bod gwahaniaethau cymdeithasol, rhywiol ac ethnig yn cael eu dileu gan Grist. Na, mae dynion yn parhau i fod yn ddynion, merched yn parhau i fod yn ferched. Ond yng Nghrist, wrth inni ddod i berthynas bersonol ag ef, nid yw ein gwahaniaethau rhywiol yn amharu dim ar ein cymdeithas gyda Duw na chyda'n gilydd, oherwydd rydym yn parhau i fod yn gydradd o'i flaen ef, wedi ein cyfiawnhau drwy ffydd, yn cael profi'r Ysbryd Glân yn byw ynom ni, a hynny mewn modd sydd yn gwbl gydradd.

Fe ddylai gwŷr a gwragedd yn y gymuned Gristnogol anrhydeddu a gwerthfawrogi ei gilydd yn fwy na mewn unrhyw gymdeithas arall. Rydym yn cydnabod ein statws. Fe'n gwnaed yn gydradd yn y creu a hyd yn oed yn fwy cydradd (os oes y fath beth â graddau mewn cydraddoldeb!) drwy brynedigaeth.

Darllen pellach: Genesis 2: 18–25

# Y Saboth er mwyn Gorffwys

*... gorffwysodd Duw oddi wrth ei holl waith yn creu.*
Genesis 2:3

Beth sydd yn meddu coron gwaith Duw yn y creu? Nid creu dyn ond darparu'r Saboth, nid comisiynu dyn i feddiannu ei offer ac i weithio am chwe diwrnod ond ei gomisiwn i'w gosod i lawr ac addoli ar y seithfed dydd. Nid creu *homo faber* (dyn y gweithiwr) oedd unig gynllun Duw ond creu *homo adorans* (dyn yr addolwr). Mae'r ddynoliaeth i'w gweld ar ei gorau pan fydd yn addoli Duw.

Mae'r pwrpas dwyfol hwn wedi ei gadarnhau ymhellach yn y Deg Gorchymyn, ac yn ôl y pedwerydd gorchmyn, "Cofia'r dydd Saboth, i'w gadw'n gysegredig" (Exodus 20: 8), hynny yw, gosod y diwrnod ar wahân i ddiwrnodau eraill ar gyfer gorffwys ac addoliad. Roedd Duw yn gwybod yn iawn beth yr oedd yn ei wneud wrth ddarparu gorffwys ar gyfer meddwl a chorff. Bu llawer ymdrech dros y blynyddoedd i geisio newid y rhythm dwyfol yma o un diwrnod mewn saith. Cyflwynodd y rhai oedd yn gyfrifol am y Chwyldro Ffrengig galendr chwyldroadol gydag wythnos oedd yn para deg diwrnod. Ond yn 1805 adferodd Napoleon wythnos o saith diwrnod. Yna yn ddiweddarach penderfynodd arweinwyr y chwyldro yn Rwsia droi'r Sul yn ddiwrnod gwaith ond ni pharhaodd hyn yn hir. Adferodd Stalin ddydd Sul fel diwrnod o orffwys. Duw a ŵyr orau.

Ac yna'n ail, mae un diwrnod mewn saith wedi ei fwriadu ar gyfer addoliad. Er bod rhai Cristnogion yn mynnu cadw'r seithfed diwrnod fel y Saboth, mae'n debyg fod yr addolwyr cynnar yn credu y dylid defnyddio'r diwrnod cyntaf i ddathlu atgyfodiad Iesu Grist a bod pwysigrwydd yn perthyn, nid i ba ddiwrnod, ond yn hytrach i'r rhythm un-diwrnod-mewn-saith (Ioan 20: 19, 26; Actau 20: 7).

Roedd Iesu ei hunan yn cadw'r Saboth ac yn dysgu ei ddisgyblion i wneud yr un modd. Ond fe sefydlodd Iesu egwyddor bwysig iawn: "Y Saboth a wnaethpwyd er mwyn dyn, ac nid dyn er mwyn y Saboth" (Marc 2: 27). Nid yw cadw'r Sul i fod yn faich ac yn llyffethair ond yn hytrach i fod yn ddathliad wythnosol lle rydym yn gwneud amser i orffwys, i addoli ac (fe ddylem ychwanegu) i'r teulu.

Darllen pellach: Deuteronomium 5: 12–15

# Wythnos 2: Sefydlu Gwaith a Phriodas

Yn rhagluniaeth dda Duw fe gyflwynir i ni ddau adroddiad o waith y creu ac mae'r ddau yn priodi yn hapus â'i gilydd. Ffocws y ddau yw creu dynoliaeth. Eto mae gwahaniaethau sylweddol. Yn Genesis 1 enwir y creawdwr, "Duw", fel yr un sy'n cynnal y greadigaeth i gyd ond yn Genesis 2 fe roddir i Dduw ei enw cyfamodol, "yr Arglwydd Dduw", sydd yn mwynhau cymdeithas agos a phersonol gyda'i bobl. Yn benodol, gosodir yn Genesis 2 ddwy garreg sylfaen ar gyfer bywyd dynoliaeth ar y ddaear, yn benodol gwaith a phriodas. Mae'r ddau beth yn cael eu gweld fel darpariaeth gariadlon Iawe.

**Dydd Sul:** Cadw'r Sul yn Arbennig
**Dydd Llun:** Cydweithio â Duw
**Dydd Mawrth:** Gofalu am y Greadigaeth
**Dydd Mercher:** Gwir Ryddid
**Dydd Iau:** Dyn yn Wryw ac yn Fenyw
**Dydd Gwener:** Creu Efa
**Dydd Sadwrn:** Y Diffiniad Beiblaidd o Briodas

# Cadw'r Sul yn Arbennig

*Am hynny bendithiodd Duw y seithfed dydd a'i sancteiddio.*
Genesis 2:3

Beth a olygir gan y gosodiad fod Duw wedi "bendithio" y seithfed dydd gan ei sancteiddio neu ei "wneud yn sanctaidd"? Mae'n amlwg nad yw'r diwrnod ei hunan wedi profi unrhyw newid cynhenid ond mae ei ddefnydd wedi newid. Y mae Duw wedi ei osod ar wahân i'r chwe diwrnod arall yn yr wythnos i bwrpas arbennig.

Yn 1985 lansiwyd ymdrech arbennig yn y Deyrnas Unedig a alwyd yn "Cadwch y Sul yn Arbennig". Pwyslais yr ymdrech hon oedd yr angen i ddiogelu'r gweithlu rhag gorfod gweithio ar ddydd Sul ar wahân i swyddi angenrheidiol. Ar yr un pryd gwnaed ymdrech i geisio diogelu cadw'r Sul ar gyfer gorffwys a hamdden, addoliad a theulu. Bu bron iddi lwyddo. Bellach mae'r ffocws ar geisio sicrhau bod pawb yn cael hamdden gyson "y gallant ei rhannu gydag eraill".

Doedd gan yr ymdrech hon ddim byd yn gyffredin â math o eilunaddoliaeth o'r Saboth. Yn ôl y rabiniaid yn nyddiau Iesu Grist roedd cyfraith cadw'r Saboth yn cynnwys mwy na phymtheg cant o reoliadau gwahanol. Doedd gan Iesu ddim cydymdeimlad â hyn o gwbl. Drwy gyhoeddi mai ef oedd Arglwydd y Saboth mae'n golygu bod ganddo ef yr awdurdod i roi dehongliad cywir o'r pedwerydd gorchymyn. Roedd bob amser yn iawn i wneud daioni ar y dydd Saboth yn ôl Iesu. Mi fyddai wedi cytuno'n llwyr â'r teimladau a fynegir yn Eseia 58: 13–14:

> "Os peidi â sathru'r Saboth dan draed, a pheidio â cheisio dy les dy hun ar fy nydd sanctaidd, ond galw'r Saboth yn hyfrydwch, a dydd sanctaidd yr ARGLWYDD yn ogoneddus; os anrhydeddi ef, trwy beidio â theithio, na cheisio dy les na thrafod dy faterion dy hun; yna cei foddhad yn yr ARGLWYDD. Cei farchogaeth ar uchelfannau'r ddaear, a phorthaf di ag etifeddiaeth dy dad Jacob."

Darllen pellach: Marc 2: 23–28

# Cydweithio â Duw

*Cymerodd yr ARGLWYDD Dduw y dyn a'i osod yng*
*ngardd Eden, i'w thrin a'i chadw.*
Genesis 2:15

Ambell waith fe glywir pobl yn cwyno am eu teimladau ar fore dydd Llun. Mae'n brofiad dynol cyffredin. Ond ar ôl mwynhau'r gorffwys a'r addoliad y mae'r Sul yn eu caniatáu, fe ddylem fod yn awyddus i ddechrau gweithio ar y Llun. Fe ddylem gyhoeddi gyda'r awdur Mark Greene, Diolch, Dduw, mae'n ddydd Llun!

Yr hyn sydd ei angen arnom ni yw athroniaeth gywir o waith. Mae gormod o Gristnogion yn gweld eu gwaith fel rhyw orfodaeth angenrheidiol gan ein bod yn gorfod ennill bywoliaeth mewn rhyw ffordd neu'i gilydd. O'i gymharu â hyn, credaf y dylem weld Adda, a oedd yn rhyw fath o ffermwr, yn mynd i'w waith bob dydd yn yr ardd gyda brwdfrydedd ac egni. Oherwydd fe roddodd Duw'r dyn a wnaeth yn yr ardd er mwyn gweithio a gofalu amdani. Mae Duw yn ei ddarostwng ei hun i'r graddau ei fod yn cyhoeddi bod angen cydweithrediad Adda arno ef. Wrth, gwrs, byddai wedi medru cyflawni'r gwaith i gyd ei hunan. Wedi'r cyfan, Duw blannodd yr ardd. Mae hyn yn awgrymu efallai y gallai ei rheoli hefyd, ond mae'n dewis peidio gwneud hynny. Mae yna hanesyn am arddwr yn Llundain oedd yn dangos ei forderi hardd, oedd bellach yn eu blodau, i offeiriad eglwysig. Dyma'r offeiriad yn torri allan i ganmol Duw ac ymhen hir a hwyr roedd y garddwr wedi diflasu nad oedd yr offeiriad yn barod i gydnabod ei waith ef yn yr ardd. "Fe ddylet fod wedi gweld yr ardd yma," meddai, "pan adawyd hi i Dduw ei hunan!" Roedd ei ddiwinyddiaeth yn berffaith gywir. Heb y gweithiwr dynol, mi fyddai'r ardd yn anialwch.

Mae angen i ni, felly, fedru gwahaniaethu'n benodol rhwng natur a diwylliant. Natur yw'r hyn mae Duw yn ei roi inni; diwylliant yw'r hyn a wnawn o rodd Duw (h.y. amaethyddiaeth a.y.b.). Natur yw'r deunydd crai, diwylliant yw'r deunydd crai hwn yn cael ei baratoi ar gyfer y farchnad. Natur yw creadigaeth y dwyfol; diwylliant yw'r hyn rydym ni yn ei gynhyrchu. Mae Duw yn ein gwahodd ni i rannu yn ei waith ef. Yn wir, mae'n gwaith ni yn dod yn fraint wrth i ni weld y gwaith fel ymdrech i gydweithio â Duw.

Darllen pellach: Genesis 2: 7–9, 15

# Gofalu am y Greadigaeth

*Dywedodd Duw, "Gwnawn ddyn ar ein delw, yn ôl ein llun ni, i*
*lywodraethu ... ar yr holl ddaear ... Bendithiodd Duw hwy a dweud,*
*"Byddwch ffrwythlon ac amlhewch, llanwch y ddaear a darostyngwch hi."*
Genesis 1:26, 28

Ym mis Mawrth 2005 fe gyhoeddwyd canlyniadau Asesiadau Ecosystem y Mileniwm. Roedd hyn yn ymchwil fanwl a gwyddonol i'r hyn sydd yn angenrheidiol er lles pobl ar y blaned hon. Yn ôl yr adroddiad rydym yn byw ymhell y tu hwnt i'n modd, gan ddefnyddio, hysbyddu a halogi'r cyfalaf naturiol sydd am gynnal ein bodolaeth. Dylai Cristnogion fod yn amlwg iawn yn y frwydr dros ddiogelu'r greadigaeth, oherwydd fe gredwn ni fod Duw wedi ein galw i ofalu am y greadigaeth honno. Mae rhai pobl yn naturiol yn ein beio ni nid yn unig am beidio darganfod atebion i'r argyfwng yn y greadigaeth ar hyn o bryd, ond hefyd am achosi'r argyfwng hwnnw ar ryw ystyr. Mae un beirniad wedi cymryd yr hyn y mae'n ei alw yn dair brawddeg ofnadwy yn Genesis 1 fel rheswm dros hyn. Mae'n cyfeirio at y datganiad fod Duw wedi rhoi i ddynoliaeth y comisiwn i reoli a darostwng y ddaear.

Mae'n berffaith wir fod y gyntaf o'r ddwy ferf yma yn yr Hebraeg yn medru golygu "gwasgu" neu "sefyll ar ben", a bod yr ail yn cael ei defnyddio am ddod â phobl i gael eu darostwng. Oedd yr awdur hwn yn iawn felly yn ei gyhuddiad? Nac oedd, heb amheuaeth. Mae'n elfen hanfodol yn ein dehongliad o'r Beibl fod y cyd-destun yn rheoli ystyr y testun. Rhaid i ni nodi felly fod yr arglwyddiaeth mae Duw wedi ei rhoi i ni yn un gyfrifol ac mai stiwardiaid ydym. Nid yw'n gwneud unrhyw fath o synnwyr fod y Duw sydd wedi rhoi i ni'r ddaear yn gyntaf fel rhywbeth a greodd, yn awr yn ei gosod yn ein dwylo ni er mwyn i ni ei dinistrio. Gofal am y greadigaeth nid ei hecsploetio yw'r alwad sydd wedi ei rhoi i'r Cristion.

Darllen pellach: Genesis 1: 26–31

# Gwir Ryddid

*Rhoddodd yr ARGLWYDD Dduw orchymyn i'r dyn, a dweud, "Cei fwyta'n rhydd o bob coeden yn yr ardd, ond ni chei fwyta o bren gwybodaeth da a drwg, oherwydd y dydd y bwytei ohono ef, byddi'n sicr o farw."*
### Genesis 2:16–17

Mae Duw yn rhoi i Adda ddau orchymyn syml a chlir – un positif a'r llall yn negyddol. Mae'r gorchymyn cyntaf yn ganiatâd helaeth (gall fwyta o unrhyw goeden yn yr ardd). Mae'r ail yn waharddiad unigol (nid oedd i fwyta o goeden gwybodaeth dda a drwg oedd yng nghanol yr ardd).

Roedd y caniatâd yn golygu bod i ddynoliaeth fynediad diwahardd i holl amrywiaeth y coed yn yr ardd. Roeddent yn hardd i'r golwg, yn dda i'w bwyta, ac yn rhoi i Adda ac Efa fodlonrwydd materol a bodlonrwydd esthetig. Roedd darpariaeth hael Duw hefyd yn golygu mynediad i bren y bywyd oedd yn symbol o gymdeithas barhaus gyda Duw sydd yn fywyd tragwyddol (gweler Ioan 17: 3) ac fe geir rhyw olwg ar hyn mewn datganiad diweddarach fod yr Arglwydd Dduw ei hun wedi cerdded gydag Adda ac Efa yn yr ardd (Genesis 3: 8).

Mae'r pren gwybodaeth dda a drwg y cyfeirir ato yn y gwaharddiad yn cael ei enw nid oherwydd rhyw rinweddau swynol oedd yn perthyn iddo, ond yn hytrach am ei fod yn faen prawf i Adda ac Efa. Wedi eu creu ar lun a delw Duw, roedd iddynt eisoes y gallu i wahaniaethu yn foesol. Os byddent yn anufuddhau i Dduw, byddent hefyd nid yn unig yn medru deall daioni, ond yn profi drygioni.

Dywedai un myfyriwr Ffinnaidd ym Mhrifysgol Helsinki, "Rwy'n dyheu am ryddid, ac rwy'n profi mwy a mwy o ryddid ers i mi gefnu ar Dduw." Nid yw gwir ryddid yn dod o gefnu ar Dduw nac ychwaith o ildio iau Iesu Grist, ond yn hytrach drwy ymddarostwng iddi. Wrth i ni ymatal rhag yr hyn y mae Duw wedi ei wahardd yr ydym yn adnabod gwir ryddid. Mae ufudd-dod yn golygu bywyd, ac anufudd-dod yn golygu marwolaeth.

Darllen pellach: Mathew 11: 28–30

# Dyn yn Wryw ac yn Fenyw

*Dywedodd yr ARGLWYDD Dduw hefyd, "Nid da bod y dyn ar ei ben ei hun; gwnaf iddo ymgeledd cymwys."*
Genesis 2:18

Bydd y darllenydd sylwgar yn cael deffroad sydyn yn Genesis 2: 18. Chwe gwaith yn hanes y creu yn Genesis 1 down ar draws yr ymadrodd, "Gwelodd Duw ei fod yn dda". Ac yna yn adnod 31 y mae'r ymadrodd, "Gwelodd Duw y cyfan a wnaeth ac yr oedd yn dda iawn".

Ond nawr yr ydym am ddarllen am rywbeth nad oedd "ddim yn dda". Sut mae'n bosibl cael rhywbeth sydd "ddim yn dda" yng nghreadigaeth dda Duw? Ateb: nid yw'n dda i ddyn fod ar ei ben ei hun, oherwydd mae dyn heb wraig yn anghyflawn.

Cofiwch, does dim angen trin hwn yn ddatganiad absoliwt, oherwydd mi gredaf fod rhai pobl sy'n cael eu galw i fod ar eu pen eu hunain ac mae Paul yn nodi hyn yn glir yn 1 Corinthiaid 7: 7. Yn ychwanegol, mae Iesu ein Harglwydd, er yn amlwg yn berffaith o ran ei ddyndod, ei hun yn sengl ac mae hyn yn gosod allan yr egwyddor Feiblaidd ei bod hi'n bosibl i fod yn ddynol ac yn sengl ar yr un pryd. Wedi dweud hyn, o ddychwelyd i Genesis 2, yr ydym yn darllen bod Duw wedi bwriadu rhoi partner i Adda oedd yn briodol iddo. Er bod y ddau air Hebraeg sy'n cael eu defnyddio yma yn cael eu cyfieithu mewn amrywiol ffyrdd, mae'r ddau yn cyfuno cysyniadau partneriaeth ac addasrwydd. Nid ydynt yn darparu unrhyw sail i'r ddau eithaf, sef ar y naill law fod dynion i reoli dros wragedd, nac ychwaith ar y llaw arall, ffeministiaeth radical lle mae gwragedd yn hepgor dynion. Nid ydynt chwaith yn caniatáu unrhyw ofod i berthynas wrywgydiol na lesbiaidd.

Byddai'n gamgymeriad, serch hynny, i gyfyngu cymhwysiad Genesis 2: 18 i briodas. Roedd Calfin ymhlith nifer o esbonwyr oedd wedi darganfod arwyddocâd ehangach yr adnod. "Nid yw unigrwydd yn beth da," meddai. Nid yw'n beth da i unrhyw un o'r ddynoliaeth i fod ar ei ben ei hun. Mae Duw wedi ein gwneud yn greaduriaid cymdeithasol. Mae ffrindiau a pherthynas yn rhodd arbennig o law Duw.

Darllen pellach: Genesis 2: 18–25

# Creu Efa

*Yna parodd yr ARGLWYDD Dduw i drymgwsg syrthio ar y dyn, a thra*
*oedd yn cysgu, cymerodd un o'i asennau a chau ei lle â chnawd; ac o'r asen*
*a gymerodd gwnaeth yr ARGLWYDD Dduw wraig, a daeth â hi at y dyn.*
Genesis 2: 21–22

Nid wyf yn siŵr pa mor llythrennol y mae angen i ni ddehongli'r llawdriniaeth ddwyfol o dan anesthetig dwyfol a ddisgrifir yn yr adnodau hyn. Ond mae rhywbeth rhyfeddol a rhywbeth dirgel iawn yn digwydd sydd yn peri bod Adda, wrth weld Efa, yn torri allan i ysgrifennu'r gerdd serch gyntaf (adn. 23):

> "Dyma hi!
> Asgwrn o'm hesgyrn, a chnawd o'm cnawd.
> Gelwir hi yn wraig,
> am mai o ŵr y cymerwyd hi."

Mae'r ffaith ei bod wedi ei chymryd o'i ochr wedi ei gweld gan nifer o esbonwyr fel rhywbeth sydd yn meddu symboliaeth arwyddocaol iawn. Yn ôl Peter Lombard, a ddaeth yn esgob Paris yn 1159, yn ei grynodeb o athrawiaeth Gristnogol, a elwir Llyfr y Brawddegau, "Ni chymerwyd Efa o draed Adda er mwyn bod yn wasanaethferch iddo, ni chymerwyd hi chwaith o'i ben i fod yn arglwydd arno, ond o'i ochr i fod yn bartner iddo." Mae Mathew Henry, a ddechreuodd ar ei esboniad Beiblaidd yn 1704, yn siŵr o fod yn adleisio sylwadau Peter Lombard pan ysgrifennodd, "nad oedd Efa wedi ei gwneud o ben Adda i fod yn ben arno, nac o'i draed i gael ei sathru ganddo, ond o'i ochr i fod yn gydradd ag ef, o dan ei fraich i brofi ei amddiffyniad ac yn agos at ei galon i fod yn gariad iddo."

Mae'n iawn felly, ym mhob cymdeithas bron, fod priodas yn sefydliad cydnabyddedig a rheolaidd. Ond nid dyfais ddynol yw priodas. Mae'r ddysgeidiaeth Gristnogol ar briodas yn dechrau gyda chyhoeddiad llawen mai syniad Duw yw priodas ac nid ein syniad ni. Yn ôl y Rhagarweiniad i'r Gwasanaeth Priodas a gyhoeddwyd ym 1662, mae priodas "wedi ei sefydlu gan Dduw ei hun yn amser diniweidrwydd dyn".

Darllen pellach: Caniad Solomon 2: 14–17

# Y Diffiniad Beiblaidd o Briodas

*Dyna pam y bydd dyn yn gadael ei dad a'i fam, ac yn glynu wrth
ei wraig, a byddant yn un cnawd.*
Genesis 2:24

**M**ae'r fath ymosodiad ar briodas yn y byd gorllewinol heddiw fel ei bod yn beth da iawn inni gael ein hatgoffa o'r sylfaen Beiblaidd drosti. Genesis 2: 24 yw diffiniad y Beibl o briodas, ond mae priodas hyd yn oed yn fwy gwerthfawr gan fod Iesu ei hun yn cydnabod ei gwerth. Mae i'r berthynas bum gwedd arbennig:

1. *Heterorywiol.* Mae'n uno dyn â'i wraig. Ni all perthynas hoyw fyth fod yn ddewis Beiblaidd derbyniol.

2. Mae'n berthynas rhwng un dyn ac un wraig. Er bod amlwreica wedi ei oddef am gyfnodau yn nyddiau'r Hen Destament, un gŵr ac un wraig oedd pwrpas Duw o'r dechreuad.

3. *Ymrwymiad.* Pan fydd dyn yn gadael ei rieni i briodi, rhaid iddo lynu wrth ei wraig, glynu fel glud (yn ôl y disgrifiad yn y Testament Newydd). Caniateir ysgariad mewn un neu ddwy o sefyllfaoedd penodol ond mae Iesu yn mynnu nad fel hyn oedd hi o'r dechreuad. Yn yr un modd yr hyn sydd yn eisiau o berthynas lle mae pobl yn cyd-fyw yw'r elfen o ymrwymiad sydd yn sylfaenol i briodas.

4. *Cyhoeddus.* Cyn glynu mewn priodas dylid "gadael" rhieni ac mae'r gadael hwn yn ddigwyddiad cyhoeddus cymdeithasol. Mae gan deulu, ffrindiau a chymdeithas yr hawl i wybod beth sydd yn digwydd.

5. *Corfforol.* "Byddant yn un cnawd." Ar un llaw, priodas heterorywiol yw'r unig gyd-destun y mae Duw yn ei ganiatáu ar gyfer undeb rhywiol a chenhedlu plant, ac ar y llaw arall, mae undeb rhywiol yn rhan mor annatod o briodas fel bod peidio â chaniatáu hyn, mewn sawl cymdeithas, yn sail i ddiddymu'r briodas honno. Yn sicr, doedd gan Adda ac Efa ddim teimladau o embaras gyda golwg ar ryw (Gen 2: 25).

Felly, yn unol â phwrpas Duw wrth ei sefydlu, mae priodas yn heterorywiol, yn cael ei chyfyngu i un gŵr ac un wraig ac yn golygu ymrwymiad cariadus ar hyd ein bywyd i'n gilydd sydd yn cael ei gyhoeddi wrth i ni adael ein rhieni, perthynas sydd yn cael ei selio wrth i ni fwynhau perthynas rywiol.

Darllen pellach: Effesiaid 5: 21–33

# Wythnos 3: Y Cwymp

Chwalwyd cariad, llawenydd a heddwch y gwynfyd gan anufudd-dod dynol neu'r hyn a elwir "y cwymp".

Ond onid yw hanes Adda ac Efa yn fyth, yn ddameg sydd yn ddiwinyddol ond ddim yn hanesyddol? Mae llawer yn dweud hyn ond dydw i ddim yn cytuno. Mae'n wir i ddweud bod sarff sydd yn siarad, a'r coed sy'n cael eu henwi yn yr ardd yn ymddangos fel myth, oherwydd maen nhw'n ailymddangos yn yr Ysgrythur mewn modd symbolaidd. Am fwy o wybodaeth am bren y bywyd gweler Datguddiad 2: 7; 22: 2, 14, ac am y sarff gweler Datguddiad 12: 7; 20: 2.

Ond mae'r Apostol Paul yn cynnal yn blaen ac yn glir realiti hanesyddol Adda. Mae'n tynnu paralel gofalus rhwng Adda a Christ. Ei ddadl yw, gan fod pechod a marwolaeth wedi dod i mewn i'r byd trwy anufudd-dod yr un dyn Adda, felly hefyd mae iachawdwriaeth a bywyd wedi dod yn bosibl i ni trwy ufudd-dod yr un dyn, Iesu Grist (Rhufeiniaid 5: 12–21). Gwan iawn fyddai ei ddadl petai anufudd-dod Adda ddim mor hanesyddol ag ufudd-dod Iesu Grist.

**Dydd Sul:** Gwadu Geirwiredd Duw
**Dydd Llun:** Gwadu Daioni Duw
**Dydd Mawrth:** Gwadu'r Duw sydd ar wahân
**Dydd Mercher:** Gwarth a Bai
**Dydd Iau:** Amharu ar Berthynas
**Dydd Gwener:** Golwg ar Ras
**Dydd Sadwrn:** Gras Arbennig a Gras Cyffredinol

# Gwadu Geirwiredd Duw

*Yr oedd y sarff yn fwy cyfrwys na'r holl fwystfilod gwyllt a wnaed gan*
*yr ARGLWYDD Dduw. A dywedodd wrth y wraig, "A yw Duw yn wir wedi dweud,*
*'Ni chewch fwyta o'r un o goed yr ardd'?"*

Genesis 3:1

Cofiwn fod Duw wedi rhoi i Adda ac Efa dri chyfarwyddyd – yr hawl i fwyta'n rhydd o bob pren yn yr ardd, gwaharddiad rhag bwyta o ffrwyth un pren a'r gosb am anufudd-dod. Roedd y ddau yn gwybod yn union beth oedd Duw wedi ei ganiatáu, beth oedd Duw ddim yn ei ganiatáu a hefyd beth fyddai canlyniadau anufudd-dod i orchymyn Duw. Nawr mae'n rhaid inni ystyried sut y bu i'r sarff, ac yntau'n fwy cyfrwys na phob un o greaduriaid eraill Duw, droi'r gorchymyn hwn yn demtasiwn. Mae'r diafol yn parhau i fod yr un mor gyfrwys ac yn defnyddio'r un tactegau.

Heddiw, rydym am fyfyrio ar y ffaith fod y diafol wedi gwadu geirwiredd Duw. Dywedodd Duw, "oherwydd y dydd y bwytei ohono ef, byddi'n sicr o farw" (2: 17), ond dywedodd y diafol, "Na! ni fyddwch farw" (3: 4). Wynebai Efa wrth-ddweud. Ni allai'r ddau fod yn gywir; rhaid bod un ohonynt yn dweud celwydd. Pa un? Gwae! Fe gredodd hi gelwydd y diafol ac amau geirwiredd Duw.

Ond roedd Duw yn dweud y gwir. Ar y naill law, bu farw Adda ac Efa yn ysbrydol. Cyn iddynt bechu roeddynt yn cael bwyta'n rhydd o bren y bywyd, ond bellach bu iddynt golli'r hawl hwn a'r fynedfa arbennig hon, ac fe rwystrwyd y ffordd at y pren (adn. 22–24). Ar y llaw arall, daeth eu cyrff yn feidrol. Dywedodd Duw wrth Adda, "Llwch wyt ti ..." (adn. 19). Mae tystiolaeth ffosiliau yn dangos yn glir fod marwolaeth wedi bodoli mewn planhigion ac ym myd yr anifeiliaid o'r dechrau ond mae'n ymddangos bod gan Dduw fwriad mwy anrhydeddus i'r rhai a wnaed ar ei lun ac ar ei ddelw – bwriad mwy anrhydeddus na'r meidroldeb a'r darfod yr ydym ni'n ei alw yn farwolaeth. Efallai mai'r bwriad oedd iddynt gael eu symud fel Enoch ac Eleias heb brofi marwolaeth.

Mae'r diafol yn parhau i wadu rhybuddion Duw am y farn ac am realiti ofnadwy uffern i'r rhai sydd yn gwrthod edifarhau. Rydym yn parhau i glywed y diafol yn sibrwd, "Wnewch chi ddim marw". Ond proffwydi gau sydd yn dweud "Heddwch", pan nad oes dim heddwch (e.e. Eseciel 13: 10). Ac fel y dywedodd Iesu, mae'r diafol yn "awdur celwydd ac yn dad pob celwydd" (Ioan 8: 44).

Darllen pellach: Ioan 8: 42–44

# Gwadu Daioni Duw

*A dywedodd wrth y wraig, "A yw Duw yn wir wedi dweud, 'Ni chewch fwyta o'r un o goed yr ardd'?" Dywedodd y wraig wrth y sarff, "Cawn fwyta o ffrwyth coed yr ardd, ond am ffrwyth y goeden sydd yng nghanol yr ardd dywedodd Duw, 'Peidiwch â bwyta ohono, na chyffwrdd ag ef, rhag ichwi farw.'" Ond dywedodd y sarff wrth y wraig, "Na! ni fyddwch farw; ond fe ŵyr Duw yr agorir eich llygaid y dydd y bwytewch ohono, a byddwch fel Duw yn gwybod da a drwg."*

Genesis 3:1–5

Yr ail elfen yng nghyfrwystra'r diafol oedd iddo wadu daioni Duw. Nid yn unig ni fyddai anufudd-dod yn dwyn ei gosb ("ni fyddwch farw"), ond byddai yn dwyn bendith bositif ("bydd eich llygaid yn cael eu hagor"). Ymhellach, roedd Duw yn gwybod hyn, ac yn ôl awgrym y diafol dyna pam y bu iddo wahardd rhag bwyta ffrwyth y pren. Mae'n fwriadol yn dal yr wybodaeth yn ôl oddi wrthym, gwybodaeth y byddem yn ei meddiannu petaem yn bwyta. Nid ceisio eich daioni y mae Duw ond gwadu bendith i chi.

Yn y cyfarwyddyd gwreiddiol ynglŷn â ffrwyth yr ardd, roedd Duw wedi bod yn glir ac yn gryno. Roedd wedi gwahaniaethu yn glir rhwng yr hyn a ganiateid (beth oedd yn perthyn i'w rhyddid) a'r hyn na chaniateid (beth oedd yn perthyn i'r cyfyngiad ar y rhyddid hwnnw). Yn hyn mae'r diafol yn gyfleus iawn yn anwybyddu'r digon yr oedd Duw wedi ei ddarparu ar gyfer Adda ac Efa i fwyta'n rhydd. Oherwydd daioni Duw doedd eisiau dim arnyn nhw. Ond mae'r diafol yn gwyrdroi hyn. Mae'n gwneud yr hyn oedd yn cael ei ganiatáu i ymddangos yn annigonol a'r hyn na chaniateid i fod yr un peth yr oedden nhw'n ei ddymuno.

Eto fyth heddiw, un o'r ffyrdd y mae'r diafol yn gweithio ym mywyd pobl yw peri i'r pethau y mae Duw yn eu caniatáu ymddangos yn annigonol a'r pethau a waherddir ymddangos fel y pethau mwyaf dymunol. Mae'n darlunio Duw fel un blin sy'n gwrthod rhoi i ni'r hyn sydd dda.

Rhaid i ni wrth y ddirnadaeth i "brofi popeth", "i ddal gafael yn yr hyn sydd dda" ac "i osgoi pob math o ddrygioni" (1 Thesaloniaid 5: 21–22). Mae arnom angen y sicrwydd fod "Duw a'i ffyrdd yn berffaith" (Salm 18: 30).

Darllen pellach: 1 Ioan 2: 15–17

# Gwadu'r Duw sydd ar wahân

*"... fe ŵyr Duw yr agorir eich llygaid y dydd y bwytewch ohono, a byddwch fel Duw yn gwybod da a drwg." A phan ddeallodd y wraig fod y pren yn dda i fwyta ohono, a'i fod yn deg i'r golwg ac yn bren i'w ddymuno i beri doethineb, cymerodd o'i ffrwyth a'i fwyta, a'i roi hefyd i'w gŵr oedd gyda hi, a bwytaodd yntau.*
Genesis 3:5–6

Un o dactegau'r diafol oedd gwadu bod Duw ar wahân. Yr oedd wedi dweud wrth y wraig, "fe ŵyr Duw yr agorir eich llygaid y dydd y bwytewch ohono, a byddwch fel Duw yn gwybod da a drwg" (adn. 5).

Temtiodd Efa gyda'r posibilrwydd o ddod fel Duw. Yn yr awgrym diafolaidd hwn mae hanfod pechod yn cael ei ddadorchuddio i ni. Roedd Adda ac Efa eisoes wedi eu creu fel Duw, ac eisoes, yn eu hanfod felly, yn adlewyrchu'r hyn oedd Duw, yn gwneud hynny ym mhob ffordd yr oedd Duw wedi ei bwriadu – yn eu gallu i feddwl yn rhesymegol, i weithredu yn foesol, i ymarfer bywyd cymdeithasol, ac i adnabod yr ysbrydol.

Yn hanfodol roedd Adda ac Efa yn wahanol i Dduw ac fel yr anifeiliaid, roeddent yn gwbl ddibynnol arno ef. Mae Duw yn hunanddibynnol. Mae'n dibynnu arno'i hun i ateb ei holl anghenion. Mae pob creadur arall, gan gynnwys pobl, yn dibynnu arno fel eu Creawdwr a'u Cynhaliwr. Yn wyneb y cefndir hwn mae Adda ac Efa yn gwrthryfela. Pam ddylent barhau yn eu cyflwr gwarthus o ddibyniaeth, o fod o dan law Duw? Pam na ddylent wneud ymdrech am annibyniaeth a dod yn gyfartal â Duw? Ni fyddent yn marw; byddent yn dod fel Duw ei hun.

Mae llawer adlais o'r annibyniaeth falch hon yn cael ei glywed yn ein dyddiau ni. Fe ddywedir wrthym fod dyn bellach wedi "dod i'w oed". Nid oes angen Duw arno mwyach. Gall ddysgu byw heb Dduw. Yn wir, gall ef ei hun fod fel Duw.

Ond dyma natur hanfodol pechod. Amharodrwydd i ganiatáu i Dduw fod yn Dduw yw pechod, gwrthod cydnabod ei fod ef yn wahanol, a gwrthod cydnabod ein dibyniaeth barhaus arno. Mae pechod yn wrthryfel yn erbyn awdurdod unigryw Duw; mae'n ymdrech i ddwyfoli'r hunan.

Darllen pellach: Eseia 14: 3, 11–15

# Gwarth a Bai

*Yna agorwyd eu llygaid hwy ill dau i wybod eu bod yn noeth, a gwnïasant ddail*
*ffigysbren i wneud ffedogau iddynt eu hunain.*
Genesis 3:7

Mae gwarth a bai yn ddau ganlyniad uniongyrchol i gwymp Adda ac Efa. Yn gyntaf, gwarth. O ganlyniad i'w hanufudd-dod wrth fwyta ffrwyth gwaharddedig, "agorwyd llygaid y ddau ohonynt", nid, wrth gwrs, lygaid eu cyrff ond llygaid eu cydwybod. Bellach maent yn gweld yn glir ddrygioni a ffolineb eu gwrthryfel yn erbyn Duw. Ymhellach, mae eu noethni corfforol, rhywbeth nad oedd gynt yn "peri dim gwarth" iddynt (2: 25), bellach yn peri embaras, a hyn i gyd yn symbol o'u hymwybyddiaeth o euogrwydd gerbron Duw. Ond, er iddynt gyffesu eu pechod, does yna fawr o dystiolaeth eu bod wedi sylweddoli maint y cwymp yma yn arbennig os oeddynt yn credu y gallent oresgyn eu gwarth drwy wnïo rhyw ychydig o ddail ffigys (3: 7)!

Yr ail beth mae Adda ac Efa yn ei wneud yw ceisio symud y bai oddi ar eu hysgwyddau eu hunain. Mae Adda yn beio Efa am roi iddo ychydig o'r ffrwyth i'w fwyta ac ymhellach yn mynd yn ei flaen i feio Duw am roi Efa iddo ef yn yr ardd (adn. 12). Yna pan fydd Duw yn herio Efa am yr hyn a wnaeth, mae hi'n beio'r sarff am ei thwyllo (adn. 13).

Mae'r elfen hon o warth a beio yn gyfoes iawn. Yr ydym yn medru bod yn glyfar anghyffredin yn ein hymdrechion arwynebol, yn gyntaf i leihau ein hymwybyddiaeth o warth ac yn ail i symud y bai ar bobl eraill. Mae'r ymadroddion "mae hyn yn fy ngenynnau" neu "yn fy magwraeth" neu "nid arnaf i mae'r bai" yn gyfarwydd iawn i ni. Ond mae'n elfen hanfodol o'n dynoliaeth, sydd wedi ei chreu ar lun a delw Duw, ein bod yn derbyn y cyfrifoldeb am y dewisiadau yr ydym yn eu gwneud.

Darllen pellach: Ioan 16: 8–11

# Amharu ar Berthynas

*Dywedodd wrth y wraig: "Byddaf yn amlhau yn ddirfawr dy boen a'th wewyr;
mewn poen y byddi'n geni plant. Eto bydd dy ddyhead am dy ŵr, a bydd ef yn
llywodraethu arnat." Dywedodd wrth Adda: "Am iti wrando ar lais dy wraig, a
bwyta o'r pren y gorchmynnais i ti beidio â bwyta ohono, melltigedig yw'r ddaear
o'th achos; trwy lafur y bwytei ohoni holl ddyddiau dy fywyd."*

Genesis 3:16–17

Mae dwy bennod gyntaf llyfr Genesis wedi cadarnhau'r ffaith fod Duw wedi ein gwneud yn wryw ac yn fenyw ar ei ddelw ei hunan a bod y ddelw hon i'w gweld uwchlaw pob dim yn ein perthynas – ein perthynas â Duw ei hun (oedd yn cerdded gydag Adda ac Efa ac yn sgwrsio gyda nhw yn yr ardd), â'n gilydd (yn adlewyrchu'r gymdeithas sydd yn bodoli rhwng personau'r Duwdod), ac â'r ddaear dda (dros yr hon yr oedden nhw wedi cael hawl i lywodraethu).

Ond mae anufudd-dod ein rhieni cyntaf yn arwain at amharu ar y tair agwedd yma ar y berthynas.

Yn gyntaf, mae Adda ac Efa yn cuddio, a daw un o drasiedïau mwyaf dynoliaeth i'r golwg, yn benodol fod dynion a wnaed gan Dduw i fod fel Duw ac er mwyn Duw, yn awr yn ceisio byw eu bywydau hebddo. Mae pob ymwybyddiaeth o annigonolrwydd yn deillio yn y bôn o'n pellhad oddi wrth Dduw, "ond eich camweddau chwi a ysgarodd rhyngoch a'ch Duw, a'ch pechodau chwi a barodd iddo guddio'i wyneb fel nad yw'n eich clywed"(Eseia 59: 2).

Yn ail, nid yn unig cawn Adda ac Efa yn beio'i gilydd ond fe welwn hefyd fod eu perthynas rywiol wedi profi'r un canlyniad anfoddhaol. Roedd yr addewid o ffrwythlondeb (Genesis 1: 28) bellach yn cynnwys poen yn ogystal â phleser ac yn lle'r bartneriaeth a fwriadwyd rhwng y ddau ryw, bellach fe fyddai anghytundeb, oherwydd byddai Adda yn rheoli dros ei wraig (3: 16).

Yn drydydd, er bod Adda ac Efa wedi cael yr hawl i lywodraethu dros y ddaear a chyfrifoldeb i weithio'r tir a gofalu am yr ardd, bellach roedd y ddaear wedi ei melltithio ac fe fyddai trin y tir yn waith a fyddai'n llafur ac yn chwys (adn. 17-19).

Dim ond trwy'r Arglwydd Iesu Grist a'i efengyl o gymod y gellir delio â'r amharu hwn ar y berthynas, a gwneud hynny yn gyflawn.

Darllen pellach: Colosiaid 1: 15–20

# Golwg ar Ras

*A chlywsant sŵn yr ARGLWYDD Dduw yn rhodio yn yr ardd gyda hwyr y dydd,*
*ac ymguddiodd y dyn a'i wraig o olwg yr ARGLWYDD Dduw ymysg coed yr ardd.*
*Ond galwodd yr ARGLWYDD Dduw ar y dyn, a dweud wrtho, "Ble'r wyt ti?" ...*
*A gwnaeth yr ARGLWYDD Dduw beisiau crwyn i Adda a'i wraig, a'u*
*gwisgo amdanynt.*
Genesis 3:8–9, 21

**M**ae'r sefyllfa bellach yn gyfyng, y rhagolygon yn dywyll. Mae Adda ac Efa wedi gwrthryfela yn erbyn awdurdod Duw; ni allant ddisgwyl mwy ond medi cynhaeaf eu hanufudd-dod. Ond yn erbyn y cefndir hwn o bechod, o euogrwydd, o farn, mae golwg ar ras, a hwnnw yn codi o'r cysgodion.

Yn gyntaf, roedd yr Arglwydd Dduw "yn cerdded yn yr ardd". Roedd gwaith y dydd wedi mynd heibio. Roedd yr Arglwydd yn mynd am dro fin nos. Yn arferol, gallwn dybio, byddai Adda ac Efa wedi cadw cwmni iddo. Bellach, doedd dim golwg ohonynt, roeddent wedi mynd i guddio. Ond mae Duw yn parhau i gerdded, i geisio, i edrych am y cwpl yma oedd ar goll.

Yna, "mae'r Arglwydd Dduw yn galw ar y dyn, 'Ble rwyt ti?' " Erbyn heddiw rydym yn tueddu i siarad am ymchwil dyn am Dduw. Ond y gwirionedd y mae Genesis yn ei ddysgu yma yw mai Duw sydd yn chwilio am ddyn. Tra oedd Adda ac Efa yn cuddio ymhlith y coed, roedd Duw yn teimlo'r angen amdanynt, yn eu ceisio, ac yn galw ar eu hôl.

Yn drydydd, er bod y noethni cydwybod yma oedd yn perthyn i Adda ac Efa yn fai arnynt hwy eu hunain, a hynny oherwydd eu hanufudd-dod, mae Duw yn teimlo dros eu heuogrwydd ac yn awyddus i wneud rhywbeth i gyfarfod â hyn. Felly, "gwnaeth yr ARGLWYDD Dduw beisiau crwyn i Adda a'i wraig, a'u gwisgo amdanynt" (adn. 21). Rhaid cofio na fyddai croen ar gael dim ond ar ôl lladd anifail. A oes awgrym yma o'r hyn a ddysgir drwy'r Beibl, fod euogrwydd dyn yn cael ei orchuddio gan faddeuant wrth i waed gael ei dywallt mewn aberth? Os felly, mae yna gysgod o'r iachawdwriaeth sydd i ddod trwy waed Iesu Grist. Efallai. Ond yr hyn sydd yn amlwg yw bod Duw ei hun wedi bwriadu rhoi i Adda ac Efa orchudd llawer gwell na'r hyn y medrent ei ddarparu iddynt eu hunain, gwisgoedd o groen yr oedd wedi eu creu yn arbennig ar eu cyfer, a hynny yn lle'r dail ffigys gwreiddiol. Yn y ddau achos, Duw sydd yn dod, a'r gair priodol am yr awydd yma o du Duw, awydd heb haeddiant, yw gras.

Darllen pellach: Salm 32: 1‑7

# Gras Arbennig a Gras Cyffredinol

*Yna dywedodd yr ARGLWYDD Dduw wrth y sarff, "...Gosodaf elyniaeth hefyd rhyngot ti a'r wraig, a rhwng dy had di a'i had hithau; bydd ef yn ysigo dy ben di, a thithau'n ysigo'i sawdl ef."*

Genesis 3:14–15

Doe bu inni edrych ar dri awgrym o ras. Ond heddiw rwyf am edrych yn benodol ar yr hyn a ystyrir yn gyffredinol fel y cyhoeddiad cyntaf o efengyl gras yn Genesis 3: 15. Y gair a ddefnyddir mewn diwinyddiaeth yw *protoevangelium*. Mae'n dod i'r golwg ym marn Duw ar y sarff, ac fe ddaw i'r golwg mewn dwy ran.

Yn gyntaf, mae Duw yn cyhoeddi y bydd yn peri gelyniaeth rhwng y sarff a'r wraig a bydd yr elyniaeth yn para i'r dyfodol rhwng teulu'r sarff a theulu Efa (yn amlwg yn arwyddo ei had ysbrydol – gweler hefyd Ioan 8: 44).

Yn ail, mae Duw yn rhaghysbysu y bydd y gwrthryfel hwn yn dod i'w benllanw mewn dioddefaint, ac y bydd y dioddefaint hwn yn fwy i'r diafol nag i had Efa, oherwydd mae pencampwr bellach mewn golwg. Dywedodd Duw, "Bydd yn ysigo dy ben", gan beri ergyd farwol i'r sarff, tra bydd y sarff yn ei dro "yn ysigo ei sawdl" . Hynny yw, ni fydd hyd yn oed y pencampwr yn osgoi elfen o ddioddefaint.

Cafodd y fuddugoliaeth derfynol hon, buddugoliaeth mewn poen, ei hennill ar y groes pan fu i'r Arglwydd Iesu Grist ddiarfogi a diorseddu gorseddau ac arglwyddiaethau a dod yn fuddugol arnynt (Colosiaid 2: 15). Mae'r fuddugoliaeth yn ein rhyddhau o gaethiwed y diafol a dyma weithred ardderchog gras arbennig Duw.

Ar yr un pryd, mae gras cyffredinol Duw yn cael ei estyn i bob dyn. Er enghraifft, bu i Efa feichiogi gan esgor ar Cain, a dweud, "Drwy gymorth yr Arglwydd ... " (Genesis 4: 1). Ond roedd hi a'i gŵr newydd gael eu hesgymuno o'i gwmni (3: 22–24)! Sut y gallai hawlio ei gymorth wrth esgor? Yr ateb yw, er mai gras arbennig Duw sydd yn dod â iachawdwriaeth i gredinwyr, mae ei ras cyffredinol yn cael ei estyn i bob un o blant dynion a hynny yn y ddarpariaeth o fywyd, o iechyd a phopeth sydd yn angenrheidiol ar gyfer goroesi.

Darllen pellach: Datguddiad 12: 1–9

# Wythnos 4: Ymddatod Cymdeithasol

Os yw Genesis 3 yn cofnodi'r weithred gyntaf o anufudd-dod mae Genesis 4 yn cofnodi'r weithred gyntaf o lofruddiaeth. Mae pechod yn gymdeithasol yn ogystal â bod yn unigolyddol, ac mae'r Duw a ofynnodd i Adda, "Ble wyt ti?" (3: 9) bellach yn gofyn i Cain, "Ble mae dy frawd Abel?" (4: 9). Yn wir, drwy'r hanes ym mhenodau 4 i 11 o lyfr Genesis, mae'r sefyllfa gymdeithasol yn ymddatod yn raddol. Gwelwn lid, eiddigedd, balchder, trais, yr awydd i dalu nôl, ofn, hunandosturi, y cwbl yn dod i'w penllanw ym marn Duw yn y dilyw ac yn nhŵr Babel.

Ond mae harddwch yn y penodau hyn ochr yn ochr â'r darluniau ofnadwy o bechod dyn. Mae diwylliant dyn yn dechrau blodeuo – ffermio, adeiladu, technoleg a cherddoriaeth.

**Dydd Sul:** Cain y Llofrudd Cyntaf
**Dydd Llun:** Cychwyniadau Diwylliant
**Dydd Mawrth:** Drygioni yn mynd ar led
**Dydd Mercher:** Noa a'r Dilyw
**Dydd Iau:** Cyfamod Trugaredd Tragwyddol Duw
**Dydd Gwener:** Cerrig Sylfaen ein Cenhedloedd
**Dydd Sadwrn:** Tŵr Babel

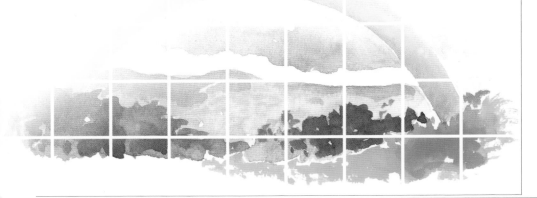

# Cain y Llofrudd Cyntaf

*A dywedodd Cain wrth Abel ei frawd, "Gad inni fynd i'r maes."*
*A phan oeddent yn y maes, troes Cain ar Abel ei frawd, a'i ladd.*
Genesis 4:8

Esgorodd Efa ar ddau fab, Cain yn gyntaf ac yna Abel. Daeth Abel yn fugail defaid gan "gadw preiddiau", tra oedd Cain yn ffermwr oedd yn "trin y tir" (adn. 2). Mae'r ddau frawd yn dod ag offrwm o flaen yr Arglwydd, y ddau yn unol â'u galwedigaeth – Cain yn dwyn rhywfaint o ffrwyth y tir ac Abel yn dod â blaenffrwyth oen newyddanedig (adn. 3-4). Edrychodd Duw yn ffafriol ar offrwm Abel ond mae'n gwrthod offrwm Cain. Roedd Cain wedi gwylltio ar gyfrif hyn ac yn ei eiddigedd llofruddiodd ei frawd Abel.

Mae nifer o ddarllenwyr sy'n cydymdeimlo â Cain. Wedi'r cyfan mae'n dwyn offrwm oedd yn briodol i'w alwedigaeth. Felly, mae gwrthodiad Duw yn ymddangos yn annheg. Gallwn fod yn sicr er hynny nad oedd dim amhriodol yn ymateb Duw. Mae'n gofyn i Cain, "Pam yr wyt yn flin?" (adn. 6). Ym mha ffordd felly yr oedd offrwm Abel yn dderbyniol ac offrwm Cain yn annerbyniol? Mae rhai esbonwyr yn tynnu sylw at y ffaith fod Cain yn hunangyfiawn yn dwyn gwaith ei ddwylo ei hun tra bod Abel ar y llaw arall yn dod ag oen yn aberth.

Os trown at y Testament Newydd darllenwn dair gwaith fod Abel wedi ymddwyn "drwy ffydd" (Hebreaid 11: 4). Ymhellach, mae Hebreaid 11 yn diffinio ffydd fel ymateb ufudd i air y mae Duw wedi ei ddatguddio. O gymhwyso hyn i Abel, awgrymir bod Duw wedi datguddio i'r brodyr y math o aberth yr oedd yn ei ddymuno ac mai Abel yn unig oedd wedi ymateb gydag ufudd-dod ffydd.

Mae'r apostol Ioan yn esbonio'r stori ymhellach, gan gymharu Cain â Christ. Lle mae Cain yn casáu ac yn llofruddio ei frawd, rydym ni yn cael ein galw gan Grist i garu eraill ac i roi ein bywyd drostynt (1 Ioan 3: 11-17).

Darllen pellach: Hebreaid 11: 1–4

# Cychwyniadau Diwylliant

*Esgorodd Ada ar Jabal; ef oedd tad pob preswylydd pabell a pherchen anifail.*
*Enw ei frawd oedd Jwbal; ef oedd tad pob canwr telyn a phib. Esgorodd Sila,*
*y wraig arall, ar Twbal-Cain, cyfarwyddwr pob un sy'n gwneud cywreinwaith*
*pres a haearn.*
Genesis 4:20–22

**M**ae ail hanner Genesis 4 (adn. 17–26) yn ein cyflwyno i ŵr paradocsaidd iawn o'r enw Lamech, un o ddisgynyddion Cain. Ar y naill law, roedd yn euog o amlwreica (adn. 19): ymffrostiodd i'w ddwy wraig ei fod wedi lladd gŵr ifanc am ei anafu, ac y byddai yn y dyfodol hyd yn oed yn fwy creulon na Cain. Os oedd Cain am wneud iawn dros ei hunan saith gwaith, broliodd Lamech y byddai'n gwneud hynny saith deg saith o weithiau. Onid llawer gwell yw gofyniad Iesu y dylem faddau i rywun sydd yn troseddu yn ein herbyn saith deg saith o weithiau?

Ar y llaw arall, bu i ddwy wraig Lamech eni plant talentog anghyffredin, a'u disgynyddion hwythau hefyd yn etifeddu'r un sgiliau. Trwy eu harweiniad, dechreuodd diwylliant ymddatblygu. Roedd Cain, er ei fod ei hunan ar ffo oddi wrth Dduw, wedi cychwyn adeiladu dinas (dim ond pentref efallai) ar gyfer ei deulu estynedig, a'i henwi ar ôl ei fab Enoch (adn. 17). Yn hanes meibion Lamech, roedd Jabal yn bererin oedd yn byw mewn pebyll ac yn magu anifeiliaid, tra oedd ei frawd Jwbal a'i deulu yn gerddorion, yn arbenigo ar offerynnau llinynnol a chwythbrennau. Roedd eu hanner brawd, Twbal-Cain a'i deulu wedi gadael Oes y Cerrig y tu ôl iddyn nhw, oherwydd roedden nhw yn "gwneud cywreinwaith pres a haearn". Felly mae adeiladu, ffermio, cerddoriaeth, gwyddoniaeth a thechnoleg yn cael eu datblygu. Ar yr un pryd, roedd pobl oedd yn ymhél ag addoliad elfennol: "Yr amser hwnnw y dechreuwyd galw ar enw yr ARGLWYDD" (adn. 26).

Mae cysgod yma o'r potensial sydd yn perthyn i ddynion. Wedi eu creu ar ddelw Duw, mae'n amlwg na fu iddynt golli eu hurddas na'u clyfrwch diwylliannol. Ond gan eu bod wedi eu geni ar ôl y cwymp, roedd amlygiadau clir iawn o'r gwarth ac o'r hagrwch oedd yn aml yn dod i'r golwg mewn trais ofnadwy. Mae Lamech yn enghraifft nodedig o'r paradocs hwn sy'n perthyn i'r ddynoliaeth.

Darllen pellach: Genesis 4: 19–24, 26

# Drygioni yn mynd ar led

*Gwelodd yr ARGLWYDD fod drygioni'r bobl yn fawr ar y ddaear, a bod holl ogwydd eu bwriadau bob amser yn ddrwg.*
Genesis 6:5

Crëwyd Adda ar lun a delw Duw. Bellach fe glywn fod gan Adda fab (Seth) oedd yn debyg iddo yntau (5: 1–3). A yw hyn yn golygu bod tebygrwydd Adda i Dduw a thebygrwydd Seth i Adda yr un math o debygrwydd, neu yn wahanol? Mae'n siŵr fod y ddau yn wir – oherwydd roedd y tebygrwydd dwyfol a berthynai i Adda ac Efa fel rhai a grewyd gan Dduw, yn cael ei drosglwyddo hefyd i'w hiliogaeth ac yn ei dro yn cael ei drosglwyddo i ninnau, er ei fod wedi ei lygru gan y cwymp (9: 6).

Mae'r llinach a gofnodir yn Genesis 5 yn olrhain teulu Seth o Adda i Noa. Mae pob cenhedlaeth yn cael ei disgrifio mewn termau unffurf ar wahân i un, hynny yw, Enoch. Yn hytrach na dweud ei fod wedi byw hyn a hyn o flynyddoedd ac yna marw, ysgrifennir amdano ef ei fod "wedi cerdded gyda Duw" ac yna, "nid oedd mwyach, oherwydd cymerodd Duw ef" (adn. 24). Felly, yn hanes y dyn duwiol hwn trawsnewidiwyd bywyd a marwolaeth. Yn ôl un awdur, Delitzsch, "Mewn eiliad roedd wedi mynd, heb salwch, heb farw, heb gael ei gladdu."[1]

Ond roedd y cyflwr cyffredinol moesol, oedd ar hyn yn peri bod Duw yn dod mewn barn yn y dilyw, yn gyflwr o wagedd llwyr. Mae'r awdur yn tynnu sylw at hanes "meibion Duw" yn cael eu denu gan "ferched dynion" ac yn eu priodi (6: 2). Roedd llawer o'r tadau eglwysig yn credu mai cyfeiriad oedd yma at angylion yn priodi pobl, ond yn ôl Calvin mae'r syniad yma "yn amlwg yn cael ei danseilio oherwydd ei fod mor abswrd."[2] Dysgodd Iesu fod yr angylion yn greaduriaid nad oeddent yn meddu ar awydd na gallu rhywiol. Roedd y Diwygwyr, yn dilyn Chrysostom ac Awstin, yn credu mai'r hyn a olygir yma yw bod plant Seth wedi priodi plant Cain, y duwiol yn priodi'r annuwiol. Beth bynnag yw'r esboniad, roedd y priodasau hyn yn briodasau cymysg, yn annaturiol, yn aml yn arwyddo amlwreica, ac yn wrthodiad o ordinhad gwreiddiol Duw ar gyfer priodas.

Mae'r testun yn gorffen trwy gyfeirio at y ffaith fod y ddaear yn "llawn trais" (adn. 11) a bod calon yr Arglwydd wedi ei llenwi â phoen a galar (adn. 6). Mae'r olygfa bellach wedi ei gosod ar gyfer y dilyw.

Darllen pellach: Genesis 6: 1–12

---

1. Franz Delitzsch, *A New Commentary on Genesis*, cyf. Sophia Taylor (Caeredin: T & T Clark, 1888), 218.
2. John Calvin, *A Commentary on Genesis* (Caeredin: Banner of Truth, 1965), 238.

# Noa a'r Dilyw

*Edrych, yr wyf ar fin dwyn dyfroedd y dilyw ar y ddaear.*
Genesis 6:17

**M**ae arwahanrwydd yn perthyn i Noa sy'n ymdebygu i flodyn persawrus yn tyfu ar lwyth o dail. Yr oedd wedi cael "ffafr yng ngolwg yr Arglwydd" (adn. 8). Roedd hefyd yn "cerdded gyda Duw" fel Enoch (adn. 9), yn ymarfer ceisio presenoldeb Duw a hynny yng nghanol yr annuwioldeb oedd o'i gwmpas.

Pan rybuddiodd Duw Noa am y dilyw oedd ar ddod, a dweud wrtho am adeiladu arch, credodd Noa ac ufuddhau, gan ddilyn cyfarwyddiadau Duw gyda golwg ar y deunyddiau, y mesuriadau a'r adeiladwaith. Rhaid bod ei gyfoeswyr yn credu bod gwiriondeb anghyffredin yn perthyn i ddyn oedd wedi treulio cymaint o fisoedd yn adeiladu'r fath gwch anferth o dan awyr las glir, ymhell o'r môr! "Trwy ffydd, ac o barch i rybudd Duw am yr hyn nad oedd eto i'w weld, yr adeiladodd Noa arch i achub ei deulu" (Hebreaid 11: 7).

Ond a oedd y dilyw yn hanesyddol, ac ymhellach a oedd yn ddilyw a effeithiodd ar y byd i gyd? Mae'n sicr ei fod yn hanesyddol oherwydd mae Iesu ei hun yn siarad amdano, ac ymhellach mae hanesion am ddilyw yn rhan o gefndir y rhan fwyaf o bobl cyntefig. Ond a oedd hwn yn ddilyw a effeithiodd ar y byd i gyd? Mae rhai Cristnogion yn dadlau ei fod. Nid yn unig mae hyn yn annhebygol iawn ond nid yw'r testun Beiblaidd yn gofyn i ni gredu hynny. Mae'n wir fod awdur Genesis yn dweud, "Cryfhaodd y dyfroedd gymaint ar y ddaear nes gorchuddio'r holl fynyddoedd uchel ym mhob man dan y nefoedd" (7: 19). Ond mae'r Ysgrythur yn aml yn defnyddio iaith sydd yn cynnwys "pob un" a "phopeth", nid mewn ffordd absoliwt ond yn hytrach o'i gymharu â gorwelion a phersbectif yr awduron. Yn yr un modd rydym yn darllen bod "yr holl wledydd wedi dod i'r Aifft i brynu grawn gan Joseff" (41: 57); ond mae'n amlwg fod "yr holl wledydd" yma yn golygu'r gwledydd oedd yn amgylchynu'r Aifft. Felly mae'n amlwg fod y dilyw wedi effeithio ar y byd i gyd yng ngolwg yr awdur, gan orchuddio'r rhan fwyaf o'r Dwyrain Canol, er heb orchuddio'r byd i gyd.

Ond y gwir yw nad helaethrwydd y dilyw yw'r wers mae Iesu am i ni ei dysgu yma: yn hytrach, "Fel y bu yn nyddiau Noa, felly hefyd y bydd yn nyfodiad Mab y Dyn" (Mathew 24: 37). Bydd ei ddyfodiad yn darganfod byd sydd heb baratoi at ei farn.

Darllen pellach: Mathew 24: 37–39

# Cyfamod Trugaredd Tragwyddol Duw

*Pan fydd y bwa yn y cwmwl, byddaf yn edrych arno ac yn cofio'r cyfamod*
*tragwyddol rhwng Duw a phob creadur byw o bob math ar y ddaear.*
Genesis 9:16

Ymhen hir a hwyr bu i ddyfroedd y dilyw edwino a daeth pawb oedd yn yr arch allan – yn ddynion ac yn anifeiliaid. Nawr fe glywn am Noa yn adeiladu allor ac yn aberthu poethoffrwm arni, hyn i gyd yn symbol o gyflwyno ei fywyd newydd i Dduw. Hyd yn oed cyn y dilyw, wrth edrych ar y dyfodol y tu hwnt iddo, mae Duw yn dweud wrth Noa, "Ond sefydlaf fy nghyfamod â thi" (6: 18). Ac yn awr wedi'r dilyw, mae'n cadarnhau hyn (9: 8–11).

Mae'r gair cyfamod yn air allweddol yn y Beibl. Mae'n arwyddo addewid o du Duw, addewid lle mae Duw ei hun yn rhannu trugaredd anhaeddiannol. Beth felly oedd addewid gyfamodol Duw yn dilyn y dilyw? Roedd iddi agweddau negyddol a phositif. Yn negyddol, bum gwaith ar ôl ei gilydd, mae Duw yn dweud, "Byth eto" (8: 21; 9: 11, 15).

At yr addewid negyddol hon mae Duw yn ychwanegu bendith bositif, ac yma mae'n ailadrodd ei orchymyn gwreiddiol i fod yn ffrwythlon, i amlhau, i lenwi'r ddaear ac i'w darostwng (9: 1, 7). Mae felly yn adnewyddu ei ymrwymiad i'w greadigaeth. Yn ychwanegol, mae'n addo na fydd cylchdro blynyddol y tymhorau (amser hau, amser cynhaeaf, oerfel a gwres, haf a gaeaf) na chylchdro dyddiol dydd a nos fyth yn peidio tra pery y ddaear. Mae bywyd o hyd yn dibynnu i ryw raddau ar y rhythm rheolaidd hwn, ac roedd y cyfan yn dibynnu arno ymhell cyn i bobl ddod i ddeall cylchdro'r ddaear a'i thaith o amgylch yr haul. Roedd gan y Llynges Frenhinol hyder sicr yn hyn gan iddynt unwaith gyhoeddi'r cyfarwyddyd canlynol: "Bydd y Llynges yn hwylio gyda'r wawr a bydd yr haul yn codi am 5.52 y bore."

Mae Duw wedi dal yn ffyddlon i'w gyfamod, cyfamod a seliodd drwy arwydd yr enfys (adn. 12, 17). Ar gefndir awyr stormus mae golau a harddwch yr enfys yn ymddangos, gan uno nefoedd a daear. Yn yr un modd, mae Ioan yr apostol yn gweld gorsedd Duw wedi ei hamgylchynu gan enfys, gan ei fod yn rheoli'r byd mewn trugaredd (Datguddiad 4: 3).

Darllen pellach: Genesis 8: 20–22; 9: 1, 7–17

# Cerrig Sylfaen ein Cenhedloedd

*... ymrannodd y cenhedloedd dros y ddaear wedi'r dilyw.*
Genesis 10:32

Nid yw Duw yn addo dychweliad i Ardd Eden ar ôl y dilyw oherwydd yr oedd calonnau dynion yn parhau i fod yn ddrwg (8: 21). Meddwod Noa gyfiawn hyd yn oed, ac ymhél ag un o'i feibion (Cham) ac un o'i wyrion (Canaan) mewn gweithred aflan. Mae'n amlwg bod meddwdod ac anfoesoldeb wedi eu cysylltu eisoes. Adroddir yr hanes diflas yn Genesis 9: 18–27.

Er hynny, o dri mab Noa – Sem, Cham a Japheth – y mae'r cenhedloedd yn codi ac yn gwasgaru ar draws y ddaear. Mae Genesis 10 yn cofnodi'r gwahanu hwn, yn gyntaf ar hyd llinach deuluol Cham a Japheth, ac yna yn benodol drwy edrych ar ddisgynyddion Sem. Gyda'r rhain, sy'n cynnwys Abraham, y mae prif ddiddordeb gweddill penodau Genesis. O ardal Ararat mae disgynyddion Japheth yn symud i'r gorllewin i'r ardaloedd a adnabyddir bellach fel Asia Leiaf ac Ewrop; mae disgynyddion Cham yn symud i'r de orllewin i gyfeiriad Canaan, yr Aifft, a Gogledd Affrica; a disgynyddion Sem i'r de ddwyrain i gyfeiriad Mesopotamia, yr ardal a elwir bellach Gwlff Persia.

Wrth inni feddwl am y symudiadau hyn, gwelwn yn amlwg fod Duw â diddordeb ymhob dyn. Mae saith deg o genhedloedd neu lwythau yn cael eu rhestru, symbol o gyfanrwydd, ac mae'n siŵr bod y rhain ar feddwl yr Arglwydd Iesu wrth iddo ddanfon saith deg o'i ddisgyblion bob yn ddau (Luc 10: 1).

Rhaid inni gadw mewn cof fwriad a chonsýrn byd-eang Duw, heb geisio dehongli'r felltith ar Ganaan (Genesis 9: 25) fel rhywbeth sy'n ei gyfyngu. Nid yw chwaith yn rhywbeth sy'n cyfiawnhau naill ai'r farchnad mewn caethweision yng Ngorllewin Affrica neu'r gwahanu a fu yn Ne Affrica, fel y gwnaeth rhai Cristnogion geisio dadlau yn y bedwaredd ganrif ar bymtheg a'r ugeinfed.

Daeth Iesu i chwalu'r math yma o furiau, a bellach, "Nid oes yma ragor rhwng Groegiaid ac Iddewon, enwaediad a dienwaediad, barbariad, Scythiad, caeth, rhydd; ond Crist yw pob peth, a Christ sydd ym mhob peth" (Colosiaid 3: 11, gweler Effesiaid 2: 11–22).

Darllen pellach: Genesis 9: 18–27

# Tŵr Babel

*Felly gwasgarodd yr ARGLWYDD hwy oddi yno dros wyneb yr holl ddaear,*
*a pheidiasant ag adeiladu'r ddinas.*
Genesis 11:8

Mae'n ymddangos mai ffurf ar "ziggurat", pyramid Babilonaidd anferth, oedd tŵr Babel. Mae archeolegwyr wedi cloddio amryw ohonynt ac mae'r cynharaf, mae'n debyg, yn dyddio i'r trydydd mileniwm cyn Crist.

Beth am dŵr Babel a arweiniodd at anfodlonrwydd Duw ag ef? Wedi'r cyfan, mae gallu technolegol dynion wedi ei olrhain i'r ffaith mai pobl ydynt sydd wedi eu creu ar lun a delw Duw. Beth oedd o'i le felly? Yr adeiladwyr a balchder yr adeiladwyr hynny.

Yn gyntaf, roeddent yn euog o weithred o anufudd-dod. Gorchymyn gwreiddiol Duw i'r ddynoliaeth, a gafodd ei ailadrodd ar ôl y dilyw, oedd i "lenwi'r ddaear a'i darostwng" (1: 28 a 9: 1). Dechreuodd disgynyddion Noa wneud hyn, ond wedi iddynt gyrraedd gwastatir Mesopotamia, clywir eu bod wedi "cartrefu yno" (11: 2). Yn hytrach na mynd yn eu blaen i ddarganfod byd Duw a datblygu'r potensial oedd yn perthyn iddo, maent yn cartrefu mewn rhyw sicrwydd cyffyrddus. Mae'r byd yn dal i ddioddef oherwydd eu hanufudd-dod. Nid ydym eto wedi datrys problem ynni, nid ydym wedi darganfod ffordd rad o dynnu halen o ddŵr y môr er mwyn dyfrhau'r anialwch a bwydo'r newynog.

Yn ail, roedd adeiladu'r tŵr yn weithred o falchder. "Gadewch i ni wneud enw i ni ein hunain," meddai'r bobl, "drwy adeiladu tŵr sydd yn ymestyn hyd y nefoedd." Roeddent yn anfodlon i aros o fewn eu cyfyngiadau daearol, roeddent yn awyddus i gyrraedd y nefoedd, y man lle mae Duw yn trigo. Felly trwy'r Ysgrythur i gyd mae Babilon yn cynrychioli'r balchder hwnnw a elwir gan y Groegwyr yn *hubris*. Dyma hanfod pechod.

Does ryfedd fod barn Duw wedi syrthio arnynt. Yn gyntaf, mae ef yn eu gwasgaru dros yr holl fyd, gan eu gorfodi i wneud yr hyn roeddent wedi gwrthod gwirfoddoli i'w wneud. Yn ail, fel moddion i'w gwasgaru, mae'n drysu eu hieithoedd. Mae iaith yn rhywbeth byw, yn rhywbeth sydd yn newid; ond mae hefyd yn medru cynyddu arwahanrwydd cymunedau, yn yr un modd ag y mae arwahanrwydd yn gallu arwain at newid pellach mewn iaith.

Mae hanes tŵr Babel yn edrych ymlaen at ddadwneud y chwalu ar ddydd y Pentecost, pan glywodd pobl yn eu hiaith eu hunain am ryfeddodau Duw.

Darllen pellach: Genesis 11: 1–9

# Wythnos 5: Y Patriarchiaid

Yn dilyn y farn ofnadwy a ddaeth yn sgil y dilyw a'r chwalfa yn nhŵr Babel, mae Duw yn cynllunio cychwyn newydd. Os oedd Babel yn golygu chwalu pobl, mae Abraham yn ein cyflwyno i'r Duw sy'n casglu pobl o dan ei addewid. Yn ei drugaredd anghyffredin mae'n barod i'w alw ei hunan yn Dduw i Abraham, Isaac a Jacob (Exodus 3: 6; Marc 12: 26). Roedd y tri phatriarch hyn, ynghyd â Joseff yn y genhedlaeth nesaf, wedi eu hysigo gan emosiynau gwahanol, yn bobl oedd yn gymysgedd o ddaioni a drygioni, o fawredd ac o fychandra anghyffredin. Eto trwy'r bobl hyn y mae Duw yn gweithio allan ei addewidion; mae i'r rhain le arbennig yn hanes iachawdwriaeth, hynny yw, yng nghynllun Duw i adfer y byd i gyd.

**Dydd Sul:** Galwad Abraham
**Dydd Llun:** Geni Isaac
**Dydd Mawrth:** Profi Ffydd Abraham
**Dydd Mercher:** Cyfamod Duw ag Abraham
**Dydd Iau:** Isaac a Ffyddlondeb Duw
**Dydd Gwener:** Jacob a'r Cariad sydd yn Dyfalbarhau
**Dydd Sadwrn:** Joseff a Rhagluniaeth Duw

# Galwad Abraham

*Dywedodd yr ARGLWYDD wrth Abram,*
*"... ynot ti bendithir holl dylwythau'r ddaear."*
### Genesis 12:1,3

Nid yw'n ormod i ddweud bod tair adnod gyntaf Genesis 12 yn crynhoi cynllun achubol Duw, hynny yw, i fendithio'r byd i gyd trwy Grist, had Abraham. Mae'r addewid yn cyd-fynd â galwad ddeublyg. Ar y naill law, roedd Abraham i adael ei wlad ei hun ac i fynd i wlad y byddai Duw yn ei dangos iddo. Ar y llaw arall, yr oedd i adael ei deulu a byddai Duw yn ei wneud yn genedl fawr. Yn gyffredinol byddai Duw yn ei fendithio ac yn ei wneud yn fendith i eraill – yn wir, i bobl drwy'r byd i gyd.

Mae'r addewid hon am had a thir yn cael ei hailadrodd dro ar ôl tro ac mae Duw yn ychwanegu dyfnder i'r addewid yn hanes Abraham mewn cyfnodau gwahanol yn ei fywyd. Ar un achlysur, er enghraifft, mae Duw yn dweud wrth Abraham am edrych i'r gogledd, i'r de, i'r dwyrain ac i'r gorllewin oherwydd y mae popeth y mae'n ei weld am gael ei roi iddo, ac i'w hiliogaeth (13: 14–15). Ar achlysur arall, mae Duw yn dweud wrth Abraham am edrych i fyny ar ffurfafen y nos a chyfrif y sêr oherwydd byddai ei ddisgynyddion ef mor niferus â'r sêr hynny (15: 5).

Mae'r ffordd y mae Duw yn cyflawni ei addewid gyda golwg ar yr had yn rhyfeddol. Yn gyntaf mae'n cael ei chyflawni yn y ffordd y mae pobl Israel yn cael eu lluosogi (Deuteronomium 1: 10–11). Yn ail, mae'n cael ei chyflawni drwy genhadaeth yr eglwys, i'r fath raddau fel bod pawb sy'n perthyn i Grist yn had Adda (Galatiaid 3: 29), gan mai ef yw tad y credinwyr i gyd (Rhufeiniaid 4: 16–17). Yn drydydd, bydd yr addewid yn cael ei chyflawni yn y cwmni rhyfeddol o bobl a achubwyd ac a fydd yn y nefoedd, pobl o bob cenedl, o bob iaith, pobl ddirifedi (Datguddiad 7: 9–17). Dim ond ar yr adeg hon mewn gwirionedd y bydd hiliogaeth Abraham mor niferus â sêr yr awyr a thywod glannau'r byd.

Darllen pellach: Genesis 11: 27–12: 5

# Geni Isaac

*Ymwelodd yr ARGLWYDD â Sara yn ôl ei air, a gwnaeth iddi fel yr addawodd.*
*Beichiogodd Sara a geni mab i Abraham yn ei henaint.*

### Genesis 21:1-2

Ar yr adeg pan oedd yr addewid am hiliogaeth yn cael ei rhoi i Abraham, roedd ef a'i wraig Sara heb blant, yn wir heb fawr o obaith am blant. Felly mae addewid Duw yn ymestyn eu hymddiriedaeth i'r eithaf. Sut yn y byd oedd y ddau hyn i gael hiliogaeth ryfeddol os nad oedd ganddynt un plentyn?

Ar un achlysur ceir Abraham, gan ei fod yn parhau yn ddi-blant, yn cwyno wrth yr Arglwydd mai etifedd ei stad fyddai gŵr o'r enw Elieser o Ddamascus. Mae'r Arglwydd yn ei sicrhau mai ei etifedd fydd mab o'i gnawd ei hun (15: 1–4). Mae Abraham yn credu Duw.

Yna mae Sara yn cael y syniad rhyfeddol y dylai hi roi ei gweinyddes o'r Aifft, Hagar, i Abraham i gysgu efo hi. "Efallai y gallaf adeiladu teulu drwyddi hi," meddai Sara. Mae Abraham yn cytuno, mae Hagar yn cenhedlu, a genir Ismael. Ond mae Sara yn eiddigeddus, ac mae'n amlwg nad Ismael oedd y plentyn yr oedd Duw wedi ei addo (16: 1–6).

Yn y cyfamser, ymhell o dynnu ei addewid yn ôl, mae Duw yn ei chadarnhau, hyd yn oed trwy newid enwau'r prif gymeriadau, gan alw Abraham yn "dad i genhedloedd lawer" a Sara yn "fam i genhedloedd lawer" (17: 5, 15–16). Er mwyn cadarnhau hyn mae tri gŵr (sy'n cael eu hadnabod gyda'i gilydd fel "yr Arglwydd") yn ymweld ag Abraham yn ei babell. Mae'r Arglwydd yn addo y byddai gan Sara blentyn ymhen tua blwyddyn. Roedd Sara, oedd ar y pryd yn clustfeinio wrth ymyl drws y babell, wedi rhyfeddu, a dechreuodd chwerthin. Roedd y syniad ei bod hi ac Abraham yn mynd i gael plentyn a hwythau mor hen yn ymddangos yn anghredadwy iddi. Does dim rhyfedd fod yr Arglwydd wedi gofyn i Sara, "Oes rhywbeth yn rhy anodd i'r Arglwydd?" (18: 14). Wedi ei chywiro, mae Sara yn dweud celwydd, gan fynnu nad oedd yn chwerthin, er bod hynny'n amlwg yn wir.

Ymhen hir a hwyr roedd yr Arglwydd yn rasol tuag at Sara, ac yn unol â'r hyn a addawyd, fe genhedlodd hi a geni mab i Abraham. Yr enw a ddewisodd Abraham ar gyfer ei fab oedd Isaac (ac ystyr y gair yw "chwerthin"), oherwydd bod chwerthin anghrediniol Sara bellach wedi cael ei gyfnewid am chwerthin llawenydd a dathlu (21: 1–3, 6).

Darllen pellach: Genesis 18: 1–15

# Profi Ffydd Abraham

*Wedi'r pethau hyn, rhoddodd Duw brawf ar Abraham.*
Genesis 22:1

Un o'r pethau sydd yn arwyddo realaeth y Beibl yw'r ffaith nad yw'n gwneud unrhyw ymdrech i guddio methiannau'r mawrion. Mae Abraham yn esiampl o hyn. Mewn gweithred ryfeddol o ffydd, roedd wedi gadael ei gartref a'i deulu "er nad oedd yn gwybod i ble roedd yn mynd" (Hebreaid 11: 8). Ond yna, a newyn yn ymledu drwy'r tir, mae Abraham yn ceisio lloches yn yr Aifft, a dyma ofyn i Sara (a hithau yn brydferth anghyffredin) i ddweud wrth y bobl yno mai chwaer iddo oedd hi, yn hytrach na gwraig. Roedd yn weithred ofnadwy, oedd yn peryglu ei diogelwch er mwyn diogelu Abraham. Gwreiddyn y cwbl oedd ei anghrediniaeth (Genesis 12: 10–20).

Wedi nodi'r gymhariaeth ryfeddol hon rhwng ffydd ac amheuaeth, rhaid inni ofyn i ni ein hunain yn awr, sut y bydd Abraham yn ymateb i brawf go iawn ar ei ffydd, yn benodol orchymyn Duw iddo aberthu Isaac fel poethoffrwm. Gallwn fod yn sicr mai pwrpas cyntaf y gorchymyn ofnadwy hwn oedd dweud wrth Abraham nad oedd ar Dduw angen aberth dynol, oherwydd dyma un o'r pethau mwyaf mileinig yr oedd y cenhedloedd yng Nghanaan yn eu cyflawni. Ar sail hyn mae Duw yn gorchymyn distrywio'r cenhedloedd (gweler y drafodaeth, Sul Wythnos 8).

Ond mae i'r hanes hefyd ystyr ddyfnach. Dair gwaith fe ddisgrifir Isaac yn annwyl iawn fel "dy fab, dy unig fab, Isaac, yr un yr wyt yn ei garu" (22: 2). Mae hyn nid yn unig yn peri inni ei weld fel unig fab annwyl ond fel yr un unigryw, drwy'r hwn y dywedodd Duw mai "ynddo ef y bendithir dy hiliogaeth" (21: 12). Roedd Abraham a Sara wedi aros am flynyddoedd am enedigaeth plentyn yr addewid; oedden nhw nawr i sicrhau ei farwolaeth?

Mae Abraham yn dal yn dynn yn y sicrwydd fod addewidion Duw i'w cyflawni yn llinach Isaac. Mae'n rhesymu "y gallai Duw ei godi hyd yn oed oddi wrth y meirw; ac oddi wrth y meirw, a siarad yn ffigurol, y cafodd ef yn ôl" (Hebreaid 11: 19). Mae'n enghraifft ryfeddol o ffydd ac ufudd-dod.

Darllen pellach: Hebreaid 11: 8–19

# Cyfamod Duw ag Abraham

*Gwnaf fy nghyfamod â thi, ac amlhaf di'n ddirfawr.*
Genesis 17:2

Yn sgil y dilyw fe ddown wyneb yn wyneb â'r thema Feiblaidd o "gyfamod". Gwelwyd mai ystyr cyfamod yn yr Ysgrythurau yw cytundeb rhwng Duw a phobl, sydd yn cael ei seilio ar ras, ar addewid Duw, ac yn cael ei selio ag arwydd pendant.

Mae cyfamod cyntaf Duw â Noa; bellach mae'r cyfamod ag Abraham. Yn ei addewid i Noa, mae'n addo diogelu rhythm natur, tra yn ei addewid i Abraham, mae'n addo lluosogi ei hiliogaeth a rhoi iddynt dir. Arwyddion y cyfamod oedd yr enfys ar y naill law a'r enwaediad ar y llall. Roedd y cyfamod â Noa yn un cyffredinol ar gyfer y byd i gyd ond mae'r cyfamod ag Abraham yn un penodol. O fewn i'r cyfamod hwn mae fformiwla sy'n cael ei hailadrodd droeon drwy'r Hen Destament, sef yn benodol, "Byddaf yn Dduw ... " (adn. 7–8).

Wrth inni sôn am addewidion cyfamodol mae'n naturiol bod y cwestiwn o gyflawni'r addewidion hyn yn codi. Cymerwch, er enghraifft, yr addewid am dir. Ni fu i Abraham erioed fyw yn y tir. Mae'n mynd drwy'r tir, yn byw mewn pabell, ond wedi i Sara farw, roedd angen rhywle i'w chladdu. Felly mae'n dweud wrth rai o'r Hethiaid, oedd yn gymdogion iddo ar y pryd, "Dieithryn ac ymdeithydd wyf yn eich mysg; rhowch i mi hawl ar fedd yn eich plith"(23: 4). Daw wedyn broses o fargeinio sy'n nodweddiadol o'r Dwyrain Agos, ac yn y diwedd mae Abraham yn talu pedwar can sicl o arian am gae gyda'i ogof a'i goed ger Mamre (Hebron), ac yma ymhen hir a hwyr y mae'r patriarchiaid i gyd yn cael eu claddu.

Maent i gyd yn derbyn yr addewid ond heb dderbyn yr hyn roedd yr addewid yn ei arwyddo (Hebreaid 11: 13, 39). Mae addewid am dir, a'r cwbl y maent yn ei dderbyn yw cae. Maent yn hiraethu "am wlad well, gwlad nefol" (Hebreaid 11: 16). Y gwir yw nad drwy ffydd yn unig y mae addewidion Duw yn cael eu hetifeddu, ond "drwy ffydd ac amynedd" (Hebreaid 6: 12).

Darllen pellach: Genesis 17: 1–14

# Isaac a Ffyddlondeb Duw

*A gweddïodd Isaac ar yr ARGLWYDD dros ei wraig, am ei bod heb eni plentyn.*
*Atebodd yr ARGLWYDD ei weddi.*
Genesis 25:21

Mae cychwyniadau Isaac yn addawol dros ben. Rhaid bod ei rieni wedi dweud wrtho am amgylchiadau ei enedigaeth, pam y gelwid ef yn Isaac ("chwerthin") ac ystyr ei enwaediad. Yna fe hoeliwyd ar ei gof am byth y profiad rhyfeddol a wynebodd ar fynydd Moreia yn ystod ei arddegau – ofnadwyaeth y sylweddoliad ei fod ar fin cael ei aberthu, ac yna'r llawenydd o gael ei ryddhau. Ddwywaith roedd ei fywyd yn gyfan gwbl ddibynnol ar ddaioni Duw ac ar ei ffyddlondeb – ei enedigaeth oruwchnaturiol a'i ailenedigaeth ragluniaethol.

Yna daw ymrwymiad Abraham na ddylai Isaac briodi un o ferched y Canaaneaid, ond yn hytrach un o'i berthnasau ei hunan. Nid penderfyniad ethnig oedd hwn ond penderfyniad crefyddol er mwyn sicrhau y byddai llinach y cyfamod yn cael ei ddiogelu. Mae Genesis 24 ar ei hyd yn adrodd yr hanes sut, mewn ateb i weddi a synnwyr cyffredin, y mae Rebecca yn dod yn wraig i Isaac. Yn ôl ei brawd Laban, "Mae hyn oddi wrth yr Arglwydd" (adn. 50). Ac eto am ugain mlynedd mae Rebecca yn methu cenhedlu. Ond pan weddïodd Isaac drosti daeth yn feichiog gyda gefeilliaid. Enghraifft arall yw hon o ffyddlondeb Duw i'w gyfamod ei hun.

Ond gyda'r beichiogrwydd mae pethau'n newid. A hithau'n gwybod ei bod am eni gefeilliaid, mae'n ymgynghori gyda Duw am eu dyfodol, ac mae Duw yn dweud wrthi fod dwy genedl o'i mewn ac y byddai'r hynaf yn gwasanaethu'r ieuengaf. Roedd yn ddatguddiad clir o ewyllys Duw. Roedd ei addewid i Abraham ac Isaac i'w chyflawni nid trwy'r cyntafanedig, Esau, ond trwy ei efell ieuengaf, Jacob. Roedd Isaac yn anfodlon ar ewyllys Duw ac yn mynnu rhoi'r fendith i'r mab cyntaf, Esau.

Mae'n rhyfeddod fod Duw, er gwaethaf Isaac a'i ymddygiad, yn dal yn barod i'w alw ei hunan yn Dduw Abraham, Isaac a Jacob.

Darllen pellach: Genesis 24: 59–67

# Jacob a'r Cariad sydd yn Dyfalbarhau

*Ond atebodd [Jacob], "Ni'th ollyngaf heb iti fy mendithio."*
Genesis 32:26

Mae Jacob yn bwysig ymhlith y patriarchiaid oherwydd ef oedd tad y genedl etholedig, y genedl oedd yn cael ei hadnabod fel "plant Jacob" neu "blant Israel". Wedi dweud hyn, mae'n cael ei gyflwyno yn naratif yr Hen Destament fel dyn oedd yn adnabod addewidion Duw, ond oedd yn methu ymddiried yn Nuw i gadw'r addewid, ac am hyn mae'n tueddu i gymryd materion i'w ddwylo ei hunan. Yn gyntaf mae'n twyllo Esau yng Nghanaan. Yna yn Paddan Aram (Mesopotamia) mae ef a'i frawd-yng-nghyfraith Laban yn treulio eu bywyd yn twyllo ei gilydd. Mae'n amlwg fod Jacob yn fwy o dwyllwr nag o grediniwr.

Bellach, ar ei ffordd yn ôl o Paddan Aram, rydym yn darllen bod "Jacob wedi ei adael ar ei ben ei hunan" (adn. 24). Ond nid oedd Duw am ei adael ar ei ben ei hunan. Mae'n dod ato yn ei unigrwydd. Y noson honno mae Jacob yn cwrdd â Duw mewn ffordd oedd i drawsnewid ei fywyd am byth. I'r trawsnewid hwn mae dwy ran.

Yn gyntaf mae Duw yn "ymladd" gyda Jacob. Rydym yn gwybod mai Duw oedd yno (yr hyn a elwir mewn diwinyddiaeth yn *theophani*), oherwydd mae Jacob yn ddiweddarach yn galw'r lle yn Peniel, hynny yw, "wyneb Duw". Mae Duw yn ymladd ag ef er mwyn i'w gariad ei goncro ac mae'r ymrafael yn parhau nes toriad y dydd heb unrhyw lwyddiant. Yna mae'n gweld na all ei drechu (adn. 25), ac o ganlyniad mae Duw yn cyffwrdd ac yn datgymalu ei glun. Roedd un cyffyrddiad gan y bys dwyfol yn ddigon; mae Jacob yn ildio. Yn yr un modd yn ein hanes ni, mae Duw yn cychwyn yn dirion ac yn drugarog, gan ddyfalbarhau mewn cariad. Ond os byddwn ni yn parhau i wrthwynebu, fe all gymryd camau mwy llym nes bod ei gyffyrddiad yn ein torri ni.

Yn yr ail ran, mae'r rhai sydd yn ymladd yn cyfnewid lle ac mae Jacob yn ymrafael gyda Duw. "Gad i mi fynd," meddai Duw, ond mae Jacob yn ymateb, "Ni'th ollyngaf heb iti fy mendithio ... " (adn. 26). Mae'r geiriau hyn yn awgrymu bod Jacob yn dweud wrth yr Arglwydd, "Rwyt ti wedi addo bendithio Abraham, fy nhad Isaac, a minnau. Wnei di gyflawni dy addewid a'm bendithio?" Mae Jacob "yn cael ei fendithio yno" (adn. 29). Mae Duw yn ymrafael â ni er mwyn ein torri a chwalu ein hystyfnigrwydd, tra ein bod ni yn ymrafael gyda Duw er mwyn etifeddu ei addewidion.

Darllen pellach: Genesis 32: 22–32

# Joseff a Rhagluniaeth Duw

*Yr oeddech chwi yn bwriadu drwg yn f'erbyn;*
*ond trodd Duw y bwriad yn ddaioni.*
Genesis 50:20

Mae'r Hen Destament o bryd i'w gilydd yn dysgu nifer o wersi i ni o'r un digwyddiad. Mae hanes Joseff yn enghraifft o hyn. Yn gyntaf, gwers mewn hanes. Drwy ymosodiadau cenhedloedd ar ei gilydd (hanes seciwlar) mae Duw wedi bod wrthi yn gweithio allan hanes ei bobl ei hunan ("hanes iachawdwriaeth"). Mae Duw Abraham, Isaac a Jacob am ddiogelu ei gyfamod ymhob cenhedlaeth. Bellach, a Jacob yn hen, mae bwriadau Duw fel petaent o dan fygythiad gan y newyn. Felly mae Jacob yn danfon ei feibion i brynu grawn yn yr Aifft. Yn ôl Joseff yn ddiweddarach, "Anfonodd Duw fi o'ch blaen i sicrhau hil i chwi ar y ddaear, ac i gadw'n fyw o'ch plith nifer mawr o waredigion" (45: 7).

Yn ail, gwers mewn rhagluniaeth. Roedd Joseff wedi wynebu nifer o anghyfiawnderau yn ei fywyd. Cafodd ei gipio, ei werthu, ei gaethiwo, ei gyhuddo ar gam, ei garcharu heb fath o wrandawiad, ei anghofio gan ei gyd-garcharorion oedd wedi addo siarad ar ei ran. Ac eto, hyd yn oed drwy'r drygau hyn i gyd, roedd Duw ar waith er daioni. Mae Joseff yn dweud wrth ei frodyr, "Yr oeddech chwi yn bwriadu drwg yn f'erbyn; ond trodd Duw y bwriad yn ddaioni" (50: 20).

Yn drydydd, gwers mewn maddeuant. Byddai wedi bod yn bosibl i Joseff ymateb i'w frodyr gan geisio dial arnynt neu gynnig rhyw faddeuant rhad. Ond yr hyn a welwn yn yr Ysgrythur yw ei fod yn gosod eu hedifeirwch ar brawf. Mae'n cymryd ei frawd ieuengaf Benjamin yn gaeth. Mae'n foment ddramatig. Roedd y brodyr wedi aberthu Joseff; fyddai'r rhain nawr yn aberthu Benjamin? Na! Mae Jwda yn dod yn ei flaen ac yn pledio am ryddhad y bachgen, hyd yn oed i'r graddau ei fod yn ei gynnig ei hunan yn gaethwas yn ei le. Mae'r trawsnewid ym mywyd ei frodyr yn rhyfeddol. Mae'n amlwg fod eu hedifeirwch yn real iawn. Roedd Joseff yn fodlon. Mae'n gadael iddynt wybod pwy yw, ac yn arddangos ei faddeuant drwy eu cofleidio.

Darllen pellach: Genesis 50: 15–21

# Wythnos 6: Moses a'r Ecsodus

Mae llyfr Genesis yn cloi gyda dwy farwolaeth a hynny yn yr Aifft. Yn gyntaf mae Jacob yn marw ac yn cael ei gludo nôl i Ganaan i'w gladdu yn ogof Macpela, ger Hebron, yr ogof yr oedd Abraham wedi ei phrynu fel man claddu i'w deulu. Yn ddiweddarach mae Joseff yn marw, yntau hefyd yn yr Aifft, ond yn marw gydag addewid ddeublyg, yn gyntaf y byddai Duw yng nghwrs amser yn dod â'i bobl yn ôl i wlad yr addewid, ac yn ail y byddai rhywrai yn cludo ei esgyrn yn ôl i fan claddu'r teulu.

Bellach yr ydym yn mynd yn ein blaen ac fe fyddwn yn treulio'r wythnos hon yn dilyn gyrfa Moses, arweinydd pennaf Israel ar ôl Abraham. Moses oedd yr un a ddiogelodd ryddhad yr Israeliaid o'u caethiwed yn yr Aifft, yr un a'u harweiniodd ar draws y Môr Coch i ddiogelwch, a'r un a'u dygodd i Fynydd Sinai. Parhaodd Moses i arwain ei bobl drwy ddeugain mlynedd o grwydro yn yr anialwch. Ef hefyd a'u cynullodd yn yr anialwch i'r dwyrain o'r Iorddonen, gan eu paratoi i groesi i Wlad yr Addewid. Ef a'u hatgoffodd o'u hanes gan ymbil arnynt i fod yn ffyddlon i'r cyfamod. Mae hanes Moses yn cael ei groniclo ym mhedwar o'r pum llyfr cyntaf – Exodus, Lefiticus, Numeri a Deuteronomium. Yn y diwedd mae'n marw, ac yntau bellach wedi gweld Gwlad yr Addewid o ben Mynydd Nebo, er na chaniateir iddo fynd iddi.

**Dydd Sul:** Gormes Creulon
**Dydd Llun:** Galwad Moses
**Dydd Mawrth:** Yr Her i Pharo
**Dydd Mercher:** Y Pasg
**Dydd Iau:** Yr Ecsodus o'r Aifft
**Dydd Gwener:** Bendithion Mynydd Sinai
**Dydd Sadwrn:** Crwydro'r Anialwch

# Gormes Creulon

*... yr oedd pobl Israel yn dal i riddfan oherwydd eu caethiwed,*
*ac yn gweiddi am gymorth .... Clywodd Duw eu cwynfan,*
*a chofiodd ei gyfamod ...*
Exodus 2:23-24

**M**ae llyfr Exodus yn cychwyn gyda disgrifiad clir o'r gorthrwm a wynebai'r Israeliaid o dan Pharo newydd (mwy na thebyg Rameses II), Pharo nad oedd yn adnabod Joseff.  Fe wnaeth yr Eifftiaid "eu bywyd yn chwerw trwy eu gosod i lafurio'n galed â chlai a phriddfeini, a gwneud pob math o waith yn y meysydd" (1: 14).  Parhaodd eu gorthrwm am 430 o flynyddoedd.  Ond galwodd y bobl ar Dduw am waredigaeth ac fe gofiodd Duw ei addewid i Abraham, Isaac a Jacob.  Yn wir yr oedd eisoes yn paratoi gwaredwr iddynt.

Fel plentyn daeth Moses o fewn dim i foddi yn afon Nil.  Yna fe'i magwyd gan ei fam ei hun cyn cael ei fagu gan ferch Pharo.  Ni allwn ond dyfalu beth oedd y gwrthdaro yn ei galon rhwng bod yn Eifftiwr a bod yn Hebrëwr, fel un oedd yn perthyn i'r ddau ddiwylliant.  Ond ni chollodd ei ymwybyddiaeth o hunaniaeth yr Hebreaid na'i ddicter at ddioddefaint ei bobl.  Mae'n gwneud penderfyniad dewr a drud: "Trwy ffydd y gwrthododd Moses, wedi iddo dyfu i fyny, gael ei alw yn fab i ferch Pharo, gan ddewis goddef adfyd gyda phobl Dduw yn hytrach na chael mwynhad pechod dros dro ... " (Hebreaid 11: 24–25).

Ond er bod ei gariad tuag at ei bobl a'i fwriad i gael ei adnabod fel un ohonynt yn rhywbeth sy'n haeddu clod, mae'n cymryd y gyfraith i'w ddwylo ei hunan ar un achlysur. Lladdodd Eifftiwr oedd yn rhoi cweir i Hebrëwr, a'r dydd canlynol ceisiodd gymodi rhwng dau Hebrëwr oedd yn ymladd â'i gilydd.  Doedd na ddim gwerthfawrogiad o'i ymdrechion.  Roedd yr hyn a gyflawnodd drwy ladd yr Eifftiwr bellach yn wybyddus a bu'n rhaid iddo ddianc i wlad Midian (gwlad Sinai), i aros yno am ddeugain mlynedd. Roedd rhaid iddo ddysgu bod ewyllys Duw i gael ei chyflawni yn ffordd Duw.

Darllen pellach: Exodus 2: 11–15, 23–25

# Galwad Moses

*Tyrd, yr wyf yn dy anfon at Pharo er mwyn iti arwain fy mhobl,
yr Israeliaid, allan o'r Aifft.*
Exodus 3:10

Ac yntau yn dianc rhag Pharo, rhaid bod Moses yn poeni y byddai'r gŵr hwnnw yn cael hyd iddo. Ond ymhen hir a hwyr mae Pharo yn marw (2: 23). Gyda'r gobaith y byddai newid Pharo yn golygu efallai newid polisi, mae cri'r Israeliaid am gymorth yn cynyddu.

Bellach mae'r olygfa yn cael ei gosod ar gyfer comisiynu Moses o'r newydd. Digwyddodd hyn ger Mynydd Horeb (h.y. Mynydd Sinai). Mae Duw yn siarad gyda Moses yn y fan yma o ganol perth oedd yn llosgi. Roedd Duw wedi gweld dioddefaint ei bobl, roedd wedi clywed eu cwyn, yr oedd â chonsýrn am eu dioddefaint, a bellach roedd am ddod i'w gwared o'r Aifft, i'w dwyn i Wlad yr Addewid, gan gyflawni hyn drwy Moses.

Sut ymatebodd Moses i'r alwad ddwyfol hon? Mae'n amlwg ei fod wedi dysgu ei wersi yn ystod y deugain mlynedd o gael ei ddarostwng yn yr anialwch. Yn wir, yr oedd bellach wedi symud yn rhy bell i'r cyfeiriad arall. Mae'n rhoi pum esgus i'r Arglwydd. A oedd yn teimlo yn anaddas i'r gwaith? Byddai Duw gydag ef. Fyddai'r Israeliaid yn cwestiynu pwy oedd ei Dduw? Roedd i'w gyhoeddi fel Duw eu tadau, y Duw byw a thragwyddol. Beth os na fyddai'r bobl yn gwrando neu yn credu? Roedd Moses i ddefnyddio ei ffon i gyflawni gwyrthiau a thrwy hynny brofi ei weinidogaeth. Yn bedwerydd, mynnodd Moses fod ei leferydd yn araf ac nad oedd yn huawdl. Ond mae Duw yn ymateb drwy ddweud mai ef yw creawdwr y geg ac y byddai'n dweud wrth Moses beth i'w ddweud. Pan ddywedodd Moses wrth Dduw yn y diwedd, "Danfon rywun arall," roedd Duw yn ddig ond rhoddodd Aaron hefyd i fod yn enau iddo.

Tebyg mai'r ffordd briodol bob amser i ymateb i alwad Duw yw nid ar y naill law i fod â gormod o hunanhyder nac ychwaith i fod â hunanamheuaeth ormodol, ond yn hytrach i ddangos ymddiriedaeth ostyngedig yn y Duw byw sy'n arfogi'r rhai y mae'n eu hanfon.

Darllen pellach: Exodus 3: 1–11

# Yr Her i Pharo

*Bydd yr Eifftiaid yn gwybod mai myfi yw'r ARGLWYDD pan estynnaf
fy llaw yn erbyn yr Aifft a rhyddhau'r Israeliaid o'u plith.*

Exodus 7:5

Aeth Moses ac Aaron yn hyderus i weld Pharo, ac yn enw'r Arglwydd fynnu rhyddhad yr Israeliaid oedd yn gaethweision. Ond roeddynt eisoes wedi eu rhybuddio y byddai Pharo yn gwrthod plygu. O bryd i'w gilydd mae'r Beibl yn priodoli'r caledwch yma i Dduw (e.e. "Byddaf finnau'n caledu calon Pharo" (adn. 3)), ac o bryd i'w gilydd i Pharo ei hunan (e.e. "Pan welodd Pharo ei fod wedi cael ymwared ohonynt, caledodd ei galon" (8: 15)). Does dim angen inni ddewis, oherwydd y mae Duw yn caledu'r rhai sy'n caledu eu hunain.

Yr oedd Moses wedi dod â'i ffon gydag ef, a phryd bynnag y byddai'n ei hestyn, byddai barn newydd yn syrthio ar bobl yr Aifft. Yn ddiweddarach enwyd y farn yn ddeg pla. Trowyd dyfroedd Nil yn waed, fe ddaeth brogaod a goddiweddyd y tir. Yna fe ddaeth pla o bryfed, o flaen y pla a laddodd yr anifeiliaid. Yna gwelwyd cornwydydd ar ddynion ac anifeiliaid. Daeth cawod o genllysg i ddifa cnydau'r Aifft a difa'r coed, cyn i bla o locustiaid fwyta beth bynnag oedd ar ôl. Daeth tywyllwch rhyfedd dros y tir ac fel uchafbwynt ofnadwy bu farw cyntafanedig pob anifail ond yn fwy penodol gyntafanedig pob dyn yn yr Aifft.

Ystyriwch natur a phwrpas y plâu hyn. Doedd pob un ddim yn oruwchnaturiol. Er enghraifft, roedd y pla o locustiaid yn rhywbeth a fyddai'n digwydd yn naturiol yn y wlad honno. Yr hyn sydd yn wyrthiol yw amseriad y pla, y ffaith fod y locustiaid wedi eu chwythu gan ddwyreinwynt ar yr union foment pan gododd Moses ei ffon.

Beth oedd pwrpas y plâu? Yn rhannol i ddwyn barn ar yr Eifftiaid ac yn rhannol hefyd i berswadio Pharo i ryddhau'r Israeliaid, ond uwchlaw pob peth, yn ôl Duw, "er mwyn i chwi wybod nad oes neb tebyg i mi yn yr holl ddaear" (9: 14). Drwy'r penodau hyn mae'r gytgan yn atseinio'n gyson – "fel y gwyddoch mai myfi yw'r Arglwydd." Ni allwn ddymuno dim mwy na gwybod hyn yn gyson.

Darllen pellach: Exodus 7: 1–7

# Y Pasg

*Bydd yr ARGLWYDD yn tramwyo drwy'r Aifft ac yn taro'r wlad, ond pan*
*wêl y gwaed ar gapan a dau bost y drws, bydd yn mynd heibio iddo, ac*
*ni fydd yn gadael i'r Dinistrydd ddod i mewn i'ch tai i'ch difa.*
### Exodus 12:23

Rhoddodd Duw gyfarwyddiadau clir am y ffordd i baratoi at y degfed pla. Tua chanol nos byddai'n mynd trwy'r Aifft mewn barn, a byddai cyntafanedig pob dosbarth yn y gymdeithas yn marw.

Ond byddai'r Israeliaid yn cael eu gwaredu os byddent yn lladd oen di-nam blwydd oed, un ar gyfer pob cartref, a thywallt ychydig o waed yr oen ar frig ac ochrau drysau eu tai. Doedd neb i fynd allan, oherwydd ar y noson honno byddai Duw yn dod drwy'r Aifft, a dim ond wrth iddo weld y gwaed y byddai'n mynd heibio i'r cartref a diogelu'r preswylwyr rhag effeithiau'r pla. Gwledd y Pasg yw man cychwyn calendr yr Israeliaid ac roedd i'w dathlu yn flynyddol.

I Gristnogion, Iesu Grist yw "Oen Duw" ac am hwn y byddwn yn cyhoeddi, "Oherwydd y mae Crist, ein Pasg ni, wedi ei aberthu. Am hynny cadwn yr ŵyl" (1 Corinthiaid 5: 7–8). Gallwn ddysgu nifer o wirioneddau o hanes y Pasg. Yn gyntaf, mae'r Barnwr a'r Gwaredwr yn un. Mae'r Duw a aeth drwy'r Aifft i farnu'r cyntafanedig hefyd wedi mynd drwy'r Aifft i gysgodi'r Israeliaid. Rhaid gochel rhag sôn am Dduw'r Tad fel y Barnwr a Duw'r Mab fel y Gwaredwr. Does ond un Duw, y Duw sydd drwy Iesu Grist yn ein gwaredu ni rhag ei farn.

Yn ail, mae iachawdwriaeth fel yn hanes y Pasg yn dod i ni drwy'r ffaith fod rhywun neu rywbeth yn sefyll yn ein lle. Yr unig fechgyn cyntafanedig oedd yn cael eu harbed oedd y rhai oedd yn perthyn i gartrefi lle roedd oen cyntafanedig wedi ei ladd yn eu lle nhw. Yn drydydd, roedd rhaid taenellu gwaed yr oen ar ôl iddo gael ei dywallt. Roedd rhaid felly i bob unigolyn feddiannu darpariaeth Duw yn bersonol ac ar gyfer ei aelwyd. Roedd rhaid i Dduw weld y gwaed cyn gallu achub y teulu.

Yn bedwerydd, roedd pob teulu oedd wedi cael eu gwaredu gan Dduw wedi eu prynu i Dduw. Roedd eu bywyd i gyd bellach yn eiddo iddo ef. Ac felly ein bywyd ni. Mae'n ymgysegriad sy'n arwain i orfoledd. Mae bywyd y rhai y mae Duw wedi eu gwaredu yn wledd wastadol a mynegir hyn yn y cymun yn gyson. Dyma ein gwledd ddiolchgarwch Gristnogol ni.

Darllen pellach: Datguddiad 5: 6–14

# Yr Ecsodus o'r Aifft

*Pan welodd Israel y weithred fawr a wnaeth yr ARGLWYDD yn erbyn yr Eifftiaid,*
*daethant i'w ofni ac i ymddiried ynddo ef ac yn ei was Moses.*
Exodus 14:31

Wedi i'r Israeliaid ddianc, newidiodd Pharo a'i swyddogion eu meddwl. "Be wnaethon ni?" oedd eu cwestiwn, gan sylweddoli eu bod wedi colli'r caethweision oedd mor werthfawr iddynt. Dyma Pharo yn casglu ei fyddin, ac yn mynd ar ôl y genedl. Roedden nhw yn eu tro wedi eu hamgylchynu gan anialwch, gan ddŵr a mynyddoedd, ac wrth i'r Israeliaid weld milwyr yr Aifft yn dod ar eu gwarthaf, daeth arswyd drostynt. Dyma ofyn i Moses, "Ai am nad oedd beddau yn yr Aifft y dygaist ni i'r anialwch i farw?" (adn. 11). Ond roedd Moses yn dawel yn ei galon ac yn ei enaid, ac fe atebodd y bobl gyda'r hyder hwn yn Nuw, "Bydd yr ARGLWYDD yn ymladd drosoch; am hynny, byddwch dawel" (adn. 14).

Mae'r modd y gwaredwyd yr Israeliaid o fyddin yr Eifftiaid yn cael ei ddisgrifio yn fanwl iawn. Ddwywaith yn unol â gorchymyn Duw, mae Moses yn codi ei ffon ac yn estyn ei ddwylo dros y môr. Y tro cyntaf roedd yn nos ac fe yrrwyd y môr yn ei ôl gan wynt dwyreiniol cryf ac aeth yr Israeliaid drwodd ond taflwyd yr Eifftiaid i ddryswch. Yr ail waith, roedd y wawr wedi torri, aeth y môr yn ôl i'w le ac fe foddwyd yr Eifftiaid gyda'r Israeliaid yn mynd trwodd yn ddiogel.

Nid yw Israel erioed wedi anghofio'r ecsodus. Roedd yn arwydd clir o rym yr Arglwydd a'i drugaredd yn eu gwaredu rhag eu gelynion ac yn eu sefydlu fel pobl arbennig iddo'i hun. Canodd Moses amdano. Felly hefyd Miriam, gyda dawns a thympan. Yn wir daeth yn thema lywodraethol yn addoliad cyhoeddus Israel:

> "Canaf i'r ARGLWYDD am iddo weithredu'n fuddugoliaethus;
> bwriodd y ceffyl a'i farchog i'r môr.
> Yr ARGLWYDD yw fy nerth a'm cân,
> ac ef yw'r un a'm hachubodd;
> ef yw fy Nuw, ac fe'i gogoneddaf,
> Duw fy nhad, ac fe'i dyrchafaf."

Exodus 15: 1–2

Mae'n hawdd iawn inni gyfieithu hyn i iaith Gristnogol oherwydd rydym yn dathlu buddugoliaeth sydd hyd yn oed yn fwy (buddugoliaeth Iesu), gwaredigaeth sydd hyd yn oed yn fwy (o bechod a marwolaeth).

Darllen pellach: Salmau 106: 7–12; 114

# Bendithion Mynydd Sinai

*... byddwch yn eiddo arbennig i mi ymhlith yr holl bobloedd,*
*oherwydd eiddof fi'r ddaear i gyd. Byddwch hefyd yn deyrnas o*
*offeiriaid i mi, ac yn genedl sanctaidd.*
Exodus 19:5–6

Teithiodd yr Israeliaid am tua thri mis cyn cyrraedd Mynydd Sinai ar gyfer y cyfarfod roedd yr Arglwydd wedi ei gynnig i Moses. Wedi gwersylla wrth droed y mynydd, arosasant yno tua blwyddyn. Yma rhoddodd Duw i'w bobl dair rhodd arbennig – cyfamod oedd wedi ei adnewyddu, cyfraith foesol ac aberthau iawnol.

Adnewyddu cyfamod oedd y rhodd gyntaf. Dro ar ôl tro yn ystod hanesion y tadau, cyhoeddodd Duw ei hunan yn Dduw oedd wedi gwneud cyfamod gydag Abraham a'i adnewyddu gydag Isaac a Jacob. Gwaredwyd y bobl o'r Aifft oherwydd bod Duw wedi cofio ei gyfamod. Bellach gyda'r gaethglud y tu cefn iddynt a Gwlad yr Addewid o'u blaen, roedd yn amser i gadarnhau neu i adnewyddu'r cyfamod. Felly dywedodd Duw wrth Moses am ddweud wrth Israel, "Fe welsoch yr hyn a wneuthum i'r Eifftiaid, ac fel y codais chwi ar adenydd eryrod a'ch cludo ataf fy hun. Yn awr, os gwrandewch yn ofalus arnaf a chadw fy nghyfamod, byddwch yn eiddo arbennig i mi ymhlith yr holl bobloedd" (adn. 4–5).

Yn ail, rhoddodd Duw i Israel gyfraith foesol, ac ufudd-dod i'r gyfraith hon fyddai cyfrifoldeb Israel yn y cyfamod. Hanfod y gyfraith oedd y Deg Gorchymyn, ac ychwanegwyd at y gorchmynion hyn gan amryw o rai eraill. Byddwn yn eu hystyried yr wythnos nesaf. Yn drydydd, gwnaeth Duw ddarpariaeth hael i ddelio â phobl a sefyllfaoedd oedd yn torri ei gyfraith. Rhan o'r ddarpariaeth hon oedd adeiladu'r tabernacl, sefydlu'r system aberthol ac apwyntio offeiriaid i'w gweinyddu.

Mae arwyddocâd hanfodol y trefniadau hyn yn baradocs rhyfeddol. Ar y naill law, dywedodd Duw, "Y maent hefyd i wneud cysegr, er mwyn i mi drigo yn eu plith" (25: 8), ond ar y llaw arall, doedd neb i ddod drwy'r llen i'r cysegr sancteiddiolaf yn y tabernacl ac eithrio'r archoffeiriad ar Ddydd yr Iawn, gan ddwyn gwaed aberthol gydag ef. Mae'r llen hon yn arwydd na all pechaduriaid nesáu at Dduw. Mae'r paradocs rhyfeddol hwn yn cael ei ddileu gan yr Arglwydd Iesu Grist, pan yw llen y deml yn cael ei rhwygo ar ei hyd. Bellach fe'n gwahoddir ni un ac oll i nesáu at Dduw trwy Grist.

Darllen pellach: Hebreaid 10: 19–25

# Crwydro'r Anialwch

*Yr ydym yn mynd i'r lle yr addawodd yr ARGLWYDD ei roi inni.*
Numeri 10:29

Rhaid bod cyffro anghyffredin ymhlith y bobl wrth iddyn nhw gychwyn am Wlad yr Addewid. O'r diwedd, tua saith can mlynedd ar ôl yr addewid gyntaf i Abraham, roedd yr addewid bron â chael ei chyflawni. Ond roedd y cyffro yn rhywbeth byr dymor. Roedd cynllun Moses i ddanfon deuddeg o ysbiwyr (un ar gyfer pob llwyth) er mwyn archwilio'r tir yn aneffeithiol. Er iddynt ddychwelyd gyda llysiau i brofi bod Canaan yn wlad oedd yn llifeirio o laeth a mêl, dywedodd deg o'r deuddeg ysbïwr bod y wlad yn wlad na ellid byth ei choncro. Yn anffodus, credodd y bobl y geiriau hyn. Oherwydd hynny ni fyddai neb o'r genhedlaeth honno yn cael mynediad i Wlad yr Addewid ac eithrio Caleb a Josua ffyddlon.

Bellach, byddai deugain mlynedd rhwng yr ecsodus o'r Aifft a mynd i mewn i Ganaan. Yn ystod y blynyddoedd hyn crwydrodd y bobl yn ôl ac ymlaen gan brofi anturiaethau amrywiol, a chofnodir y rhan fwyaf o'r rhain yn llyfr Numeri. O'r diwedd, beth bynnag, daeth y deugain mlynedd i ben ac roedd cenhedlaeth yr oedolion wedi marw. Roedd Israel wedi gwersylla ar wastatir Moab, ychydig i'r gogledd ddwyrain o ble yr oedd Afon Iorddonen yn llifo i mewn i'r Môr Marw.

Yn y fan hon mae Moses yn cyfarch y bobl am y tro olaf ac fe gofnodir yr areithiau hyn yn llyfr Deuteronomium. Mae'n eu hatgoffa o'u hanes diweddar a gwersi'r hanes hwnnw, gan geisio eu paratoi ar gyfer meddiannu Gwlad yr Addewid. Ond ei bwyslais pennaf oedd y cariad cyfamodol oedd yn clymu'r Arglwydd a'i bobl ynghyd. Yr oedd yr Arglwydd wedi gosod ei gariad arnynt ac wedi eu dewis, yn ôl Moses, a hynny nid oherwydd unrhyw haeddiant ynddyn nhw, ond yn gyfan gwbl oherwydd ei gariad ei hun (Deuteronomium 7: 7–8). Bellach yr oeddynt hwythau i'w garu ef ac i wneud hynny gyda'u calon, eu meddwl a'u corff ac i fynegi eu cariad mewn ufudd-dod (Deuteronomium 6: 4–9; 10: 12–13).

Mae'n rhyfeddol bod yr Arglwydd Iesu wedi meddiannu'r geiriau hyn ar gyfer ei weinidogaeth ei hun, gan ddweud, "Pwy bynnag y mae fy ngorchmynion i ganddo, ac sy'n eu cadw hwy, yw'r un sy'n fy ngharu i" (Ioan 14: 21). Y prawf ar gariad yw ufudd-dod.

Darllen pellach: Deuteronomium 6: 1–12

# Wythnos 7: Y Deg Gorchymyn

Wrth inni ystyried y Deg Gorchymyn a'u hoblygiadau yr wythnos hon, rhaid i ni gofio tri gwirionedd amdanynt.

Yn gyntaf, rhoddwyd y Deg Gorchymyn gan Dduw cyfamodol Israel fel ei ewyllys ar gyfer ei bobl. Fe'u cyflwynir gyda'r ymadrodd, "Myfi yw yr Arglwydd ... " (Exodus 2: 2). Ufudd-dod i'r gorchmynion oedd rhan Israel yn y cyfamod.

Yn ail, fe grynhowyd y Deg Gorchymyn gan yr Arglwydd Iesu, drwy ddwyn ynghyd orchymyn i garu Duw â'n holl galon a'n henaid ac i garu ein cymydog fel ni ein hunain (Deuteronomium 6: 5; Lefiticus 19: 18; Mathew 22: 37–39) a dywedodd Iesu, "Ar y ddau orchymyn hyn y mae'r holl Gyfraith a'r proffwydi yn dibynnu" (Mathew 22: 40).

Yn drydydd, ni ellir cadw'r gorchmynion a bod yn ufudd iddynt ond drwy rym yr Ysbryd Glân sydd yn byw ynom. Yn ôl yr apostol Paul, danfonodd Duw ei Fab "er mwyn i ofynion cyfiawn y Gyfraith gael eu cyflawni ynom ni" (Rhufeiniaid 8: 4). Heb weithgarwch mewnol yr Ysbryd, mae'r ufudd-dod radical mae'r Iesu yn ei fynnu o'n calon ni ac sy'n cael ei osod allan yn y Bregeth ar y Mynydd yn gwbl amhosibl i ni.

**Dydd Sul:** Gorchmynion 1 a 2
**Dydd Llun:** Gorchmynion 3 a 4
**Dydd Mawrth:** Gorchymyn 5
**Dydd Mercher:** Gorchymyn 6
**Dydd Iau:** Gorchymyn 7
**Dydd Gwener:** Gorchymyn 9
**Dydd Sadwrn:** Gorchmynion 8 a 10

# Gorchmynion 1 a 2

*"Na chymer dduwiau eraill ar wahân i mi. Na wna iti ddelw gerfiedig ...*
*nac ymgryma iddynt na'u gwasanaethu ..."*
Exodus 20: 3–5

Mae gwahardd addoli unrhyw ddduw arall ar wahân i'r Arglwydd yn awgrymu nad oes duwiau eraill. "Myfi yw'r ARGLWYDD, ac nid oes arall" (Eseia 45: 6). Does dim angen i ni addoli'r haul, y lleuad, y sêr er mwyn torri'r gorchymyn cyntaf. Byddwn yn ei dorri pan fyddwn yn rhoi'r flaenoriaeth yn ein bywyd i unrhyw un neu unrhyw beth ar wahân i Dduw. I'r gwrthwyneb yr ydym i'w garu ef â phob grym sy'n perthyn i ni gan wneud ei ewyllys yn foddhad a'i ogoniant yn nod i'n bywyd.

Os yw'r gorchymyn cyntaf yn mynnu ein haddoliad ni yn gyfan gwbl, mae'r ail yn mynnu bod ein haddoliad yn ysbrydol ac yn ddidwyll. Fel y dywedodd Iesu, "Ysbryd yw Duw, a rhaid i'w addolwyr ef addoli mewn ysbryd a gwirionedd" (Ioan 4: 24). Mae'r gwaharddiad ar eilunod i'w ystyried, nid yn gymaint yn waharddiad rhag gwneud unrhyw ddelweddau gweledol ohonynt, ond yn hytrach yn waharddiad rhag addoli unrhyw un. Mae'n siŵr hefyd ei fod yn gwahardd unrhyw ffurfiau allanol sydd heb realiti mewnol, hynny yw, fel y bobl hynny sy'n nesáu at Dduw â'u gwefusau ond â'u calonnau ymhell oddi wrtho (Eseia 29: 13; Marc 7: 6).

Mae dwy broblem yn ein hwynebu yn yr ail orchymyn. Yn gyntaf, dyma lle mae Duw yn ei ddisgrifio ei hunan fel "Duw eiddigus" (Exodus 20: 5). Does dim angen inni gael hyn yn dramgwydd. Mae eiddigedd yn arwyddo gwrthod unrhyw un sydd am gymryd ein lle, neu yn yr adnodau hyn, lle Duw, ac mae Duw yn eiddigeddus yn yr ystyr hon. Mae'n gwrthod rhannu ei ogoniant ag unrhyw un arall oherwydd does neb arall i rannu'r gogoniant hwnnw.

Yn ail mae'r broblem sydd yn codi o air Duw ei fod am gosbi'r plant am bechodau eu tadau. Gall hyn ymddangos yn annheg ond mae'n berffaith wir fod plant yn gorfod dioddef canlyniadau pechodau eu rhieni. Gall y rhain gael eu trosglwyddo yn gorfforol (drwy afiechydon sydd yn bosibl i ni eu hetifeddu), yn gymdeithasol (yn y tlodi sydd yn cael ei achosi gan yfed neu fetio gormodol), yn seicolegol (drwy'r tensiynau a'r gwrthdrawiadau sy'n bodoli mewn cartref anhapus), ac yn foesol (yn yr ymddygiad sydd wedi ei ddysgu drwy esiampl wael).

Darllen pellach: Ioan 4: 19–24

# Gorchmynion 3 a 4

Llun

*"Na chymer enw'r ARGLWYDD dy Dduw yn ofer ...*
*Cofia'r dydd Saboth, i'w gadw'n gysegredig."*
Exodus 20:7–8

Drwy roi'r ddau orchymyn hyn gyda'i gilydd, fe welwn fod enw'r Arglwydd a Dydd yr Arglwydd i'w trin ag anrhydedd mawr. Pa fath o gamddefnydd o enw Duw sydd yn cael ei awgrymu yma? Mae'r gorchymyn yn sicr yn ein gwahardd ni rhag camddefnyddio ei enw. Mae hefyd yn cynnwys pethau fel tyngu yn dwyllodrus, hynny yw, tyngu llw ac yna ei dorri. Mae'n well, yn ôl yr Arglwydd Iesu, i beidio tyngu o gwbl. Does dim rhaid i bobl onest wneud addewid drwy lw; mi ddylai ie neu na syml fod yn ddigon (Mathew 5: 33–37). Yna wrth gwrs, mae camddefnydd mwy difrifol o enw Duw. Mae hyn yn codi oherwydd fod enw yn fwy na dim ond gair; mae enw yn arwyddo person a chymeriad y person hwnnw. Rydym yn camddefnyddio enw Duw pan fydd ein hymddygiad yn mynd yn groes i'w gymeriad ef. Mae galw Duw yn "Dad" ac yna peidio ymddiried ynddo neu alw Iesu yn Arglwydd ac yna bod yn anufudd iddo, yn gamddefnydd o'i enw.

O symud o'r trydydd i'r pedwerydd gorchymyn, o enw'r Arglwydd i Ddydd yr Arglwydd, sylwn fod y gorchymyn yn cychwyn, "Cofia y dydd Saboth." Mae'n amlwg felly fod y Saboth eisoes yn cael ei gadw. Yn wir, fe welwn ei fod yn cychwyn ar ddechrau llyfr Genesis. Roedd y Saboth yn rhan o drefn y creu, mae'n rhan o ddarpariaeth Duw ar gyfer pob un, nid dim ond ar gyfer ei bobl ei hun. Roedd y gorchymyn i'w estyn i'r gwas a'r wasanaethferch, a'r rheswm am hyn oedd bod yr Israeliaid eu hunain wedi bod yn gaethweision yn yr Aifft nes i'r Arglwydd eu gwaredu (Deuteronomium 5: 15).

Mae Luc yn dweud wrthym fod Iesu yn arfer mynychu'r synagog ar y Saboth (Luc 4: 16). Ond roedd Iesu hefyd yn gwbl rydd o'r rheolau a'r gorchymynion ychwanegol oedd wedi amgylchynu cadw'r Saboth. Yn ôl Rabi Johanan a Rabi Simeon ben Lakish roedd cymaint â 1,521 o orchymynion ychwanegol wedi eu llwytho ar y gorchymyn hwn. Mae Iesu yn mynnu sefyll ar yr egwyddor fod y "Saboth wedi ei wneud er mwyn dyn ac nid dyn er mwyn y Saboth" (Marc 2: 27).

Darllen pellach: Mathew 5: 33–37

# Gorchymyn 5

*"Anrhydedda dy dad a'th fam, er mwyn amlhau dy ddyddiau yn y wlad
y mae'r ARGLWYDD yn ei rhoi iti."*
Exodus 20:12

Gan fod y pedwar gorchymyn cyntaf yn amlwg yn cyfeirio at ein cyfrifoldeb tuag at Dduw (y bod o Dduw, yr addoliad o Dduw, enw Duw a dydd Duw), mae rhai yn meddwl bod y pumed gorchymyn yn cyflwyno ein cyfrifoldebau i'n cymydog, gan ei fod yn ymwneud â'r cyfrifoldeb i anrhydeddu ein rhieni. I eraill, mae'n ymddangos yn fwy priodol i ystyried y pumed gorchymyn fel un sydd yn perthyn i'n cyfrifoldeb tuag at Dduw. Yn rhannol, mae hyn oherwydd y byddai'n golygu bod pump gorchymyn yn cael eu priodoli i'n dau gyfrifoldeb penodol ac yn rhannol hefyd oherwydd fod ein rhieni (yn enwedig yn ystod blynyddoedd ein plentyndod) yn sefyll yn lle Duw ac yn cyfryngu ei awdurdod i'n bywyd ni.

Mae'r apostol Paul yn deall anrhydeddu ein rhieni fel rhywbeth sydd yn mynnu ufudd-dod ac mae'n ei alw yn iawn ac yn beth y mae Iesu yn ymhyfrydu ynddo (Effesiaid 6: 1; Colosiaid 3: 20). Mae anufudd-dod i rieni yn cael ei ddehongli yn y Testament Newydd fel arwydd o chwalfa gymdeithasol (gw. Rhufeiniaid 1: 30; 2 Timotheus 3: 2).

Ar yr un pryd, nid yw awdurdod rhieni yn awdurdod absoliwt. Mae'n cael ei gyfyngu i'r rhai hynny sydd, yn ôl eu diwylliant penodol, yn cael eu hystyried fel plant. Ymhellach, os oes gan blant gyfrifoldeb tuag at eu rhieni, mae gan rieni hefyd gyfrifoldeb tuag at eu plant. Nid ydynt i'w digio ond yn hytrach i'w "meithrin" (Effesiaid 6: 4; Colosiaid 3: 21). Mae'r ffaith fod cyfrifoldeb o'r ddwy ochr yn diogelu eu bywyd teuluol.

Wrth i oed marwolaeth gynyddu yn y byd Gorllewinol, ac oedran cymharol y boblogaeth godi yn sgil hynny, mae nifer cynyddol o bobl hŷn yn cael eu hesgeuluso a hyd yn oed yn cael eu hanghofio gan eu plant eu hunain. Mae hwn yn wirionedd sy'n cael ei gyfyngu i raddau helaeth i'r byd Gorllewinol. Yn yr Affrig ac yn Asia mae'r teulu estynedig bob amser yn gwneud lle ar gyfer y rhai hŷn. Felly hefyd ddiwylliant Tsieineaidd traddodiadol. Credaf y dylem roi'r gair olaf i Paul yn y mater hwn: "Ond pwy bynnag nad yw'n darparu ar gyfer ei berthnasau, ac yn arbennig ei deulu ei hun, y mae wedi gwadu'r ffydd ac y mae'n waeth nag anghredadun" (1 Timotheus 5: 8).

Darllen pellach: Effesiaid 6: 1–4

# Gorchymyn 6

*"Na ladd."*
Exodus 20:13

Mae'r cyfieithiad arferol o'r gorchymyn hwn, "na ladd", yn un camarweiniol. Ni ellir dehongli'r chweched gorchymyn fel gwaharddiad absoliwt ar ladd, gan gynnwys lladd anifeiliaid, oherwydd mae'r gyfraith a roddwyd gan Moses yn cynnwys trefniadau aberthol, yn cynnwys y gosb eithaf am droseddau eithafol, a hyd yn oed yn cynnwys "rhyfel cyfiawn" yn erbyn y Canaaneaid. Yn sicr mae'n bosibl dadlau o blaid bod yn llysieuwr, neu wahardd y gosb eithaf, neu fod yn heddychwr ar seiliau eraill ond nid ar y sail hon. Yr hyn y mae'r chweched gorchymyn yn ei wahardd yw cymryd bywyd dieuog heb awdurdod, hynny yw, llofruddiaeth. Oherwydd mae'r Ysgrythur yn pwysleisio nid yn gymaint fod bywyd yn gyffredinol yn gysegredig (sy'n athrawiaeth Fwdïaidd), ond yn hytrach fod bywyd dynol yn gysegredig oherwydd fod pobl wedi eu gwneud ar lun a delw Duw. Dyma sydd yn gwneud llofruddiaeth yn drosedd ofnadwy ac yn ôl yr Ysgrythur (Genesis 9: 6; Rhufeiniaid 13: 4) yn drosedd sy'n haeddu'r gosb eithaf. Gan fod Duw ei hun wedi darparu diogelwch i'r llofruddion cyntaf, dylid osgoi gweithredu'r gosb eithaf os oes unrhyw amgylchiadau y gellir eu dehongli i awgrymu cosb lai.

Mae'r egwyddor o fywyd yn rhywbeth cysegredig yn y fantol wrth ystyried y plentyn yn y groth. Mae'r embryo hwn yn berson ac felly ni ddylid amharu ar y person hwnnw. O ganlyniad, mae'r rhan fwyaf o Gristnogion yn pledio bywyd yn hytrach na dewis. Byddwn yn gwrthwynebu lladd plentyn yn y groth gan fynnu bod hyn yn ffurf ar lofruddiaeth, ar wahân i ambell eithriad penodol iawn, ac fe gredwn ymhellach na ddylid arbrofi ar blant yn y groth ac y dylid gwahardd hyn gan y gyfraith.

Mae rhyfel yn sefyllfa arall lle mae'r holl gwestiwn o gymryd bywyd yn rhannu Cristnogion. Mae hyn wedi bod yn wir ar hyd y canrifoedd. Mae heddychwyr yn dadlau bod dysgeidiaeth ac esiampl Iesu yn gwahardd unrhyw fath o ryfel ond mae'r rhai sydd am amddiffyn "rhyfel cyfiawn" yn credu y gellir caniatáu rhyfel fel y lleiaf o ddau ddrwg os gellir cyfarfod â nifer o amodau. Mae cyfiawnhau rhyfel yn dod fel cam olaf a'r rhai sydd yn pledio rhyfel cyfiawn yn gwrthwynebu unrhyw arfer sy'n lladd heb ddisgresiwn, pan effeithir ar bobl nad ydynt yn rhan o'r fyddin. Fy sylw olaf ar y chweched gorchymyn yw nodi bod Iesu yn y Bregeth ar y Mynydd yn mynd y tu hwnt i'r weithred o lofruddiaeth i feddyliau sy'n llofruddio ac i eiriau sy'n gwneud hynny (Mathew 5: 21–22). Mae'r apostol Ioan hefyd yn glir iawn ei farn ynglŷn â'r geiriau hynny wrth ysgrifennu, "Llofrudd yw pob un sy'n casáu ei gydaelod" (1 Ioan 3: 15).

Darllen pellach: 1 Ioan 3: 11–15

# Gorchymyn 7

*"Na odineba."*

Exodus 20:14

**M**ae Cristnogion yn credu bod rhyw, priodas a theulu yn rhoddion da gan Greawdwr da, er bod nifer yn amau hyn. Rydym am gredu o gychwyn hanes dynoliaeth bod Duw wedi ein gwneud yn wryw ac yn fenyw, fod ein rhywioldeb gwahanol yn rhan o'i greadigaeth ef ac ymhellach ei fod wedi ordeinio priodas (ei syniad ef, nid ein syniad ni) er mwyn cyflawni anghenion y ddau bartner ynghyd â diogelu geni plant. Mae Paul yn ychwanegu'r gwirionedd prydferth fod gŵr a gwraig yn eu cariad tuag at ei gilydd i fod i adlewyrchu'r berthynas sydd rhwng Iesu Grist a'i eglwys.

Dim ond wedi pwysleisio'r agweddau positif bendigedig hyn y mae'r gwaharddiad hwn yn gwneud synnwyr. Oherwydd mai Duw sydd wedi ordeinio priodas yn gyd-destun i fwynhad rhywiol, fe welwn fod Duw am wahardd hynny ymhob cyd-destun arall. Mae'n wir mai godineb yn unig sy'n cael ei wahardd oherwydd ei fod yn ymosodiad agored ar briodas. Ond mae ffurfiau eraill o anfoesoldeb rhywiol yn cael eu cynnwys oherwydd mae'r rheiny hefyd yn tanseilio priodas. Mae byw gyda rhywun arall, er enghraifft, a mwynhau perthynas rywiol cyn priodas neu hyd yn oed ryw heb briodas yn ymdrech i brofi cariad heb ymrwymiad. Gall hefyd fod yn greulon iawn oherwydd gall esgor ar ddyhead mewn un partner am berthynas tymor hir, dyhead sydd ymhell o feddwl y llall. Ar yr un pryd, wrth gwrs, fe ddylid gweld nad yw perthynas rywiol gyda phartner o'r un rhyw ddim yn ddewis Beiblaidd ond yn hytrach yn anghyson â'r hyn mae Duw wedi ei greu a'r hyn sydd yn naturiol o fewn y greadigaeth. Yr unig berthynas a phrofiad o "un cnawd" mae Duw wedi eu bwriadu yw o fewn priodas heterorywiol. Yn ôl George Carey, cyn-archesgob Caergaint, mewn datganiad yn Ebrill 2002, "Mae unrhyw berthynas rywiol sydd yn mynd â ni y tu allan i briodas heterorywiol yn wyriad o'r Ysgrythur."

Yn olaf, fel gyda llofruddiaeth, mae Iesu yn ymestyn y gwaharddiad ar odineb i gynnwys ein meddyliau ynghyd â'n gweithredoedd: "Ond rwyf fi'n dweud wrthych fod pob un sy'n edrych mewn blys ar wraig eisoes wedi cyflawni godineb â hi yn ei galon" (Mathew 5: 28). Fel canlyniad, mae Iesu yn dweud os yw ein llygad yn peri i ni bechu, fe ddylem "ei dynnu allan" (Mathew 5: 29). Hynny yw, os yw temtasiwn yn dod i ni drwy ein llygad (drwy'r cnawd neu mewn ffantasi), yr unig ffordd i wrthweithio'r demtasiwn yw gwrthod yn radical neu hyd yn oed beidio edrych.

Darllen pellach: Diarhebion 5: 15–23

# Gorchymyn 9

*"Na ddwg gamdystiolaeth yn erbyn dy gymydog."*
Exodus 20:16

Gan fod yr wythfed gorchymyn ("Na ladrata") a'r degfed gorchymyn ("Na chwennych") yn amlwg yn perthyn i'w gilydd, fe wnawn edrych arnynt gyda'i gilydd yfory gan ystyried y nawfed gorchymyn ("Na ddwg gamdystiolaeth yn erbyn dy gymydog") heddiw.

Mae ail hanner y Deg Gorchymyn yn mynegi bod anrhydedd i hawliau pobl eraill yn hanfodol mewn gwir gariad. Oherwydd "ni all cariad wneud cam â chymydog" (Rhufeiniaid 13: 10), tra bod y pechod a waherddir yma yn dwyn oddi ar eraill eu heiddo mwyaf gwerthfawr. Mae'r gorchmynion hyn wedi eu cynllunio felly i ddiogelu pobl – diogelu bywyd rhag llofruddiaeth; diogelu eu priodas, eu cartref, eu teulu rhag y godinebwr; diogelu eu heiddo rhag y lleidr; a diogelu eu henw rhag y rhai oedd am ddwyn camdystiolaeth yn eu herbyn. Yn wir mae enw da yn werthfawr anghyffredin. Yn ôl Diarhebion 22: 1, "Mwy dymunol yw enw da na chyfoeth lawer."

Prif gyd-destun y gorchymyn hwn yw llys barn. Wrth i'r barnwr a'r rheithgor wrando ar achos yr erlynydd ac achos yr amddiffyniad, mae tynged y person ar brawf, i raddau helaeth yn nwylo'r rhai sy'n cael eu galw i dyngu ar lw, ac yna yn gorfod wynebu cwestiynau a chael eu croesholi. Mae dwyn camdystiolaeth mewn llys barn yn drosedd ddifrifol, ac eto nid yw hyn yn beth anghyffredin. Nid Iesu yw'r unig garcharor sydd wedi dioddef oherwydd camdystiolaeth.

Ond mae cyd-destunau eraill i'r gorchymyn hwn, er enghraifft, yn y cartref, yn y gymdogaeth ac yn y gweithle. Ar yr adegau hynny, bydd yn cynnwys gor-ddweud bwriadol a lliwio'r gwirionedd. Mae'r gwaharddiad rhag dwyn camdystiolaeth yn naturiol hefyd yn cynnwys cymhelliad i fod yn dyst ffyddlon. Hyd yn oed os gellid dadlau, mewn rhai cyd-destunau eithafol, fod celwydd golau yn dderbyniol fel y lleiaf o ddau ddrwg, mae'n dal yn beth drwg. Fe ddylai ein gair ni fod yn air y mae pobl yn medru dibynnu arno, ac uwchlaw popeth wrth gwrs, fe ddylai ein geiriau ni fod yn dystiolaeth glir, gyson a gwir i'r Arglwydd Iesu Grist.

Darllen pellach: Iago 3: 1–12

# Gorchmynion 8 a 10

*"Na ladrata."*
Exodus 20:15

*"Na chwennych ... "*
Exodus 20:17

Na ladrata. Mae'r gwaharddiad rhag lladrata yn awgrymu bod gan ddinasyddion hawl i ddal eiddo preifat a bod angen gwahaniaethu rhwng yr hyn sy'n eiddo i mi a'r hyn sy'n eiddo i ti. Fel arall, byddai cymdeithas drefnus a chyfiawn yn gwbl amhosibl. Yn fwy na hyn, mae'r hyn a waherddir yn fwy na dim ond dwyn arian neu eiddo. Mae'n cynnwys pob math o anonestrwydd a thwyllo, ym myd trethi, ym myd gwaith drwy ddwyn oriau oddi wrth ein cyflogwr, drwy orgodi am eiddo neu weithgarwch, neu drwy beidio talu digon am wasanaeth eraill.

Na chwennych. Mae'r degfed gorchymyn yn bwysig yn hyn oherwydd ei fod yn trawsffurfio'r Deg Gorchymyn o fod yn god ymarfer sifil i fod yn gyfraith foesol. Mae'n amhosibl i chwi erlyn rhywun mewn llys barn ar gyfrif y ffaith eu bod wedi chwennych, gan fod chwennych nid yn gymaint yn weithred, ond yn hytrach yn agwedd y galon. Mae chwennych i ddwyn yn debyg i'r hyn yw gwylltio i lofruddiaeth, a chwant i odineb.

Mae'r gwaharddiad rhag chwennych yn siarad yn eglur â chymdeithas y Gorllewin sydd wedi ei meddiannu gan yr awydd i gael pethau. Ac eto mae Iesu yn ein rhybuddio rhag chwennych ac mae Paul yn cyfeirio yn hytrach at fywyd o fodlonrwydd, o symlrwydd ac o haelioni. Fel yr Israeliaid yn yr anialwch, dieithriaid a phererinion ydym ni, pobl sy'n teithio i Wlad yr Addewid, ac mae'n beth doeth i deithio yn ysgafn.

Mae'r Deg Gorchymyn yn esboniad o'r hyn y mae'n ei olygu i garu Duw a'n cymydog gan ddadlennu a chondemnio ein pechod. Mae Paul yn cyffesu na fyddai byth wedi gwybod beth oedd pechod oni bai bod y gyfraith wedi dweud "Na chwennych" (Rhufeiniad 7: 7). Ymhellach mae Luther yn galw'r gyfraith yn "forthwyl" cryf sy'n dinistrio ein hunangyfiawnder; yn yr ystyr hon y mae'r gyfraith yn cael ei disgrifio gan Paul fel yr "athro" sy'n ein dwyn at Grist (Galatiaid 3: 24). Pan oedd C. H. Spurgeon, un o bregethwyr enwocaf Llundain yn y bedwaredd ganrif ar bymtheg, yn ei arddegau, roedd yn meddu ar ymwybyddiaeth ryfeddol o'i bechod. Nid am iddo fod yn euog o unrhyw bechod penodol, ond yn ei eiriau ei hun, "Dyma fi'n cyfarfod â Moses," ac yn ei law roedd y gyfraith; y gyfraith hon oedd yn ei gondemnio ac yn dangos iddo ei angen am Waredwr.

Darllen pellach: 1 Timotheus 6: 6–10

# Wythnos 8: Josua a'r Barnwyr

Mae Deuteronomium yn cloi gyda hanes marwolaeth Moses, ond cyn iddo farw mae'n arddodi ei ddwylo ar Josua gan ei apwyntio fel ei olynydd. O'r diwedd, o dan arweiniad Josua mae addewid yn dod yn realiti ac mae'r Israeliaid yn cael mynediad i'w hetifeddiaeth yng Nghanaan. Fel hen ŵr mae Josua yn herio Israel i barhau yn ffyddlon i'r Arglwydd ac i'w gyfamod. Yn dilyn marwolaeth Josua, a hynny ar hyd cyfnod o tua dau gant o flynyddoedd, llywodraethwyd Israel gan farnwyr ac yn anffodus mae cylchdro cyson o wrthgilio, o ormes a gwaredigaeth yn parhau i gael ei ailadrodd. Samuel oedd y barnwr olaf. Mae'n ildio i'r awydd cyffredinol i gael brenin a Samuel yw'r un sy'n apwyntio Saul i'r dasg hon. Wedi dweud hyn, nodweddir teyrnasiad Saul i raddau helaeth iawn gan anffyddlondeb cyson ac yn hynny o beth mae'n deyrnasiad aflwyddiannus.

**Dydd Sul:** Meddiannu'r Wlad
**Dydd Llun:** Cadw'r Cyfamod
**Dydd Mawrth:** Gwrthgiliad Israel
**Dydd Mercher:** Barnu'r Barnwyr
**Dydd Iau:** Bywyd a Gweinidogaeth Samuel
**Dydd Gwener:** Addewid Gynnar Saul
**Dydd Sadwrn:** Anffyddlondeb Saul

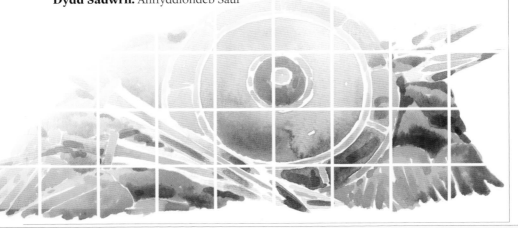

# Meddiannu'r Wlad

*Rhoddodd yr ARGLWYDD i Israel yr holl wlad a addawodd i'w hynafiaid.*
*Wedi iddynt ei meddiannu ac ymsefydlu ynddi ...*
Josua 21:43

Yn dilyn croesi'r Iorddonen, mae Josua yn troi i'r de gan chwalu byddin pump o frenhinoedd yr Amoriaid. Yna mae'n troi am y gogledd gan drechu clymblaid o fyddinoedd. O wneud hyn, mae'n meddiannu'r wlad gan rannu'r diriogaeth ymhlith y deuddeg llwyth. Mae'n amhosibl, er hynny, i ddarllen hanes concwest Israel heb ofyn i ni ein hunain am foesoldeb y math hwn o ymgyrch gyda'r polisi o chwalu a distrywio. A all Duw sanctaidd Israel fod wedi gorchymyn hyn? Mae angen gwneud tri phwynt.

Ystyriwch yn gyntaf yr addewid a wnaed i'r tadau. Mae Duw yn ailadrodd dro ar ôl tro yr addewid hon am wlad i Abraham a'i ddisgynyddion ond byddai meddiannu'r wlad yn amhosibl heb ymlid oddi yno y preswylwyr oedd yno yn barod. Yn ail, mae drygioni'r Canaaneaid. Dywedwyd wrth Abraham na fyddai ei ddisgynyddion yn etifeddu'r wlad nes y byddai drygioni'r Amoriaid wedi cyrraedd ei benllanw (Genesis 15: 16). Nid oherwydd cyfiawnder Israel ond ar gyfrif annuwioldeb y Canaaneaid y byddai Duw yn rhoi'r wlad hon i'r Israeliaid (Deuteronomium 9: 4–5). Oherwydd bod bywyd y Canaaneaid mor anfoesol, gyda'r fath eilunaddoliaeth, oedd yn cynnwys aberthu plant, mae eu disodli o'r tir gan Israel yn cael ei ddarlunio fel y tir ei hun yn eu chwydu allan. Mae Duw hyd yn oed yn rhybuddio Israel, os byddai hi yn ei thro yn halogi'r tir, byddai yntau yn eu chwydu hwythau yn yr un modd ag yr oedd wedi chwydu'r cenhedloedd (Lefiticus 18: 24–30; 20: 22–23; Deuteronomium 12: 31).

Yn drydydd, roedd y perygl o halogi. Dywedodd Moses wrth Israel, "Paid â gwneud cyfamod â hwy" (Deuteronomium 7: 2). Roeddent i ddistrywio pob arwydd o eilunaddoliaeth y Canaaneaid, oherwydd roedd Israel yn bobl sanctaidd i'r Arglwydd (Deuteronomium 7: 6). Nid oedd unrhyw awgrym i fod yn eu plith eu bod yn ailadrodd gweithredoedd ysgeler y Canaaneaid (Deuteronomium 18: 9) na gwneud unrhyw beth i dorri cyfamod yr Arglwydd gyda nhw (Barnwyr 2: 1, 20; Esra 9: 1, 10–12). Dim ond y rhyfel cyfiawn hwn sy'n cael ei warantu gan yr Arglwydd. Petai Israel wedi ufuddhau i Dduw a distrywio'r Canaaneaid yn llwyr ynghyd â'u gweithredoedd a'u harferion ysgeler, tebyg y byddai gwrthryfeloedd diweddar gyda rhai o'r llwythau wedi cael eu hosgoi. Fe'n gelwir ninnau hefyd i lawdriniaeth lem gyda golwg ar ein pechod.

Darllen pellach: Josua 24: 8–13

# Cadw'r Cyfamod

*Gwnaeth Josua gyfamod â'r bobl y diwrnod hwnnw yn Sichem,*
*a gosod deddf a chyfraith ar eu cyfer.*
Josua 24:25

Mae'r Arglwydd yn Dduw cyfamodol ac mae wedi ei rwymo ei hunan i ni drwy lw difrifol gan ddweud, "Byddaf yn Dduw i chwi ... " Cychwynnodd hyn gydag Abraham, parhaodd yn hanes Isaac, Jacob a Joseff. Roedd Moses yn deall yn glir fod ei weinidogaeth ef yn cyflawni rhywfaint o'r cyfamod hwn. Bellach roedd yn hanfodol fod Josua yn gwybod ei fod yn sefyll yn yr un olyniaeth. Felly ar gychwyn a diwedd llyfr Josua mae cyfeiriadau pwysig at y cyfamod. Wedi i'r Israeliaid groesi afon Iorddonen, dywedodd Duw wrth Josua am wneud cyllyll o gallestr ac enwaedu'r Israeliaid gan mai'r enwaediad oedd arwydd y cyfamod a doedd dim enwaedu wedi bod yn ystod y deugain mlynedd o grwydro'r anialwch. Bellach, a hwy wedi eu henwaedu, roeddynt yn gymwys i ddathlu'r Pasg.

Yna mae llyfr Josua yn cau gydag adnewyddu'r cyfamod yn Sichem. Yr hyn sydd yn ddiddorol anghyffredin yw bod Josua, wrth iddo gyflwyno'r cyfamod, yn dilyn patrwm cyfamodau tebyg rhwng cenedl oedd wedi ei choncro a'r brenin neu'r concwerwr. Wedi cyflwyno partïon y cyfamod fe gyflwynir braslun o'r hanes. Yna wedi nodi amodau'r cyfamod a rhestr o'r tystion, mae'r ddogfen yn cloi gyda bendithion sy'n deillio os cedwir y cyfamod a rhybuddion os torrir cyfamod. Gwelir pob un o'r nodweddion hyn yn Josua 24.

Dilynwyr Iesu Grist yw etifeddion cyfamod Duw gydag Abraham. Mae bedydd a swper yr Arglwydd yn arwyddion o'r hyn y mae Iesu yn ei alw yn "gyfamod newydd", sydd yn cyfateb i'r enwaediad a'r Pasg yn yr Hen Destament. Ymhlith y Cenhedloedd fe adnewyddir y cyfamodau yn flynyddol. Ond fe ddylid adnewyddu ein cyfamod ni â Duw yn ddyddiol, neu o leiaf bob tro y byddwn yn mynychu swper yr Arglwydd.

Darllen pellach: Josua 24: 19–27

# Gwrthgiliad Israel

*Gwnaeth yr Israeliaid yr hyn oedd ddrwg yng ngolwg yr ARGLWYDD;*
*aethant i addoli'r Baalim ...*
Barnwyr 2:11

**W**edi marwolaeth Josua ffyddlon, mae Israel yn syrthio i tua dau gan mlynedd o anufudd-dod, gorthrwm ac yna gwaredigaeth. Yn gyntaf, maent yn anghofio'r Arglwydd, Duw eu tadau, yr un oedd wedi eu gwaredu o'r Aifft, ac maent yn mynd ati i addoli duwiau'r bobl oedd o'u cwmpas gan ennyn llid yr Arglwydd.

Yn ail, mae'r Arglwydd ei hun yn eu rhoi yn nwylo eu gelynion oedd yn eu trechu mewn brwydrau ac yn eu gorthrymu.

Yn drydydd, fel ateb i gri ei bobl, mae'r Arglwydd yn codi "barnwyr" i'w gwared rhag eu gorthrymwyr. Ond maent yn gwrthod gwrando ar y barnwyr yma ac felly mae'r cylchdro diflas yma o wrthgilio, o golli, o adfer yn cael ei ailadrodd dro ar ôl tro (adn. 11–17).

Roedd i'r barnwyr hyn nifer o swyddogaethau. Yn gyntaf ac yn flaenaf, roeddynt yn arweinwyr milwrol, pobl yr oedd yr Arglwydd yn eu codi i waredu Israel oddi wrth eu gelynion. Yn yr ystyr yma mae Ehud yn gwaredu Israel oddi wrth y Moabiaid, Debora oddi wrth y Canaaneaid, Gideon oddi wrth y Midianiaid, Jefftha oddi wrth yr Amoriaid, a Samson rhag y Philistiaid. Yna roeddynt yn arweinwyr ysbrydol, pobl o ffydd a phobl yr ysbryd oedd yn amlygu eu hymrwymiad i'r Arglwydd mewn gwahanol ffyrdd ac i wahanol raddau. Yn drydydd, roeddynt yn farnwyr yn unol â'u henw, yn gwrando achosion a gyfeiriwyd atynt gan weinyddu cyfiawnder yn Israel.

Eto mae'n ymddangos nad oedd fawr o gyfraith a threfn yn y tir yn ystod y cyfnod hwn. Felly rydym yn darllen y datganiad clir, "Yn y dyddiau hynny nid oedd brenin yn Israel" (18: 1; 19: 1), ac mae canlyniad anochel anarchiaeth yn cael ei ychwanegu ddwywaith, ac unwaith fel clo priodol i'r llyfr: "Yn y dyddiau hynny nid oedd brenin yn Israel. Yr oedd pob un yn gwneud yr hyn oedd yn iawn yn ei olwg ei hun" (17: 6; 21: 25). Mae'n rhyfeddol, er gwaethaf gwrthgiliad cyson Israel, fod yr Arglwydd yn ffyddlon i'w gyfamod.

Darllen pellach: Barnwyr 2: 10–19

# Barnu'r Barnwyr

*Ac fe ysgrifennwyd yr Ysgrythurau gynt er mwyn ein dysgu ni ...*
Rhufeiniaid 15:4

Wrth ysgrifennu am gymeriadau'r Hen Destament, dywed Paul: "Yn awr, digwyddodd y pethau hyn iddynt hwy fel esiamplau, ac fe'u hysgrifennwyd fel rhybudd i ni" (1 Corinthiaid 10: 11). Drwy ddefnyddio'r ymadrodd "y pethau hyn" mae'n golygu barn Duw ar anfoesoldeb, eilunaddoliaeth ac anghrediniaeth yr Israeliaid. Os yw'r rhain yn esiamplau, maent yn esiamplau drwg i'w hosgoi, nid yn esiamplau da i'w dilyn.

Ni ddylai fod unrhyw anhawster, felly, inni farnu na chwestiynu ymddygiad y barnwyr. Mae'n wir bod Samson a Jefftha yn cael eu dathlu fel enwogion y ffydd yn Hebreaid 11: 32, gan eu bod yn ffyddlon i'r Arglwydd, hyd yn oed o'u hamgylchynu gan rai oedd yn addoli Baal. Ond mae elfennau o'u hagwedd yn gwbl annerbyniol. Mae Samson yn ymddwyn yn amhriodol iawn ac yn sicr ni ddylai Jefftha fod wedi aberthu ei ferch i'w addewid. Rydym yn gwybod hyn oherwydd roedd aberthu plant yn un o'r gweithredoedd yr oedd yr Arglwydd wedi nodi yn benodol ei fod yn eu casáu yn niwylliant y Canaaneaid.

Wedi dweud hyn, nid oedd pawb o bobl Israel a'u harweinwyr wedi eu sugno i mewn i'r cylchdro mileinig hwn. Eithriad hardd iawn oedd Ruth, ac fe geir ei hanes yn union ar ôl llyfr y Barnwyr. Clywn am gwpl o Fethlehem, Elimelech a Naomi, gyda'u dau fab yn cael eu gyrru, ar gyfrif y newyn, i wlad Moab. Mae'r ddau fab yn priodi merched Moab ac un ohonynt oedd Ruth. Ymhen hir a hwyr, mae'r tri gŵr yn marw ac mae Naomi yn cael ei gadael gyda'i dwy ferch-yng-nghyfraith. Mae un yn dychwelyd at ei theulu ym Moab ond mae Ruth yn gwrthod gwneud hynny. "Dy bobl di fydd fy mhobl i," meddai wrth Naomi, "a dy Dduw di fy Nuw i" (Ruth 1: 16). Mae'n amlwg ei bod wedi credu yn yr Arglwydd ac wedi "dod i gysgodi o dan ei adenydd" (Ruth 2: 12). Drwy ragluniaethau dwyfol rhyfeddol, mae perthynas i Naomi o'r enw Boas yn dod yn ŵr iddi ac yn waredwr iddi. Hwy yn eu tro sydd yn dod yn gyndeidiau i Dafydd. Mae llyfr Ruth yn hanes anghyffredin o ffyddlondeb yng nghanol anffyddlondeb, yn oleuni yn nyddiau tywyll y barnwyr.

Darllen pellach: 1 Corinthiaid 10: 1–11

# Bywyd a Gweinidogaeth Samuel

*Tyfodd Samuel, ac yr oedd yr ARGLWYDD gydag ef;*
*ni adawodd i'r un o'i eiriau fethu.*

1 Samuel 3:19

Samuel oedd yr olaf, a heb amheuaeth y mwyaf, o'r barnwyr. Yr oedd wedi ei gyflwyno i'r Arglwydd gan ei rieni hyd yn oed cyn ei enedigaeth. Cafodd ei fagu yn Seilo o dan oruchwyliaeth yr archoffeiriad Eli. Ac yntau yn parhau yn ŵr ifanc, fe ddysgwn fod Israel gyfan wedi sylweddoli "o Dan hyd Beerseba, fod Samuel wedi ei sefydlu'n broffwyd i'r ARGLWYDD" (adn. 20). Fel barnwr roedd yn teithio yn flynyddol o amgylch dinasoedd oedd yn cylchynu ei gartref (7: 15-17) ac o dro i dro byddai'n gwasanaethu fel offeiriad hefyd. Felly fe gyfunid ynddo weinidogaethau proffwyd, offeiriad a barnwr.

Er hynny, wedi i Samuel heneiddio a gosod ei feibion yn farnwyr, doedden nhw ddim yn cerdded yn ffyrdd eu tad ond "yn derbyn llwgrwobrwyon ..." (8: 3). Felly mae henuriaid Israel yn mynnu bod Samuel yn gosod brenin i reoli drostynt, gan wrthod Duw fel eu brenin. Roedd Israel wedi bod yn wlad theocrataidd (yn genedl a reolwyd gan yr Arglwydd) a hynny ers ei chychwyniadau tua 250 o flynyddoedd cyn hynny. Felly mae Samuel yn dadlau gyda'r henuriaid gan eu rhybuddio y byddai brenhinoedd yn y dyfodol yn eu gorthrymu. Ond mae'r bobl yn gwrthod gwrando gan ddweud, "Na ... y mae'n rhaid inni gael brenin, i ni fod yr un fath â'r holl genhedloedd, gyda brenin i'n barnu a'n harwain i ryfel ac ymladd ein brwydrau" (adn. 19-20). Felly mae Israel yn mynnu cael brenin ddwywaith, a dwywaith yn rhoi'r un rhesymau: roeddynt am fod "fel y cenhedloedd eraill". Mae'r Arglwydd yn dweud wrth Samuel am gytuno â'u dyhead.

Ond trasiedi oedd hyn. Roedd Israel wedi ei dewis allan o'r cenhedloedd i gyd i fod yn genedl sanctaidd, yn bobl oedd yn eiddo Duw ei hun, yn wahanol i bawb arall. Mae'r un dilema yn wynebu pobl Dduw heddiw. Mae'r alwad i beidio â chydymffurfio â'r byd o'n cwmpas ond i fod yn anghydffurfwyr radical.

Darllen pellach: 1 Samuel 12: 1–4

# Addewid Gynnar Saul

*Dywedodd Samuel, "A welwch chwi'r un a ddewisodd yr ARGLWYDD?*
*Yn wir nid oes neb o'r holl bobl yn debyg iddo."*
1 Samuel 10:24

Brenin cyntaf Israel oedd Saul. Mae'n cychwyn yn dda. Roedd iddo ymddangosiad hardd a lluniaidd ac fe'i disgrifir fel un oedd "ben ac ysgwyddau" yn dalach na'i gymheiriaid (9: 2; 10: 23). Roedd hefyd yn ifanc, yn olygus, yn ddewr ac yn boblogaidd.

At hynny, roedd Saul yn genedlaetholwr. Roedd wedi ei wylltio gan y cenhedloedd hynny oedd yn mynnu ymosod ar ffiniau Israel. Ar gychwyn ei deyrnasiad mae'n clywed bod Jabeth Gilead, i'r dwyrain o afon Iorddonen, yn wynebu ymosodiad gan Nahash, arweinydd yr Amoniaid. Mae'n ymateb yn syth. Mae'n hel byddin fawr o blith yr Israeliaid, yn symud ar draws yr Iorddonen ac yn achub y dref a'i phreswylwyr. Roedd y fuddugoliaeth hon mor amlwg fel bod y bobl yn cadarnhau Saul yn frenin arnynt gyda dathliadau helaeth.

Er hynny nid oedd Saul i lwyddo yn ei ymdrech i oresgyn y Philistiaid, pobl oedd wedi sefydlu trefi milwrol ar dir Israel. O'r trefi hyn byddent yn danfon milwyr allan i ymosod ar y bobl. Roedd hyn yn sarhad cyson ar bobl Israel. Ond mae dwy ymdrech o du'r Israeliaid yn cael eu nodi fel rhai gwerth cyfeirio atynt. Yn gyntaf mae mab Saul, Jonathan, yn ymddwyn yn rhyfeddol; mae'n dringo wyneb serth, gan ddefnyddio ei ddwylo a'i draed; yn gorchfygu un o'r trefi Philistaidd hyn; ac yn agor y ffordd i'r Israeliaid. Yr ail orchest sydd yn cael ei nodi, wrth gwrs, yw gwaith y Dafydd ifanc yn gorchfygu Goliath.

Yn hytrach na chydnabod yr ymdrechion hyn, a rhoi clod yn y man priodol, mae Saul yn cael ei lenwi gan eiddigedd ofnadwy. Ar gychwyn ei frenhiniaeth mae'n ymddangos ei fod wedi cael profiad ysbrydol didwyll. Mae Ysbryd yr Arglwydd yn dod arno mewn grym ac yn ei newid i fod yn ŵr gwahanol (10: 6). Ond nid yw'r addewid gynnar hon yn para. Mae'n methu rheoli ei emosiynau: "meddiannwyd Saul gan yr ysbryd drwg, a pharablodd yn wallgof yng nghanol y tŷ" (18: 10), ac mae dicter a chwerwedd ac eiddigedd yn ei oresgyn.

Darllen pellach: 1 Samuel 9: 1–2, 15–17

# Anffyddlondeb Saul

*Bu Saul farw am iddo fradychu'r ARGLWYDD trwy anufuddhau i'w air ...*
1 Cronicl 10:13

Mae anffyddlondeb Saul yn cael ei amlygu ar ffurf anufudd-dod ac fe roddir tair esiampl benodol inni. Yn gyntaf, mae Saul yn cymryd arno'i hunan i fod yn offeiriad. Dywedwyd wrtho am aros saith niwrnod yn Gilgal nes byddai Samuel yn cyrraedd yn ei swydd offeiriadol i gyflwyno aberthau. Wedi i'r wythnos fynd heibio a Samuel eto heb gyrraedd, mae Saul yn cymryd y gyfraith i'w ddwylo ei hun. Mae'n llawn esgusodion. Yr oedd yn teimlo "o dan orfodaeth" i weithredu ond mae Samuel yn dweud wrtho, "Buost yn ffôl; pe byddit wedi cadw'r gorchymyn a roddodd yr ARGLWYDD dy Dduw i ti, yn sicr byddai'r ARGLWYDD yn cadarnhau dy frenhiniaeth di ar Israel am byth" (1 Samuel 13: 13). Roedd ei bechod yn gymysgedd o amharodrwydd i fod yn amyneddgar, o falchder ac o anufudd-dod amlwg.

Yn ail, mae Saul yn methu distrywio'r Amaleciaid. Dywedwyd wrtho fod Duw yn bwriadu barnu Amalec am ymosod ar Israel yn fuan ar ôl iddynt ddianc o'r Aifft, a hwythau wedi blino a heb fod yn barod i ymladd. Bu inni ystyried y Sul diwethaf pam roedd y cenhedloedd hyn i fod wedi eu "hoffrymu i'r Arglwydd", hynny yw, cael eu distrywio yn llwyr, yn bobl ac anifeiliaid. Ond mae Saul yn arbed bywyd Agag y brenin ynghyd â'r gorau o'r defaid a'r gwartheg. Pan yw Samuel yn cyhuddo Saul o anufudd-dod, mae Saul yn rhoi'r bai ar ei filwyr gan ychwanegu eu bod wedi gwneud hyn er mwyn aberthu'r anifeiliaid i'r Arglwydd. Mae Samuel yn ymateb gyda'r geiriau cyfarwydd, "Gwell gwrando nag aberth, ac ufudd-dod na braster hyrddod" (1 Samuel 15: 22).

Yn drydydd, mae Saul yn ymholi â dewines. Mae pob ffurf ar geisio cysylltu gyda'r meirw yn cael ei gwahardd gan gyfraith Moses (Lefiticus 19: 31; Deuteronomium 18: 9–14), ac yn gynharach yn nheyrnasiad Saul mae ef ei hun "wedi gyrru ymaith y dewiniaid a'r swynwyr o'r wlad" (1 Samuel 28: 3). Felly mae Saul yn torri nid yn unig orchymyn Duw ond ei orchymyn ef ei hun.

Mae bywyd Saul yn wers am beryglon anufudd-dod. Oherwydd ei fod wedi gwrthod Gair yr Arglwydd, roedd yr Arglwydd wedi ei wrthod ef rhag bod yn frenin dros Israel (1 Samuel 15: 26). Does ryfedd fod yr Arglwydd wedi ceisio "gŵr yn ôl ei galon" yn ei le (1 Samuel 13: 14; cymh. Actau 13: 22). Rydym am droi yr wythnos nesaf at Dafydd.

Darllen pellach: 1 Samuel 28: 11–20

# Wythnos 9: Y Frenhiniaeth

Yr wythnos hon rydym am ymdrechu i edrych dros bron pum can mlynedd o hanes Israel, o farwolaeth Saul i gwymp Jerwsalem. Ar y cychwyn o dan Dafydd a Solomon, roedd y frenhiniaeth yn unedig, ond gyda dyfodiad mab Solomon, Rehoboam, mae'r frenhiniaeth yn ymrannu, a cheir teyrnas y gogledd (Israel) a theyrnas y de (Jwda), a'r ddwy deyrnas yn wastad yn ddrwgdybus o'i gilydd. Adroddir yr hanes o bersbectif gwahanol gan awduron Samuel, Brenhinoedd a Chronicl.

Yr agwedd fwyaf trawiadol yn y cyfnod yw twf a dylanwad cynyddol y proffwydi. Cychwynnodd yr olyniaeth anrhydeddus hon yng nghanol yr 8fed ganrif CC gydag Amos, proffwyd cyfiawnder a Hosea, proffwyd cariad Duw. Mae'n parhau hyd at ddiwedd yr wythfed ganrif gydag Eseia, proffwyd penarglwyddiaeth Duw, tra bod Jeremeia yn rhybuddio'r genedl am farn Duw drwy law'r Babiloniaid ac Eseciel yn mynd gyda hwy i'r gaethglud, gan edrych y tu hwnt i'r gaethglud at yr adferiad.

**Dydd Sul:** Y Brenin Dafydd
**Dydd Llun:** Y Brenin Solomon
**Dydd Mawrth:** Teyrnas y Gogledd
**Dydd Mercher:** Neges Amos
**Dydd Iau:** Neges Hosea
**Dydd Gwener:** Yr Eglwys a'r Wladwriaeth yn Jwda
**Dydd Sadwrn:** Cwymp Jerwsalem

# Y Brenin Dafydd

*Bugeiliodd [Dafydd] hwy â chalon gywir, a'u harwain â llaw ddeheuig.*
Salm 78:72

Cyn i Dafydd gyrraedd yr orsedd, roedd yn amlwg yn hawddgar ac yn gymeriad addawol iawn. Fel bachgen ifanc, gyda ffydd yn y Duw byw, yr oedd wedi gwaredu Israel rhag Goliath, pencampwr y Philistiaid. Roedd wedi gwneud cyfamod o ffyddlondeb gyda Jonathan. Yna, ac yntau wedi ei eneinio yn gyfrinachol gan Samuel, disgynnodd Ysbryd yr Arglwydd arno. Yn ddiweddarach, gydag ysbryd rhadlon a hael, arbedodd fywyd Saul ddwywaith. Yr oedd nodweddion gwladweinydd arbennig yn perthyn iddo, ac nid y lleiaf o'i orchestion oedd sefydlu Jerwsalem fel prifddinas y genedl.

O ystyried y cefndir hwn, tristwch o'r mwyaf yw bod Dafydd wedi methu byw i fyny i'r disgwyliadau hyn. Yn ei chwant direol am Bathseba, torrodd o leiaf bump o'r Deg Gorchymyn: mae'n llofruddio, yn godinebu, yn chwennych, yn dwyn ac yn camdystiolaethu. Wrth iddo fynnu casglu gwybodaeth am y nifer o ddynion oedd yn medru cludo arfau, mae'n amlygu gwendid arall, sef rhoi ei ymddiriedaeth ym mraich y cnawd yn hytrach nag ym mraich yr Arglwydd.

Yng ngolau'r pechodau difrifol yma, sut y gall yr Ysgrythur ddweud am Dduw fod y dyn hwn yn "ŵr yn ôl ei galon" (1 Samuel 13: 14; cymh. Actau 13: 22)? Does dim amheuaeth ei fod wedi edifarhau. Ond uwchlaw popeth, yn wahanol i Solomon ei olynydd, ni throdd ei galon at dduwiau eraill ond yn hytrach roedd wedi "ymrwymo yn llwyr i'r Arglwydd" (1 Brenhinoedd 11: 4). Nid yw felly yn gwbl ryfedd fod yr Ysgrythur yn dweud bod y Meseia oedd i ddod yn mynd i fod yn "fab Dafydd". Gallai hwn ganu o'i galon:

> "Caraf di, O ARGLWYDD, fy nghryfder.
> Yr ARGLWYDD yw fy nghraig, fy
> nghadernid a'm gwaredydd;
> fy Nuw yw fy nghraig lle llochesaf,
> fy nharian, fy amddiffynfa gadarn a'm caer."

Salmau 18: 1–2

Darllen pellach: Salmau 78: 70–72

# Y Brenin Solomon

*Rhoddodd Duw i Solomon ddoethineb a deall helaeth …*
*yr oedd yn ddoethach nag unrhyw un …*
1 Brenhinoedd 4:29, 31

Yn fuan iawn wedi i Solomon olynu Dafydd ar yr orsedd, mae'r Arglwydd yn ymddangos iddo mewn breuddwyd gan ddweud wrtho am ofyn am yr hyn a fynnai. Gan gydnabod ei anaeddfedrwydd, mae Solomon yn gofyn nid am gyfoeth neu enwogrwydd, nac am fywyd hir na buddugoliaeth dros ei elynion, ond yn hytrach am ddoethineb i lywodraethu ei bobl yn gyfiawn. Fel canlyniad, daeth Solomon yn arbenigwr gweinyddol. Mae'n rhannu ei wlad i ddeuddeg rhanbarth o dan ddeuddeg comisiynydd brenhinol. Adeiladodd fyddin a sefydlu llynges Israel. Roedd y llongau hyn, oedd yn cael eu cadw yn Ngwlff Acaba, yn teithio yn helaeth i fasnachu.

Wedi adeiladu palasau ar ei gyfer ei hun a'i frenhines, ynghyd â nifer o adeiladau cyhoeddus eraill, aeth Solomon yn ei flaen i adeiladu'r deml yr oedd ei dad yn dymuno ei hadeiladu. Daeth yn noddwr arbennig i'r celfyddydau, yn awdur nifer o ddiarhebion ac yn gyfansoddwr caneuon. Roedd ei enwogrwydd ar gyfrif ei ddoethineb a'i gyfiawnder wedi ymledu yn eang, ac o dan ei lywodraeth roedd y bobl yn mwynhau heddwch a llwyddiant. Does ryfedd fod Iesu wedi siarad am "Solomon yn ei holl ogoniant" (Mathew 6: 29). Roedd Israel wedi cyrraedd uchafbwynt ei godidowgrwydd.

Wedi dweud hyn, nid oedd y cyfan o dan yr wyneb gystal ag y gellid ei dybio. Nid oedd Solomon yn caru'r Arglwydd ei Dduw â'i holl galon. Nid oedd ychwaith yn caru ei gymydog fel ef ei hun. Ar y naill law, yr oedd ganddo lu o dywysogesau, oedd yn "troi ei galon ar ôl duwiau eraill" (1 Brenhinoedd 11: 4). Ar y llaw arall, dim ond trwy fesurau gormesol megis treth uchel a gorfodi eraill i weithio iddo y gallai ddiogelu ei fywyd cyfoethog.

Rydym bellach wedi edrych ar y tri brenin oedd yn llywodraethu yn y frenhiniaeth unedig – Saul, Dafydd a Solomon. Bu i'r tri deyrnasu am tua deugain mlynedd yr un. Roedd y tri hefyd, mewn ffyrdd gwahanol, yn gymysgedd o ddaioni a drygioni. Ond yn bennaf ac yn bwysicaf, mae'r tri hefyd yn gofeb i ras Duw.

Darllen pellach: 1 Brenhinoedd 11: 4–6

# Teyrnas y Gogledd

*"Os byddi di heddiw yn was i'r bobl hyn, a'u gwasanaethu a'u hateb â geiriau teg, byddant yn weision i ti am byth."*

1 Brenhinoedd 12:7

Pan fu farw Solomon, daeth y bobl ynghyd i orseddu Rehoboam, ei fab, yn frenin. Wrth ei orseddu, dyma'r bobl yn apelio arno i ysgafnhau iau gorthrymder ei dad; ac yna byddent yn ei wasanaethu. Ond dilynodd Rehoboam gyfarwyddyd a chyngor ei gynghorwyr ifanc a dibrofiad, a'i hanogodd i wneud iau ei dad yn drymach. Parodd y penderfyniad hwn i'r deg llwyth yn y gogledd gyhoeddi eu hannibyniaeth ar orsedd Dafydd, ac o'r herwydd cychwynnodd y rhaniad yn y frenhiniaeth. Teyrnas y gogledd oedd Israel, gyda Jeroboam fel ei brenin cyntaf a'r brifddinas yn Sichem (yn ddiweddarach Samaria); Jwda oedd teyrnas y de, gyda Rehoboam fel eu brenin cyntaf a Jerwsalem yn brifddinas.

Er mwyn symud calonnau ei bobl o dŷ Dafydd, roedd Jeroboam yn benderfynol o'u hatal rhag mynd ar bererindod i Jerwsalem. Oherwydd hyn mae'n sefydlu dwy ddinas gysegredig (Dan yn y gogledd a Bethel yn y de) gan osod llo aur yn y ddwy. Ni ellir dweud braidd ddim am y pum brenin sydd yn ei ddilyn, ac yna daw brenhiniaeth Omri i'r amlwg, a'i fab ef Ahab a briododd y frenhines Jesebel o Phenisia. Gweithredodd Jesebel yn fwriadol i annog addoli Baal o fewn y llys a thu hwnt.

Gwylltiodd y gwrthgiliad amlwg hwn y proffwyd Eleias a oedd, er nad oedd yn olyniaeth gweddill y proffwydi, yn sicr o fod yn ennyn edmygedd am ei dystiolaeth ddiwyro. Yn gyntaf, mae'n herio proffwydi Baal i ymryson ar ben Mynydd Carmel, ac yno mae'r Arglwydd yn cael ei amlygu fel yr unig wir a bywiol Dduw. Yn ail, mae Eleias yn dod i wrthdrawiad gyda'r brenin am lofruddiaeth Naboth, a'r ffaith fod y brenin wedi dwyn ei winllan.

Tua deng mlynedd ar hugain ar ôl diwedd teyrnasiad Jehu, cyfnod lle gwelwyd arweinwyr milwrol ar yr orsedd, syrthiodd Samaria i'r Asyriaid yn 722 CC, a'r Asyriaid bellach fyddai'n meddiannu'r wlad. Dyma darddiad y genedl gymysg a adnabyddir fel y Samariaid. Roedd barn Duw wedi syrthio ar ddau gan mlynedd o anffyddlondeb crefyddol.

Darllen pellach: 1 Brenhinoedd 12: 1–17

# Neges Amos

*Ond llifed barn fel dyfroedd a chyfiawnder fel afon gref.*
Amos 5:24

Amos oedd y cyntaf o'r proffwydi a ysgrifennodd yn yr wythfed ganrif cyn Crist. Cyhoeddwyd ei broffwydoliaethau pan oedd Jeroboam II yn frenin Israel. Fe lwyddodd yr ail Jeroboam i adfer tiroedd Israel i'r hyn oeddent yn ystod cyfnod Dafydd a Solomon. Roedd heddwch wedi dod â llwyddiant economaidd i'r wlad ac arwyddion clir o foethusrwydd. Roedd elfen hefyd o adferiad crefyddol, gan fod y mannau cysegredig yn llawn addolwyr.

Ond ochr yn ochr â'r allanolion hyn roedd y genedl yn dioddef dan ddadfeiliad cymdeithasol a moesol. Gwelodd Amos ddrygau ymhob rhan o gymdeithas, drygau yr oedd angen eu hamlygu. Yn y llysoedd barn roedd yr ynadon yn tramgwyddo hawliau'r tlodion ac roedd angen prynu cyfiawnder trwy lwgrwobrwyo (adn. 12). Yn y marchnadoedd roedd y gwerthwyr yn euog o "gynyddu prisiau" a rhoi llai i'r bobl na'r hyn y talwyd amdano (8: 5). Ym mhalasau'r cyfoethogion roedd mwynhad o fywyd bras, gyda bwyta ac yfed, oedd yn peri anwybyddu llwyr ar anghenion y tlodion (4: 1; 6: 4-6). Yn y cysegrleoedd roedd yr addolwyr yn hiraethu am i'r dathliadau a'r gwleddoedd ddod i ben er mwyn iddynt gael dychwelyd at brynu a gwerthu (8: 5).

Gellir efallai bwysleisio un peth sylfaenol yn yr hyn yr oedd Amos yn ei ddysgu. Mae Amos yn dangos inni fod braint yn dwyn cyfrifoldeb, nid yn peri ein bod y tu hwnt i farn Duw. Mae hyn yn cael ei amlygu yn nwy bennod agoriadol proffwydoliaeth Amos. Mae'n rhybuddio am farn Duw ar y chwe chenedl oedd yn amgylchynu Israel – Syria, Philistia, Tyrus, Edom, Amon a Moab. Gellid yn hawdd ddychmygu brwdfrydedd ei gynulleidfa. Ond mae Amos yn ychwanegu bod barn Duw ar ddod ar Jwda ac Israel hefyd. Mae'n wir mai hwy oedd y rhai roedd Duw wedi eu dewis, nhw oedd pobl ei gyfamod, ond byddai hyn yn dwyn barn arnynt, nid yn rhoi dihangfa rhag y farn. Mae'n rhybudd i ninnau hefyd:

> "Chwi'n unig a adwaenais
>   o holl deuluoedd y ddaear;
>   am hynny, fe'ch cosbaf chwi
>   am eich holl gamweddau."

Amos 3: 2

Darllen pellach: Amos 5: 18–24

# Neges Hosea

*Oherwydd ffyddlondeb a geisiaf, ac nid aberth,*
*gwybodaeth o Dduw yn hytrach na phoethoffrymau.*
Hosea 6:6

Os Amos yw proffwyd cyfiawnder Duw, Hosea yw proffwyd ei gariad. Ymhellach, mae'r ffordd y bu i Hosea dderbyn ei neges oddi wrth Dduw yn wahanol iawn. Tra bod Duw wedi siarad yn uniongyrchol gydag Amos, "Dos i broffwydo i'm pobl Israel" (Amos 7: 15), mae'n datguddio ei neges i Hosea drwy'r boen a ddaeth yn sgil chwalfa ei briodas.

Efallai mai'r frawddeg allweddol ym mhroffwydoliaeth Hosea yw'r gorchymyn, "Dos eto, câr wraig a gerir gan arall ac sy'n odinebwraig, fel y câr yr ARGLWYDD blant Israel er iddynt droi at dduwiau eraill a hoffi teisennau grawnwin" (Hosea 3: 1). Mae darlunio'r gymhariaeth sydd rhwng cariad Hosea at ei wraig Gomer, a chariad yr Arglwydd at ei wraig Israel yn hanfodol i'n deall ni. Nid yw'n glir sut y bu i Gomer ymddwyn yn amhriodol ond mae'n amlwg ei bod wedi gadael Hosea, fel yr oedd Israel wedi gadael yr Arglwydd, a bellach roedd angen i Hosea ei hennill yn ôl, fel yn wir yr oedd yr Arglwydd yn dymuno ennill Israel yn ôl.

Mae anffyddlondeb Israel yn cael ei alw yn ddiffyg *hesed*. Yn aml cyfieithir hyn fel "trugaredd" neu "gariad". Tarddiad y gair *hesed* yw ffyddlondeb cyfamodol ac felly gellir ei gyfieithu fel "cariad ffyddlon". Dyma oedd ewyllys yr Arglwydd ar gyfer ei bobl: "Oherwydd ffyddlondeb a geisiaf, ac nid aberth, gwybodaeth o Dduw yn hytrach na phoethoffrymau" (6: 6). Dyma ei gŵyn: "am nad oes ffyddlondeb (hesed), cariad na gwybodaeth o Dduw yn y tir" (4: 1). Beth oedd yno yn lle hyn? "[T]yngu a chelwydda, lladd a lladrata, godinebu a threisio, a lladd yn dilyn lladd" (4: 2). Mewn geiriau eraill, torri gorchmynion y cyfamod. "[O]herwydd puteiniodd y wlad i gyd trwy gilio oddi wrth yr ARGLWYDD" (1: 2) ac wrth droi ymaith at ei "chariadon", duwiau ffrwythlondeb a'r allorau lleol (2: 13). Felly mae'r alwad iddi i edifarhau ac i ddychwelyd at yr Arglwydd. Mae ef yn ei cheisio ac yn addo, "Fe'th ddyweddïaf â mi fy hun dros byth" (2: 19).

Mae'r un gŵyn a'r un alwad yn cael eu cyfeirio atom ni heddiw. Yng ngeiriau'r Arglwydd Iesu at yr eglwys yn Effesus, "Ond y mae gennyf hyn yn dy erbyn, iti roi heibio dy gariad cynnar. Cofia, felly, o ble y syrthiaist, ac edifarha, a gwna eto dy weithredoedd cyntaf" (Datguddiad 2: 4–5).

Darllen pellach: Hosea 14: 1–8

# Yr Eglwys a'r Wladwriaeth yn Jwda

*Paid ag ofni'r pethau a glywaist, pan oedd*
*llanciau brenin Asyria yn fy nghablu.*
### 2 Brenhinoedd 19:6

Yn ystod cyfnod y deyrnas yn y gogledd, roedd y deyrnas yn y de hefyd yn byw eu bywyd er nad oedd eu brenhinoedd yn adnabyddus iawn. Wedi cwymp Samaria i'r Asyriaid yn 722 CC a chwalfa teyrnas y gogledd, goroesodd Jwda am 135 o flynyddoedd (722–587 CC). Nodweddid y cyfnod hwn gan ddau ddiwygiad crefyddol lle gwelir brenhinoedd a phroffwydi yn cydweithio. Arweiniwyd y cyntaf gan y Brenin Heseceia, gydag anogaeth y proffwydi Micha ac Eseia. Arweiniwyd yr ail gan y Brenin Joseia, gydag anogaeth ei gyfyrder y proffwyd Seffaneia a'r proffwyd ifanc Jeremeia. Rydym am ddarllen mwy am y proffwydi hyn ymhen tair a phedair wythnos.

Mae Heseceia yn sicrhau bod Jwda yn cael gwared â phob arwydd o eilunaddoliaeth Asyria. Mae Eseia a Micha yn taranu yn erbyn rhagrith crefyddol y genedl ac anghyfiawnder cymdeithasol. Mae eu tystiolaeth yn cael ei grynhoi yn apêl Micha:

> Dywedodd wrthyt, feidrolyn, beth sydd dda,
> a'r hyn a gais yr ARGLWYDD gennyt:
> dim ond gwneud beth sy'n iawn, caru teyrngarwch,
> ac ymostwng i rodio'n ostyngedig gyda'th Dduw.

Micha 6: 8

Wynebodd Jwda argyfwng yn 701 CC pan osododd arweinydd yr Asyriaid, Senacherib, warchae ar Jerwsalem, gan gau Heseceia (yn ei eiriau ei hunan) "fel aderyn mewn cawell". Mae Eseia yn ei annog i sefyll yn gadarn, a chodwyd y gwarchae yn rhyfeddol. Er bod Manase, mab annuwiol Heseceia, wedi gwyrdroi nifer o bolisïau crefyddol ei dad, gwelodd gor-ŵyr Heseceia, Joseia (639–609 CC), ac yntau eto yn fachgen ifanc iawn, gychwyn diwygiad newydd a chafodd ei gynorthwyo gan y proffwyd Jeremeia.

Fe ddylai'r ddwy esiampl o'r eglwys a'r wladwriaeth yn cydweithio fod yn foddion i'n hysbrydoli heddiw. Nid bod y brenin wedi ceisio bod yn broffwyd nac ychwaith bod y proffwyd wedi ymhél â gwleidyddiaeth. Mae'r naill fel y llall yn cyflawni eu galwad eu hunain, ond gyda'i gilydd maent yn effeithiol.

Darllen pellach: Micha 6: 6–8

# Cwymp Jerwsalem

*O mor unig yw'r ddinas a fu'n llawn o bobl! Y mae'r un a fu'n fawr ymysg y cenhedloedd yn awr fel gweddw.*

Galarnad 1:1

Er gwaethaf y diwygiadau crefyddol a arweiniwyd gan y Brenin Heseceia a'r Brenin Joseia ni pharhaodd eu heffaith yn hir. Cwyn Jeremeia yw bod y bobl heb wrando " … nac estyn clust, ond rhodio yn ôl eu barn eu hunain, ac yn ystyfnigrwydd eu calon ddrwg. Aethant yn ôl ac nid ymlaen" (Jeremeia 7: 24). Mae'n amlwg bod y Brenin Jehoiacim yn benodol, er ei fod yn un o feibion Joseia, wedi penderfynu dadwneud llawer o waith da ei dad. Defnyddiodd gaethweision i adeiladu palas braf iddo ef ei hunan (Jeremeia 22: 13–17), a phan ddarllenwyd sgrôl oedd yn cynnwys geiriau Jeremeia iddo, fe'i rhwygodd a'i llosgi (Jeremeia 36: 21–23).

Yn y cyfamser roedd ymerodraeth Asyria wedi dirwyn i ben gyda chwymp y brifddinas Ninefe i'r Babiloniaid yn 612 CC. Penderfynodd Nebuchadnesar o Babilon apwyntio Sedeceia i olynu ei frawd Jehoiacim. Ond roedd y brenin newydd yn wan ac yn ddi-asgwrn-cefn ac yn fwy na hynny, "Gwnaeth yr hyn oedd ddrwg yng ngolwg yr ARGLWYDD ei Dduw. Gwrthododd ymostwng o flaen y proffwyd Jeremeia, a oedd yn llefaru dros yr ARGLWYDD" (2 Cronicl 36: 12). I'r gwrthwyneb, mae'n gwrthryfela yn erbyn Babilon, ac oherwydd hyn fe ddaeth byddin y wlad honno a gosod Jerwsalem dan warchae. Roedd amodau'r newyn yn ofnadwy ac yn 587–586 CC syrthiodd y ddinas. Chwalwyd ei muriau yn rwbel a llosgwyd teml ardderchog Solomon i'r ddaear, wrth i'r bobl gael eu cymryd i'r gaethglud.

Mae'n anodd inni ddeall union deimladau pobl Dduw wrth iddynt golli eu dinas sanctaidd a'u teml, sef canolbwynt eu bywyd cenedlaethol. A oedd Duw wedi gadael ei bobl? Dim ond wrth inni ddarllen llyfr Galarnad y medrwn ddechrau synhwyro gwir deimladau'r bobl. Ond y gwir amdani yw nad oedd y gweddill duwiol yn anobeithio ond yn hytrach yn ymddiried yng nghymeriad a chyfamod anghyfnewidiol Duw:

> Meddyliaf yn wastad am hyn,
> ac felly disgwyliaf yn eiddgar.
> Nid oes terfyn ar gariad yr ARGLWYDD,
> ac yn sicr ni phalla ei dosturiaethau.
> Y maent yn newydd bob bore,
> a mawr yw dy ffyddlondeb.
>
> Galarnad 3: 21–23

Darllen pellach: Galarnad 1: 1, 6, 12

# Wythnos 10: Llenyddiaeth Doethineb

Mae'r meddwl Cristnogol yn cydnabod Duw fel y realiti sydd yn gorwedd y tu ôl i bob ffenomena. Mae'r ffaith fod y Beibl yn Dduw-ganolog (yn cydnabod Duw yn Greawdwr, Cynhaliwr, Arglwydd, Gwaredwr, Tad a Barnwr) yn sylfaenol i'r meddwl Cristnogol. Mae'r meddwl Cristnogol yn feddwl duwiol. Yr egwyddor Feiblaidd yn sylfaenol yw bod daioni yn ei hanfod yn dduwioldeb, gan mai'r gorchymyn cyntaf a'r mwyaf yw i garu'r Arglwydd ein Duw gyda'n holl galon ac enaid.

Mae hyn yn esbonio ystyr gwir ddoethineb. Mae doethineb yn thema amlwg yn y Beibl. Yn yr Hen Destament, yn ychwanegol at y Gyfraith a'r Proffwydi, mae pum llyfr doethineb, sef Job, Salmau, Diarhebion, Pregethwr a Caniad Solomon. Mae'r llyfrau hyn yn ymwneud â'r hyn a alwn ni yn "ystyr". Beth mae'n ei olygu i fod yn berson? Sut mae dioddefaint, drygioni, anghyfiawnder a chariad i'w deall? Dyma ein testun yr wythnos hon a'r wythnos nesaf.

**Dydd Sul:** Llyfr y Pregethwr
**Dydd Llun:** Cysurwyr Job
**Dydd Mawrth:** Job a Duw
**Dydd Mercher:** Diarhebion – Y Ffŵl
**Dydd Iau:** Diarhebion – Y Gwatwarwr
**Dydd Gwener:** Diarhebion – Y Diogyn
**Dydd Sadwrn:** Caniad Solomon

# Llyfr y Pregethwr

*Ofn yr ARGLWYDD yw dechrau doethineb,*
*ac adnabod y Sanctaidd yw deall.*
Diarhebion 9:10

**M**ae'n debyg bod enwogrwydd llyfr y Pregethwr yn deillio yn rhannol o'r ymadrodd pesimistaidd, "Gwagedd, gwagedd yw'r cyfan." Ond mae'n debyg nad dyma'r cyfieithiad gorau. Mae'r testun gwreiddiol yn awgrymu rhywbeth tebycach i "Diystyr ... diystyr yw'r cyfan."

Mae'n siŵr bod iaith "ystyr" a "diffyg ystyr" yn rhywbeth cyfarwydd iawn i bobl heddiw, pobl sydd yn ymdrechu i ddarganfod ystyr eu bywyd eu hunain. Un o'r bobl a oroesodd brofiad ofnadwy Auschwitz yw Victor Frankl, dyn a oedd i ddod yn ddiweddarach yn athro mewn seiciatreg ym Mhrifysgol Vienna. Dywed Frankl ei fod wedi ei berswadio bod gan bobl ewyllys sylfaenol i "ddarganfod ystyr". "Mae'r ymdrech i ddarganfod ystyr yn fy mywyd fy hun," meddai, "yn un o'r symbyliadau hanfodol mewn dyn."[1]

Mae llyfr y Pregethwr yn amlygu sawl agwedd ar emosiwn dynol ond yn pwysleisio oferedd bywyd sydd wedi ei gaethiwo mewn amser a gofod ac yn gwadu neu yn anwybyddu realiti Duw. Os yw realiti wedi ei gyfyngu i amser, i'r cyfnod byr hwn rydym yn byw ar y ddaear gyda'i holl anghyfiawnder a'i boen, gan gychwyn gyda'n genedigaeth a gorffen fel yr anifeiliaid gyda marwolaeth, yna mae popeth yn "ddiystyr ... yn ddiystyr, yn gwbl ddiystyr!"

Neu os yw realiti wedi ei gyfyngu i ofod, i'r profiad dynol o dan yr haul, heb unrhyw fath o safon wrthrychol y tu hwnt a'r tu allan i'r haul, yna eto mae'r cyfan yn "ddiystyr! Diystyr ... yn gwbl ddiystyr!" Mae'r cwbl yn ofer.

Dim ond Duw sy'n abl i roi ystyr i fywyd, oherwydd dim ond Duw sydd yn gallu llenwi'r hyn sydd ar goll. Mae Duw yn ychwanegu tragwyddoldeb i amser. Dyna pam mai "ofn yr Arglwydd yw cychwyn doethineb", oherwydd mae doethineb yn cychwyn gyda chydnabyddiaeth ostyngedig o realiti bodolaeth Duw.

Darllen pellach: Y Pregethwr 1: 1–11

---

1. Victor E. Frankl, *Man's Search for Meaning* (1959; Efrog Newydd: Washington Square Press, 1963), 154.

# Cysurwyr Job

*... dywedodd yr ARGLWYDD wrth Eliffas y Temaniad,*
*"Yr wyf yn ddig iawn wrthyt ti a'th ddau gyfaill am nad ydych*
*wedi dweud yr hyn sy'n iawn amdanaf, fel y gwnaeth fy ngwas Job."*
Job 42:7

Nid yw'r Beibl mewn un man yn honni datrys problem dioddefaint, ond mae'n wynebu'r broblem o ddifri ac yn rhoi inni bersbectif er mwyn medru ei hwynebu. Mae llyfr Job yn gwneud cyfraniad pwysig at hyn.

Mae'r llyfr yn cychwyn gyda dau ddarlun – yn gyntaf, darlun o gyfiawnder Job, ei deulu, ei gyfoeth, ac yn ail, darlun o'r cyngor nefol, lle mae Duw a'r diafol yn trafod Job. Mae'n amlwg bod yr hyn a ddioddefodd Job yn digwydd gyda chaniatâd Duw. Dim ond wedi rhoi'r caniatâd yma y daw'r alanas sydd yn digwydd yn ei fywyd, wrth iddo golli ei anifeiliaid, ei weision, ei feibion a'i ferched, a'i iechyd.

Wedi hyn mae'r tri "chysurwr" yn cyrraedd. Ar y cychwyn maent yn eistedd gydag ef am wythnos heb ddweud dim. Byddai wedi bod yn ddelfrydol petai'r tri wedi cadw'n dawel ar hyd yr amser. Ond i'r gwrthwyneb, ceir gan un ar ôl y llall syniadau orthodocs confensiynol, arwynebol yn cael eu hadrodd a'u hailadrodd, gan ddweud yn benodol fod Job yn dioddef oherwydd ei bechod. Yn ôl Eliffas, "bydd yr annuwiol mewn helbul holl ddyddiau ei oes" (15: 20). Mae Bildad yn ychwanegu, "Fe ddiffydd goleuni'r drygionus, ac ni chynnau fflam ei dân" (18: 5), a chyfraniad Soffar yw, "byr yw gorfoledd y drygionus, ac am gyfnod yn unig y pery llawenydd yr annuwiol" (20: 5).

Er bod Job yn anghywir yn caniatáu i hunandosturi ei feddiannu, doedd ddim yn anghywir i wrthod cyngor ac athrawiaeth ei ffrindiau, gan eu galw yn feddygon diwerth ac yn "gysurwyr sy'n peri blinder" (16: 2) oedd yn siarad dim ond ffolineb (21: 34). Mae Duw yn ddiweddarach yn cadarnhau barn Job. Mae'n cyfeirio at eu ffolineb ac yn mynnu ddwywaith nad oeddent wedi mynegi iddo "yr hyn sy'n iawn" (42: 7–8).

Mae llyfr Job hefyd yn bwysig i'n dealltwriaeth o'r Ysgrythur gyfan. Mae'n dweud wrthym na ddylem ddyfynnu dim o eiriau'r cysurwyr hyn fel Ysgrythur, oherwydd mae eu geiriau yno er mwyn i ni eu gwrth-ddweud, nid eu cadarnhau.

Darllen pellach: Job 42: 1–9

# Job a Duw

*Yna atebodd Job: "Un dibwys wyf fi; beth allaf ei ddweud?*
*Rhof fy llaw ar fy ngheg. Yr wyf wedi llefaru unwaith, ac nid*
*atebaf eto; do ddwywaith, ac ni chwanegaf."*
Job 40:3–5

Oedrych drwy lyfr Job gwelwn nifer o agweddau gwahanol tuag at ddioddefaint yn dod i'r golwg. Mae'r cyfuniad rhyfedd o hunandosturi a hunanhyder yn amlwg yn rhywbeth y dylem ei wrthod. Felly hefyd argymhelliad y cysurwyr y dylem gyhuddo ein hunain. Mae'n debyg y gellir galw agwedd Elihu yn hunanddisgyblaeth gan ei fod yn cynrychioli Duw fel athro (36: 22) sy'n siarad â ni yng nghanol ein gorthrymderau (36: 15) er mwyn troi dyn "oddi wrth ei weithred, a chymryd ymaith ei falchder oddi wrtho" (33: 17). Ac eto annigonol yw'r esboniad hwn.

Mae'n amlwg mai'r agwedd y dylem ei meddu yn ein perthynas â Duw yw ymroddiad llwyr. Mae Duw yn gwahodd Job i edrych o'r newydd ar waith y creu gan holi cwestiynau di-rif iddo. Ble oedd Job pan grëwyd y ddaear? All Job reoli'r eira, y storm, y sêr? Oes gan Job unrhyw gyfrifoldeb wrth oruchwylio byd yr anifeiliaid a'r adar? Uwchben y cyfan, a yw Job yn deall dirgelion a chryfder y behemoth, y lefiathan, y crocodeil?

Os oedd hi'n rhesymol i Job ymddiried yn y Duw sydd drwy ddoethineb a grym yn datguddio ei hunan yn y greadigaeth, cymaint mwy yw ein cyfrifoldeb ni i ymddiried yn yr Un hwnnw sydd yn ei gariad a'i gyfiawnder wedi ei amlygu i ni ar y groes. Mae ymddiried yn yr Arglwydd yn rhesymol oherwydd fod gwrthrych ein hymddiriedaeth yn gwbl ddibynadwy. Does dim yn fwy dibynadwy na Duw'r groes. Nid yw'r groes yn ateb problem dioddefaint ond yn sicr mae yn rhoi i ni'r olwg iawn arni.

Felly mae angen i ni yn gyson ddringo'r bryn a elwir Calfaria ac o'r fan honno edrych ar yr anawsterau sydd mewn bywyd. Gan fod Duw wedi ei ddatguddio ac wedi arddangos ei gariad sanctaidd mewn digwyddiad hanesyddol (y groes), does dim digwyddiad hanesyddol arall (personol neu fyd-eang) sy'n gallu gwadu maint ei gariad a'i gyfiawnder ef.

Darllen pellach: Job 38: 1–11

# Diarhebion – Y Ffŵl

*Ofn yr ARGLWYDD yw dechrau gwybodaeth, ond y mae*
*ffyliaid yn diystyru doethineb a disgyblaeth.*
Diarhebion 1:7

Mae'n amlwg bod y llyfr hwn yn ganlyniad i fyfyrdod hir a gofalus ar fywyd. Mae pob dihareb wedi ei naddu yn ofalus gan ŵr sydd wedi meddwl yn ddwys am fywyd ac sy'n abl i ddefnyddio geiriau yn gywrain. Ymhellach, mae llawer o'r diarhebion yn arddangos synnwyr cyffredin yn ogystal â gwirionedd Duw. Wrth gwrs nid yw doethineb dwyfol a doethineb dynol bob amser yn groes i'w gilydd. Drwy'r gemau hyn mae Duw yn parhau i siarad â ni heddiw.

Un o nodweddion y diarhebion hyn yw'r ffaith eu bod nid yn gymaint yn frawddegau moel, ond yn hytrach yn frawddegau sydd wedi eu gwisgo â chymeriadau fel y ffŵl, y gwawdiwr a'r diogyn.

Mae'n amlwg bod y ffŵl heb feddu dim doethineb. Yn ôl y llyfr mae'r ffŵl yn "diystyru doethineb a disgyblaeth" (adn. 7). Mae'r cyfuniad hwn o ddoethineb a disgyblaeth yn arwyddocaol, oherwydd mae ffolineb y ffŵl i raddau yn foesol yn hytrach na meddyliol. Nid yw'r ffŵl yn ddi-ddysg ond mae'n methu disgyblu ei hunan.

Mae ffŵl yn arddangos diffyg hunanddisgyblaeth yn arbennig yn ei ddefnydd o'r tafod. Mae'n naturiol iawn i gyfeirio ato fel un sy'n "ffôl ei siarad" (10: 8) a'i enau "yn parablu ffolineb" (15: 2). Pe bai modd ei gadw'n dawel, byddai "hyd yn oed y ffŵl yn cael ei ystyried yn ddoeth" (17: 28), ond nid hyn sydd yn ei nodweddu. Gobeithir "yn y cynulliad wrth y porth", lle mae'r henuriaid yn cyfarfod i drafod, y gall hyd yn oed hwn fod â rhywbeth i'w gyfrannu, ond yn y sefyllfa hon "does ganddo ddim i'w ddweud" (24: 7). Yn arferol, er hynny, mae'n "ymhyfrydu mewn gwyntyllu ei farn ei hun" (18: 2). Mae'n ateb cyn gwrando a dyma "ei ffolineb a'i warth" (adn. 13).

Fe'n rhybuddir i osgoi ffyliaid, oherwydd mae'n well "cyfarfod ag arthes wedi colli ei chenawon na chyfarfod ag ynfytyn yn ei ffolineb" (17: 12).

Darllen pellach: Diarhebion 9: 13–18

# Diarhebion – Y Gwatwarwr

*Y mae'r balch yn ffroenuchel; gwatwarwr yw ei enw.*
Diarhebion 21:24

Cymeriad arall sy'n ymddangos ar dudalennau llyfr y Diarhebion yw'r gwatwarwr. Mae hwn yn gwrthod cymryd bywyd o ddifrif. Gellir ei uniaethu â'r hyn a elwir heddiw yn sinig, oherwydd mae'n defnyddio gwawd i gwestiynu didwylledd dyn. Does ganddo ddim amser i'r rhai sy'n gwneud daioni.

Dywed un o'r adnodau, "Y mae ffyliaid yn gwawdio euogrwydd, ond yr uniawn yn deall beth sy'n dderbyniol" (14: 9). Nid yw ysgolheigion yn gytûn ar wir ystyr yr adnod ond mae'n ymddangos fel petai'n darlunio'r gwatwarwr yn un sydd yn gwadu difrifoldeb pechod, euogrwydd a barn ac yn trin yr angen am gymod a maddeuant yn ysgafn iawn.

Un o'r sefydliadau y mae'r gwatwarwr yn ei wawdio yw'r cartref. Mae llawer o gynnwys llyfr y Diarhebion yn gynghorion i rieni: "Fy mab, gwrando ar addysg dy dad, paid â gwrthod cyfarwyddyd dy fam" (1: 8). Mae'n anodd credu na fyddai hyd yn oed y gwatwarwr yn parchu ei rieni. Ond na. "Y mae mab doeth yn derbyn disgyblaeth tad, ond ni wrendy gwatwarwr ar gerydd" (13: 1). Mae'n amlwg bod yr olwg hon ar arweiniad rhieni yn anghyson ag ufudd-dod i'r pumed gorchymyn i anrhydeddu tad a mam.

Mae'r gwatwarwr yn ymddwyn mewn ffordd debyg yn ei berthynas ag eraill. Nid yw yn ceisio cyngor, nid yw yn cymryd cyngor hyd yn oed os cynigir cyngor iddo ac "Nid yw'r gwatwarwr yn hoffi cerydd; nid yw'n cyfeillachu â'r doethion" (15: 12). Felly, "Paid â cheryddu gwatwarwr, rhag iddo dy gasáu; cerydda'r doeth, ac fe'th gâr di" (9: 8). Mae'r doeth, ar y llaw arall, "yn gwrando ar gyngor" (12: 15). Yn wir, un o nodweddion y doeth yw ei fod nid yn unig yn gwrando ar gyngor ond hefyd yn ymateb yn briodol i ddisgyblaeth.

Casgliad llyfr y Diarhebion yw bod yr Arglwydd yn "dirmygu'r dirmygwyr" (3: 34), oherwydd sut y gall Duw gymryd o ddifrif y rhai hynny sydd ddim yn ei gymryd ef o ddifrif?

Darllen pellach: Diarhebion 9: 7–12

# Diarhebion – Y Diogyn

*Fel y mae drws yn troi ar ei golyn, felly y mae'r diog yn ei wely.*
Diarhebion 26:14

Wrth inni ddarllen llyfr y Diarhebion daw'n amlwg bod y diogyn bob amser yn destun sbort i'r awdur. Mae'n rhy flinedig i godi yn y bore (6: 9–11), a'r esgus gwirion y mae'n ei roi am hyn yw bod llew allan yn y stryd (22: 13; 26: 13). Mae hwn mor ddiog fel ei fod yn caniatáu i'w gaeau a'i winllannoedd gael eu goddiweddyd gan ddrain a mieri (24: 30–31), ac wrth iddo estyn ei law at ei fwyd, does ganddo ddim digon o egni i godi ei law yn ôl at ei geg (19: 24; 26: 15).

Gan fod yr Ysgrythur yn ein sicrhau nad anifeiliaid ydym ond pobl wedi ein gwneud ar ddelw Duw, mae'n mynd ymlaen i'n disgyblu pryd bynnag y mae anifeiliaid yn llwyddo i wneud yn reddfol yr hyn y dylem ni ei wneud drwy ddewis. Un o'r esiamplau gorau o hyn yw'r gymhariaeth rhwng y morgrugyn a'r diogyn: "Ti ddiogyn, dos at y morgrugyn, a sylwa ar ei ffordd a bydd ddoeth" (6: 6).

Mae egni a diwydrwydd y morgrugyn yn enwog. Mae'n ymddangos nad ydynt yn gorffwys, ond yn cludo llwyth sydd lawer gwaith yn drymach na hwy eu hunain. Er eu bod yn greaduriaid cymdeithasol a'u bywyd cymunedol wedi ei drefnu yn fwy manwl na bywyd gwenyn hyd yn oed, eto nid oes neb yn eu goruchwylio (adn. 7) – hynny yw, does dim byd i'w gymharu ag arweinyddiaeth neu drefniadau dyn – mae'r cyfan yn cael ei wneud yn reddfol a hyn sydd yn peri eu bod yn casglu a chrynhoi eu bwyd yn yr haf (adn. 8; 30: 25). Mae'r rhai sydd yn ein beirniadu yn ymateb trwy ddweud bod morgrug yn bwyta cig ac nad ydynt yn storio eu bwyd. Ond y gwir amdani yw bod rhai morgrug, yn benodol y morgrug sydd yn cynaeafu, rhai cyffredin ym Mhalestina, yn bwyta hadau ac yn storio'r hadau hyn mewn awyrgylch sydd yn caniatáu iddynt egino. Mae morgrug felly yn ein dysgu bod eisiau i ni baratoi ymlaen llaw a bod yn ddiwyd. Mae'r apostol Paul yn mynd mor bell ag ysgrifennu bod y rhai nad ydynt yn darparu ar gyfer eu teulu, ac yn arbennig eu teulu agosaf, wedi "gwadu'r ffydd" (1 Timotheus 5: 8).

Diolch i Dduw am y morgrug!

Darllen pellach: Diarhebion 24: 30–34; 26: 13–16

# Caniad Solomon

*Y mae fy nghariad yn eiddo i mi, a minnau'n eiddo iddo ef.*
Caniad Solomon 2:16

Mae llawer wedi cwestiynu addasrwydd cynnwys Caniad Solomon yng nghanol yr Hen Destament. I'r rhain mae'r sgwrsio a'r rhannu personol rhwng cariad a'r un y mae'n ei garu yn destun embaras ac yn amhriodol ar dudalennau'r Ysgrythur. Gall eraill ddod i delerau â'r llyfr drwy ei ddarllen ar ffurf alegori o'r cariad sydd rhwng yr Arglwydd ac Israel neu rhwng Crist a'i Eglwys. Yn wir, mae traddodiad hir o fewn Iddewiaeth a Christnogaeth sydd yn cefnogi'r dehongliad alegorïaidd hwn. Mae'n debyg mai'r mwyaf adnabyddus yw pregethau Bernard o Clairvaux ar Ganiad Solomon. Yn ystod deunaw mlynedd olaf ei fywyd (1135–1153), pregethodd Bernard wyth deg chwech o bregethau ar Ganiad Solomon, ond nid yw'n ymddangos ei fod wedi mynd dros ben llestri yn ei ddehongliad alegorïaidd.

Mae'n debyg mai'r lle i ddechrau yw trwy gadarnhau heb unrhyw awgrym o gywilydd ddehongliad llythrennol o Ganiad Solomon. Byddai unrhyw un sydd yn darllen y llyfr am y tro cyntaf yn ei ddeall yn syth fel cân serch. Ar sawl cyfrif gellir disgrifio'r llyfr fel un erotig oherwydd ei fod yn mynegi cariad rhywiol, ond nid yw yn bornograffaidd. Mae'n bwysig pwysleisio'r gwahaniaeth.

Mae i Gristnogion enw am fod yn negyddol ac yn biwritanaidd ym maes rhyw. Mae Caniad Solomon yn dangos pa mor anghywir yw hyn; mae'n ddathliad o'r uniad corfforol sydd wedi ei fwriadu gan Dduw o fewn i briodas.

A yw'n briodol, felly, i ddefnyddio Caniad Solomon fel alegori hefyd o berthynas Crist â'i bobl? Fy ateb i yw ei bod yn briodol i ddefnyddio alegori i ddarlunio, ond nid i gadarnhau gwirionedd. Mae'r Ysgrythur yn dysgu mewn sawl lle fod Duw a'i bobl wedi ymrwymo i'w gilydd mewn cariad cyfamodol. Mae felly yn briodol i ddefnyddio Caniad Solomon, sydd yn mynegi cariad gŵr a gwraig tuag at ei gilydd, i ddarlunio'r gwirionedd hwn.

Darllen pellach: Effesiaid 5: 21–33

# Wythnos 11: Y Salmau

Mae'r rhan fwyaf o lenyddiaeth doethineb yr Hen Destament yn cael ei chynnwys yn llyfr y Salmau. Mae'n llyfr amrywiol, oherwydd mae'n cynnwys sawl gwahanol fath, neu deip, o lenyddiaeth gan gynnwys litwrgi cyhoeddus a defosiwn personol, galar, salmau o edifeirwch, o fawl, o weddi, salmau sydd yn cofio ac yn proffwydo.

Roedd Calfin yn iawn i alw llyfr y Salmau yn "ddrych", oherwydd mae'n adlewyrchu pob math o deimladau sy'n perthyn i'r profiad dynol. Mae yna lawenydd, mae yna alar, mae yna gynnwrf, mae yna iselder, mae yna hyder ac amheuon, mae yna fuddugoliaeth, mae yna golli hefyd. Yn ôl un awdur arall, mae llyfr y Salmau yn cynnwys "holl gerddoriaeth calon dyn".

Er bod salmau gwahanol wedi eu hysgrifennu gan awduron gwahanol, mae'r rhan fwyaf ohonynt, heb amheuaeth, yn dod o law Dafydd, oedd yn ei alw ei hun yn "ganwr caneuon Israel" (2 Samuel 23: 1) a daeth ei ddawn i chwarae'r delyn â chryn ryddhad i enaid Saul (1 Samuel 16: 14–23).

> **Dydd Sul:** Salm 1 – Y Cyfiawn a'r Anghyfiawn
> **Dydd Llun:** Salm 19 – Duw yn Datguddio ei Hun
> **Dydd Mawrth:** Salm 32 – Maddeuant ac Arweiniad Duw
> **Dydd Mercher:** Salmau 42 a 43 – Iselder Ysbrydol
> **Dydd Iau:** Salm 104 – Gwaith Duw mewn Natur
> **Dydd Gwener:** Salm 130 – Cri o'r Dyfnder
> **Dydd Sadwrn:** Salm 150 – Docsoleg Terfynol

# Salm 1 – Y Cyfiawn a'r Anghyfiawn

*Y mae'r ARGLWYDD yn gwylio ffordd y cyfiawn,*
*ond y mae ffordd y drygionus yn darfod.*
Salm 1:6

Mae llên doethineb yn gwahaniaethu'n eglur rhwng y "cyfiawn" a'r "anghyfiawn" a rhwng eu rhan yn y presennol a'r dyfodol. Wrth wneud hyn, mae'r salmydd yn dweud bod gwŷr a gwragedd naill ai ar ffordd lydan sydd yn arwain i ddistryw neu ar y ffordd gul sydd yn arwain i fywyd. Wrth wneud hyn mae'r salmydd yn rhagweld dysgeidiaeth Iesu (Mathew 7: 13–14).

Ar y naill law, bydd y cyfiawn yn llwyddo, er na fydd y llwyddiant hwn yn un materol bob amser. Mae'r rhain yn dewis eu cwmni yn ofalus, a hefyd yn ofalus wrth ystyried pa gyngor i'w gymryd. Mae'r rhain yn ymhyfrydu yng nghyfraith Duw ac yn gwneud y gyfraith yn fyfyrdod beunydd iddynt. Yn wir, mae pobl Dduw yn parhau i brofi'r un peth. Mae myfyrio yn y Beibl yn ddyddiol yn bleser diderfyn. O ganlyniad, rydym fel pren wedi ei blannu wrth afonydd dyfroedd, yn mwynhau cynhaliaeth feunyddiol, yn mwynhau bwyd i'r enaid, ac yn cael gweld ffrwyth yn ein bywyd.

Mae'r annuwiol neu'r anghyfiawn, ar y llaw arall, i gael eu "difa". Yn hytrach na bod fel coeden sydd â gwreiddiau da ac yn dwyn ffrwyth da, mae'r rhain fel us sy'n cael ei chwythu gan y gwynt. Roedd hwn yn ddarlun adnabyddus iawn ym Mhalesteina. Roedd y llawr dyrnu fel arfer yn lle caled, gwastad ar fryn oedd yn agored i'r gwynt. Codwyd yr ŷd gan rawiau a'i daflu i'r awyr. Byddai'r grawn gwerthfawr yn disgyn ac yn cael ei gynaeafu tra bod yr us yn cael ei chwalu gan y pedwar gwynt. Dywedodd Ioan Fedyddiwr am y Meseia, "Y mae ei wyntyll yn barod yn ei law, a bydd yn nithio'n lân yr hyn a ddyrnwyd, ac yn casglu ei rawn i'r ysgubor. Ond am yr us, bydd yn llosgi hwnnw â thân anniffoddadwy" (Mathew 3: 12).

Felly mae'r anghyfiawn neu'r annuwiol fel us mewn dwy ystyr. Yn gyntaf, mae pob daioni wedi ei wahanu oddi wrthyn nhw ac felly does dim byd ynddynt, ac yn ail, gwaith bach iawn yw eu chwythu ymaith a'u llosgi. Mae'r pren wedi ei blannu yn ddiogel, ond mae'r us yn anniogel tu hwnt. Fe ddylai pobl yr Arglwydd bob amser geisio ymdebygu fwyfwy i'r pren diogel hwnnw.

Darllen pellach: Salm 1: 1–6

# Salm 19 – Duw yn Datguddio ei Hun

*Y mae'r nefoedd yn adrodd gogoniant Duw ...*
*Y mae cyfraith yr ARGLWYDD yn berffaith, yn adfywio'r enaid.*
Salm 19:1, 7

Yn ôl C. S. Lewis, Salm 19 yw'r "gerdd fwyaf yn y llyfr ac yn wir un o gerddi mwyaf y byd." O safbwynt Cristnogol mae'n cynnwys y crynodeb mwyaf eglur o'r athrawiaeth am ddatguddiad sydd i'w gael yn yr Hen Destament. Mae hyn yn benodol yn y ffaith fod y salm yn cyfeirio at y Duw sydd yn caniatáu adnabyddiaeth ohono ef i bob dyn fel Creawdwr (adn. 1–6), i Israel fel Rhoddwr y Gyfraith (adn. 7–10), ac i'r unigolyn fel Prynwr (adn. 11–14).

Yn gyntaf, ceir datguddiad cyffredinol (adn. 1–6), a elwir yn gyffredinol oherwydd ei fod yn ddatguddiad i bob dyn ymhob man. Mae'r dystiolaeth yn cael ei rhoi ym myd natur ac yn arbennig yn y ffurfafen. Mae'n dystiolaeth gyson a byd-eang. Mewn darlun dramatig mae'r salmydd yn cymharu'r wawr i ddyfodiad y priodfab, a chwrs dyddiol yr haul ar draws yr awyr i athletwr yn rhedeg.

Yn ail, ceir datguddiad arbennig (adn. 7–10). Yn sydyn, mae'r testun yn newid o ddatguddiad cyffredinol Duw drwy natur i ddatguddiad penodol a goruwchnaturiol drwy'r Tora, yr Hen Destament. Mae rhagoriaeth y gyfraith yn cael ei gosod allan mewn cyffelybiaethau Hebreaidd perffaith. Mae'n adfer yr enaid, mae'n gwneud y syml yn ddoeth, yn rhoi llawenydd i'r galon ac yn rhoi goleuni i'r llygaid. Yn wir, mae gorchmynion yr Arglwydd "yn fwy gwerthfawr nag aur" ac yn "fwy melys na mêl" (adn. 10), oherwydd eu bod yn datguddio Duw i ni.

Yn drydydd, ceir datguddiad personol (adn. 11–14). Mae'r salmydd yn awr yn cyfeirio ato ef ei hun am y tro cyntaf ac yn mynegi ei ddyheadau ysbrydol personol fel gwas yr Arglwydd. Mae'n gweddïo am faddeuant ac am sancteiddrwydd. Mae'n cloi'r salm â gweddi sydd yn cael ei hadleisio yn aml gan bregethwyr Cristnogol, hynny yw, bod ei eiriau a hyd yn oed ei feddyliau yn rhyngu bodd Duw, yr Un sydd yn awr yn cael ei gyhoeddi fel ei Graig a'i Brynwr.

Darllen pellach: Salm 19: 1–14

# Salm 32 – Maddeuant ac Arweiniad Duw

*Gwyn ei fyd y sawl y maddeuwyd ei drosedd, ac y cuddiwyd ei bechod.*
Salm 32:1

Mae dwy broblem gynhenid sy'n wynebu pobl ymhob man. Y gyntaf yw ein hymwybyddiaeth o euogrwydd gyda golwg ar y gorffennol, a'r ail yw ein pryder am y dyfodol. Mae Salm 32 yn wynebu'r ddwy broblem hyn.

Yn gyntaf, mae Duw yn addo ei faddeuant. Mae'r salm yn cychwyn gyda chyfeiriad at wynfyd: "Gwyn ei fyd y sawl y maddeuwyd ei drosedd, ac y cuddiwyd ei bechod". Ond sut mae'n bosibl i Dduw beidio cyfrif ein pechodau yn ein herbyn a maddau'r pechodau hyn? Mae'r apostol Paul yn ateb y cwestiwn. Mae'n dyfynnu'r ddwy adnod gyntaf o'r salm hon fel esiampl o'r Hen Destament, o'r modd y mae Duw yn cyfiawnhau pechaduriaid trwy ras, trwy ffydd, a hynny yn gwbl ar wahân i weithredoedd da (Rhufeiniaid 4: 6–8).

Cofiwch fod rhaid i ni gyffesu ein pechodau. Ni all Duw guddio ein pechodau â'i faddeuant os na fyddwn yn eu datgelu mewn cyffes. Mae Dafydd yn mynd yn ei flaen i ddisgrifio diflastod y rhai sydd yn gwrthod cyffesu. Ymhell cyn i'r gair seicosomatig gael ei fathu, mae Dafydd yn sôn am y modd yr oedd ei gydwybod euog yn effeithio'n frawychus ar ei gorff (Salm 32: 3–4).

Yn ail, mae Duw yn addo ei arweiniad. Bedair gwaith yn adnod 8, mae Duw yn gwneud yr un addewid: "Hyfforddaf di a'th ddysgu yn y ffordd a gymeri; fe gadwaf fy ngolwg arnat". Rhaid inni nodi, er hynny, fod yr addewid yn dod yn union o flaen gwaharddiad: "Paid â bod fel march neu ful direswm" (adn. 9).

Felly, mae Duw yn addo y bydd yn ein harwain, ond does dim disgwyl iddo ef ein harwain fel y byddwn yn arwain ceffyl neu ful. Pam? Oherwydd nid oes gan y rhain ddeall; mae gennym ni. Y ffordd arferol y mae Duw yn ein cyfeirio yw drwy'r prosesau meddyliol, nid ar waethaf y prosesau hynny.

Darllen pellach: Salm 32: 1–11

# Salmau 42 a 43 – Iselder Ysbrydol

*Mor ddarostyngedig wyt, fy enaid, ac mor gythryblus o'm mewn!*
*Disgwyliaf wrth Dduw ...*
Salm 42:5

Mae iselder yn ymddangos i mi fel rhywbeth gweddol gyffredin ymhlith Cristnogion. Nid cyfeirio rwyf yma at iselder clinigol, a'r angen mewn sefyllfa felly i dderbyn cymorth meddygol a chemegol, ond yn hytrach iselder ysbrydol, cyflwr y dylem fod yn abl i ddelio ag ef ein hunain.

Mae awdur Salmau 42 a 43 (mae'n amlwg bod y ddwy salm yma yn perthyn i'w gilydd fel un salm) yn glir am achosion ei iselder. Yn gyntaf, mae'n sychedu am Dduw (mor sychedig â hydd am ddŵr), oherwydd ei fod wedi ei ddieithrio oddi wrtho ac yntau mewn rhyw fath o gaethglud gorfodol. Mae'n cofio gwyliau mawr y gorffennol pan fyddai'n arfer mynd i "gyfarfod â Duw" (42: 2), ac mae'n dyheu am gael caniatâd i gael dychwelyd at "allor Duw", ei gysur (43: 4).

Nid dim ond absenoldeb Duw yw achos ei iselder, ond hefyd bresenoldeb ei elynion. Mae'r rhain yn parhau i'w herio gan ddweud, "Ble mae dy Dduw?" (42: 3, 10). Daw'r iselder yn rhannol am mai eilunaddolwyr oedd y rhain, yn gwasanaethu duwiau yr oeddent yn medru eu gweld a'u cyffwrdd, tra bod "y Duw byw" (42: 2) yn anweladwy; ac yn rhannol am ei bod yn ymddangos fel petai Duw yn methu gwaredu ei bobl.

Mae pob pennill yn cloi â'r un gytgan (42: 5, 11; 43: 5). Yn y gytgan mae'r salmydd yn siarad ag ef ei hun. Mae siarad â chi eich hunan fel arfer yn cael ei gydnabod yn arwydd eich bod yn colli arni. Ond i'r gwrthwyneb, mae'n arwydd o aeddfedrwydd – er yn dibynnu ar yr hyn y byddwn yn siarad amdano! Mae'r salmydd yn gwrthod bodloni ar ei gyflwr nac ychwaith ildio i'w emosiynau. Mae'n wynebu ei gyflwr. Yn gyntaf, mae'n cwestiynu ei hunan: "Pam yr wyt mor ddigalon, O fy enaid?" Mae'r cwestiwn yn cynnwys her bersonol. Yn ail, mae'n annog ei hunan: "Rho dy obaith yn Nuw." Oherwydd mae Duw yn haeddu ein hymddiriedaeth. Yn drydydd, mae'n sicrhau ei hunan: "Byddaf eto yn ei ganmol ef ... " Mae ei ddefnydd o'r ymadrodd "fy Ngwaredwr a'm Duw" yn arwyddocaol iawn. Mae'n atgoffa ei hunan o'i berthynas gyfamodol â Duw, a does dim emosiynau amrywiol sy'n gallu effeithio ar y cyfamod hwnnw.

Darllen pellach: Salm 42: 1–11

# Salm 104 – Gwaith Duw mewn Natur

*Mor niferus yw dy weithredoedd, O ARGLWYDD!*
*Gwnaethost y cyfan mewn doethineb; y mae'r ddaear*
*yn llawn o'th greaduriaid.*
Salm 104:24

Mae Salm 104 yn mynegi'r hyn mae C. S. Lewis yn ei alw yn "awyddfryd mawr y salmydd a'i fwynhad o natur". Mae'r salm yn cyfeirio nôl at Genesis 1 a hanes y creu gan ddilyn yr un drefn fwy neu lai, a disgrifio gyda gallu barddonol rhyfeddol y modd y gwnaeth Duw yr holl greadigaeth, a'r modd y mae'n parhau i'w chynnal (adn. 1–9).

Yna yng nghanol y salm mae'r salmydd yn dangos sut y mae Duw yn darparu bwyd, diod a chysgod ar gyfer holl adar ac anifeiliaid y ddaear (adn. 10–23). Mae'n debyg y byddai'r ymadrodd ecoleg yn ymadrodd llawer rhy wyddonol ei sain i ddisgrifio'r paragraff hwn, ond dyna beth mae'r awdur yn ei ddisgrifio. Mae wedi rhyfeddu at y modd y mae Duw yn medru defnyddio adnoddau'r ddaear i gyfarfod ag anghenion pob un o'i greaduriaid byw, a'r modd y mae'r rheiny yn eu tro yn ateb anghenion y ddaear ei hun.

Mae bwyd a bywyd yn hanfodol i bob creadur, ac yma mae digonedd y naill a'r llall yn cael ei briodoli i law agored ac anadl Duw. Mae eu habsenoldeb yn arwydd fod Duw yn cuddio ei wyneb. Mae'n siŵr fod y cyfan yn swnio braidd yn naïf i'n clustiau cyfoes ni, ac mae'n wir bod llawer yn y darlun sy'n ffigurol, yn y defnydd o ddelweddau barddonol neu anthropomorffaidd.

Ond y mae'r gwirionedd y tu ôl i'r darlun yn sefyll. Duw'r Creawdwr yw Arglwydd ei greadigaeth. Nid yw wedi ildio ei orsedd. Mae'n rheoli'r hyn a wnaeth. Ni all yr un Cristion ddal cred am natur sydd yn awgrymu mewn unrhyw ffordd fod natur yn fecanyddol. Nid peiriant anferth yw'r bydysawd sydd yn gweithredu yn ôl rheolau amhendant. Ac nid yw Duw chwaith wedi gwneud rheolau sydd yn ei gaethiwo ef yn ei waith. Mynegiant hwylus yw'r term cyfraith naturiol o'r ffordd y gwelwn gysondeb gweithgarwch Duw. Mae'n fyw ac yn gweithredu yn ei fyd ac rydym yn gwbl ddibynnol arno ef am ein "bywyd a'n hanadl a phopeth arall" (Actau 17: 25). Mae'n iawn felly i ddiolch iddo nid yn unig am ein creu ond am ein cynnal hefyd.

Darllen pellach: Salm 104: 10–31

# Salm 130 – Cri o'r Dyfnder

*O'r dyfnderau y gwaeddais arnat, O ARGLWYDD.*
*Arglwydd, clyw fy llef.*
Salm 130:1–2

Mae'r salmydd yn ei ddisgrifio'i hun fel ar fin boddi mewn dyfroedd dyfnion ac mae'n galw ar Dduw i ddod i'w achub. Gan ei fod yn llefain am drugaredd mae'n amlwg fod y dyfroedd hyn yn ddarlun o'i bechod, o'i euogrwydd, o'i edifeirwch ynghyd â'i ymwybyddiaeth o farn Duw arno – a hefyd ar y genedl y mae'n uniaethu ei hun â hi. Mae'n gwybod yn dda, petai Duw yn cadw cyfrif o bechodau, gan eu cyfrif yn ei erbyn ef, na allai ef na neb arall sefyll. "Ond gyda thi," meddai bron yn syth, "mae maddeuant" (adn. 4).

Y cynnig hwn o faddeuant rhad, trwy ras a heb weithredoedd, a arweiniodd Martin Luther i alw'r salm hon yn salm yn null Paul. Adnod 4 hefyd oedd un o'r adnodau o'r Ysgrythur a ddaeth â'r cysur pennaf i John Bunyan, awdur *Taith y Pererin*, pan oedd ei gydwybod yn ei flino a'i fod wedi'i argyhoeddi o'i bechod. Mae cydbwysedd hyfryd yn yr adnod, oherwydd yn gyntaf, mae'n dwyn hyder a sicrwydd i'r rhai oedd yn anobeithio ("gyda thi mae maddeuant"), tra bod yr ail ran yn ein rhybuddio rhag bod yn hy ("oherwydd hynny fe'th ofnir"). Ymhell o annog pechaduriaid yn eu pechod, mae maddeuant Duw yn hybu'r math o ofn yr Arglwydd, o barchedig ofn yn ei bresenoldeb, sydd yn peri ein bod ni yn pellhau oddi wrth bechod (gw. Diarhebion 16: 6).

Gan fod gennym hyder yn nhrugaredd a maddeuant Duw tuag at bechaduriaid, mae'r salmydd yn awr yn gwneud dau beth. Yn gyntaf, mae'n cadarnhau ei benderfyniad i ymddiried yn Nuw am faddeuant, gan ddibynnu ar ei addewid. Felly mae'n disgwyl wrth yr Arglwydd yn yr un modd ag y mae "gwylwyr yn disgwyl am y bore" (adn. 6). Pa mor hir bynnag mae'r nos yn ymddangos, pa mor ddwfn bynnag fo'r tywyllwch, mae'r gwylwyr yn gwybod i sicrwydd fod y wawr yn dod yn y diwedd. Yn ail, mae'n annog Israel i wneud yr un modd, oherwydd mae'n gwybod am gariad "helaeth" (adn. 7) a bydd y cariad hwn yn "yn gwaredu Israel oddi wrth ei holl gamweddau" (adn. 8).

Yr wyf wedi darganfod droeon fod angen imi wneud y salm edifeiriol hon yn salm i mi fy hunan, a thro ar ôl tro mae'r addewidion bendigedig sydd ynddi wedi dod â mi i'r man lle rwy'n sicr o faddeuant Duw.

Darllen pellach: Salm 130

# Salm 150 – Docsoleg Terfynol

*Bydded i bopeth byw foliannu'r ARGLWYDD.*
Salm 150:6

Mae'r docsoleg hwn yn rhoi diweddglo godidog i lyfr y Salmau. Fel gwŷs i addoliad does dim hafal iddo. Mae pob adnod yn wahoddiad i fawl ac yn ein dysgu ble, sut, pam, ac i bwy y dylid mynegi ein mawl.

Yn gyntaf, os byddwn yn holi ble y dylem addoli, mae'r ateb yn ddeublyg: "yn ei gysegr" (gan gyfeirio yn wreiddiol at y deml yn Jerwsalem) ac yn ail, "yn ei ffurfafen gadarn" (adn. 1). Felly mae'r nefoedd a'r ddaear, angylion a dynion, yn ymuno i addoli Duw.

Yn ail, pam y dylem ni ei addoli? Yr ydym i'w addoli "am ei weithredoedd nerthol" ac "am ei holl fawredd" (adn. 2). Ni flinodd Israel erioed ar ddathlu gweithredoedd rhyfeddol Duw wrth greu ac wrth gadw ei bobl.

Yn drydydd, wrth inni ystyried sut mae addoli, fe gymeradwyir pob offeryn posibl – offerynnau chwyth, tannau, offerynnau taro. Mae'n sicr fod y trwmped yn wreiddiol wedi ei lunio o gorn hwrdd, sydd yn dal i gael ei ddefnyddio yn y synagog; ac roedd yr arbenigwr, yn ôl un esboniwr, "yn medru gwneud synau rhyfeddol gyda hwn". Mae'r offerynnau eraill yn adnabyddus i ni fwy neu lai. Felly mae'r gerddorfa wedi ei chynnull. Mae'r addolwyr i chwythu'r corn, i dynnu tannau'r delyn, i daro'r drwm, i ysgubo dros y tannau, i chwarae'r ffliwt, i daro'r symbalau.

Mae'r pedwerydd cwestiwn yn ymwneud â phwy sydd i addoli. Mae'r salmydd yn galw ar "bopeth byw" i addoli'r Arglwydd (adn. 6). Efallai ei fod am gynnwys hyd yn oed yr anifeiliaid, oherwydd mae "anadl bywyd" ynddynt hwy hefyd (Genesis 6: 17) ond mae'n fwy tebygol ei fod yn cyfeirio at bobl ymhob man. O bryd i'w gilydd wrth inni addoli yn gyhoeddus, pan fydd y côr yn canu a'r organ neu'r gerddorfa yn chwarae, fe'n symudir y tu hwnt i ni ein hunain i ymuno â'r angylion, yr archangylion a holl lu'r nefoedd sydd o gwmpas gorsedd Duw.

Cofiwch na ddylid cyfyngu ein haddoliad i wasanaethau mewn eglwys neu gapel. I'r gwrthwyneb, tra byddwn yn anadlu, yr ydym i addoli.

Darllen pellach: Salm 150

# Wythnos 12: Y Proffwyd Eseia

Rydym wedi cyfeirio eisoes (yn wythnos 9) at y proffwyd Eseia, ac yn arbennig ei weinidogaeth i'r brenin Heseceia. Bellach rydym am dreulio wythnos gyfan yn ei gwmni, gan geisio ymhél â rhai o'r prif themâu yn ei neges broffwydol. Mae hyn yn cael ei gyflwyno i ni yn yr adnod gyntaf, fel y weledigaeth a gafodd Eseia fab Amos (Eseia 1: 1), ac yn yr ail adnod mae'n galw ar y nefoedd a'r ddaear i wrando. Mae'n ymwybodol iawn fod i'r datguddiad hwn o Dduw arwyddocâd ar gyfer y bydysawd, oherwydd ym mhennod olaf y broffwydoliaeth mae ei weledigaeth wedi ehangu i'r "nefoedd newydd a'r ddaear newydd" y bydd Duw yn eu creu un diwrnod (66: 2). Mae ei neges yn gyfuniad o farn ac o gysur.

**Dydd Sul:** Cân y Winllan
**Dydd Llun:** Comisiwn y Proffwyd
**Dydd Mawrth:** Her i Ffydd
**Dydd Mercher:** Hunaniaeth Ddeublyg Duw
**Dydd Iau:** Yr Un Dwyfol sy'n Cario'r Iau
**Dydd Gwener:** Rhesymoldeb Datguddiad
**Dydd Sadwrn:** Y Byd Newydd

# Cân y Winllan

*Disgwyliodd iddi ddwyn grawnwin, ond fe ddygodd rawn drwg.*
Eseia 5:2

Gan ddefnyddio'r ffurf lenyddol a adnabyddir fel cân serch, mae Eseia yn cyfeirio at Dduw fel ei anwylyd, ac at bobl Dduw, Israel, fel ei winllan. Duw oedd wedi plannu'r winllan ar fryn ffrwythlon, wedi digaregu'r pridd ac wedi adeiladu gwylfa yno. Yr oedd eisoes wedi gwneud y casgenni yn barod ar gyfer y gwin. Yn wir, roedd wedi gwneud popeth oedd yn angenrheidiol i sicrhau y byddai'r cynhaeaf yn un rhagorol. Ond yn hytrach na grawnwin da, cynnyrch y winllan hon oedd grawnwin drwg.

Felly mae Duw yn cyhoeddi barn ar ei bobl. Bydd yn distrywio'r winllan:

> Yn wir, gwinllan ARGLWYDD y Lluoedd yw tŷ Israel,
> a phobl Jwda yw ei blanhigyn dethol;
> disgwyliodd gael barn, ond cafodd drais;
> yn lle cyfiawnder fe gafodd gri.                    adn. 7

Mae'r gwin drwg hwn bellach yn cael ei ddehongli fel chwe "gwae" – dwyn tir yn anghyfreithlon (adn. 8), gorddefnydd o alcohol (adn. 11–12), ymwrthod yn hy â Duw (adn. 18–19), cyfnewid categorïau moesol (adn. 20), balchder (adn. 21), a halogi a gwadu hawliau dynol (adn. 22–23). Roedd y pechodau cymdeithasol hyn yn nodweddiadol o ail hanner yr wythfed ganrif CC pan oedd y brenin Usseia o Jwda yn arwain y genedl, a hynny ar adeg o lwyddiant a moethusrwydd anghyffredin. Yn y ffyrdd gwahanol hyn roedd y bobl yn "dirmygu gair Sanct Israel" (adn. 24). Felly mae llid yr Arglwydd wedi ei gynnau yn eu herbyn ac mae'n eu rhybuddio o ymosodiad o'r gogledd a hynny heb os, o du byddin Asyria (adn. 26–30).

Rwyf yn aml wedi meddwl a oedd cân y winllan ym meddwl yr Iesu wrth iddo ddatblygu ei alegori am y winllan (Ioan 15). Yn sicr, mae'r ddau drosiad yn awgrymu'r un disgwyliad o ffrwyth, fel y mae Paul yn ysgrifennu yn ddiweddarach am ffrwyth yr Ysbryd.

Darllen pellach: Ioan 15: 1–11

# Comisiwn y Proffwyd

*Yna clywais yr ARGLWYDD yn dweud,*
*"Pwy a anfonaf? Pwy a â drosom ni?"*
*Atebais innau, "Dyma fi, anfon fi."*

### Eseia 6:8

Mae Eseia, pennod 6, yn adnabyddus i lawer o eglwysi fel testun priodol ar gyfer pregeth genhadol. Mae'r cymhwysiad gwreiddiol yn llawer mwy penodol; mae'n adrodd galwad Eseia i fod yn broffwyd. Mae'r eirfa am "anfon" ("Pwy a anfonaf?" "Anfon fi") yn gwneud hyn yn amlwg. Duw a anfonodd y proffwydi yn yr un modd ag yr oedd Iesu yn ddiweddarach i anfon yr apostolion, gan eu comisiynu i ddysgu yn ei enw. Yn yr un modd mae Duw yn dweud am y proffwydi gau, "Ni anfonais chwi erioed."

Hanfod galwad Eseia oedd y weledigaeth a gafodd o Dduw wedi ei ddyrchafu goruwch popeth ac yn eistedd ar ei orsedd nefol, gyda seraffiaid yn galw, "Sanctaidd, sanctaidd, sanctaidd" (adn. 3). Yr oedd yn weledigaeth o frenin ("fe welodd fy llygaid y Brenin", adn. 5) a chaniatawyd y weledigaeth iddo yn benodol yn y flwyddyn 740 CC pan oedd y brenin Usseia yn dathlu ei jiwbilî aur a phan fu farw. Heb amheuaeth byddai Eseia yn cymharu'r ddwy deyrnas, a byddai ei holl weinidogaeth i'r dyfodol yn cael ei llywio gan ei argyhoeddiad mai Duw oedd y brenin, yr un oedd yn deilwng o gael ymddiriedaeth ac ufudd-dod ei bobl.

Nesaf, daw cyffes Eseia o'i bechod, ei lanhad a'i gomisiynu. Cafodd ei rybuddio hefyd y byddai ei bobl yn caledu eu calonnau ac yn gwrthod gair Duw, ac oherwydd hyn byddai barn Duw yn disgyn arnynt. Mae Iesu ei hun yn dyfynnu'r geiriau hyn (Mathew 13: 14–15) ac felly hefyd yr apostol Paul (Actau 28: 25–29).

Ac eto, roedd yma lygedyn o obaith. Fel y gadewir bonyn wrth i goeden gael ei thorri, felly hefyd y bydd hi yn hanes Israel. "Had sanctaidd yw ei boncyff" (Eseia 6: 13). Mae'r geiriau hyn yn ein cyflwyno i un o'r pethau nodweddiadol am neges Eseia sef y bydd yma weddill o ddisgyblion ffyddlon yn ymgasglu o gwmpas y proffwyd ei hun (gw. 8: 16–18).

Darllen pellach: Eseia 6

# Her i Ffydd

*Oni fyddwch yn sefydlog, ni'ch sefydlogir.*
Eseia 7:9

Yr oedd bellach tua 734 CC a hynny yn ystod teyrnasiad Ahas brenin Jwda (ŵyr Usseia), ac roedd Resin brenin Aram (Syria) a Peca brenin Israel wedi ffurfio clymblaid ffôl. Eu bwriad oedd gwrthwynebu'r perygl cynyddol a ddeuai o du Tiglath-Pileser III, brenin Asyria yn y gogledd. Yr oeddent yn benderfynol o ymosod ar Jerwsalem yn gyntaf er mwyn perswadio'r Brenin Ahas o Jwda i ymuno â hwy. Wrth iddynt nesáu, clywn fod calon Ahas a'r holl bobl "fel prennau coedwig yn ysgwyd o flaen y gwynt" (adn. 2). Ond mae Duw yn danfon Eseia i gyfarfod ag Ahas ac i ddweud wrtho, "Bydd ofalus, cadw'n dawel a phaid ag ofni; paid â digalonni o achos y ddau stwmp hyn o bentewynion myglyd" (adn. 4).

Dyma oedd yr her gyntaf i ffydd Ahas, ac mae'r ail yn dilyn yn fuan ar ôl hyn. Er bod y glymblaid yn canmol eu llwyddiant ar y gwastatir, mae'r Arglwydd Dduw yn dweud wrthynt, "Ni saif hyn, ac ni ddigwydd" (adn. 7). Dim ond arweinwyr dynol oedd y brenhinoedd hyn, lle roedd Ahas i'r gwrthwyneb, yn frenin dwyfol yn llinach Dafydd. Felly, "Oni fyddwch yn sefydlog [yn eich ffydd], ni'ch sefydlogir" (adn. 9).

Ond doedd gan Ahas ddim bwriad o gwbl i ymddiried yn Nuw. Mae'n ymddangos ei fod eisoes wedi gwneud ei benderfyniad. Yn hytrach nag ymddiried yn Nuw mae'n danfon negeswyr at y Brenin Tiglath-Pileser o Asyria, gan ddweud, "Gwas a deiliad i ti wyf fi; tyrd i'm gwaredu o law brenhinoedd Syria ac Israel, sy'n ymosod arnaf" (2 Brenhinoedd 16: 7). Ar yr un pryd talodd Ahas wrogaeth hael o arian ac aur i Asyria. O ganlyniad, concrwyd Syria yn 732 CC ac Israel yn 722.

Yn ganolog i neges Eseia mae her i ffydd. Mae'n pledio gydag arweinwyr y genedl i beidio â throi at ymerodraethau mawr yr Aifft ac Asyria ond yn hytrach i ymddiried yn y Duw byw. Mae'r un her yn cael ei chyfeirio atom ni heddiw wrth inni gymryd addewidion Eseia a'u cymhwyso i'n cyflwr ein hunain. "Ni frysia'r sawl sy'n credu" (Eseia 28: 16). Ymhellach, "Wrth ddychwelyd a bod yn dawel y byddwch gadwedig, wrth lonyddu a bod yn hyderus y byddwch gadarn" (30: 15).

Darllen pellach: Eseia 7: 1–9

# Hunaniaeth Ddeublyg Duw

*Duw tragwyddol yw'r ARGLWYDD a greodd gyrrau'r ddaear...*
Eseia 40:28

Mae Eseia 40 yn ffocysu ar adnod 27, lle mae Duw yn wynebu ei bobl gyda chwestiwn anodd: "Pam y dywedi, O Jacob, ac y lleferi, O Israel, 'Cuddiwyd fy nghyflwr oddi wrth yr ARGLWYDD, ac aeth fy hawliau o olwg fy Nuw?' " Mae'r Duw y maen nhw yn tybied ei fod wedi anghofio amdanynt wedi clywed eu cwyn, wedi gwrando ar eu sgwrs, wedi darllen eu meddyliau. Maent mewn sefyllfa ofnadwy ac nid yw Duw yn gwneud fawr ddim am hyn. Naill ai y mae'n ddall ac yn methu gweld, neu mae'n anghyfiawn ac yn ddi-hid, neu mae'n analluog ac yn methu eu hachub. Mae cwyn o'r fath yn gyfarwydd iawn yn ein cyfnod ni.

Ymateb Duw yw taflu'r cwestiwn yn ôl atyn nhw. Pan fyddant yn gofyn, "Pam nad yw Duw yn gwneud rhywbeth?" mae Duw yn ateb, "Pam yr ydych yn gofyn pam?" Yna mae'n codi eu meddyliau uwchlaw eu dioddefaint, ato ef ei hun a'r math o Dduw sydd ganddynt. Does dim yn fwy pwysig pan fyddwn mewn helynt na gweledigaeth newydd o Dduw. Yn benodol, mae angen pwysleisio dau wirionedd cyson amdano ef. Yn gyntaf, mae'r Arglwydd yn Dduw tragwyddol. Roedd Duw, eu Duw cyfamodol hwy, hefyd yn Greawdwr pellafoedd y ddaear. Mae'n absŵrd, felly, i ddychmygu bod y Creawdwr mewn unrhyw ffordd yn brin o wybodaeth, o gyfiawnder neu o rym (adn. 28).

Mae'r ail wirionedd yn cyd-fynd â'r cyntaf. Y gwirionedd yw bod y Creawdwr hefyd yn Arglwydd, Duw Israel, a bod Duw wedi ymrwymo ei hun iddynt hwy drwy gyfamod ac ni fydd byth yn ymatal rhag eu caru. Mae'r bennod hon yn llawn o gadarnhad bod ein Duw yn Dduw i ni am byth.

Y cwestiwn allweddol, felly, ac mae Duw yn ei ofyn ei hun ddwywaith yw, "I bwy felly y cyffelybwch Dduw?" (adn. 18; gwe. adn. 25). Yr ateb yw ei fod ar y naill law yn Dduw'r Creawdwr ac ar y llaw arall yn Dduw'r Cyfamod. Fel Duw'r Creawdwr ni allwn amau ei allu; fel Duw'r Cyfamod ni allwn amau ei gariad. Os nad ydym yn dal yn dynn at y gwirionedd hwn, ei hunaniaeth ddeublyg, yna mae ein Duw ni yn rhy fach.

Darllen pellach: Eseia 40: 18–31

# Yr Un Dwyfol sy'n Cario'r Iau

*... buoch yn faich i mi o'r groth, ac yn llwyth i mi o'r bru;*
*hyd eich henaint, myfi yw Duw ...*
Eseia 46:3–4

Mae gwawd Eseia am ben eilunaddoliaeth yn cyrraedd ei uchafbwynt ym mhennod 46. Fe'n cyflwynir i'r dwyfolion deuol oedd yn Babilon, sef Bel (a elwid hefyd yn Mardwc) a Nebo (mab Bel). Disgrifir y modd y cynhyrchwyd y duwiau hyn gan grefftwr, ac wedyn mae eu haddolwyr yn eu codi ar eu hysgwyddau gan eu cludo i ffwrdd a'u gosod mewn sefyllfa lle na allant symud na siarad.

Yn sydyn mae Babilon yn cael ei gorchfygu gan Cyrus brenin Persia, ac mae ei filwyr ar unwaith yn dechrau dwyn o demlau'r ddinas. "Crymodd Bel" (adn. 1), hynny yw, mae'r eilunod marw hyn yn cael eu dwyn oddi ar eu llefydd cysegredig ac yn cael eu cario fel cyrff marw ar hyd y strydoedd. Ar y strydoedd, fe'u rhoddir ar gerbydau a'u symud i ffwrdd. Pa fodd y cwympodd y cedyrn! Nid yw'r duwiau oedd wedi cael eu cludo yn falch ar ysgwyddau mewn gorymdaith grefyddol bellach yn ddim mwy na llond cert o ysbwriel diwerth ac yn faich ar eu haddolwyr.

Mae'r chwerthiniad yn llais y proffwyd yn tawelu, ac yn y tawelwch mae Duw yn siarad. Yr hyn mae Duw yn ei ddweud mewn ffordd yw, "Nid wyf fi fel Bel a Nebo. Does dim angen i mi gael fy nghludo ..." (adn. 3–4).

Cwestiwn sydd yn ein hwynebu heddiw felly yw, pwy sydd yn cario pwy? A yw crefydd i ni yn rhywbeth sydd yn ein cario neu yn faich? A yw Duw ei hun yn faich i ni? Mae Iesu Grist yn cael ei ddarlunio yn y Testament Newydd fel yr un unigryw hwnnw, drwy'r byd i gyd, sy'n cario beichiau. Mae wedi cario baich ein pechod (gwe. Eseia 53). Mae hefyd yn cario ein gofidiau. Yn ôl yr apostol Pedr, "Bwriwch eich holl bryder arno ef, oherwydd y mae gofal ganddo amdanoch" (1 Pedr 5: 7). Mae'n drasiedi o'r mwyaf ein bod yn gwyrdroi'r hyn y mae Duw wedi ei fwriadu, oherwydd wrth inni geisio ei gludo ef rydym yn sicr wedi colli golwg ar y gwirionedd mai gogoniant yr Efengyl yw bod Duw yn ein cynnal ac yn ein cario ni!

Darllen pellach: Eseia 46: 1–9

# Rhesymoldeb Datguddiad

*Fel y mae'r nefoedd yn uwch na'r ddaear,*
*y mae fy ffyrdd i yn uwch na'ch ffyrdd chwi,*
*a'm meddyliau i na'ch meddyliau chwi.*

### Eseia 55:9

Mae Cristnogaeth yn ei hanfod yn grefydd ddatguddiedig. Ni fyddem yn gwybod dim am Dduw oni bai bod Duw wedi caniatáu i ni wybod hynny. Mae hyn yn arbennig o wir am gymeriad grasol Duw. Mae'n cynnig diod am ddim i'r sychedig, lle am ddim yn y cyfamod i'r cenhedloedd, a phardwn am ddim i'r annuwiol (adn. 1–7). Pwy fyddai wedi medru dyfeisio'r fath efengyl rasol? Mae bron yn rhy dda i fod yn wir! Dim ond trwy ddatguddiad dwyfol y mae'n bosibl adnabod y gwirioneddau hyn. Ystyriwch pa mor rhesymol yw hyn.

Yn gyntaf, mae meddyliau Duw yn gyfan gwbl y tu hwnt i'n gallu ni i'w dirnad. Maent gymaint yn uwch na'n meddyliau ni, yn wir, fel y mae'r nefoedd yn uwch na'r ddaear. Ni all ein meddyliau bach ni ddringo i fyny i feddwl mawr anchwiliadwy Duw (adn. 8–9).

Yn ail, rhaid i feddyliau Duw ddisgyn arnom ni fel y glaw a'r eira sy'n disgyn o'r nefoedd i'r ddaear (adn. 10).

Yn drydydd, mae meddyliau Duw wedi dod o fewn ein gafael oherwydd eu bod wedi eu mynegi mewn geiriau. Felly mae geiriau dynol yn fodel o ddatguddiad dwyfol. Drwy eiriau ein genau y byddwn ni yn mynegi ein meddyliau dyfnaf. Mae'n amhosibl i ni ddarllen meddyliau ein gilydd os na fydd rhywun yn siarad; pa faint llai y gallwn ni ddarllen meddwl Duw os nad yw ef yn siarad? Mae Duw wedi siarad; mae ei air wedi dod i lawr atom.

Yn bedwerydd, mae gair Duw yn rymus; mae bob amser yn llwyddo yn ei bwrpas (adn. 10–11).

Mae dwy adnod olaf y bennod hon (adn. 12–13) yn disgrifio yn fyw iawn y bendithion rhyfeddol sy'n cael eu mwynhau gan bobl Dduw, y rhai sydd wedi derbyn gair Duw. Maent yn profi ecsodus newydd (adn. 12), yn etifeddu gwlad newydd (adn. 13). Does ryfedd ein bod yn cael ein llenwi â llawenydd a mawl.

Darllen pellach: 1 Corinthiaid 2: 6–10

# Y Byd Newydd

*"Fel y bydd y nefoedd newydd a'r ddaear newydd,*
*yr wyf fi yn eu creu, yn parhau ger fy mron," medd yr ARGLWYDD,*
*"felly y parha eich had a'ch enw chwi."*

Eseia 66:22

Mae llygaid proffwydol Eseia bellach yn edrych i'r dyfodol ac yn canolbwyntio ar genhadaeth fyd-eang yr eglwys (adn. 18–21) ac ar adferiad terfynol y bydysawd (adn. 22–24). Gyda golwg ar y genhadaeth Gristnogol, mae'r proffwyd yn cyfeirio at dair agwedd. Yn gyntaf, mae'n genhadaeth i'r holl genhedloedd. Ar bedwar amgylchiad yn adnodau 18–20 mae'n cyfeirio at y cenhedloedd fel rhai sy'n cael eu casglu at ei gilydd. Yn ail, yr hyn sy'n achosi'r genhadaeth – gwrthodiad yr efengyl gan Israel. Mae Luc yn cadarnhau'r gwirionedd hwn bedair gwaith yn llyfr yr Actau. Dyma oedd gweledigaeth yr apostol Paul o'r Iddewon a'r cenhedloedd yn cael eu huno yng Nghrist. Yn drydydd, nod y genhadaeth Gristnogol yw gogoniant Duw (adn. 18–19), ac mae hyn yn cael ei gyhoeddi gan y cenhadon ac yn cael ei weld a'i gydnabod gan y rhai sy'n profi tröedigaeth.

Nawr yn adnod 22 mae'r proffwyd yn neidio i ddiwedd hanes pan fydd Duw yn creu nefoedd newydd a daear newydd. Mae eisoes wedi cyfeirio at hyn yn y bennod flaenorol (65: 17), ac yn ddiweddarach bydd Iesu a'i apostolion yn cyfeirio at yr un broffwydoliaeth (Mathew 19: 28; 2 Pedr 3: 13; Datguddiad 21: 1, 5). Mae dwy nodwedd yn haeddu sylw arbennig. Yn gyntaf, bydd y nef newydd a'r ddaear newydd yn rhannol yn faterol, gan y bydd yn cynnwys daear newydd sydd wedi ei thrawsffurfio a'i gogoneddu. Byddai Paul yn ysgrifennu yn ddiweddarach y bydd y greadigaeth i gyd yn cael ei rhyddhau o'i chaethiwed presennol (Rhufeiniaid 8: 18–25). Fel y bydd i'n cyrff atgyfodedig ni fwynhau'r naill a'r llall, hynny yw mwynhau parhad a diffyg parhad o'n cyrff presennol, felly y bydd y ddaear newydd yn mwynhau parhad a diffyg parhad o'r ddaear bresennol. Yn ail, bydd y nefoedd newydd a'r ddaear newydd yn parhau fel y rhai fydd yn trigo ynddi. Dim ond y rhai sydd yn fwriadol wedi gwrthryfela yn erbyn Duw fydd yn cael eu difa (fel yr ysbwriel oedd wedi ei osod y tu allan i furiau Jerwsalem (Eseia 66: 24)).

Mae'r ddau bwyslais (cenhadaeth fyd-eang ac adferiad terfynol) yn cael eu cysylltu yn nysgeidiaeth yr Arglwydd Iesu. Iesu sydd yn dweud wrthym am fynd â'r efengyl i bellafoedd y ddaear gan ychwanegu mai dim ond wedi gwneud hyn y bydd y diwedd yn dod. Bydd y ddau ddiwedd hyn yn cyd-fynd. Yn y cyfamser, mae'r bwlch rhwng dyfodiad cyntaf ac ailddyfodiad yr Arglwydd Iesu i'w lenwi gan genhadaeth fyd-eang yr eglwys.

Darllen pellach: 2 Pedr 3: 1–13

# Wythnos 13: Y Proffwyd Jeremeia

Mae brawddegau agoriadol proffwydoliaeth Jeremeia yn rhoi goleuni i ni ar y modd y mae'r Cristion yn deall y ffordd yr ysbrydolwyd yr ysgrythurau. Mae'r brawddegau yn awgrymu ar y naill law mai "geiriau Jeremeia" yw'r rhain (Jeremeia 1: 1) ac ar y llaw arall bod "gair yr Arglwydd wedi dod iddo" (adn. 2). Mae'r Ysgrythur felly nid yn air Duw yn unig nac ychwaith yn air dynion yn unig, ond yn air Duw trwy eiriau dynion. Dyma awduraeth ddwbl yr Ysgrythur, rhywbeth y mae'n rhaid i ni ddal gafael arno.

O'i alwad gychwynnol mae Jeremeia yn ymddangos yn broffwyd anfoddog iawn. Rydym yn cael golwg ar ei ymatebion dynol iawn i bob math o sefyllfaoedd. Mae'r brenhinoedd a'r llys, yr offeiriaid a'r bobl i gyd yn troi yn ei erbyn. Mae hyd yn oed ei deulu offeiriadol ei hun yn ei wrthwynebu. Mae'n cael ei erlid ac yn cael ei daflu i bydew. Ond mae gair Duw yn llosgi fel tân yn ei esgyrn ac ni all ei atal. Roedd Jeremeia yn ei hanfod yn wladgarwr ond roedd pobl yn dehongli ei eiriau fel petai'n elyn i'w wlad. Bu'n dyst i ddirywiad a marwolaeth ei genedl ei hun. Mae'n ymddangos, o bryd i'w gilydd, fod hyd yn oed Duw yn ei erbyn. Mae ar ei ben ei hun ac mewn ing. Mae'n wylo dagrau chwerw (gw. 4: 19 a 9: 1).

**Dydd Sul:** Galwad Jeremeia
**Dydd Llun:** Pobl yn Gwrthgilio
**Dydd Mawrth:** Calonnau Caled
**Dydd Mercher:** Cynlluniau Duw
**Dydd Iau:** Proffwydi – Gau a Gwir
**Dydd Gwener:** Y Cyfamod Newydd
**Dydd Sadwrn:** Cariad Cyson Duw

# Galwad Jeremeia

*Cyn i mi dy lunio yn y groth, fe'th adnabûm; a chyn dy eni,*
*fe'th gysegrais; rhoddais di'n broffwyd i'r cenhedloedd.*
Jeremeia 1:5

Mae'n ddiddorol cymharu galwad Eseia a galwad Jeremeia. Mae'r ddwy yn cynnwys pobl yn cael eu danfon. Mae Duw yn gofyn i Eseia, "Pwy a anfonaf?" (Eseia 6: 8). Mae'n dweud wrth Jeremeia, "oherwydd fe ei at bawb yr anfonaf di atynt, a llefaru pob peth a orchmynnaf i ti" (Jeremeia 1: 7). Ond mae gwahaniaeth. Yn achos Eseia, o leiaf roedd ei wefusau wedi eu puro a'u glanhau ac mae'n gwirfoddoli ei wasanaeth: "Wele fi, anfon fi!" (Eseia 6: 8). Yn achos Jeremeia, ar y llaw arall, yr oedd yn anfoddog (fel Moses) a hynny ar gyfrif ei ieuenctid a'i ddiffyg profiad. Mae'n protestio, "O Arglwydd DDUW, ni wn pa fodd i lefaru, oherwydd bachgen wyf fi" (Jeremeia 1: 6).

Does dim gwrthdaro yma efo dysgeidiaeth Iesu. Mae Iesu'n cymeradwyo gostyngeiddrwydd plentyn, lle mae Duw yn y fan hon yn barnu Jeremeia am bledio diffyg cyfrifoldeb plentyn.

Tebygrwydd arall sydd rhwng Eseia a Jeremeia yw bod y ddau yn amlygu ymwybyddiaeth ddofn o annigonolrwydd, ar gyfrif y gwefusau yn achos Eseia, a'r genau yn achos Jeremeia. Roedd Eseia yn ymwybodol bod ei wefusau yn amhur a doedd gan Jeremeia ddim syniad beth i'w ddweud. Felly cyn iddynt fedru ymgymryd â swydd y proffwyd, glanhawyd gwefusau Eseia gan golsyn oedd yn llosgi a chyffyrddwyd â cheg Jeremeia gan y llaw ddwyfol, gan arwyddo'r ffaith fod Duw wedi rhoi ei eiriau yn ei enau.

Yn olaf, dywedir wrth Jeremeia y bydd ei neges yn negyddol (yn sôn am chwalu a goresgyn) a phositif (adeiladu a phlannu). Mae hyn yn cael ei amlygu mewn dwy weledigaeth. Yn gyntaf, mae Jeremeia yn cael gweld "gwialen almon" (adn. 11). Mae'r gair Hebraeg am bren almon yn debyg iawn i'r gair am wylio ac felly yn arwyddo addewid Duw, "yr wyf fi'n gwylio" (adn. 12). Yn ail, fe welodd Jeremeia "[g]rochan yn berwi, a'i ogwydd o'r gogledd" (adn. 13); mewn geiriau eraill, byddin oedd am eu goresgyn, byddin y Scythiaid yn ôl pob tebyg.

Darllen pellach: Jeremeia 1: 1–19

# Pobl yn Gwrthgilio

*Pam, ynteu, y trodd y bobl hyn ymaith ...?*
Jeremeia 8:5

**M**ae Jeremeia yn cychwyn ei weinidogaeth broffwydol gyda galwad ddyfal am edifeirwch. Er bod ei neges wedi ei chyfeirio yn bennaf at Jwda, mae'n cynnwys "Israel anffyddlon" (3: 6) gyda "ei chwaer anffyddlon Jwda" (adn. 7). Mae'n wir dweud bod gwelliannau'r brenin Joseia wedi esgor ar elfen o ymateb, ond arwynebol mae'n debyg oedd hwn. Felly mae Duw yn cwyno, "Oherwydd o'r lleiaf hyd y mwyaf y mae pawb yn awchu am elw; o'r proffwyd i'r offeiriad y maent bob un yn gweithredu'n ffals" (adn. 10). Mae'r bobl yn parhau yn eu pechodau. Maent yn addoli duwiau dieithr ar eu huchelfeydd. Maent yn torri'r Deg Gorchymyn. Maent yn methu gofalu am y weddw a'r amddifad. Mae awgrym hefyd eu bod, hyd yn oed, yn ymhél ag aberthu plant. Ond er i Jeremeia ddod â'r pechodau yma i'r golwg, gwrthod edifarhau wnaeth y bobl.

Bellach mae'r proffwyd yn ychwanegu darlun ar ddarlun er mwyn ceisio ymosod ar gydwybod Jwda. Pan yw pobl yn syrthio, pam nad ydynt yn codi eto? Os ydynt yn crwydro, pam nad ydynt yn troi yn ôl yn y man lle yr aethant ar goll? Pam fod pobl Dduw wedi troi heibio a gwrthgilio yn barhaus? Maent wedi gwrthod dod yn ôl, fel ceffyl sydd yn rhuthro i mewn i frwydr (8: 4–6).

Ond un o'r darluniau mwyaf dadlennol yw hwnnw am ymddygiad adar sy'n mudo: "Y mae'r crëyr yn yr awyr yn adnabod ei dymor; y durtur a'r wennol a'r fronfraith yn cadw amser eu dyfod; ond nid yw fy mhobl yn gwybod trefn yr ARGLWYDD" (adn. 7).

Mae Palestina yn goridor ar gyfer adar sy'n mudo. Mae'n amlwg bod Jeremeia wedi sylwi bod llawer o adar yn hedfan i'r de dros y dwyrain canol er mwyn treulio'r gaeaf mewn hinsawdd gynhesach yn yr Affrig, ond yn y gwanwyn maent yn siŵr o ddychwelyd. Mae pobl Dduw, er hynny, wedi mynd, ond heb ddychwelyd. Yr oedd y crëyr yn esiampl wych. Amcangyfrifir bod tua hanner miliwn o'r rhain yn defnyddio'r coridor hwn. Mae'n siŵr mai cyfeiriad Jeremeia yn y chweched ganrif cyn Crist yw'r cyfeiriad cyntaf at symudiadau adar yn llenyddiaeth y byd.

O na fuasai gennym ni yr un ysfa i ddychwelyd at Dduw â'r adar hyn sy'n dychwelyd i'w meysydd magu yn y gwanwyn.

Darllen pellach: Jeremeia 8: 4–7

# Calonnau Caled

*Ond ni wrandawsant nac estyn clust, ond rhodio yn ôl eu barn eu hunain,
ac yn ystyfnigrwydd eu calon ddrwg.*
Jeremeia 7:24

U n o'r pethau nodweddiadol am ddysgeidiaeth Jeremeia yw ei fod yn cydnabod bod anfodlonrwydd Israel i edifarhau yn gyflwr oedd yn deillio o'u calonnau. Dywed Duw, "Ond calon wrthnysig a gwrthryfelgar sydd gan y bobl hyn" (5: 23), gan ddweud ymhellach, "Y maent i gyd yn gyndyn ac ystyfnig" (6: 28). Yn wir, mae'r cyfan o'r ymddygiad annerbyniol hwn i'w briodoli yn ôl Jeremeia i "ystyfnigrwydd eu calon ddrwg" (7: 24), pwynt mae'n ei wneud saith gwaith o leiaf.

Gan mai'r galon yw tarddle'r anufudd-dod, mae Jeremeia yn pwysleisio nad oes ateb dynol. Hyd yn oed petai pobl Jwda yn glanhau eu hunain gyda phob math o sebon, ni fyddai staen eu heuogrwydd yn cael ei symud (2: 22). Dim ond os byddai'r Ethiopiad yn medru newid ei groen, a'r llewpard yn cael gwared â'r smotiau, byddai Jwda yn medru gwneud daioni, oherwydd, "A allwch chwithau wneud daioni, chwi a fagwyd mewn drygioni?" (13: 23). Ymhellach, gan fod pechod Jwda wedi ei ysgrifennu â phin o haearn ac wedi ei serio â phin o ddiemwnt, ni ellir ei symud (17: 1). Dywed Jeremeia fod y galon yn dwyllodrus ac mae'n fwy ei thwyll na dim (17: 9). Mae'r pedwar darlun hyn yn dangos yn glir fod pechod dynol ymhell y tu hwnt i ateb dynol. Mae fel y staen na ellir ei symud, fel lliw'r croen na ellir ei newid, fel rhywbeth a gerfiwyd na ellir ei symud, ac fel afiechyd na ellir ei wella. Does ond Duw a all ein newid ni.

Mae'n wir fod Jeremeia yn llefain, "Golch dy galon oddi wrth ddrygioni, Jerwsalem, iti gael dy achub" (4: 14), ond mae'n gwybod hefyd na all wneud hynny. Felly, mae'n edrych ymlaen at y diwrnod pan fydd Duw yn sefydlu cyfamod newydd gyda nhw, cyfamod a fydd yn cynnwys addewid i ysgrifennu'r gyfraith ar eu calonnau (31: 31–34), yn wir, i roi calon newydd iddynt (32: 39; cymh. Eseciel 36: 26). Mae'r addewid hon yn cael ei chyflawni'n fendigedig heddiw pryd bynnag y bydd unigolyn yn profi'r aileni.

Darllen pellach: Ioan 3: 1–15

# Cynlluniau Duw

*"Oherwydd myfi sy'n gwybod fy mwriadau a*
*drefnaf ar eich cyfer," medd yr ARGLWYDD,*
*"bwriadau o heddwch, nid niwed, i roi ichwi ddyfodol gobeithiol."*
Jeremeia 29:11

Tra bod y proffwydi gau yn rhagweld gyda hyder y byddai Jwda yn cael ei gwaredu o'r perygl a ddeuai o Babilon, mae Jeremeia gyda hyder cyffelyb yn rhagweld y bydd Jerwsalem yn syrthio i'r fyddin oedd am ei goresgyn, ac yn galw arnynt i ildio. Jeremeia oedd yn iawn wrth gwrs. Syrthiodd y ddinas yn 597 CC ac fe gymerwyd arweinwyr y genedl i'r gaethglud ym Mabilon.

Wedi i'r bobl ymsefydlu yno, mae Jeremeia yn ysgrifennu llythyr at y caethgludion gan ddweud wrthynt am adeiladu tai a byw ynddynt, i blannu gerddi, i fwyta eu cynnyrch, i ddatblygu eu bywyd teuluol ac i geisio daioni'r ddinas. Doedd y bobl ddim i wrando ar freuddwydion y proffwydi gau, breuddwydion oedd yn sôn am gael dychwelyd yn fuan i Jerwsalem; dim ond ar ôl saith deg mlynedd o gaethglud y byddai'r Arglwydd yn dod â hwy adre.

Mae'r addewidion a wnaeth Duw i'r caethgludion ym Mabilon yn aml wedi eu cymhwyso i Gristnogion sydd mewn poen ac mewn gofid: "Oherwydd myfi sy'n gwybod fy mwriadau a drefnaf ar eich cyfer" (adn. 11).

Yn gyntaf, mae gan Dduw gynlluniau ar gyfer ei bobl. Gall bywyd ymddangos yn ddim mwy na chyfres o ddamweiniau. Mae hanes wedi ei ddisgrifio gan un fel llwybr yn cael ei wneud ar bapur gwyn gan draed pryfyn meddw. Ond na, nid ar hap a damwain y mae troeon ein bywyd yn digwydd. Mae gan Dduw gynlluniau ar gyfer ei gaethgludion ac mae ganddo gynlluniau ar ein cyfer ni hefyd.

Yn ail, mae Duw yn gwybod am ei gynlluniau. Nid yw hyn yn golygu ei fod yn eu datguddio i ni, ond maent yn eiddo iddo ac mae'n eu hadnabod. Mae rhieni yn cychwyn gwneud cynlluniau ar gyfer eu plant cyn iddynt gael eu geni; felly hefyd ein Tad nefol.

Yn drydydd, mae cynlluniau Duw yn gynlluniau da. Rhaid bod y caethgludion ym Mabilon wedi cael hyn yn anodd ei gredu, ond roedd Duw yn benderfynol o roi iddyn nhw obaith a dyfodol. Efallai mai'r adnod gyfatebol yn y Testament Newydd yw Rhufeiniaid 8: 28 lle cawn ein sicrhau bod popeth yn cydweithio er ein daioni.

Darllen pellach: Rhufeiniaid 8: 28–39

# Proffwydi – Gau a Gwir

*Y proffwyd sydd â breuddwyd ganddo, myneged ei freuddwyd,*
*a'r hwn sydd â'm gair i ganddo, llefared fy ngair yn ffyddlon.*
Jeremeia 23:28

Roedd gweinidogaeth y proffwydi gau, proffwydi oedd yn ei wrthwynebu, yn destun gofid mawr i Jeremeia. "Torrodd fy nghalon, y mae fy esgyrn i gyd yn crynu" (adn. 9). Mae'r sefyllfa heddiw yn debyg ond yn wahanol hefyd. Mae digon o broffwydi gau (fel y dywedodd Iesu), ond does neb yn debyg i Jeremeia. Yn wir, mae gan rai ddealltwriaeth broffwydol wrth ystyried ystyr a chymhwysiad testunau Beiblaidd. Ond does gan neb yr awdurdod ysbrydoledig oedd yn perthyn i'r proffwydi Beiblaidd fel Jeremeia. Yn lle hyn, rydym ni wedi ein bendithio â Gair ysgrifenedig Duw. Felly y gymhariaeth heddiw yw honno rhwng athrawon gwir sydd yn ddarostyngedig i'r Ysgrythur ac athrawon gau sydd yn ei gwrthod neu yn ei ddefnyddio i'w pwrpas eu hunain.

Dyma bum nodwedd a berthyn i athrawon gau, ac mae Jeremeia yn amlygu'r pump.

1. Maent yn camddefnyddio eu grym. Mae awtocratiaeth yn rhan hanfodol o'u bywyd o'i gymharu ag addfwynder Crist. Maent yn defnyddio eu grym yn anghyfiawn (adn. 10).

2. Maent yn byw celwydd, ac mae pellter mawr rhwng eu bywyd preifat a'u hymddangosiad cyhoeddus (adn. 13–14).

3. Maent yn cryfhau dwylo'r rhai sydd yn gwneud drygioni yn hytrach na'u galw i edifeirwch (adn. 14, 22).

4. Maent yn llenwi pobl â ffug obeithion, gan ddweud na fydd dim drwg yn dod iddynt (adn. 16–17).

5. "Y maent yn llefaru gweledigaeth o'u dychymyg eu hunain, ac nid o enau yr ARGLWYDD" (adn. 16).

Dim ond Gair Duw sy'n effeithiol. Mae'n gallu chwalu caledwch y galon fel mae morthwyl yn gallu chwalu cerrig. Mae'n llosgi ac yn puro fel tân. Mae'n faethlon fel grawn, nid fel gwellt (adn. 28–29).

Ni ddylai fod yn anodd i ddewis Gair Duw dros freuddwydion dynion, i ddewis datguddiad yn hytrach na syniadau. Efallai mai angen pennaf yr eglwys heddiw yw arweinwyr sydd yn esbonio Gair Duw yn ffyddlon ac yn ei gymhwyso, arweinwyr hefyd sydd yn ymarfer yr hyn y maent yn ei bregethu.

Darllen pellach: Jeremeia 23: 21–32

# Y Cyfamod Newydd

*"Y mae'r dyddiau'n dod," medd yr ARGLWYDD,*
*"y gwnaf gyfamod newydd â thŷ Israel ac â thŷ Jwda."*
Jeremeia 31:31

M ae'n bwysig iawn inni ddeall nad oes ond un cyfamod o ras drwy'r Beibl i gyd, hynny yw, yr addewid a wnaeth Duw i Abraham tua phedair mil o flynyddoedd yn ôl i'w fendithio ac i fendithio ei dylwyth, a thrwyddynt hwy i fendithio'r byd. Y cyfamod hwn a gadarnhaodd Iesu ("Hwn yw'r cyfamod newydd yn fy ngwaed", 1 Corinthiaid 11: 25). Mae'r cyfamod yn newydd yn ei berthynas â Mynydd Sinai yn unig (gwe. Jeremeia 31: 32); nid yw yn newydd ynddo'i hunan oherwydd mae mor hen ag Abraham. Ystyriwch felly amodau'r cyfamod newydd.

Yn gyntaf, yn y cyfamod newydd mae cyfraith yr Arglwydd yn rhywbeth o'n mewn: "rhof fy nghyfraith o'u mewn, ysgrifennaf hi ar eu calon" (adn. 33). O ganlyniad, yr ydym yn ei ddeall, yn ei garu ac yn ufudd iddo. Mae dysgeidiaeth ryfedd ar led heddiw sy'n awgrymu nad oes rhaid i Gristnogion gadw cyfraith foesol Duw o gwbl bellach. Ond i'r gwrthwyneb, mae Duw wedi ysgrifennu ei gyfraith yn ein calonnau er mwyn i ni fod yn ufudd.

Yn ail, yn y cyfamod newydd mae gwybodaeth am Dduw yn fyd-eang: "ni fyddant mwyach yn dysgu bob un ei gymydog a phob un ei berthynas, gan ddweud, 'Adnebydd yr ARGLWYDD'; oblegid byddant i gyd yn f'adnabod, o'r lleiaf hyd y mwyaf ohonynt" (adn. 34). Mae hyn i gynnwys hyd yn oed y Cenhedloedd a hefyd "offeiriadaeth yr holl saint". Hynny yw, yng nghymuned gyfamodol Iesu Grist, does dim breintiau arbennig na hierarchaeth ond yn hytrach fynediad i bawb at Dduw trwy Grist.

Yn drydydd, yn y cyfamod newydd mae maddeuant Duw yn dragwyddol: "maddeuaf iddynt eu drygioni, ac ni chofiaf eu pechodau byth mwy" (adn. 34). Wrth gwrs, roedd maddeuant yn yr Hen Destament (cymh. Salm 32: 1–2). Eto, roedd rhaid ailadrodd yr aberthau dro ar ôl tro yn ddi-ben-draw. Ond mae'r Arglwydd Iesu Grist yn offrymu un aberth dros bechod am byth, ac ar sail ei waith gorffenedig ef, nid yw Duw yn cofio ein pechodau mwyach.

Dyma fendithion amhrisiadwy y cyfamod newydd – cyfraith o'n mewn, adnabyddiaeth gyffredinol o Dduw, a maddeuant tragwyddol.

Darllen pellach: Hebreaid 10: 11–18

# Cariad Cyson Duw

*Meddyliaf yn wastad am hyn, ac felly disgwyliaf yn eiddgar.*
*Nid oes terfyn ar gariad yr ARGLWYDD, ac yn sicr ni phalla ei dosturiaethau.*
Galarnad 3:21–22

Mae llyfr Galarnad, fel y mae'r testun Cymraeg yn ei awgrymu, yn gerdd hir ar ffurf galarnad. Er nad oes awdur amlwg i'r gerdd, mae Iddewon a Christnogion ar hyd y blynyddoedd wedi cymryd mai Jeremeia yw ei hawdur. Mae'n amlwg ei fod wedi ei hysgrifennu tua 587 CC wrth i Jerwsalem gael ei goresgyn a'r deml gael ei chwalu. Mae llyfr Galarnad yn perthyn i'r alanas honno.

Mae'r disgrifiad yn glir. Mae muriau'r ddinas wedi eu chwalu, mae'r adeiladau yn furddunod. Mae'r strydoedd yn wag, ac er bod rhyw ychydig wedi goroesi mae elfen o ganibaliaeth gudd yn y rhain. Mae'r ddinas fel gwraig weddw, gyda'i gŵr a'i phlant wedi ei gadael. Does dim ffrindiau ganddi, dim amddiffynfa, dim cysur, dim cymorth, dim gobaith. Yn waeth na'r cyfan, "Gwrthododd yr Arglwydd ei allor, a ffieiddio'i gysegr" (2: 7). Hynny yw, aberthau, gwyliau, Sabathau, does dim o'r rhain yn parhau. Roedd barn ofnadwy Duw wedi syrthio ar ei bobl. Mae'r proffwyd yn disgrifio ei brofiad fel hyn: "Gyrrodd fi allan a gwneud imi gerdded trwy dywyllwch lle nad oedd goleuni" (3: 2). Nawr gwrandewch ar y cofnod hwn o'r hyn a ddigwyddodd:

> Yr wyf wedi f'amddifadu o heddwch; anghofiais beth yw daioni ... Meddyliaf yn wastad am hyn, ac felly disgwyliaf yn eiddgar. Nid oes terfyn ar gariad yr ARGLWYDD, ac yn sicr ni phalla ei dosturiaethau. Y maent yn newydd bob bore, a mawr yw dy ffyddlondeb.
>
> adn. 17, 21–23

Mae Jeremeia yn defnyddio tri gair – cariad, tosturiaethau, a ffyddlondeb; mae'r tri yn cyfeirio at gyfamod Duw gydag Israel ac yn mynegi ei ffyddlondeb i'r cyfamod hwnnw. Dyma'r hyn y mae'r proffwyd yn ei alw i gof ac sy'n rhoi gobaith iddo. Mae chwalfa lwyr o'i amgylch, ac o'i fewn mae amheuon, ofnau a phoen; dim ond y sicrwydd o'r Duw ffyddlon cyfamodol sy'n gallu ei gynorthwyo i weld drwy'r tywyllwch.

Yn adnod 20 mae Jeremeia yn ystyried ei wae, ond yn adnod 21 mae'n galw i gof gariad cyfamodol Duw. Dyma'n profiad ni hefyd. Wrth inni ystyried ein hunain a'n dioddefaint daw anobaith; mae meddwl am Dduw a'i ffyddlondeb yn dod â gobaith: "Oherwydd nid yw'r Arglwydd yn gwrthod am byth; er iddo gystuddio, bydd yn trugarhau yn ôl ei dosturi mawr, gan nad o'i fodd y mae'n dwyn gofid ac yn cystuddio pobl" (adn. 31–33).

Darllen pellach: Galarnad 3: 17–33

# Wythnos 14: Proffwydi'r Gaethglud

Cyfeirir yn aml at Eseciel a Daniel fel proffwydi'r "gaethglud" gan eu bod wedi proffwydo gan fwyaf yn ystod y chwe deg mlynedd y bu Israel ym Mabilon. Roedd y cyfnod hwn yn fras rhwng cwymp cyntaf Jerwsalem (597 CC) a chyhoeddiad Cyrus yn caniatáu i'r caethgludion ddychwelyd (538 CC).

A dweud y gwir, roedd tair caethglud i Fabilon. Digwyddodd y gyntaf yn 605 CC a dyma pryd yr aeth Daniel a'i ffrindiau yno. Digwyddodd yr ail yn 597 CC, pan syrthiodd Jerwsalem am y tro cyntaf ac fe gymerwyd llawer o arweinwyr y genedl i'r gaethglud, gan gynnwys y brenin Jehoiachin ac Eseciel. Digwyddodd y drydedd tua deng mlynedd yn ddiweddarach yn 587 CC, pan chwalwyd Jerwsalem a'r deml. Cafodd Eseciel y weledigaeth ryfeddol o ogoniant Duw yn 593 CC.

**Dydd Sul:** Gogoniant Duw
**Dydd Llun:** Galwad Eseciel
**Dydd Mawrth:** Pechod a Barn
**Dydd Mercher:** Enw Sanctaidd Duw
**Dydd Iau:** Cydymffurfio Diwylliannol ac Anghydffurfiaeth
**Dydd Gwener:** Penarglwyddiaeth Duw
**Dydd Sadwrn:** Darostwng y Balch

# Gogoniant Duw

*... yr oedd yn edrych fel ffurf ar ogoniant yr ARGLWYDD.*
Eseciel 1:28

Mae proffwydoliaeth Eseciel wedi ei llunio o amgylch tair gweledigaeth o ogoniant Duw. Yn y gyntaf mae'r gogoniant yn cyrraedd Babilon (1: 1–28). Yn yr ail mae'r gogoniant yn ymadael â Jerwsalem (penodau 8–11), ac yn y drydedd mae'n dychwelyd i Jerwsalem (pennod 43).

Yn gyntaf, mae'r gogoniant yn cyrraedd Babilon. Mae'n debyg mai ar ben blwydd Eseciel yn ddeg ar hugain y cafodd y weledigaeth hon o ogoniant rhyfeddol Duw. Mae'n cychwyn gyda storm ddychrynllyd o'r gogledd ac yna yn canolbwyntio ar bedwar creadur byw gydag adenydd, y pedwar gyda phedwar wyneb (yn cynrychioli'r greadigaeth) a phob un â'i olwyn ei hun. Mae'n anodd dychmygu na dirnad y syniad o olwynion o fewn olwynion yn mynd yn ôl ac ymlaen i bob cyfeiriad. Uwchben y creaduriaid byw (a adnabyddir yn ddiweddarach fel y cerwbiaid) roedd cryndo disglair; ac uwchben hwn rhywbeth tebyg i orsedd yn cael ei hamgylchynu gan enfys; uwchben hyn i gyd roedd un oedd yn ymddangos yn ddynol, yn eistedd mewn gogoniant, "yn edrych fel ffurf ar ogoniant yr ARGLWYDD" (1: 28). Y peth rhyfeddol yw bod Eseciel wrth dderbyn y weledigaeth i lawr ymhlith y caethgludion ym Mabilon. Doedd Duw ddim wedi gadael ei bobl.

Yn ail, mae'r gogoniant yn ymadael â Jerwsalem. Bellach mae Eseciel yn cael ei symud yn ei weledigaeth i'r deml, ac roedd "gogoniant Duw Israel" yno (8: 4). Ond dychrynwyd y proffwyd gan yr eilunaddoliaeth warthus a welodd. Dyma enynnodd lid Duw. Mae Eseciel yn cael golwg ar ogoniant yr Arglwydd yn codi o'r ddaear, yna'n aros, yna'n symud allan, cyn aros eto o gam i gam fel petai'n anfoddog i fynd (10: 4, 16–19), ac yn y diwedd yn gadael y ddinas ac yn aros ar fynydd i'r dwyrain (11: 23). Rhaid bod y profiad yn ingol i Eseciel wrth wylio gogoniant yr Arglwydd yn raddol ond yn sicr yn gadael y deml, lle y'i profwyd yn wastad.

Yn drydydd, mae'r gogoniant yn dychwelyd i Jerwsalem. Efallai bod y rhan fwyaf rhyfeddol o weledigaeth derfynol Eseciel i'w chael ym mhennod 43, adnodau 1–5, lle yn ei weledigaeth mae'n cael ei ddwyn i borth y deml oedd yn wynebu'r dwyrain. Ac yno, "fel yr oedd gogoniant yr ARGLWYDD yn dod i mewn i'r deml trwy'r porth oedd yn wynebu tua'r dwyrain, cododd yr ysbryd fi a mynd â mi i'r cyntedd nesaf i mewn, ac yr oedd y deml yn llawn o ogoniant yr ARGLWYDD" (adn. 4–5). O'r diwedd roedd Duw wedi dychwelyd adre, ac ymhlith ei bobl ufudd ac addolgar.

Darllen pellach: Eseciel 1: 22–28

# Galwad Eseciel

# Galwad Eseciel

*Ond llefara di fy ngeiriau wrthynt, prun bynnag a wrandawant ai peidio, oherwydd gwrthryfelwyr ydynt.*

Eseciel 2:7

Rydym eisoes wedi gweld ei bod yn ddiddorol iawn i gymharu galwad Eseia a galwad Jeremeia. Gallwn ychwanegu galwad Eseciel. Clywodd Eseia gwestiwn Duw: "Pwy a anfonaf?" (Eseia 6: 8). Dywedwyd wrth Jeremeia, "Rhaid i ti fynd at bawb ... " (Jeremeia 1: 7), ac fe ddywedwyd wrth Eseciel, "Rwyf yn dy anfon at yr Israeliaid" (Eseciel 2: 3). Mae'r tri felly yn cael eu comisiynu i fod yn broffwydi ac i lefaru gair Duw yn enw Duw.

Mae pob galwad hefyd yn cynnwys cyfeiriad at geg neu wefusau'r proffwyd. Roedd angen puro gwefusau amhur Eseia. Mae Duw yn cyffwrdd â cheg Jeremeia gan ddweud, "Rwyf yn rhoi fy ngeiriau yn dy enau" (Jeremeia 1: 9). Ac roedd Eseciel i siarad union eiriau Duw wrth Israel (Eseciel 3: 4).

Wedi dweud hyn, roedd rhywbeth unigryw yn perthyn i'r tair galwad. Yn achos Eseciel ceir darlun byw anghyffredin o Dduw yn cynnig sgrôl iddo i'w bwyta gan ddweud wrtho am lenwi ei fol efo'r sgrôl. O'i fwyta mae'n darganfod bod blas mêl arno (adn. 1–3). Beth yw arwyddocâd hyn? Yn sicr roedd rhaid i Eseciel ymborthi ar Air Duw ei hunan yn gyntaf cyn ei gyhoeddi i eraill. Yn ychwanegol at hyn, roedd i fod yn ufudd i Air Duw, "a phaid â gwrthryfela fel y tylwyth gwrthryfelgar hwn" (2: 8), oherwydd mae Gair Duw yn felys.

Rydym eisoes wedi nodi nad oes dim proffwydi heddiw yn yr ystyr nad oes neb sy'n dod â datguddiad uniongyrchol fel Eseia, Jeremeia neu Eseciel. Bellach, ceir stiwardiaid ar y datguddiad y mae Duw wedi ei roi i ni yng Nghrist ac yn yr Ysgrythurau.

Mae'r rhai hynny sydd wedi eu galw ac wedi profi'r fraint o ymgymryd â'r rôl hon, i fod uwchlaw popeth yn ffyddlon, gan ymborthi ar Air Duw a bod yn ufudd iddo cyn iddynt wedyn ei gyhoeddi i eraill. Yng ngeiriau Donald Coggan, un a fu gynt yn Archesgob Caergaint, "Nid yw'r pregethwr Cristnogol yn rhydd i ddychmygu na dyfalu na chreu ei neges; mae wedi ei hymddiried iddo, a'i gyfrifoldeb ef yw ei chyhoeddi, ei hesbonio a'i chymeradwyo i'w wrandawyr."

Darllen pellach: Eseciel 2: 1–3: 3

# Pechod a Barn

*Eto fe ddywed dy bobl, "Nid yw ffordd yr Arglwydd yn gyfiawn";*
*ond eu ffordd hwy sy'n anghyfiawn.*
Eseciel 33:17

O ddarllen yn syth drwy benodau 4–24 o broffwydoliaeth Eseciel nid oes unrhyw amheuaeth beth yw'r prif ddarlun. Yn y penodau hyn ceir esboniad clir ar bechod pobl a barn Duw – ar y naill law dadlennu pechod Israel, ac ar y llaw arall, cyfiawnhau barn Duw. Ymhellach, mae'r pechodau y mae Eseciel yn eu harddangos yn amlwg yn torri'r ddwy ran oedd yn perthyn i'r Deg Gorchymyn.

Yn gyntaf, doedd pobl Dduw ddim yn caru Duw â'u holl galon ac â'u holl enaid. Pan ymwelodd Eseciel yn ei weledigaeth â Jerwsalem yr oedd yn arswydo rhag yr eilunaddoliaeth a welai hyd yn oed yn y deml. Roedd y pethau hyn yn warth (6: 11). Roedd dynion a gwragedd, offeiriaid a lleygwyr yn halogi tŷ Dduw. Roedd un grŵp wedi troi eu cefn ar y deml ac yn edrych i gyfeiriad y dwyrain, gan ymgrymu i'r haul (8: 16). Roedd eraill yn addoli ar uchelfannau crefydd ffrwythlondeb y Canaaneaid. Roedd rhai nad oeddent hyd yn oed yn ymatal rhag aberthu plant. Ymhellach, nid eilunaddoliaeth arwynebol mo hyn; roeddent "wedi codi eu heilunod yn eu calonnau" (14: 3).

Yn ail, doedd pobl Dduw ddim yn caru eu cymydog. Roeddent wedi "llenwi'r tir â thrais" (8: 17). Roeddent wedi methu gofalu am y tlawd, wedi methu porthi'r newynog, wedi methu dilladu'r noeth ac wedi methu sicrhau cyfiawnder i'r gorthrymedig. Yn waeth, roeddent wedi ennill enw i Jerwsalem fel "dinas waedlyd" (22: 2): hwn oedd yr enw a roddodd y proffwyd Nahum ar Ninefe (Nahum 3: 1), oherwydd bod cymaint o waed y dieuog yn cael ei dywallt ynddi.

Gan fod y gair eilunod yn mynegi eu pechod yn erbyn Duw a gwaed yn mynegi'r pechod yn erbyn cymydog, ni ellir mynd ymhellach na chyfuno'r ddau, a dyma oedd cyhuddiad Eseciel: "Yr ydych yn bwyta cig gyda'r gwaed, yn codi eich golygon at eich eilunod, ac yn tywallt gwaed" (33: 25; gweler hefyd 36: 18). Dyma oedd hanes teulu gwrthryfelgar Israel. Does ryfedd eu bod wedi gyrru Duw o'i gysegr (8: 6) a pheri i'w ogoniant ymadael.

Darllen pellach: Eseciel 14: 1–8

# Enw Sanctaidd Duw

*Nid er dy fwyn di, dŷ Israel, yr wyf yn gweithredu,*
*ond er mwyn fy enw sanctaidd, a halogaist pan*
*aethost allan i blith y cenhedloedd.*
### Eseciel 36:22

**M**ae un ymadrodd penodol sy'n cael ei ailadrodd gan Eseciel tua naw deg o weithiau fel cytgan: "Yna fe fyddwch yn gwybod mai myfi yw'r Arglwydd." Mae'n mynegi dyhead a dymuniad llywodraethol Duw i gael ei gydnabod – yn wir, i gael ei adnabod – am yr hyn yw a'r hyn y mae am ei gyflawni. Mae Duw yn dymuno hyn mewn tair sefyllfa yn arbennig, yn benodol wrth iddo farnu ei bobl, wrth iddo achub ei bobl, ac wrth iddo ymestyn y tu hwnt i Israel i'r cenhedloedd.

Efallai mai'r esiampl orau o'r gyntaf yw pennod 6, lle y dywedir wrth Eseciel am broffwydo yn erbyn mynyddoedd Israel. Roedd Duw ar fin chwalu ei uchelfannau, a chwalu'r rhai oedd wedi goroesi'r gaethglud, er mwyn dwyn ei farn driphlyg (cleddyf, newyn a phla) ar yr eilunaddolwyr ac i wneud y tir i gyd yn anialwch. Ar ôl pob un o'r pedwar rhybudd hyn, mae'r un gytgan yn cael ei hailadrodd: "Cewch wybod mai myfi yw'r Arglwydd" (adn. 7, 10, 13, 14).

Yn ail, mae'r un geiriad yn cael ei ddefnyddio pan fydd Duw yn achub ei bobl. Cymerwch er enghraifft, y weledigaeth am yr esgyrn sychion. Mae Duw yn addo i Israel y bydd yn rhoi ei Ysbryd o'u mewn ac yn eu dwyn yn ôl i'w tir gan ychwanegu, "Yna, byddwch chwi fy mhobl yn gwybod mai myfi yw'r ARGLWYDD" (37: 13). Ond mae gorwelion Eseciel yn fwy eang nag Israel ac yn cofleidio'r byd i gyd. Felly ym mhenodau 25 i 32 mae Eseciel yn cyfarch y saith cenedl oedd yn amgylchynu Israel ac mae'r gytgan yn cael ei hailadrodd tuag ugain o weithiau drwy'r penodau hyn, o bryd i'w gilydd mewn barn ond hefyd wrth rag-weld y bobl hyn yn cael eu cynnwys yn rhan o bobl gyfamodol Duw. Nid oedd Eseciel wedi anghofio addewid Duw i Abraham y byddai'r cenhedloedd i gyd yn cael eu bendithio trwy ei dylwyth.

Y tu ôl i'r gytgan mae consýrn cyson Duw am ei enw sanctaidd, enw yr oedd Israel wedi ei gamddefnyddio yng ngolwg y cenhedloedd (36: 21). Mae Duw yn ymddwyn er mwyn ei enw fel bod ei enw yn ennill y parch sydd yn ddyledus iddo. Dylem ninnau hefyd rannu'r un consýrn. Does dim gwell cymhelliad i genhadaeth.

Darllen pellach: Eseciel 36: 22–32

# Cydymffurfio Diwylliannol ac Anghydffurfiaeth

*Penderfynodd Daniel beidio â'i halogi ei hun â*
*bwyd a gwin o fwrdd y brenin.*
Daniel 1:8

Yr ail broffwyd oedd yn perthyn i'r gaethglud oedd Daniel. Mae ei hanes yn cychwyn yn 605 CC, hynny yw, yn nhrydedd flwyddyn teyrnasiad Jehoiacim, brenin Jwda. Dyma hefyd y flwyddyn gyntaf i gaethgludion Iddewig gael eu symud o Jerwsalem i Babilon, ac yn y gaethglud gyntaf hon roedd rhai gwŷr ieuanc oedd yn perthyn i deuluoedd brenhinol. Roedd y rhain yn fechgyn ifanc hardd, golygus, heb unrhyw arwydd o nam corfforol, yn glyfar ac yn gwybod llawer. Mae'r brenin Nebuchadnesar yn gorchymyn i Asphenas, rheolwr ei lys, i ddewis rhai ohonynt i gael eu hyfforddi a'u dysgu yn niwylliant Babilon er mwyn iddynt fedru gwasanaethu'r llys sifil. Yn sgil hyn roeddent yn cael cyfran ddyddiol o fwyd y brenin ac o'i win ac ar ddiwedd y tair blynedd roeddent i fod i wasanaethu yn llys y brenin. Yn eu plith roedd pedwar ymgeisydd – Daniel, Hananeia, Misael ac Asareia – ac fe newidiwyd eu henwau gan reolwr y llys i Beltesassar, Sadrach, Mesach ac Abednego.

Ond yn ôl naratif llyfr Daniel mae newid cyfeiriad. "Penderfynodd Daniel beidio â'i halogi ei hun â bwyd a gwin o fwrdd y brenin" (adn. 8). Nid yw'n glir pa waharddiad bwyd penodol roedd Daniel yn mynnu cadw ato, ond roedd yn amlwg iddo ef. Roedd yn barod i gael ei "[d]rwytho yn llên ac iaith y Caldeaid" (adn. 4), yn barod i gymryd enw newydd a heb amheuaeth yn barod hyd yn oed i ymddangos fel un o'r Babiloniaid, ond gyda hyn tynnwyd llinell. Doedd arno ddim awydd i dorri cyfraith Duw.

Mae'r digwyddiad hwn yn esiampl ryfeddol o ddisgrimineiddio ar sail diwylliant. Y gwir amdani yw bod pob diwylliant, gan ei fod yn rhywbeth sydd wedi ei greu gan ddynion, yn gymysgedd o dda a drwg, gwirionedd a chelwydd, harddwch a hagrwch. Mae Daniel a'i ffrindiau yn benderfynol o gymhwyso popeth oedd yn dda yn niwylliant y Caldeaid, ond ar yr un pryd yr un mor benderfynol o wrthwynebu unrhyw beth oedd yn anghyson â'u ffydd bersonol.

Ymhellach fe fu iddynt barhau fel roeddent wedi cychwyn. Yr oedd integriti'r bechgyn yn mynd i arwain at drafferth: digwyddodd hyn yn fuan iawn wrth iddyn nhw wrthod plygu i ddelw o Nebuchadnesar (pennod 3), ac ymhellach wrth i Daniel wrthod peidio â gweddïo ar Dduw. Talodd yr Iddewon ffyddlon hyn bris uchel am eu hintegriti – y tro cyntaf mewn ffwrn dân a'r ail dro mewn ffau llewod.

Darllen pellach: Daniel 1

# Penarglwyddiaeth Duw

*[Y] Goruchaf sy'n rheoli teyrnasoedd pobl ac yn eu rhoi i'r sawl a fyn.*
Daniel 4:32

Mae'n anodd inni fedru dychmygu pa mor ansad oedd y caethgludion yn ei theimlo hi ym Mabilon. Jerwsalem oedd canolfan sicr eu bywyd cenedlaethol ac roedd y ddinas honno filltiroedd i ffwrdd ac wedi ei chwalu. Roeddent hwy hefyd yn bobl wedi eu gorchfygu ac yn ddieithriaid yn y wlad. Roedd y wlad brydferth yr oedd Duw wedi ei haddo iddynt (11: 41) bellach yn anial a'r unig bobl oedd yno oedd dieithriaid yn ffermio'r tir. Drwy'r chwe chan mlynedd ers eu sefydlu, roedd teyrnasoedd bychan Israel a Jwda wedi eu gwasgu rhwng ymerodraethau mawr y gogledd (Asyria a Babilon) a'r de (Yr Aifft). Dro ar ôl tro ymosodwyd ar eu tir sanctaidd a llwyddodd llawer o'r ymgyrchoedd hyn. Roedd sylfeini eu ffydd yn cael eu tanseilio. Ble oedd eu Duw? Ateb llyfr Daniel yw bod y Duw Goruchel, er gwaethaf pob ymddangosiad i'r gwrthwyneb, yn rheoli dros deyrnasoedd dynion.

Dyma oedd y neges ym mreuddwyd Nebuchadnesar ym mhennod 2. Gwelodd ddelw anferth gyda phen o aur, bron a breichiau o arian, corff o bres, coesau o haearn a thraed o haearn a chlai. Roedd y rhannau hyn yn symbol o ymerodraethau amrywiol ac er nad yw Daniel yn nodi yn benodol pa rai, yr ydym yn deall yn draddodiadol ei fod yn cyfeirio at Babilon, Persia, Groeg ("yn teyrnasu dros yr holl ddaear" (adn. 39)), a Rhufain. Yna wrth inni edrych, mae carreg fechan yn dod drwy'r awyr, ac yn chwalu'r ddelw, gan dyfu i fod yn fynydd anferth oedd yn llenwi'r ddaear. Dyma deyrnas Duw a "[b]ydd hon yn dryllio ac yn rhoi terfyn ar yr holl freniniaethau eraill, ond bydd hi ei hun yn para am byth" (adn. 44). Felly mae'r darlun o ymerodraethau yn brwydro yn parhau drwy'r llyfr. Daw i'w benllanw gyda'r darlun o Alecsander Fawr yn dod o'r gorllewin (8: 5–8). Ar ei ôl ef mae brenhinoedd o'r gogledd a'r de yn dod i deyrnasu (pennod 11).

Yn llyfr y Salmau rydym yn darllen bod "yr Arglwydd yn teyrnasu" (e.e. Salmau 97 a 99), ac mae llyfr Daniel yn ddarlun clir o'r gri hon a berthyn i ffydd pobl Dduw.

Darllen pellach: Daniel 2: 36–45

# Darostwng y Balch

*Ac yn awr yr wyf fi, Nebuchadnesar, yn moli, yn*
*mawrhau ac yn clodfori Brenin y Nefoedd, sydd â'i weithredoedd*
*yn gywir a'i ffyrdd yn gyfiawn, ac yn gallu darostwng y balch.*
Daniel 4:37

Yn ôl cyfaill William Gladstone, yr Arglwydd Acton: "Mae grym absoliwt yn halogi'n absoliwt." Yr ydym yn sicr yn gweld y modd y mae grym yn halogi'r arweinwyr yn nyddiau Daniel. Roedd Nebuchadnesar yn amlwg yn esiampl o hyn. Yn ei freuddwyd gwelodd ddelw a dim ond ei phen wedi ei gwneud o aur (2: 32); ond pan adeiladodd ddelw, a honno tua naw deg troedfedd o uchder, yn cynrychioli ef ei hun mae'n debyg, gwnaeth yn siŵr fod y ddelw i gyd wedi ei gwneud o aur (3: 1).

Ychydig yn ddiweddarach fe glywn ei fod yn cerdded fel paun ar do gwastad ei balas ym Mabilon yn siarad â'i hunan. Testun ei sgwrs efo'i hunan oedd ei fawredd brenhinol ef: "Onid hon yw Babilon fawr, a godais trwy rym fy nerth yn gartref i'r brenin ac er clod i'm mawrhydi?" (4: 30). Mae hyn mewn gwrthgyferbyniad llwyr â'r docsoleg yr ydym ni yn gyfarwydd ag ef, sy'n cydnabod bod y frenhiniaeth, y grym a'r gogoniant yn eiddo i Dduw, nid i unrhyw ddyn. Does dim rhyfedd, felly, hyd yn oed pan oedd y geiriau'n dal ar ei wefusau, bod barn Duw yn syrthio arno. Tynnwyd ei deyrnas oddi arno ac fe'i gyrrwyd o'i balas. Roedd yn byw gyda'r anifeiliaid ac yn bwyta fel y rhain. Tyfodd ei wallt yn hir fel adenydd eryr a'i ewinedd fel ewinedd aderyn. Mewn geiriau eraill, mae Nebuchadnesar yn colli arni yn llwyr.

Dim ond wrth iddo ddarostwng ei hunan a chydnabod mai'r Duw Goruchaf sydd yn rheoli dros bob teyrnas, ac wrth iddo godi ei lygaid tua'r nefoedd i addoli, yr adferwyd ei gallineb ac yr adferwyd hefyd ei deyrnas. Mae balchder a gwallgofrwydd yn mynd gyda'i gilydd, fel y mae gostyngeiddrwydd a rheswm.

Dyma'r wers a ddysgodd Nebuchadnesar. Yn ei eiriau ei hun, "Ac yn awr yr wyf fi, Nebuchadnesar, yn moli, yn mawrhau ac yn clodfori Brenin y Nefoedd, sydd â'i weithredoedd yn gywir a'i ffyrdd yn gyfiawn, ac yn gallu darostwng y balch" (adn. 37). Felly y bu ac felly y bydd. Yng ngeiriau'r Arglwydd Iesu, "darostyngir pob un sy'n ei ddyrchafu ei hun, a dyrchefir pob un sy'n ei ddarostwng ei hun" (Luc 18: 14). Mae'r rhai sy'n eu dyrchafu eu hunain yn sicr o adnabod y Duw sy'n eu darostwng. Gwelwyd yr egwyddor hon yn cael ei chyflawni droeon yn yr ugeinfed ganrif – mewn pobl fel Hitler, Mussolini, Stalin, Amin a Pol Pot; ac yn wir ym mywydau pobl fel Saddam Hussein, o edrych ar esiamplau llawer mwy cyfoes.

Darllen pellach: Daniel 4: 28–37

# Wythnos 15: Dychweliad ac Adferiad

Syrthiodd Ymerodraeth Babilon yn 593 CC, a bellach Ymerodraeth Persia o dan arweiniad Cyrus oedd yn rheoli'r tir. Rydym eisoes wedi ein cyflwyno iddo fel eneiniog Duw, milwr rhagorol a lwyddodd i drechu'r cenhedloedd a safai o'i flaen (Eseia 41: 2; 45: 1). Rhaid bod y caethgludion Iddewig wedi bod yn gwylio ei ymgyrchoedd â chyffro cynyddol, ac yn y diwedd syrthiodd Babilon fawr o dan ei gleddyf.

Yna ym mlwyddyn gyntaf teyrnasiad Cyrus "cynhyrfodd yr ARGLWYDD ysbryd Cyrus" (Esra 1: 1) a chyhoeddodd ddau orchymyn, y cyntaf yn mynegi ei awydd i ddanfon yr Iddewon a gaethgludwyd yn ôl i Jerwsalem, a'r ail yn mynegi ei ddyhead i weld eu teml yn cael ei hailadeiladu. Roedd hyn yn gwbl gyson â pholisïau crefyddol ei gyfnod. Lle y gorfododd yr Asyriaid a'r Babiloniaid eu crefydd nhw ar y rhai a goncrwyd, roedd awydd ymhlith y Persiaid i gymodi drwy barchu a hyd yn oed drwy addoli eu duwiau.

**Dydd Sul:** Ailadeiladu'r Deml
**Dydd Llun:** Gwrthwynebiad ac Anogaeth
**Dydd Mawrth:** Esra yr Ysgrifennydd
**Dydd Mercher:** Gweledigaeth Nehemeia
**Dydd Iau:** Cynllun Nehemeia
**Dydd Gwener:** Dyfalbarhad Nehemeia
**Dydd Sadwrn:** Hanes Esther

# Ailadeiladu'r Deml

*... llwyddodd henuriaid yr Iddewon gyda'r adeiladu,
a'i orffen yn ôl gorchymyn Duw Israel a gorchymyn Cyrus ...*
Esra 6:14

Mae Salm 126 yn rhoi blas inni o'r gorfoledd a'r rhyddhad yr oedd y caethgludion a fu ym Mabilon yn eu teimlo o gael dychwelyd i Jerwsalem.

Pan adferodd yr ARGLWYDD lwyddiant Seion,
yr oeddem fel rhai wedi cael iachâd;
yr oedd ein genau yn llawn chwerthin
a'n tafodau yn bloeddio canu.

(adn. 1–2)

Er bod ysgolheigion yn dal i drafod union drefn y digwyddiadau hanesyddol, rwyf am ddilyn y gronoleg draddodiadol, hynny yw, bod adferiad y bobl wedi digwydd dros dri cham gwahanol o dan dri arweinydd gwahanol.

Yn gyntaf, yn 538 CC daeth Sorobabel, ŵyr y brenin Jehoiacim, a Jesua yr archoffeiriad yn ôl i Jerwsalem i ailadeiladu'r deml. Yna yn 458 CC daeth Esra yr ysgrifennydd yn ôl i Jerwsalem. Disgrifiwyd ef fel math o Ysgrifennydd Gwladol yn ymwneud â materion Iddewig ym Mabilon, a'i dasg oedd rheoleiddio ac adfer cyfrifoldebau moesol a chrefyddol yn unol â'r gyfraith. Yn olaf, yn 445 CC daeth Nehemeia, oedd yn drulliad i'r brenin Nebuchadnesar ym Mhersia, ac yn ddiweddarach yn llywodraethwr Jwda, i Jerwsalem i adfer y ddinas, ac yn benodol i ailadeiladu'r muriau.

Sorobabel felly oedd y cyntaf i gyrraedd, a hynny gyda chyfran helaeth o'r caethgludion. Gorchymyn Cyrus oedd sail eu dychweliad, ac ychwanegodd at hyn drwy roi yn ôl iddynt 5,400 o ddarnau o aur ac arian oedd yn perthyn i'r deml. Yn union wedi iddynt gyrraedd yn ôl, adeiladwyd allor y poethoffrwm ac adferwyd yr aberthau rheolaidd. Yn y seithfed mis, dathlwyd Gŵyl y Pebyll. Gosodwyd sylfeini'r deml newydd hefyd. Am flynyddoedd, roedd eu haddoliad yn fud: "Sut y medrwn ganu cân yr ARGLWYDD mewn tir estron?"(Salm 137: 4) Bellach rhyddhawyd eu tafodau, pawb yn uno i ganu eu caneuon cyfamodol cyfarwydd. "Y mae ef yn dda, a'i gariad at Israel yn parhau byth"(Esra 3: 11). Gwaeddodd rhai. Roedd eraill yn wylo. Roedd yn amser o addoliad emosiynol anghyffredin.

Darllen pellach: Haggai 1

# Gwrthwynebiad ac Anogaeth

*... dechreuodd Sorobabel fab Salathiel a Jesua fab Josadac*
*ailadeiladu tŷ Dduw yn Jerwsalem; ac yr oedd proffwydi*
*Duw gyda hwy yn eu cefnogi.*
Esra 5:2

Os bydd i unrhyw waith o eiddo'r Arglwydd lwyddo, gallwn fod yn sicr y bydd gwrthwynebiad. Cychwynnodd y gwrthwynebiad yn Jerwsalem ddod i'r amlwg yn agwedd y Samariaid, a pharhaodd hyn yn ddiweddarach ymhlith y rhai oedd yn awyddus i weld y gwaith ar y deml yn methu. Llwyddodd y gwrthwynebiad am dymor, ond yn ystod y cyfnod hwn cafwyd dwy anogaeth benodol.

Yn gyntaf, gwelwyd wrth archwilio'r cofnodion brenhinol fod awdurdod llawn yn rhoi caniatâd i'r gwaith fynd rhagddo, a daeth y neges at lywodraethwr talaith Tu-hwnt-i'r-Ewffrates yn Jerwsalem: "peidiwch ag ymyrryd â gwaith tŷ Dduw ... " (Esra 6: 7).

Yn ail, daeth anogaeth o gyfeiriad dau o brif broffwydi Duw, Haggai a Sechareia, yn pwyso ar Sorobabel i barhau â'r gwaith. Dyma anogaeth Haggai: " 'A adawyd un yn eich plith a welodd y tŷ hwn yn ei ogoniant cyntaf? Sut yr ydych chwi yn ei weld yn awr? Onid megis dim yn eich golwg? Yn awr ... ymgryfhewch, holl bobl y tir ... Gweithiwch, oherwydd yr wyf fi gyda chwi ... ' " (Haggai 2: 3–4).

Daeth gair yr Arglwydd at Sechareia hefyd, gan ddweud, "Dwylo Sorobabel sy'n sylfaenu'r tŷ hwn, a'i ddwylo ef a'i gorffen" (Sechareia 4: 9). Felly, "dechreuodd Sorobabel fab Salathiel a Jesua fab Josadac ailadeiladu tŷ Dduw yn Jerwsalem; ac yr oedd proffwydi Duw gyda hwy yn eu cefnogi" (Esra 5: 2). Cychwynnwyd ailadeiladu'r deml tua 520 CC, gan orffen tua 515 CC, rhyw 70 o flynyddoedd ers iddi gael ei chwalu, fel y proffwydwyd gan Jeremeia. Wedi cysegru'r adeilad, dathlwyd gwledd y Pasg gan yr offeiriad a'r bobl mewn llawenydd, fel petai'r rhain newydd eu hachub. Yn wir, dyna ddigwyddodd. Gwawriodd patrwm achubol triphlyg Duw ar eu meddyliau, y Duw a alwodd Abraham o Ur, yr Israeliaid o'r Aifft a'r caethgludion o Babilon. Mae'r tri digwyddiad yn gysgod o'r achubiaeth fwy a gwell a sicrhaodd Duw drwy ei Fab, Iesu Grist.

Darllen pellach: Datguddiad 5: 9–10; 14: 1–6

# Esra yr Ysgrifennydd

*... yr oedd Esra wedi cael ffafr gan ei Dduw, oherwydd iddo
ymroi i chwilio cyfraith yr ARGLWYDD a'i chadw, ac i
ddysgu deddfau a chyfreithiau yn Israel.*

Esra 7:9–10

Yn dilyn cwblhau ailadeiladu'r deml yn 515 CC, rydym yn neidio tua 70 o
flynyddoedd i'r ail gam yn adferiad bywyd cenedlaethol Israel ar ôl y gaethglud.
Arweiniwyd y gwaith hwn gan Esra, oedd yn offeiriad, ysgrifennydd ac athro.
Danfonwyd ef i Jerwsalem gan neb llai na'r brenin Ahasferus I. Y cyfarwyddyd a roddwyd
iddo oedd adfer bywyd moesol a chrefyddol y genedl yn unol â chyfraith Moses.

Pa fath o ddyn oedd Esra? Nid oes rhaid inni ddyfalu. Ceir disgrifiad cryno ohono:
"yr oedd Esra wedi cael ffafr gan ei Dduw, oherwydd iddo ymroi i chwilio cyfraith yr
ARGLWYDD a'i chadw, ac i ddysgu deddfau a chyfreithiau yn Israel" (adn. 10). Mae'r
disgrifiad triphlyg hwn yn arwyddocaol. Yn gyntaf, roedd yn fyfyriwr diwyd o gyfraith
Duw. Roedd yn dyheu, nid am wybodaeth arwynebol, ond am ystyr y gyfraith a sut
y dylid ei chymhwyso. Yn ail, penderfynodd nad oedd am ymateb yn anghofus i'r
gyfraith, ond ei chadw. Yn drydydd, aeth y tu hwnt i astudiaeth bersonol o'r gyfraith,
gan ymdeimlo â galwad i'w dysgu i eraill. Ymhellach, o ystyried y tri (astudio, cadw a
dysgu), roedd wedi rhoi ei holl galon yn y gwaith.

Prif nodwedd ei gymeriad felly oedd ei ddarostwng ei hun i gyfraith yr Arglwydd. Yn
ystod un cynulliad cyhoeddus penodol, mae gair Duw yn cael ei anrhydeddu'n briodol.
Mae Esra yn sefyll ar lwyfan pren a wnaed i'r pwrpas, gan ddarllen y gyfraith o doriad
y wawr tan hanner dydd. Pan agorodd y llyfr, safodd pawb fel un. Yna "atebodd yr
holl bobl, "Amen, Amen", gan godi eu dwylo ac ymgrymu ac addoli'r ARGLWYDD â'u
hwynebau tua'r ddaear" (Nehemeia 8: 6). Doedd y bobl hyn ddim yn addoli'r llyfr. Ni
ddylem ninnau chwaith. Ond rydym yn addoli'r Arglwydd, ac yn anrhydeddu'r Beibl
oherwydd Duw.

Darllen pellach: Nehemeia 8: 1–8

# Gweledigaeth Nehemeia

*... dewch, adeiladwn fur Jerwsalem rhag inni fod yn waradwydd mwyach.*
Nehemeia 2:17

**W**edi adfer y deml o dan Sorobabel ac adfer y gyfraith dan Esra, trown yn awr at y gwaith o adfer muriau'r ddinas o dan law Nehemeia. Mae i Nehemeia rôl allweddol yn hanes iachawdwriaeth, hynny yw, ym mhwrpas Duw i adfer ei bobl. Er nad oes gan neb rôl sy'n cyfateb yn union i hyn heddiw, eto mae Duw yn galw arweinwyr Cristnogol i arddangos nodweddion fel rhai Nehemeia. Gellir nodi chwech yn syth.

Yn gyntaf, mae gan yr arweinydd Cristnogol weledigaeth eglur. Mae i weledigaeth ddwy nodwedd, anfodlonrwydd dwfn gyda'r sefyllfa a gafael glir ar yr hyn a allai fod. Mae'n cychwyn gyda dicllonedd dros y sefyllfa bresennol ac ymdrech benderfynol i weithio at yfory gwahanol. Yn ôl un gohebydd a ysgrifennodd am Bobby Kennedy yn dilyn ei lofruddiaeth yn 1968, "y rhinwedd nodedig yn ei fywyd oedd ei allu i feddu dicter moesol. 'Mae hyn yn annerbyniol' oedd ei ymateb i'r pethau y mae llawer ohonom ni yn eu derbyn fel pethau anochel ... Tlodi, cymdeithas anllythrennog, diffyg bwyd, rhagfarn, twyll, malais; roedd y math hwn o ddrygioni oedd yn cael ei dderbyn yn gyffredinol yn gwbl annerbyniol yn ei olwg ef." Gellir dweud bod difaterwch bob amser yn gwneud yr annerbyniol yn dderbyniol, tra bod arweinyddiaeth yn cychwyn gyda'r penderfyniad i beidio â chaniatáu i hyn ddigwydd. Sut y medrwn ni oddef yr hyn y mae Duw yn ei ystyried yn rhywbeth annioddefol?

Yn ail, mae'r arweinydd Cristnogol yn teimlo ei weledigaeth i'r byw. O glywed bod Jerwsalem mewn adfeilion, a bod y muriau wedi eu llosgi i'r llawr, gorchfygwyd Nehemeia'n llwyr gan y newyddion, nes i Dduw roi yn ei galon beth oedd angen ei wneud. "[D]ewch, adeiladwn," meddai (adn. 7). Nid yw'n ddigon i weld y sefyllfa bresennol fel un sy'n tristáu Duw, a cheisio meddwl am ffordd i newid y sefyllfa. Rhaid inni hefyd brofi elfen o ddicllonedd a chydymdeimlad. Roedd galar Nehemeia i'w weld ar ei wyneb, ac fe sylwodd y brenin.

Darllen pellach: Nehemeia 1: 1–4

# Cynllun Nehemeia

*Yna gweddïais ar Dduw'r nefoedd, a dweud wrth y brenin ...*
Nehemeia 2:4–5

Y drydedd wers a ddysgwn drwy Nehemeia yw bod yr arweinydd Cristnogol yn ceisio cymorth gan Dduw a dynion. Pan ofynnodd y brenin iddo beth oedd ei angen, gweddïodd, cyn gofyn iddo am ganiatâd i fynd yn ôl i ailadeiladu Jeriwsalem. Nid oedd ar y naill law mor eithafol ysbrydol fel ei fod yn ymddiried yn Nuw i'r graddau fod cymorth dynion yn ddiangen, ac ar y llaw arall, gwyddai nad oedd diben i gymorth dynol os nad oedd Duw yn y gwaith.

Nid yw gweddi a gwaith yn ddewisiadau ar wahân. Nid ydynt ychwaith yn anghyson â'i gilydd. Mae'r ddwy elfen yn perthyn i'w gilydd, ac mae'r naill heb y llall yn arwyddo diffyg balans peryglus. Mae'n amlwg o ddwy bennod gyntaf y llyfr fod Nehemeia yn ŵr gweddigar. Ond ni wnaeth hyn ei rwystro rhag gofyn i'r brenin am ganiatad i fynd i Jerwsalem, gofyn am lythyron gan lywodraethwyr talaith Tu-hwnt-i'r-Ewffrates i ddiogelu ei siwrnai, a llythyr ychwanegol i Asaff, ceidwad fforestydd y brenin, yn gofyn am goed i wneud y gwaith.

Yn bedwerydd, mae'r arweinydd Cristnogol yn datblygu cynllun realistig. Mae'r byd yn tueddu i wawdio breuddwydwyr. Fe gofiwch fod brodyr Joseff wedi cyfeirio ato fel 'y breuddwydiwr', gan ddweud yn ddiweddarach: "dacw'r breuddwydiwr hwnnw'n dod. Dewch, gadewch inni ei ladd ... yna cawn weld beth a ddaw o'i freuddwydion" (Genesis 37: 19–20). Beth bynnag, mae breuddwydion y nos yn medru diflannu'n fuan iawn pan fydd y wawr yn torri. Rhaid i freuddwydwyr fod yn bobl sy'n meddwl, yn cynllunio, yn gweithio. Rhaid i bobl sydd â gweledigaeth dyfu'n bobl sy'n gweithio. Felly, roedd rhaid i Nehemeia, gŵr oedd wedi cael gweledigaeth am yr hyn a allai ddigwydd yn Jerwsalem, ddod yn ddyn oedd â chynllun i wireddu ei weledigaeth. Wedi cyrraedd, mae'n mynd allan liw nos i weld y sefyllfa ei hun. Mewn arweinydd, mae gweledigaeth a gwaith, breuddwyd a chynllun yn plethu ynghyd.

Darllen pellach: Nehemeia 3

# Dyfalbarhad Nehemeia

*Pan glywodd ein holl elynion, a phan welodd yr holl genhedloedd*
*o'n hamgylch, yr oedd y peth yn rhyfeddol yn eu golwg, a daethant*
*i ddeall mai trwy gymorth ein Duw y cafodd y gwaith hwn ei wneud.*
Nehemeia 6:16

Ybumed wers sydd i'w gweld ar dudalennau'r llyfr hwn yw bod yr arweinydd Cristnogol yn denu dilynwyr. Yn wir, mae'r gair arweinydd yn awgrymu hyn yn ei hanfod. Yr arweinydd sy'n symbylu a mentro, ond mae'n perswadio eraill i ymuno yn y gwaith. Cofiwch, mae ambell i arweinydd mewn hanes wedi bod yn unigolyddol iawn. Ond mae'r arweinydd cywir yn medru ysbrydoli pobl i ddilyn ei arweiniad, mae'n gweld tasgau fel gweithgarwch cyfun. Mae ail bennod y llyfr yn dilyn taith Nehemeia o fod yn unigolyddol i fod yn arweinydd cyfunol, o adnod 5 ("anfon fi i Jwda, i'r ddinas lle y claddwyd fy hynafiaid, i'w hailadeiladu") i adnodau 17–18 ("dewch, adeiladwn … Awn ati i adeiladu").

Yn olaf, mae'r arweinydd Cristnogol yn ymwrthod â'r demtasiwn i ddigalonni. Fel y nodwyd, mae gwaith Duw yn siŵr o arwain at wrthwynebiad. Mae byddinoedd gwrthwynebiad yn ymgasglu ynghyd ac yn dod i'r golwg. Digalondid yw un o'r prif beryglon i'r arweinydd. Yn achos Nehemeia, daeth y gwrthwynebiad o gyfeiriad Sanbalat yr Horoniad, Tobeia yr Amoniad a'r Eifftiwr Gesem. Cychwynnwyd drwy wawdio Nehemeia, cyn mynd ymlaen i geisio camfynegi ei fwriadau drwy awgrymu ei fod yn gwrthryfela yn erbyn awdurdod Persia. Mae celwydd a gwawd yn arfau gwenwynig yn nwylo'r gelyn. Ond nid yw'r gwir arweinydd yn ildio, mae ef neu hi yn dyfalbarhau.

Gall y chwe nodwedd hyn gael eu cymhwyso i bob math o arweinyddiaeth – nid yn unig i arweinwyr milwrol, ond i arweinyddiaeth mewn cwmnïau a diwydiant, yn y cyfryngau ac yn yr Eglwys. Mae rhieni yn arweinwyr yn y cartref, fel y mae prifathrawon mewn ysgolion neu goleg. Gall arweinwyr ymhlith myfyrwyr hefyd fod yn ddylanwadol iawn. Gall esiampl Nehemeia ein hysbrydoli ni i gyd.

Darllen pellach: Nehemeia 6

# Hanes Esther

*Pwy a ŵyr nad ar gyfer y fath amser â hwn y daethost i'r frenhiniaeth?*
Esther 4:14

**N**i chynhwysir enw Duw unwaith yn llyfr Esther, ond mae ei dudalennau yn llawn o ddigwyddiadau y gellir eu dehongli fel cyfres o gyd-ddigwyddiadau, neu gyfres o ragluniaethau dwyfol, neu gymysgedd o'r ddau. Lleolir yr hanes ym mhalas Ahasferus, Brenin Persia (486–465 CC). Iddew oedd Mordecai, a dewiswyd Esther, un yr oedd Mordecai yn gofalu amdani, fel brenhines newydd yn y llys. Dylid nodi hefyd fod Mordecai ar un adeg wedi datgelu cynllwyn i lofruddio'r brenin, ond nid oedd wedi ei wobrwyo am hynny.

Haman oedd prif wrthwynebydd Mordecai, ac roedd hwn yn swyddog uchel yn llys y brenin. Roedd yn ymwybodol o'i bwysigrwydd, a gorfodai bawb i ymgrymu iddo wrth fynd heibio. Fel un oedd yn cydnabod y gorchymyn cyntaf, gwrthododd Mordecai wneud hyn. Gwylltiodd Haman, gan ddymuno dial ar yr holl Iddewon o fewn y deyrnas, a sicrhaodd gefnogaeth frenhinol i'w difa o'r tir. Wrth i'r elyniaeth rhwng y ddau gynyddu, ymddangosai'n amhosibl i Mordecai fedru gwneud dim am y bwriadau trychinebus. Ond daw rhagluniaeth Duw i'r amlwg yn ei gyni.

Fel yr oedd yn digwydd (gan ddefnyddio iaith cyd-ddigwyddiad), roedd y frenhines Esther yn Iddewes, ac roedd yn fodlon peryglu ei bywyd drwy apelio am drugaredd y brenin mewn gwledd. Dim ond y brenin a Haman a gafodd wahoddiad. Aeth Haman adref mewn hwyliau da, gan ymfalchïo yn yr anrhydedd oedd yn eiddo iddo. Serch hynny, nid oedd yn fodlon hyd yn oed â hyn, gan ei fod yn gorfod mynd heibio Mordecai ar ei ffordd o'r palas.

Fel yr oedd yn digwydd!, roedd y brenin yn methu cysgu'r noson honno, a gofynnodd am gael rhywun i ddod ato i ddarllen y cofnodion brenhinol, ac yno y cafodd ei atgoffa am y cynllwyn yn ei erbyn, a'r ffaith nad oedd Mordecai wedi ei wobrwyo, a bod Haman (oedd wedi dychwelyd i drafod trefniadau ymarferol crogi Mordecai) yn yr ystafell pan sylweddolodd hyn. Gofynnodd y brenin i Haman beth ddylid ei wneud â dyn yr oedd y brenin yn dymuno ei anrhydeddu. Gan dybio fod y brenin yn cyfeirio ato ef, atebodd Haman y dylai'r person gael ymdeithio drwy'r dre mewn ysblander brenhinol. "Dos ar frys i gael y wisg a'r ceffyl fel y dywedaist, a gwna hyn i Mordecai yr Iddew, sy'n eistedd ym mhorth y brenin. Gofala wneud popeth a ddywedaist" (Esther 6: 10). Mae eironi rhyfeddol yn rhagluniaeth Duw. Mae dyfodol Mordecai a dyfodol Haman yn cael eu cyfnewid, gyda'r naill yn cael ei anrhydeddu a Haman yn cael ei ddarostwng.

Darllen pellach: Esther 7

# Wythnos 16: Darluniau o'r Meseia

Un o nodweddion amlycaf yr Hen Destament yw'r disgwyliad cynyddol sydd ar ei dudalennau am ddyfodiad y Meseia. Mae'n cychwyn yn union ar ôl y cwymp. Cyn gynted ag y pechodd Adda ac Efa cyhoeddodd Duw ei fwriad i achub pechaduriaid, ac i wneud hynny drwy un o ddisgynyddion yr union berson oedd wedi pechu. O'r foment hon ymlaen, mae addewid Duw am Feseia yn cael ei ddatguddio'n gynyddol, yn fwy cyfoethog ac yn fwy amrywiol. Er enghraifft, byddai'r Meseia yn broffwyd fel Moses, yn offeiriad fel Melchisedec ac yn frenin fel Dafydd – dyma drioleg enwog Calfin o Iesu yn Broffwyd, Offeiriad a Brenin. Felly wrth i ni ddod â'n harolwg o'r Hen Destament i ben, mae'n briodol i ni ystyried y darluniau mwyaf amlwg o'r Meseia.

**Dydd Sul:** Hiliogaeth Efa
**Dydd Llun:** Had Abraham
**Dydd Mawrth:** Proffwyd fel Moses
**Dydd Mercher:** Brenin fel Dafydd
**Dydd Iau:** Offeiriad fel Melchisedec
**Dydd Gwener:** Gwas yr Arglwydd
**Dydd Sadwrn:** Mab y Dyn

# Hiliogaeth Efa

*Gosodaf elyniaeth hefyd rhyngot ti a'r wraig, a rhwng dy had di a'i*
*had hithau; bydd ef yn ysigo dy ben di, a thithau'n ysigo'i sawdl ef.*
Genesis 3:15

Er bod yr addewid yn Genesis 3: 15 yn gyfuniad o rybudd ac addewid, o elyniaeth a buddugoliaeth, mae rhai gwirioneddau y gellir eu cadarnhau. Yn gyntaf, mae Duw wedi sefydlu rhwng y ddynoliaeth (hiliogaeth Efa) a thywysogaethau ac awdurdodau drygioni (hiliogaeth y sarff) elyniaeth barhaol. Ni ddylem fyth ddod i delerau gyda drygioni.

Yn ail, er bod y frwydr hon wedi bod yn un barhaus ni fydd yn un dragwyddol. Does dim elfen yma o "ddeuoliaeth", oherwydd yn y diwedd bydd brwydr derfynol rhwng y Crist a'r Anghrist.

Yn drydydd, er bod yr elyniaeth yn gyson, mae pen draw'r frwydr wedi ei sicrhau. Fe ddistrywir pen y gelyn ac fe wneir hynny drwy'r dyn Crist Iesu. Ar yr un pryd, ni fydd y buddugwr yn dianc rhag anaf; mi fydd yna "ysigo'i sawdl".

Mae'r addewid hon i Efa mai un o'i hiliogaeth a fydd yn y diwedd yn dryllio pen y sarff, yn aml yn cael ei galw yn rhagflas o'r efengyl, hynny yw, cyhoeddiad cyntaf y newyddion da hynny. Cafodd, wrth gwrs, ei chyflawni ar y groes, oherwydd yno y diarfogwyd y diafol ac y chwalwyd ei lywodraeth drwy ddioddefaint y Meseia. Bellach mae popeth wedi ei osod o dan ei draed (Effesiaid 1: 22), ac yn ôl yr Apostol, rydym yn hyderus: "buan y bydd Duw yr heddwch yn malu Satan dan eich traed" (Rhufeiniaid 16: 20). Gall ymddangos yn rhyfedd fod y cyd-destun hwn o frwydr yn cael ei gynnwys mewn adran lle mae Paul yn cyfeirio at "Dduw'r heddwch", gan fod mwynhad o heddwch a chwalu pen y sarff yn ymddangos yn ddau beth gwrthgyferbyniol. Ond nid yw heddwch Duw yn caniatáu unrhyw oddefiad o lywodraeth y diafol. Yn wir dim ond wrth i ddrygioni gael ei chwalu y gall gwir heddwch flodeuo.

Darllen pellach: Effesiaid 1: 15–23

# Had Abraham

*Gwnaf di yn genedl fawr a bendithiaf di; mawrygaf dy enw a byddi'n fendith ... ac ynot ti bendithir holl dylwythau'r ddaear.*

Genesis 12: 2–3

Mae Abraham yn gymeriad enfawr ar gynfas yr Hen Destament, gan mai ef oedd y cyntaf o'r tri o dadau y bu i'r Arglwydd sefydlu ei gyfamod â nhw. Yn ychwanegol at ei addewid i roi i Abraham dir a had, mae Duw yn addo mewn termau mwy cyffredinol ei fendithio a'i wneud ef yn fendith, a thrwyddo ef (h.y. ei ddisgynnydd, y Meseia) i fendithio holl deuluoedd y ddaear.

Nid yw'n ormodiaith o gwbl i honni bod gweddill yr Hen Destament, ac yn wir weddill hanes y ddynoliaeth, yn ddarlun o'r modd y mae Duw yn cadw'r addewid hon. Sylwch ar ddadl Paul. Oherwydd bod Duw wedi gwneud ei addewid i Abraham ac i'w had (unigol) mae ei ddefnydd o'r enw torfol yn cyfeirio at Grist ac felly at bawb sydd yn cael eu huno â Christ trwy ffydd. Oherwydd os ydym yn eiddo i Grist, yna yr ydym yn hiliogaeth Abraham (Galatiaid 3: 16, 29).

Mae'r apostol yn mynd rhagddo i gymharu'r geiriau melltith a bendith, neu yn fwy penodol "melltith y ddeddf" a "bendith Abraham". "Prynodd Crist ryddid i ni oddi wrth felltith y Gyfraith [hynny yw, y farn y mae'r gyfraith yn ei chyhoeddi ar bawb sydd yn anufudd iddi] pan ddaeth, er ein mwyn, yn wrthrych melltith ... Y bwriad oedd cael bendith Abraham i ymledu i'r Cenhedloedd yng Nghrist Iesu" (Galatiaid 3: 13–14). Mae Iesu yn dioddef y felltith er mwyn i ni etifeddu'r fendith.

Mae addewid Duw i fendithio'r byd drwy had Abraham yn sylfaenol i bob ymdrech genhadol o eiddo Cristnogion. Rhaid inni barhau i rannu'r efengyl gydag Iddewon a Chenhedloedd nes y bydd nifer dirifedi'r saint yn cael eu galw o bob cenedl ac iaith, i'r graddau y byddant mor niferus â sêr yr awyr a llwch y ddaear. Wedi i hyn ddigwydd gallwn ddweud bod addewid Duw i Abraham wedi ei chyflawni.

Darllen pellach: Galatiaid 3: 6–25

# Proffwyd fel Moses

*Bydd yr ARGLWYDD dy Dduw yn codi o blith dy gymrodyr*
*broffwyd fel fi, ac arno ef yr wyt i wrando ...*
Deuteronomium 18:15

U n o ddyheadau pennaf y ddynoliaeth yw darganfod beth yw ewyllys Duw. Ond sut mae gwneud hynny? Yn fras, roedd gan Israel ddau ddewis. Ar y naill law roedd y Canaaneaid yn ymarfer swyngyfaredd o bob math, ond gwaharddodd Duw ei bobl rhag dilyn yr arfer hwn. Ar y llaw arall, medrent dalu sylw i lais Duw wrth iddo lefaru trwy'r proffwydi. Mater o wrando oedd darganfod ewyllys Duw. Nid oeddent i wrando "ar ddewiniaid a hudolwyr ... Bydd yr ARGLWYDD dy Dduw yn codi o blith dy gymrodyr broffwyd fel fi, ac arno ef yr wyt i wrando" (adn. 14–15).

Mae'r addewid ddwyfol hon yn cyfeirio'n wreiddiol mae'n debyg at yr olyniaeth o broffwydi a roddodd Duw i Israel. Ond pan dawodd llais proffwydoliaeth yn y cyfnod rhwng y ddau destament, daeth "y Proffwyd" yn ddarlun ac yn deitl ar gyfer y Meseia. Felly pan ddaeth Iesu dywedodd y tyrfaoedd, "Hwn yn wir yw'r Proffwyd sy'n dod i'r byd" (Ioan 6: 14). Ac yn un o bregethau cynnar Pedr gwelir ei fod ef yn cymhwyso'r addewid i Iesu (Actau 3: 22). Er nad oedd Iesu yn un proffwyd arall yn yr olyniaeth hir dros y canrifoedd, ond yn hytrach yn gyflawniad o bob proffwydoliaeth, lle mae pob addewid o eiddo Duw yn darganfod ei "ie" (2 Corinthiaid 1: 20), yr ydym yn dal i'w gydnabod fel "y Proffwyd" oedd, fel Moses, yn adnabod Duw "wyneb yn wyneb" (Deuteronomium 34: 10). Trwyddo ef y mae datguddiad Duw yn cyrraedd ei uchafbwynt.

Mae'n hynod o arwyddocaol fod llais Duw'r Tad ar Fynydd y Gweddnewidiad yn dyfynnu ei orchymyn ei hunan yn Deuteronomium 18: 15 gan ei gymhwyso i'r Iesu. Mae ei orchymyn i ni yn parhau yr un fath: "Gwrandewch arno!" (Marc 9: 7).

Darllen pellach: Deuteronomium 18: 14–22

# Brenin fel Dafydd

*Canys bachgen a aned i ni, mab a roed i ni, a bydd yr awdurdod ar
ei ysgwydd. Fe'i gelwir, "Cynghorwr rhyfeddol, Duw cadarn,
Tad bythol, Tywysog heddychlon".*
### Eseia 9:6

Pwrpas gwreiddiol Duw ar gyfer ei bobl oedd nid teyrnas ond theocratiaeth, hynny yw, fe fyddai ef ei hun yn llywodraethu dros ei bobl yn uniongyrchol heb yr angen am ddyn i wneud hynny ar ei ran. Felly pan fynnodd y bobl frenin fel y cenhedloedd eraill, gwrthod Duw, nid Samuel, yr oedd y bobl. Mae Samuel yn eu rhybuddio am y modd y byddai brenhinoedd yn eu gorthrymu, ac felly y bu. Nid yw'n syndod o gwbl felly fod y proffwydi yn dechrau breuddwydio am deyrnas ddelfrydol yn y dyfodol a fyddai'n amlygu'r holl nodweddion oedd yn eisiau ym mrenhinoedd Israel a Jwda, er bod Dafydd yn dod yn agos at y nod.

Yn gyntaf, byddai teyrnas Dduw yn deyrnas gyfiawn. Byddai'r Meseia yn gyfiawn a byddai'n llywodraethu ei bobl mewn cyfiawnder. "Wele'r dyddiau yn dod," medd yr ARGLWYDD, "y cyfodaf i Ddafydd Flaguryn cyfiawn, brenin a fydd yn llywodraethu'n ddoeth, yn gwneud barn a chyfiawnder yn y tir" (Jeremeia 23: 5).

Yn ail, byddai teyrnas Dduw yn heddychlon. Rhwygwyd y frenhiniaeth yng nghyfnod Dafydd gan ryfeloedd diddiwedd, ac mewn gwrthgyferbyniad llwyr â hyn fe alwyd ei fab, a'r un oedd i etifeddu'r frenhiniaeth, yn Solomon, shalom, heddwch (1 Cronicl 22: 6–10).

Yn drydydd, byddai teyrnas Dduw yn deyrnas sefydlog. Roedd gorseddau Israel a Jwda fel arfer yn ansefydlog ac yn fyrhoedlog. Byddai teyrnas y Meseia yn parhau am byth.

Yn bedwerydd, byddai teyrnas Dduw yn fyd-eang. Ar ei heithaf nid oedd teyrnas Israel yn ymestyn ond o "Dan i Beerseba" (2 Samuel 3: 10). Ond byddai llywodraeth teyrnas y Meseia "o fôr i fôr, o'r Ewffrates hyd derfynau'r ddaear" (Sechareia 9: 10).

Felly mae cyfiawnder a heddwch, tragwyddoldeb ac ymestyniad byd-eang yn elfennau sylfaenol yn y deyrnas Feseianaidd a ddaeth i fod yn nyfodiad Iesu. Nid yw'n ormod i ddarganfod yr ystyron hyn yn y pedwar enw a roddir i'r bachgen a fyddai'n frenin (Eseia 9: 6).

Darllen pellach: Salm 72

# Offeiriad fel Melchisedec

*Yr wyt yn offeiriad am byth yn ôl urdd Melchisedec.*
Salm 110:4

Heb amheuaeth Melchisedec yw un o'r cymeriadau mwyaf dirgel yn yr Ysgrythur i gyd. Cyfeirir ato mewn tair adran, ac ymhob un ohonynt fe'i hadnabyddir fel offeiriad. Mae'n ymddangos yn gyntaf ar dudalennau Genesis lle mae'n cyfarfod ag Abraham wrth iddo yntau ddychwelyd o'i ymgyrch i achub Lot (Genesis 14: 12, 18–20). Yn ail fe'i henwir yn Salm 110: 4 lle mae Duw yn cyfarch ei frenin yn y geiriau hyn: "Yr wyt yn offeiriad am byth yn ôl urdd Melchisedec". Yn drydydd, mae awdur y llythyr at yr Hebreaid yn cyfeirio at y ddau destun hyn gan gymhwyso eu hystyr mewn perthynas â Iesu Grist.

Roedd Iesu'r Meseia yn offeiriad. Ac eto nid oedd yn offeiriad o blith y Lefiaid, oherwydd nid oedd yn perthyn i lwyth Lefi. Yn wir, nid yn unig mae offeiriadaeth Iesu yn wahanol i offeiriadaeth y Lefiaid, mae hefyd yn rhagori arni. Mae'n perthyn i offeiriadaeth Melchisedec. Mae hyn yn amlwg oherwydd bendithiodd Melchisedec Abraham (un oedd o flaen Lefi) gan dderbyn oddi wrtho ddegwm o'i dda; ac mae hyn yn amlygu ei rôl arbennig.

Ym mha ffyrdd felly mae offeiriadaeth Iesu yn rhagori ar offeiriadaeth Lefi? Rhoddir amryw o resymau, ond mae un yn cael ei bwysleisio yn benodol, sef ei fod yn offeiriad "am byth". Gan fod yr offeiriaid yn ddynion fel arfer ac oherwydd hynny yn feidrol, "[y] mae'r lleill a ddaeth yn offeiriaid yn lluosog hefyd, am fod angau yn eu rhwystro i barhau yn eu swydd" (Hebreaid 7: 23), ac roedd rhaid cael rhywrai yn eu lle yn gyson. Nid felly Iesu: "y mae gan hwn, am ei fod yn aros am byth, offeiriadaeth na throsglwyddir mohoni" (Hebreaid 7: 24). Nid bod modd ailadrodd ei aberth mewn unrhyw ffordd na'i ymestyn, ond yn hytrach mae i'w aberth effeithiolrwydd tragwyddol. Wrth i Iesu ar y groes wneud un aberth dros bechod am byth, mae'n eistedd ar ddeheulaw'r Tad, a'i waith iawnol wedi ei gwblhau (Hebreaid 10: 11–14). Mae sicrwydd maddeuant yn dod o orffwys a gorfoleddu yng ngwaith gorffenedig Crist ar y groes.

Darllen pellach: Hebreaid 10: 11–22

# Gwas yr Arglwydd

*Dyma fy ngwas, yr wyf yn ei gynnal, f'etholedig,*
*yr wyf yn ymhyfrydu ynddo.*
Eseia 42:1

**M**ae ail ran proffwydoliaeth Eseia yn cynnwys pedair enghraifft o'r hyn a elwir yn Ganeuon y Gwas, er bod llawer o drafodaeth wedi bod ynglŷn â phwy oedd y gwas hwn. Mae rhai yn ei weld yn unigolyn, fel Eseia neu Jeremeia, tra bo eraill yn deall y darlun yn ddarlun cyfun o Israel neu weddill ffyddlon o fewn i Israel. Ond mae'r Testament Newydd yn gweld y Caneuon hyn yn cael eu cyflawni yn Iesu. Yn ei bregethu cynnar, y cyfeirir ato yn llyfr yr Actau, mae Pedr yn siarad am Iesu fel "y gwas" bedair o weithiau; mae Paul yn ysgrifennu amdano'n cymryd "agwedd gwas" (Philipiaid 2: 7); ac mae llu o ddyfyniadau a chyfeiriadau at Eseia 42 i 53 yn nysgeidiaeth Iesu ei hunan.

Yr hyn a gawn yn y pedair cân hyn yw darlun cyfun o was yr Arglwydd. Yn y gân gyntaf (Eseia 42: 1–4) darlunnir y gwas fel athro, un sy'n dysgu mewn ysbryd o addfwynder, sydd wedi ei feddiannu gan yr Ysbryd ac yn ymestyn allan i'r cenhedloedd.

Yn yr ail o'r Caneuon (Eseia 49: 1–6) darlunnir y gwas fel efengylwr. Mae'r pwyslais bellach ar genhedloedd pell. Roedd yn beth rhy fach, yn ôl Duw, i'w was adfer Israel yn unig; byddai'r Arglwydd yn gwneud i'w was fod yn "oleuni'r cenhedloedd" gan ddwyn ei iachawdwriaeth "i eithafoedd y ddaear" (adn. 6). Defnyddiodd Paul yr adnod hon i gyfiawnhau ei benderfyniad i genhadu ymhlith y cenhedloedd (Actau 13: 46–47).

Yn y drydedd, fe ddarlunnir y gwas fel disgybl (Eseia 50: 4–9). Mae'n amlwg na allwn ddysgu os nad ydym yn gyntaf wedi gwrando a dysgu ein hunain. Oherwydd hyn yr oedd rhaid i Dduw ddeffro clust ei was "bob bore" (adn. 4). Rhaid agor ei glust yn gyntaf cyn rhyddhau ei dafod, hyd yn oed os yw'r hyn y mae'n ei ddysgu yn bersonol ac yn ei ddysgu i eraill yn amhoblogaidd ac yn esgor ar wrthwynebiad.

Yn y bedwaredd o'r Caneuon, darlunnir y gwas fel Gwaredwr sydd yn dioddef (Eseia 52: 13–53: 12), sydd (a siarad yn broffwydol) yn cael ei glwyfo am ein camweddau ni ac yn dwyn ein pechodau. Mae'n rhyfeddol yn wir fod wyth adnod benodol o Eseia 53 yn cael eu dyfynnu gan awduron y Testament Newydd, ac mewn rhai achosion nifer o weithiau. Does ryfedd felly bod Philip, o gael ei holi gan yr Ethiopiad at bwy roedd adnodau 7–8 o Eseia 53 yn cyfeirio, yn dysgu fel hyn: "a chan ddechrau o'r rhan hon o'r Ysgrythur traethodd y newydd da am Iesu iddo" (Actau 8: 35).

Darllen pellach: Eseia 42: 1–9

# Mab y Dyn

*Yna dechreuodd eu dysgu bod yn rhaid i Fab y Dyn*
*ddioddef llawer, a chael ei wrthod gan yr henuriaid a'r prif*
*offeiriaid a'r ysgrifenyddion, a'i ladd, ac ymhen tridiau atgyfodi.*

Marc 8:31

D own heddiw at y seithfed darlun, a'r olaf, o'r Meseia, a dyma'r darlun y gellir dadlau oedd hoff ddarlun Iesu ei hunan, y Meseia fel "Mab y Dyn." Mae'n swnio, o'i glywed am y tro cyntaf, yn deitl disylw. Mae Iesu'n aml yn ei ddefnyddio yn y trydydd person; er enghraifft, pan yw'n dweud, "fe fydd cywilydd gan Fab y Dyn" mae'n golygu, "fe fydd arna i gywilydd." Ymhellach mae'r ymadrodd "mab y dyn" yn idiom Hebraeg am "aelod o'r ddynoliaeth" ac yn yr ystyr hon y mae Duw yn fynych, er enghraifft, yn cyfeirio at Eseciel.

Ond mae'n gwbl amlwg hefyd fod Iesu yn defnyddio'r teitl hwn yn benodol yng nghyd-destun proffwydoliaeth Daniel 7. Yn y weledigaeth hon mae Daniel yn gweld "un fel mab dyn [hynny yw, rhywun yn edrych fel person dynol cyffredin] yn dyfod ar gymylau'r nef" (Daniel 7: 13). Mae'n sefyll o flaen yr Hen Ddihenydd (y Duw Tragwyddol) ac iddo rhoddir awdurdod, gogoniant a grym fel bod pobl o bob iaith yn ei addoli ef. Mae Daniel yn ychwanegu, "Y mae ei arglwyddiaeth yn dragwyddol a digyfnewid, a'i frenhiniaeth yn un na ddinistrir" (Daniel 7: 14).

Mae Iesu yn cymhwyso'r weledigaeth ryfeddol hon droeon iddo ef ei hun. Er enghraifft, mae'n dweud wrth yr archoffeiriad, "fe welwch Fab y Dyn yn eistedd ar ddeheulaw'r Gallu ac yn dyfod gyda chymylau'r nef" (Marc 14: 62). Mae Iesu yma yn honni'r awdurdod terfynol a'r deyrnas dragwyddol, ond beth sy'n rhyfeddol yw ei fod yn defnyddio'r un teitl mewn cyd-destun cwbl wahanol. Er enghraifft, wrth adleisio Eseia 53, mae'n dweud, " ... bod yn rhaid i Fab y Dyn ddioddef llawer, a chael ei wrthod gan yr henuriaid a'r prif offeiriaid a'r ysgrifenyddion, a'i ladd, ac ymhen tridiau atgyfodi" (Marc 8: 31). Felly mae Iesu yn gwneud rhywbeth nad oedd wedi ei wneud yn y gorffennol: mae'n cyfuno gogoniant Daniel 7 gyda dioddefaint Eseia 53 er mwyn dysgu mai dim ond drwy ddioddefaint y byddai ef yn cael mynediad i ogoniant. Mae ei eiriau, "rhaid i Fab y Dyn ddioddef" yn dod â'r ddau ddarlun at ei gilydd.

Rydym wedi treulio'r wythnos hon yn edrych ar saith darlun o'r Meseia. Ef yw had Efa, Abraham a Dafydd. Mae'n Broffwyd, mae'n Offeiriad ac yn Frenin. Mae'n Waredwr sydd yn dioddef ac yn Arglwydd sydd yn teyrnasu. Ein lle ni yw ar ein hwynebau o'i flaen ef.

Darllen pellach: Marc 8: 27–9: 1

# Wythnos 17: Y Geni

Bellach rydym wedi cyrraedd uchafbwynt yr Hen Destament, y digwyddiad a ragwelir gan y proffwydi yn eu ffyrdd gwahanol, hynny yw, geni Iesu y Meseia, yn arbennig felly yr hanes fel yr adroddir hwnnw gan Mathew a Luc. Mae'n amlwg fod yr holl naws bellach wedi newid. Er bod yr hanesion cynnar hyn o'r efengyl wedi eu trwytho yn iaith a diwylliant yr Hen Destament, maent hefyd yn cynnwys llawer sydd yn wyrthiol. Does dim angen unrhyw embaras am hynny. Mae'n sicr yn briodol bod person goruwchnaturiol yn dod i ganol y byd mewn ffordd oruwchnaturiol. Os ydym yn credu yn yr ymgnawdoliad, mae'n berffaith resymol i gredu hefyd yn yr enedigaeth wyrthiol.

**Dydd Sul:** Y Cyhoeddi
**Dydd Llun:** Cân Mair
**Dydd Mawrth:** Genedigaeth Wyrthiol
**Dydd Mercher:** Gostyngeiddrwydd Mair
**Dydd Iau:** Bethlehem
**Dydd Gwener:** Y Bugeiliaid
**Dydd Sadwrn:** Cyflawniad yr Amser

# Y Cyhoeddi

*... anfonwyd yr angel Gabriel gan Dduw i dref yng Ngalilea*
*o'r enw Nasareth, at wyryf oedd wedi ei dyweddïo i ŵr o'r enw Joseff ...*
Luc 1:26–27

**W**edi tua phedwar cant o flynyddoedd o ddisgwyl yn dawel, yn sydyn mae Duw yn torri drwy'r tawelwch. Ond nid drwy ddefnyddio proffwyd y tro hwn, ond angel. Bu bron i'r neges a ddaeth drwy enau Gabriel fod yn ormod i Mair yn nhref Nasareth – yn rhannol oherwydd yr oedd i fod yn fam a hithau yn parhau yn ddi-briod ac yn wyryf, ac yn rhannol oherwydd y disgrifiad triphlyg y mae'n ei dderbyn o'i mab oedd i'w eni.

Yn gyntaf, roedd i'w alw yn Iesu, gan arwyddo y byddai iddo ef genhadaeth achubol.

Yn ail, byddai yn fawr, gan y byddai'n derbyn enw uwch, sef Mab y Goruchaf. Ni fyddai Mair wedi deall hyn yn yr ystyr y byddwn ni yn ei ddeall wrth alw Iesu yn Fab Duw, ond yn hytrach roedd hi yn deall y byddai Iesu yn Feseia gan fod Mab Duw yn deitl cydnabyddedig ar gyfer y Meseia (gw. Salm 2: 7–8).

Yn drydydd, byddai'n llywodraethu dros Israel am byth. Yn wir, ni fyddai ei deyrnas yn dod i ben.

Gwaredwr, Mab a Brenin yw'r tri theitl y mae'r angel yn eu rhoi i Mair fel enwau Iesu. Does ryfedd fod Mair wedi ei "chythryblu" (adn. 29), yn wir, wedi ei drysu yn llwyr gan neges yr angel, gan ofyn iddo beth oedd ystyr hyn. Dyma ymateb ardderchog Garbriel: "Daw'r Ysbryd Glân arnat, a bydd nerth y Goruchaf yn dy gysgodi; am hynny, gelwir y plentyn a genhedlir yn sanctaidd, Mab Duw, oherwydd ni bydd dim yn amhosibl gyda Duw" (adn. 35–37). Byddwn yn ystyried ystyr a realiti'r enedigaeth wyrthiol ddydd Mawrth a dydd Mercher yr wythnos hon, ond yfory rhaid gwrando ar Gân Mair.

Darllen pellach: Luc 1: 26–32

# Cân Mair

*Y mae fy enaid yn mawrygu yr Arglwydd, a gorfoleddodd fy ysbryd yn Nuw,*
*fy Ngwaredwr, am iddo ystyried distadledd ei lawforwyn.*
### Luc 1:46–48

**M**ae'n sicr fod yr eglwys ers o leiaf y chweched ganrif wedi trysori Cân Mair ac wedi ei chynnwys fel y Magnificat yn ei litwrgi. Ond mae cwestiwn pwysig yn codi o hyn. Sut mae'n bosibl i ni ganu ei chân hi? Roedd yn wyryf Hebreig oedd wedi ei dewis gan Dduw i roi genedigaeth i'r Meseia, Mab Duw, ac yn ei chân rhoddodd fynegiant ysbrydoledig o'i rhyfeddod o dderbyn y fath fraint. Sut mae'n bosibl i ni roi ei geiriau ar ein gwefusau? Onid yw yn gwbl amhriodol i ni geisio gwneud hynny?

Na. Mae wedi ei gydnabod ar hyd y cenedlaethau fod profiad Mair, a oedd ar y naill law yn gwbl unigryw, ar y llaw arall yn nodweddiadol o brofiad pob crediniwr. Mae'r Duw sydd wedi gwneud pethau rhyfeddol iddi hi hefyd wedi tywallt ei ras arnom ni. Mae Mair ei hunan yn ymwybodol o hyn oherwydd mae'r "fi" ar ddechrau'r gân yn ddiweddarach yn troi i'r trydydd person: "y mae ei drugaredd o genhedlaeth i genhedlaeth i'r rhai sydd yn ei ofni ef" (adn. 50). Fel yng nghân Hanna wedi genedigaeth Samuel, felly hefyd yng Nghân Mair, mae Duw yn troi safonau dynol ben i waered. Ceir dwy esiampl benodol.

Yn gyntaf, mae Duw yn diorseddu'r balch ac yn dyrchafu'r gostyngedig. Mae'n gwneud hyn gyda Pharo a chyda Nebuchadnesar, ac yn y ddau achos yn achub Israel o'i chaethglud. Mae'n parhau i wneud hynny heddiw yn ein profiad ni o iachawdwriaeth. Dim ond wrth i ni benlinio wrth ymyl y casglwr trethi edifeiriol y bydd Duw yn ein dyrchafu ni gyda'i faddeuant.

Yn ail, mae Duw yn cael gwared â'r cyfoethog ac yn bwydo'r newynog. Roedd Mair yn newynog. Roedd yn gwybod o'r Hen Destament y byddai teyrnas Dduw yn dod un diwrnod, ac roedd hiraeth yn ei chalon am y diwrnod hwnnw. Mae newyn yn amod angenrheidiol i fendith ysbrydol tra bod hunanfodlonrwydd yn elyn pennaf y fendith honno.

Os oes dyhead yn ein calonnau ni i etifeddu bendith Mair, rhaid inni amlygu rhinweddau Mair, yn arbennig gostyngeiddrwydd ac ymwybyddiaeth o newyn ysbrydol.

Darllen pellach: Luc 1: 46–55

# Genedigaeth Wyrthiol

*Daw'r Ysbryd Glân arnat, a bydd nerth y Goruchaf yn dy gysgodi;*
*am hynny, gelwir y plentyn a genhedlir yn sanctaidd, Mab Duw.*
Luc 1:35

Mae'r ymadrodd "genedigaeth wyrthiol" yn gamarweiniol gan ei fod yn awgrymu bod rhywbeth yn anarferol am enedigaeth Iesu. Y gwir amdani yw nad oedd dim yn anarferol am ei enedigaeth gan ei bod yn gwbl normal a naturiol. Ei genhedliad oedd yn abnormal, yn wir yn oruwchnaturiol, oherwydd cenhedlwyd Iesu drwy'r Ysbryd Glân, heb gydweithrediad tad dynol.

Mae Mathew a Luc yn cadarnhau yn gwbl ddi-flewyn-ar-dafod y gwirionedd fod Iesu wedi ei eni o'r Wyryf Mair. Mae'n amlwg hefyd eu bod yn ysgrifennu nid barddoniaeth, ond hanes. Pam felly na cheir cyfeiriadau at hynny yn efengyl Marc ac efengyl Ioan? Yr ateb i hyn yw bod y ddau yn dewis cychwyn hanes yr efengyl gyda Ioan Fedyddiwr. Ni ellir dadlau bod eu tawelwch am yr enedigaeth wyrthiol yn golygu nad oeddent yn credu ynddi, ddim mwy na'u tawelwch am blentyndod Iesu. Roedd y ddau yn credu bod Iesu wedi bod yn blentyn. Y pwynt pwysig yma yw bod y ddau efengylydd sydd yn cofnodi ei enedigaeth yn cyhoeddi ei fod wedi ei eni o wyryf.

Rydym yn symud yn awr o realiti hanesyddol genedigaeth wyrthiol Iesu i'w harwyddocâd. Oes gwahaniaeth? Oes. Mae cyhoeddiad yr angel yn dod mewn dwy ran.

Mae'r gyntaf (adn. 31–33) yn pwysleisio'r parhad yr oedd plentyn Mair yn ei fwynhau mewn perthynas â'r gorffennol, oherwydd o'i eni byddai yn meddiannu gorsedd ei dad Dafydd. Hynny yw, byddai'n etifeddu o groth ei fam ei ddyndod a'i ddeitl i'r deyrnas Feseianaidd. Mae'r ail adran (adn. 35) yn pwysleisio'r toriad rhwng y plentyn a'r gorffennol, oherwydd byddai'r Ysbryd Glân yn dod ar Mair a byddai gallu creadigol Duw yn ei gorchuddio hi, ac yn hynny byddai ei phlentyn yn unigryw, yn ddibechod ("yr un sanctaidd"), ac yn Fab Duw.

Yn hyn fe gyhoeddir i'r Wyryf Mair y bydd ei mab yn wir ddyn ac yn Feseia, yn dod o'i chroth hi, tra ar yr un pryd yn ddibechod ac yn ddwyfol ac wedi ei genhedlu drwy'r Ysbryd Glân. O ganlyniad i'r enedigaeth wyryfol, mae Iesu ar yr un pryd yn fab Mair ac yn Fab Duw, yn ddynol ac yn ddwyfol.

Darllen pellach: Luc 1: 33–35

# Gostyngeiddrwydd Mair

*Dywedodd Mair, "Dyma lawforwyn yr Arglwydd; bydded i mi yn ôl dy air di."*
Luc 1:38

Yn ôl yr Esgob John A. T. Robinson, "y ffaith gyntaf a'r ffaith fwyaf diymwad am enedigaeth Iesu yw iddi ddigwydd y tu allan i briodas. Yr opsiwn sydd yn cael ei wrthod yn gyfan gwbl yw bod Iesu wedi ei eni yn fab cyfreithiol i Joseff a Mair. A dweud y gwir yr unig ddewis sydd yn agored i ni yw rhwng yr enedigaeth wyryfol a bod Iesu yn blentyn siawns."

Yn wir roedd hanesion am y posibilrwydd ei fod yn blentyn siawns yn cael eu lledaenu yn ystod ei weinidogaeth gyhoeddus er mwyn ceisio tanseilio'r weinidogaeth honno. Er enghraifft, pan gyhoedda Iesu bod rhai o'r Iddewon anghrediniol yn meddu ar nid had Abraham ond had y diafol fel eu tad, maent yn ymateb trwy ddweud, "Nid ydym ni yn blant siawns" (Ioan 8: 41), sydd yn swnio'n anghyffredin o debyg i awgrym gweddol gryf o'r stori oedd ar led. Bu i'r straeon hyn barhau ymhell ar ôl ei farwolaeth. Yn y Talmud Iddewig maent yn dod i'r amlwg. Sut yn y byd fyddai'r fath straeon wedi bod yn bosibl os nad oedd rhywrai yn gwybod bod Mair eisoes yn feichiog cyn i Joseff ei phriodi? Er bod y math hwn o fân siarad yn rhywbeth na ddylid ei efelychu, mae'r siarad yn dystiolaeth o'i enedigaeth wyryfol.

Mae ymateb Mair i gyhoeddiad yr angel yn ennyn edmygedd: "Dyma lawforwyn yr Arglwydd; bydded i mi yn ôl dy air di" (adn. 38). Wedi i Dduw esbonio ei bwrpas a'i ffordd o weithredu, nid yw Mair yn ymwrthod â hynny. Mae'n ei rhoi ei hunan yn gyfan gwbl yn llaw Duw. Mae'n mynegi ei pharodrwydd llwyr i fod yn fam wyryfol i Fab Duw. Wrth gwrs roedd yn fraint anghyffredin iddi: "gwnaeth yr hwn sydd nerthol bethau mawr i mi," meddai (adn. 49). Ar yr un pryd roedd yn gyfrifoldeb costus rhyfeddol. Roedd yn cynnwys parodrwydd i fod yn feichiog cyn priodi a thrwy hynny adael ei hun yn agored i'r gwarth a'r dioddefaint a ddeuai o gael ei hystyried yn wraig anfoesol.

I mi mae gostyngeiddrwydd a dewrder Mair wrth ei rhoi ei hunan yn llaw Duw, drwy fod yn barod i ganiatáu'r beichiogrwydd goruwchnaturiol, yn wrthgyferbyniad eglur i agwedd y rhai sy'n gwadu hyn. Mae hi'n ildio ei henw i ewyllys Duw. I ni hefyd yr hyn sy'n bwysig yw ein bod yn caniatáu i Dduw fod yn Dduw, ac i wneud ei ewyllys yn ei ffordd ei hun, hyd yn oed os byddwn ni gyda Mair yn colli ein henw da ni.

Darllen pellach: Luc 1: 34–38

# Bethlehem

*... ac esgorodd ar ei mab cyntafanedig; a rhwymodd ef mewn*
*dillad baban a'i osod mewn preseb, am nad oedd lle iddynt yn y gwesty.*
Luc 2:7

Luc sydd yn adrodd am amgylchiadau genedigaeth Iesu a'r modd y bu i fab Dafydd (Iesu) gael ei eni yn Ninas Dafydd (Bethlehem). Mae'n gosod pwyslais ar ddau beth yn benodol – cyhoeddiad Awgwstws, ymerawdwr enwog Rhufain, ac ymddygiad tafarnwr enwog, er anhysbys, ym Methlehem. Roedd yr ymerawdwr a'r tafarnwr fel ei gilydd – er yn wahanol – yn offerynnau ym mwriadau rhagluniaethol Duw.

Ar y naill law ceir Awgwstws, oedd yn ymerawdwr rhwng 30 CC ac 14 OC, yn cyhoeddi bod rhaid cael cyfrifiad o'r holl boblogaeth a bod angen i bob un fynd i'w dref ei hun i gofrestru. Mae'n siŵr bod y cyfrifiad hwn yn cael ei gynnal er hwyluso'r broses o drethu. O ganlyniad i hyn, teithiodd Joseff a Mair o Nasareth i Fethlehem. Byddai'n beth anghyffredin ac yn wir yn ddiangen i Mair fynd yng nghwmni Joseff, ond mae'n debyg ei fod wedi penderfynu peidio â'i gadael a hithau'n hwyr yn ei beichiogrwydd.

Ar y llaw arall, er bod y ddau mae'n siŵr yn llawen fod y daith hir wedi dod i ben, does fawr o amheuaeth am y siom a fyddai yng nghalonnau'r ddau wrth i'r tafarnwr gyhoeddi nad oedd ganddo le iddynt aros, ar wahân i le sydd yn ymddangos fel stabl. Pan anwyd plentyn Mair, mae'n ei roi i orwedd mewn preseb, hynny yw, yn y lle y byddai'r anifeiliaid yn bwydo. Roedd hyn yn symbol o'r gwrthodiad y byddai Iesu yn gorfod ei ddioddef yn ddiweddarach.

Felly mae'r ymerawdwr a'r tafarnwr yn chwarae eu rhan yng nghynllun Duw a hwythau heb fod yn sylweddoli hynny. Mae cyhoeddiad yr ymerawdwr yn dod â Joseff a Mair i Fethlehem ac yn hynny yn cyflawni proffwydoliaeth (Micha 5: 2; Mathew 2: 5–6). Mae'r tafarnwr, a hynny oherwydd y tyrfaoedd oedd wedi dod i Fethlehem, yn sicrhau bod Gwaredwr y byd yn cael ei eni nid mewn palas ond mewn stabl, nid mewn moethusrwydd ond mewn tlodi anghyffredin.

Darllen pellach: Luc 2: 1–7

# Y Bugeiliaid

*Yn yr un ardal yr oedd bugeiliaid allan yn y wlad yn gwarchod eu praidd
liw nos. A safodd angel yr Arglwydd yn eu hymyl ... Yna dywedodd yr angel
wrthynt, "Peidiwch ag ofni ... ganwyd i chwi heddiw yn nhref Dafydd,
Waredwr, yr hwn yw'r Meseia, yr Arglwydd ... "*

Luc 2:8–11

Roedd bugeiliaid yn meddu ar enw amheus iawn yn Israel; fe'u hystyrid yn anonest ac yn bobl na ellid dibynnu arnynt. Ac eto iddynt hwy mae Duw yn dewis cyhoeddi'r newyddion mwyaf rhyfeddol a glywodd y byd erioed, yn benodol bod y Meseia hir ddisgwyliedig wedi ei eni. Sut wnaeth y bugeiliaid hyn ymateb?

Yn gyntaf, maent yn teithio i Fethlehem er mwyn cadarnhau'r newyddion drostynt eu hunain. Nid yw'r bugeiliaid yn credu nac yn amau, ond gyda meddwl agored maent yn mynd ar eu taith. Felly "maent yn brysio" (adn. 16) ac yn dod o hyd i'r hyn a gyhoeddwyd iddynt. Yn wir mae'r "sawl sy'n ceisio yn cael" (Mathew 7: 8).

Yn ail, wedi iddynt weld Iesu maent yn rhannu'r newyddion am yr hyn a welsant (adn. 17). Roedd yn amhosibl iddynt gadw'r newyddion da iddynt eu hunain. Roedd y bugeiliaid am i bawb wybod.

Yn drydydd, "Dychwelodd y bugeiliaid gan ogoneddu a moli Duw am yr holl bethau a glywsant ac a welsant" (adn. 20). Mewn geiriau eraill, mae eu profiad yn cael ei fynegi mewn addoliad ynghyd â thystiolaeth. Ond yn gyntaf, rydym yn darllen eu bod wedi "dychwelyd". Nid yw'r rhain yn treulio gweddill eu bywyd yn y stabl ac yn rhyw aros o amgylch y preseb. I'r gwrthwyneb, maent yn dychwelyd i'w caeau a'u defaid, i'w cartrefi, eu gwragedd, a'u plant. Ond er bod eu gwaith a'u cartrefi yn aros yr un fath, doedd y bugeiliaid ddim yr un fath. Roeddent yn bobl newydd mewn hen sefyllfa. Roedd y rhain wedi eu newid drwy weld Iesu. Roedd ysbryd o ryfeddod ac addoliad yn eu calonnau.

Mae darganfod Iesu Grist yn parhau i fod yn brofiad sydd yn trawsffurfio. Mae'n ychwanegu dimensiwn cwbl newydd i hen fywyd. Mae Billy Graham yn hoff iawn o ddefnyddio'r ymadrodd fod Iesu yn "rhoi goleuni newydd yn ein llygaid ac ysgafnder newydd yn ein cam."

Darllen pellach: Luc 2: 8–20

# Cyflawniad yr Amser

*Ond pan ddaeth cyflawniad yr amser, anfonodd Duw ei Fab.*
Galatiaid 4:4

Pam y cafwyd yr ymgnawdoliad ar yr adeg hon – mae'n debyg yn ôl y rhan fwyaf o amcangyfrifon tua'r flwyddyn 5 CC, sef blwyddyn cyn marwolaeth Herod Fawr yn 4 CC? Roedd tua dwy fil o flynyddoedd wedi mynd heibio ers i Dduw alw Abraham gan addo bendithio holl deuluoedd y byd drwy ei deulu ef. Pam felly yr oedi hir rhwng yr addewid a'r cyflawniad? Mae Paul yn cadarnhau bod Duw wedi danfon ei Fab "yng nghyflawniad yr amser" (Galatiaid 4: 4) ond nid yw Paul yn rhoi unrhyw awgrym o'r modd y penderfynodd yr Arglwydd ar yr amser hwn.

Mae sawl un wedi ceisio dyfalu ystyr hyn, yn arbennig gyda golwg ar y sefyllfa wleidyddol gymdeithasol ar y pryd. Does dim amheuaeth bod nifer o amgylchiadau yn ffafriol i lwyddiant yr efengyl ac ymateb parod iddi yn y genhedlaeth honno.

Yn gyntaf, roedd yr hyn a elwir yn *pax romana* o fewn yr ymerodraeth. Roedd byddinoedd yr ymerodraeth ymhob man yn cadw'r heddwch ac yn diogelu teithwyr ar dir a môr. Yn ail, Groeg oedd iaith gyffredin yr ymerodraeth ac yr oedd o gymorth mawr fod y Septuagint (yr Hen Destament mewn Groeg) ar gael i bawb ac felly o gymorth wrth efengylu. Yn drydydd, roedd newyn ysbrydol cyffredinol. Roedd hen dduwiau Rhufain wedi colli eu hapêl. Roedd crefyddau dirgel yr oes yn cynnig rhyw fath o adferiad personol ond roeddent yn fwy o dystiolaeth o hiraeth ysbrydol nag ateb ysbrydol. Ac yna, wrth gwrs, roedd y garfan honno o bobl oedd yn ofni Duw ar ymylon y synagog, pobl oedd yn cael eu denu gan fonotheistiaeth Iddewig a'r safonau moesol uchel, pobl y bu i Paul rannu'r efengyl gyda nhw yn gyson.

Mae'n ddiddorol fod Paul wedi gweld, mewn cyfnod o tua deng mlynedd (rhwng 48 a 57 OC) yr eglwys yn cael ei sefydlu yn y pedwar rhanbarth Rhufeinig, sef Galatia, Macedonia, Achaia ac Asia. Mae'n medru honni felly, "yr wyf fi wedi cwblhau cyhoeddi Efengyl Crist mewn cylch eang, o Jerwsalem cyn belled ag Ilyricum" (Rhufeiniaid 15: 19). Mewn sawl ffordd roedd yr amser ar gyfer efengylu'r byd wedi cyrraedd.

Darllen pellach: Rhufeiniaid 15: 23–29

# O'R NADOLIG I'R PENTECOST

## TROSOLWG O'R EFENGYLAU (BYWYD CRIST)

### Ionawr i Ebrill

Down yn awr at ail ran y calendr Cristnogol, sydd yn mynd â ni o Ionawr i Ebrill/Mai, ac felly o'r Nadolig i'r Pentecost, o fywyd Israel i fywyd Crist fel yr adroddir am y bywyd hwnnw yn yr Efengylau.

# Wythnos 18: Ymatebion i'r Nadolig

Pan fyddwn yn siarad am y Nadolig, rydym yn galw i gof y digwyddiad rhyfeddol hwnnw lle mae Duw y Mab tragwyddol yn dod yn ddyn yn Iesu Grist. Ond mae Duw yn mynd y tu hwnt i'r digwyddiad yn ei gyhoeddiad i'r byd. Y cwestiwn bellach yw sut y mae'r byd yn ymateb. Rydym eisoes wedi gweld sut y bu i'r bugeiliaid ymateb. Yr wythnos hon, byddwn yn ystyried ymateb eraill – ymateb y Doethion, Herod Fawr, Simeon ac yn ddiweddarach, arweinwyr yr eglwys fel yr Apostolion Paul ac Ioan. Mae eu hymateb yn ddiddorol ac yn amrywio o dderbyn i wrthod, o ddymuniad y Doethion i addoli Iesu i benderfyniad Herod i gael gwared ag ef. Gellir dweud fod holl dudalennau'r Testament Newydd yn gofnod o ymateb pobl i weithred ryfeddol Duw yn Iesu Grist.

**Dydd Sul:** Ymweliad y Doethion
**Dydd Llun:** Ffyrnigrwydd Herod
**Dydd Mawrth:** Y Daith i'r Aifft
**Dydd Mercher:** Cân Simeon
**Dydd Iau:** Tystiolaeth Paul
**Dydd Gwener:** Myfyrdodau Ioan
**Dydd Sadwrn:** Her Ioan

# Ymweliad y Doethion

*Daethom i'w addoli.*
Mathew 2:2

Mae eglwysi'r gorllewin yn dathlu'r Epiphani ar Ionawr 6, sef ymddangosiad Iesu i'r Cenhedloedd; mae eglwysi Uniongred y Dwyrain yn dathlu'r diwrnod hwn fel eu Nadolig.

Mae'n ymddangos mai offeiriaid ac astrolegwyr o Ymerodraeth Persia oedd y Doethion. Mae eu hymweliad â'r Iesu yn gymhariaeth hardd ag ymweliad y bugeiliaid. Ni allai'r ddwy set o ymwelwyr fod yn fwy gwahanol. O ran cenedl, roedd y bugeiliaid yn Iddewon, tra oedd y Doethion yn bobl y Cenhedloedd. O ran gallu, roedd y bugeiliaid yn syml iawn a heb ddysg tra oedd y Doethion, fel y mae'r enw'n ei awgrymu, yn academyddion o'r Dwyrain. Yn gymdeithasol, roedd y bugeiliaid yn perthyn i'r rhai oedd heb lawer yn y byd, tra bod y Doethion (o farnu ar sail yr anrhegion oedd yn eu meddiant) yn gyfoethog iawn.

Eto, er gwaethaf y gwahaniaethau hyn sydd fel arfer yn gwahanu pobl oddi wrth ei gilydd, mae'r Doethion mewn undeb rhyfeddol â'r bugeiliaid yn eu haddoliad o'r Arglwydd Iesu, ac yn hynny yn rhagredegwyr y miliynau o bobl ar draws y byd sydd wedi dod i'w addoli ef.

Wrth i blwraliaeth ymestyn, mae'n amlwg fod crefyddau eraill yn tarddu o genhedloedd penodol ac wedi eu cyfyngu i bobl benodol ac i ddiwylliant penodol. Ni ellir dweud hynny am Gristnogaeth. Mae bron i 80% o Gristnogion heddiw yn bobl sy'n dod o wledydd ar wahân i wledydd y Gorllewin. Nid crefydd ar gyfer pobl wynion yw Cristnogaeth. Rwyf i fy hun wedi cael y fraint o addoli gyda myfyrwyr o'r Affrig yn eu prifysgolion, gyda phobl o genedl yr Inuit ar ymylon pegwn y Gogledd, gyda miloedd o Goreaid mewn eglwysi anferth, a chyda pobl o anian Latinaidd yn Ne America, gyda'u gitarau Sbaenaidd.

Mae i Iesu apêl fyd-eang a hynny heb gymryd i ystyriaeth unrhyw genedl neu ddiwylliant penodol. Daeth Iesu â bugeiliaid o'u caeau a Doethion o'r dwyrain at ei gilydd, ac mae'r efengyl yn parhau i wneud yr un peth. Mae'r efengyl yn denu pobl o bob diwylliant. Dyma un o'r pethau sy'n cadarnhau orau y gwirionedd fod Iesu yn Waredwr y byd.

Darllen pellach: Mathew 2: 1–6

# Ffyrnigrwydd Herod

*... y mae Herod yn mynd i chwilio am y plentyn er mwyn ei ladd.*
Mathew 2:13

Yn y diwedd, does ond dau ymateb posibl i Iesu Grist ac mae'r ddau ymateb yn cael eu darlunio yn hanes Herod Fawr a'r Doethion. Mae ymateb Herod yn gyfan gwbl gyson â'r hyn a wyddom am ei gymeriad. Nodweddwyd ei deyrnasiad hir gan staen gwaed miloedd o bobl. Y Rhufeiniaid oedd wedi caniatáu iddo deyrnasu, gan ei alw yn "Frenin yr Iddewon". Ond dieithryn oedd Herod; roedd ei dad yn perthyn i genedl yr Edomiaid a'i fam yn dywysoges Arabaidd. Doedd ganddo ddim hawl o gwbl i orsedd Israel.

O ganlyniad, roedd ei deyrnasiad yn ansefydlog, ac roedd yn byw gyda'r ymwybyddiaeth fod pobl yn awyddus i'w ddiorseddu. O weld unrhyw un yn ceisio codi fel gwrthwynebydd, byddai'n cael gwared â nhw yn syth. Lladdodd ei wraig Mariamne; ei fam, Alexandra; a'i dri mab, Aristobulus, Alexander ac Antipater. Lladdodd dros hanner aelodau'r Sanhedrin a sawl ewythr, a chefndryd a pherthnasau eraill. Does ryfedd felly fod Josephus, yr hanesydd Iddewig, yn ei alw'n "fwystfil didrugaredd" a thybiai'r Ymerawdwr Awgwstws ei bod yn fwy diogel i fod yn fochyn yn llys Herod nag yn fab! Yn ein hiaith ni roedd yn meddu ar baranoia rhyfeddol. Ac yn awr mae'r Doethion yn cyrraedd gan ofyn iddo ble y ganed yr un oedd i fod yn "Frenin yr Iddewon". I Herod, ef oedd brenin yr Iddewon; pwy oedd yr un oedd am gymryd ei orsedd?

Mae'r un sefyllfa'n parhau heddiw yn y bôn. I lawer o bobl mae Iesu yn niwsans, yn embaras, yn ôl yr awdur C. S. Lewis yn "un sydd am ymyrryd â'n bywyd ni." Felly, mae dewis yn ein hwynebu. Naill ai rydym yn edrych ar Iesu fel un sydd yn peryglu ein hannibyniaeth a'n hawl i reoli ein bywyd ein hunain ac rydym yn awyddus, fel Herod, i gael gwared ag ef, neu fe'i gwelwn yn Frenin y Brenhinoedd ac rydym yn benderfynol, fel y Doethion, i'w addoli.

Darllen pellach: Mathew 2: 7–12

# Y Daith i'r Aifft

*Dyma angel yr Arglwydd yn ymddangos i Joseff mewn breuddwyd, a*
*dweud, "Cod, a chymer y plentyn a'i fam gyda thi, a ffo i'r Aifft."*
Mathew 2:13

Roedd y Doethion wedi gadael Jerwsalem i gychwyn ar eu taith adref, a chwalwyd gobeithion Herod o gael gwared â'r baban Iesu. Bellach mae Joseff yn cael cyfarwyddyd i fynd â Iesu a'i fam a dianc i'r Aifft. Mae'n rhyfeddol meddwl bod Mab Duw wedi bod yn alltud ac yn hynny wedi ei uniaethu ei hunan â chymaint o bobl sydd yn wynebu'r un dynged ar draws y byd.

Ond mae Mathew yn darganfod rhywbeth arall. Mae'n gweld y daith i'r Aifft fel cyflawniad o'r Ysgrythur. "Fel y cyflawnid y gair a lefarwyd gan yr Arglwydd trwy'r proffwyd: "O'r Aifft y gelwais fy mab" " (adn. 15). Nid bod yr adnodau hyn o Hosea 11: 1 yn broffwydoliaeth lythrennol o daith y teulu bach hwn i mewn i'r Aifft, oherwydd mae'r adnodau gwreiddiol yn cyfeirio at yr ecsodus; ond mae Mathew yn gweld yn hanes Iesu elfen o ailadrodd hanes Israel gyfan. Mae hyn yn amlwg mewn pedair ffordd o leiaf.

Fel y gorthrymwyd Israel yn yr Aifft o dan reolaeth haearnaidd Pharo, felly hefyd y mae Iesu yn dod yn rhan o gaethglud yn yr Aifft o dan reolaeth haearnaidd Herod. Mae'r darlun o Israel yn dod trwy ddyfroedd y Môr Coch yn ddarlun hefyd o'r modd y bu i Iesu fynd trwy ddyfroedd bedydd Ioan yn Afon Iorddonen. Yn yr un modd profwyd Israel yn anialwch Sin am ddeugain mlynedd. Felly hefyd y mae Iesu'n cael ei brofi yn anialwch Jwdea am ddeugain niwrnod. Rhoddodd Moses y gyfraith i Israel o ben Mynydd Sinai. Felly, hefyd y mae Iesu o ben mynydd y Gwynfydau yn rhoi i'w ddisgyblion wir ddehongliad o'r gyfraith honno ac esboniad arni.

Ni allwn ond rhyfeddu at ragluniaeth Duw wrth iddo ailadrodd y patrwm hwn o hanes sanctaidd.

Darllen pellach: Hosea 11: 1; Mathew 2: 13–18

# Cân Simeon

*Y mae fy llygaid wedi gweld dy iachawdwriaeth ... goleuni i fod*
*yn ddatguddiad i'r Cenhedloedd ac yn ogoniant i'th bobl Israel.*
Luc 2:30, 32

Heddiw rydym am gael ein cyflwyno i hen ŵr duwiol o'r enw Simeon. Roedd yn disgwyl yn eiddgar am y Meseia ac roedd Duw wedi dweud wrtho na fyddai'n marw cyn iddo gael ei weld. Ac yntau bellach yn cael ei gyffwrdd gan yr Ysbryd Glân, mae'n dod i mewn i'r deml ar yr union foment pan yw Mair a Joseff yn cyrraedd yno gyda'u mab wyth niwrnod oed. Mae hyn eto yn arwydd rhyfeddol o ragluniaeth dyner Duw. Roedd gan Simeon y ddirnadaeth ysbrydol i adnabod Iesu. Mae'n ei gymryd yn ei freichiau, nid yn unig i'w anwesu fel y byddai unrhyw un yn dymuno ei wneud gyda phlentyn bach, ond fel arwydd symbolaidd o'r hyn y mae am ei adrodd yn ei gân. "Yn awr yr wyt yn gollwng dy was yn rhydd, O Arglwydd, mewn tangnefedd yn unol â'th air" (Luc 2: 29).

Yn gyntaf, mae Simeon yn gweld Iesu yn iachawdwriaeth Duw. Yr hyn a welodd ei lygaid go iawn oedd plentyn Mair; yr hyn mae'n dweud ei fod wedi ei weld yw iachawdwriaeth Duw: roedd Meseia Duw wedi ei anfon i'n gwaredu o gosb a chaethiwed pechod.

Yn ail, mae Simeon yn gweld Iesu yn oleuni'r byd, oedd am ddwyn goleuni i'r cenhedloedd a gogoniant i Israel. Yn ymwybodol neu'n anymwybodol, mae'n adleisio Eseia 49: 6, adnod oedd yn ddiweddarach i gael lle pwysig yn niwinyddiaeth genhadol Paul.

Yn drydydd, mae Simeon yn gweld Iesu yn achos rhaniad, yn graig a fyddai'n rhwystr i rai, ac yn gonglfaen i eraill. Byddai'n peri i rai godi ac i eraill gwympo. O wynebu Iesu, mae'n amhosibl peidio ag ymateb.

Mae hanes Simeon yn wers mewn dirnadaeth ysbrydol. Bydded i Dduw roi i ni y ddirnadaeth i weld – y tu hwnt i'r hyn sydd ar y wyneb – realiti person Iesu Grist!

Darllen pellach: Luc 2: 25–35

# Tystiolaeth Paul

*Daeth Crist Iesu i'r byd i achub pechaduriaid.*
1 Timotheus 1:15

Mae'r ymatebion gwahanol i ddyfodiad Iesu yn ymledu trwy dudalennau'r Testament Newydd i gyd. Fe'u gwelir yn arbennig yn y cyfnod apostolaidd, er enghraifft ym mywyd yr Apostolion Paul ac Ioan. Heddiw rydym am wrando ar Paul: "A dyma air i'w gredu, sy'n teilyngu derbyniad llwyr: daeth Crist Iesu i'r byd i achub pechaduriaid ... a minnau yw'r blaenaf ohonynt" (adn. 15). Mae Paul yn honni bod ei gyhoeddiad o'r efengyl yn ddibynadwy, yn fyd-eang, yn hanesyddol, yn waredigol, ac yn bersonol ("fi, y gwaethaf" oherwydd pan ddaw'r Ysbryd Glân i'n hargyhoeddi ni o'n pechod, rydym yn gosod heibio bob cymhariaeth wag arall).

Ni allaf fyth wrando ar y geiriau hyn heb feddwl am Thomas Bilney, neu "Bilney bach" fel y'i gelwid oherwydd ei faint. Cafodd ei ddewis yn 1520 yn Gymrawd yn Neuadd Trinity yng Nghaergrawnt, ac roedd yn ŵr oedd yn chwilio'n daer am heddwch i'w enaid ond yn methu dod o hyd iddo. O'r diwedd, mae'n ysgrifennu:

> Deuthum, ar siawns, ar draws ymadrodd yr Apostol Paul – yr un ymadrodd hwn trwy waith Duw ynof ... a wnaeth lawenhau fy nghalon, calon oedd wedi ei chlwyfo gan euogrwydd fy mhechod, ac mewn anobaith llwyr; o'i glywed, fe fu imi bron yn syth deimlo o'm mewn y fath gysur a heddwch "fel y bo i'r esgyrn a ddrylliaist lawenhau" [Salm 51: 8]. Wedi hyn, yr oedd yr Ysgrythur i mi yn felysach na mêl.

Un o'r bobl a ddaeth i adnabod yr Arglwydd Iesu Grist drwy weinidogaeth Bilney oedd Hugh Latimer, oedd yn ddiweddarach i ddod yn bregethwr enwog y Diwygiad Protestannaidd yn Lloegr. Roedd Latimer yn llawn edmygedd o'r dewrder a amlygodd Bilney wrth gael ei losgi wrth y stanc am ei ffydd efengylaidd; byddai Latimer yn cyfeirio ato yn ei bregethau fel "Bilney y Sant".

Darllen pellach: 1 Timotheus 1: 12–17

# Myfyrdodau Ioan

*Mae'r Tad wedi anfon ei Fab yn Waredwr y byd.*
1 Ioan 4:14

Mae bron yn sicr fod Ioan wedi byw i oed mawr iawn ac yn sicr, ef oedd yr Apostol olaf. Byddai'n beth da, felly, i wrando ar ei fyfyrdod aeddfed ar ystyr a phwrpas yr ymgnawdoliad: "Anfonodd y Tad ei Fab i fod yn Waredwr y byd." Mae'r ymadrodd hwn yn ymddangos yn ddigon eglur wrth ystyried y Nadolig, ac mae pedwar gair sydd yn sefyll allan: y Tad yn anfon y Mab i fod yn Waredwr y byd.

Y byd yw'r ymadrodd y mae Ioan yn ei ddefnyddio i ddisgrifio cymdeithas ddi-Dduw, cymdeithas sydd o dan farn Duw.

Gwaredwr yw'r ymadrodd sy'n cael ei ddefnyddio i arwyddo bod ar y byd hwn angen iachawdwriaeth, oherwydd, er bod y geiriau pechod ac iachawdwriaeth yn perthyn i eirfa draddodiadol sy'n creu embaras i rai ac yn drysu eraill, ni allwn gael gwared â nhw. Maent yn mynegi realiti hanfodol a byddai'n oferedd ac yn ffolineb i'w hanwybyddu. Rhyddid yw iachawdwriaeth – rhyddid o euogrwydd, o farn, o fywyd hunanganolog, o ofn, ac o farwolaeth.

Y Mab yw'r Gwaredwr yr ydym ei angen: oherwydd ei fod yn Dduw ac yn ddyn, medrwn ddathlu ei enedigaeth adeg y Nadolig, a thrwy ei farwolaeth daw'r unig sail i obeithio y gall Duw faddau ein pechodau heddiw. I ddyfynnu un arall o ymadroddion cryno Ioan, y mae Duw "wedi anfon ei Fab i fod yn aberth cymod dros ein pechodau" (adn. 10).

Ac yn olaf, mae'r Tad yn anfon y Mab i fod yn Waredwr y byd. Ni ddaeth y Mab o'i ewyllys ei hun. Nid yw ychwaith yn gorfod rhwygo iachawdwriaeth o law Duw oedd yn anfodlon i'w chynnig. Na, i'r gwrthwyneb, y mae'r Tad yn ei anfon. Y Tad sydd yn cymryd y cam cyntaf yn ei gariad mawr. Wrth roi ei Fab, mae'n ei roi ei hunan.

Darllen pellach: 1 Ioan 4: 7–16

# Her Ioan

*Yr ydych yn gwybod bod Crist wedi ymddangos er mwyn cymryd ymaith bechodau.*

1 Ioan 3:5

Wrth ddirwyn yr wythnos hon i ben, rydym yn dod at un ymateb arall i'r Nadolig, hynny yw ymateb arall i ddyfodiad Crist. Rydym am deithio eto yn ôl i Lythyr Cyntaf Ioan ac i'r hyn y mae'n ei ysgrifennu am bwrpas ymddangosiad y Crist.

Y darn perthnasol o'r Ysgrythur rwyf am gyfeirio ato yw 1 Ioan 3: 4–9, ac yn y darn hwn mae Ioan yn gwneud honiadau rhyfeddol. Mae'n ysgrifennu nad yw'r Cristion yn pechu, yn wir na all bechu. Ar sail y geiriau hyn mae rhai wedi bathu athrawiaeth perffeithrwydd dibechod. Mae pob esboniwr Beiblaidd wedi cael anhawster gyda'r ymadrodd oherwydd nad yw yn gyson â'n profiad. Y gwir am y saint yw ein bod yn pechu a hynny hyd yn oed wedi inni ddod at yr Arglwydd Iesu Grist.

O ystyried y testun yn fanwl, er hynny, cawn fod Ioan yn awgrymu nid fod Cristnogion ddim yn pechu neu ddim yn medru pechu ond, yn hytrach, na allwn ddyfalbarhau mewn pechod. Felly pan fyddwn yn pechu yr ydym yn galaru ac yn edifeiriol am ein pechod, oherwydd mae holl anian ein bywyd ni yn erbyn pechod a thuag at sancteiddrwydd. Mae'r esboniwr Alfred Plummer yn ysgrifennu am yr adnodau hyn, "Er bod y credadun o bryd i'w gilydd yn pechu, nid pechod ond gwrthwynebiad i bechod yw'r egwyddor lywodraethol yn ei fywyd."

Ond beth yw'r hyn sy'n ein cymell i gefnu ar bechod ac i geisio cyfiawnder? Mae ateb Ioan yn glir: cofio pwrpas ymddangosiad Iesu. Mae'n dweud hyn ddwywaith. "Yr ydych yn gwybod bod Crist wedi ymddangos er mwyn cymryd ymaith bechodau" (adn. 5). Ymhellach, y rheswm dros ymddangosiad Mab Duw oedd i "ddinistrio gweithredoedd y diafol" (adn. 8). Os yw'r Arglwydd Iesu Grist wedi dod felly i ddelio â'n pechod, mae'n afresymol fod y rhai sydd mewn perthynas â Iesu yn parhau i garu pechod. Ein hymateb ni i'r Nadolig yw i fyw bywyd sydd mewn cytgord llwyr â phwrpas ei ymddangosiad ar y ddaear.

Darllen pellach: 1 Ioan 3: 4–9

# Wythnos 19: Pedair Efengyl Crist

Un o ragluniaethau rhyfeddaf Duw yw nid ein bod wedi derbyn un efengyl, ond pedair (a hynny heb gyfeirio at yr efengylau apocryffaidd a ysgrifennwyd yn yr ail ganrif er mwyn hybu syniadau gwyrgam am yr Arglwydd Iesu).  Mae'r Arglwydd Iesu Grist yn berson rhy fawr a gogoneddus i gael ei ddarlunio gan un awdur neu i gael ei ddisgrifio o un persbectif yn unig.  Mae Crist yr efengylau yn berson â phedwar wyneb, fel diemwnt â mwy nag un wyneb.  Nid oes gennym yr hawl i droi'r pedwar yn un trwy geisio gwadu unigrywiaeth pob efengyl ar wahân, nac ychwaith ar y llaw arall orbwysleisio'r gwahaniaethau.

**Dydd Sul:**  Mathew, Rhan 1 – Iesu, y Crist
**Dydd Llun:**  Mathew, Rhan 2 – Iesu, y Rhyng-genedlaetholwr
**Dydd Mawrth:**  Marc – Iesu, y Gwas Dioddefus
**Dydd Mercher:**  Luc, Rhan 1 – Iesu, y Ffigwr Hanesyddol
**Dydd Iau:**  Luc, Rhan 2 – Iesu, Gwaredwr y Byd
**Dydd Gwener:**  Ioan, Rhan 1 – Iesu, Goleuni'r Ddynoliaeth
**Dydd Sadwrn:**  Ioan, Rhan 2 – Iesu, Rhoddwr Bywyd

# Mathew, Rhan 1 – Iesu, y Crist

*A digwyddodd hyn oll fel y cyflawnid y gair a lefarwyd*
*gan yr Arglwydd trwy'r proffwyd.*
Mathew 1:22

Mae Mathew yn cyflwyno Iesu fel y Crist, y Meseia hir-ddisgwyliedig, ac yn hwn byddai holl addewidion Duw yn cael eu cyflawni. Ei hoff ymadrodd, sy'n cael ei ailadrodd un ar ddeg o weithiau yn yr Efengyl, yw rhyw ffurf ar: "Digwyddodd hyn er mwyn cyflawni'r hyn a ysgrifennwyd yn y proffwydi."

Mae'n briodol felly fod Mathew yn cychwyn ei Efengyl â choeden deuluol yr Arglwydd Iesu, ac yn y bennod hon mae'n olrhain y llinyn brenhinol gan bwysleisio yn arbennig Abraham, tad Israel, a Dafydd, y brenin hwnnw a fyddai yn ei dro ac yn ei linach yn rhagredegydd i "fab Dafydd".

Mae'r thema hon o gyflawniad yn cael ei hamlygu orau yn y ffaith fod Iesu wedi dod i sefydlu teyrnas Dduw. Mae'r pedair efengyl yn datgan bod Iesu yn cyhoeddi'r deyrnas, ond mae gan Mathew ei bwyslais arbennig. O barch i anfodlonrwydd yr Iddewon i gyhoeddi enw sanctaidd Duw, mae Mathew yn defnyddio'r ymadrodd "teyrnas nefoedd" (tua phum deg o weithiau). Mae hefyd yn cyhoeddi bod y deyrnas yn realiti yn awr, ac yn ddisgwyliad yn y dyfodol.

Cofnodwyd un o ddywediadau mwyaf rhyfeddol Iesu gan Mathew, a hefyd gan Luc:

> Ond gwyn eu byd eich llygaid chwi am eu bod yn gweld, a'ch clustiau chwi am eu bod yn clywed. Yn wir, rwy'n dweud wrthych fod llawer o broffwydi a rhai cyfiawn wedi dyheu am weld y pethau yr ydych chwi yn eu gweld, ac nis gwelsant, a chlywed y pethau yr ydych chwi yn eu clywed, ac nis clywsant.
>
> Mathew 13: 16–17

Mewn geiriau eraill, roedd proffwydi'r Hen Destament yn byw mewn amser o ddisgwyliad; roedd yr apostolion yn byw yn nyddiau cyflawni'r disgwyliad. Roedd eu llygaid yn gweld mewn gwirionedd, a'u clustiau yn clywed mewn gwirionedd yr hyn yr oedd y proffwydi wedi hiraethu am gael ei weld a'i glywed. Nid proffwyd arall oedd Iesu i Mathew, ond yn hytrach gyflawniad pob proffwydoliaeth. Roedd Mathew hefyd yn gweld Iesu fel yr un oedd yn herio Israel ag un cyfle arall i edifarhau gan ei fod eisoes yn cychwyn creu Israel newydd, gyda deuddeg llwyth Israel yn gysgod o'r Deuddeg apostol newydd.

Darllen pellach: Mathew 23: 37–39

# Mathew, Rhan 2 – Iesu, y Rhyng-genedlaetholwr

*Daw llawer o'r dwyrain a'r gorllewin a chymryd eu lle yn y*
*wledd gydag Abraham ac Isaac a Jacob yn nheyrnas nefoedd.*
Mathew 8:11

G welsom ddoe fod Mathew yn awyddus i bwysleisio'r ffaith fod Iesu yn Iddew. Yn wir, mae'n ei gyhoeddi fel y Meseia hir-ddisgwyliedig. Mae'r dystiolaeth i'r ffaith fod Iesu yn Iddew yn gwbl eglur. Roedd Iesu wedi ei drwytho yn yr Hen Destament. Roedd yn ei weld ei hun yn gyflawniad o holl broffwydoliaethau'r Hen Destament.

At hyn mae Mathew yn cofnodi dau ddigwyddiad nas gwelir yn yr efengylau eraill lle mae Iesu yn ymddangos fel petai'n euog o genedlatholdeb neu ragfarn ethnig. Yn gyntaf, wrth gyfeirio at ei weinidogaeth ei hun, dywed Iesu, "Ni'm hanfonwyd at neb ond at ddefaid colledig tŷ Israel" (15: 24). Yn ail, gan gyfeirio at weinidogaeth ei ddisgyblion, mae'n dweud, "Peidiwch â mynd i gyfeiriad y Cenhedloedd ... ewch yn hytrach at ddefaid colledig tŷ Israel" (10: 5-6).

Ond mae'n amlwg mai cyfyngiad hanesyddol oedd hyn. Roedd Iesu yn rhoi'r cyfle olaf i Israel. Mae'n ychwanegu, bron yn syth, y byddai ei ddisgyblion yn "dwyn tystiolaeth ... i'r Cenhedloedd" (10: 18). Mae'r un Mathew a gofnododd yr ymadroddion am ddefaid colledig Israel hefyd yn cofnodi, ar ddechrau ei efengyl, ymweliad y Doethion, ac ar ei diwedd, y comisiwn mawr, "Ewch, gan hynny, a gwnewch ddisgyblion o'r holl genhedloedd" (28: 19). Felly, er mai darlun Mathew o Iesu yw'r fwyaf Iddewig o'r pedair efengyl, byddai'n amhosibl darlunio Iesu fel un oedd yn euog mewn unrhyw ffordd o falchder ethnig neu ragfarn. I'r gwrthwyneb, mae Iesu yn ei gwneud yn berffaith glir y byddai'r Israel newydd yn genedl ryng-genedlaethol:

Rwy'n dweud wrthych y daw llawer o'r dwyrain a'r gorllewin a chymryd eu lle yn y wledd gydag Abraham ac Isaac a Jacob yn nheyrnas nefoedd.

Mathew 8: 11

Darllen pellach: Mathew 28: 16–20

# Marc – Iesu, y Gwas Dioddefus

*Yna dechreuodd [Iesu] eu dysgu bod yn rhaid i Fab y Dyn ddioddef llawer,*
*a chael ei ... ladd, ac ymhen tridiau atgyfodi.*
Marc 8:31

Canolbwynt efengyl Marc yw croes Crist. Wedi i'r Deuddeg ddeall pwy oedd Iesu a'i gyffesu'n Feseia, mae'n cychwyn eu dysgu am y groes. Roedd hwn yn drobwynt yng ngweinidogaeth Iesu ac yn efengyl Marc. Cyn hyn, roedd Iesu wedi ei ganmol fel pregethwr poblogaidd ac fel un oedd yn iacháu. Ond nid y math hwn o Feseia yr oedd Iesu wedi ei fwriadu i fod. O hyn ymlaen, mae'n dysgu ei ddisgyblion yn agored am ei ddioddefaint a'i farwolaeth angenrheidiol. Mae Marc yn cofnodi ar dri amgylchiad gwahanol fod Iesu wedi rhagweld ei farwolaeth. Yn wir, mae bron i draean o efengyl Marc yn sôn am y farwolaeth hon.

Hanfod dysgeidiaeth Iesu yw'r hyn a ddarganfyddir yn yr ymadrodd "fod yn rhaid i Fab y Dyn ddioddef". Pam fod rhaid iddo ddioddef? Beth yw sail yr ymwybyddiaeth hon o orfodaeth? Mae hynny oherwydd fod rhaid i'r Ysgrythurau gael eu cyflawni. Pam, felly, "Mab y Dyn"? Trwy ddefnyddio'r ymadrodd Hebreig hwn am ddyn mae Iesu'n cyfeirio at Daniel 7. Yn y weledigaeth hon mae "un fel mab y dyn" (hynny yw, un â chorff dynol) yn dod ar y cymylau ac yn wynebu'r Hen Ddihenydd (Duw). Mae'n cael awdurdod a grym dwyfol fel bod pawb yn ei wasanaethu, ac ni fydd diwedd ar ei deyrnasiad (Daniel 7: 13–14).

Mae Iesu'n mabwysiadu'r teitl (Mab y Dyn) ond yn newid y rôl. Yn ôl Daniel, byddai pob cenedl yn ei wasanaethu. Yn ôl Iesu, yr oedd wedi dod i wasanaethu, nid i gael ei wasanaethu. Yn wir, mae Iesu'n gwneud yr hyn nad oedd neb arall wedi ei wneud. Mae'n uno'r ddau ddarlun o'r Hen Destament, sef darlun Eseia o was dioddefus a darlun Daniel o Fab y Dyn oedd yn teyrnasu. Oherwydd yn gyntaf rhaid i Iesu gario baich ein pechodau ac yna bydd yn atgyfodi a mynd i mewn i'w ogoniant.

Darllen pellach: Marc 8: 27–9: 1

# Luc, Rhan 1 – Iesu, y Ffigwr Hanesyddol

*Penderfynais innau, gan fy mod wedi ymchwilio yn fanwl i bopeth*
*o'r dechreuad, eu hysgrifennu i ti yn eu trefn.*

Luc 1:3

Ysgrifennodd Luc ddwy gyfrol ar wreiddiau Cristnogaeth, sef ei efengyl a llyfr yr Actau. Yn y rhagarweiniad sydd yn crynhoi'r ddau lyfr, mae'n pwysleisio pa mor ddibynadwy yw'r hyn y mae'n ei ysgrifennu. Yr oedd yn glir ei feddwl nad chwedl oedd hanes Iesu, ond bod yr Iesu hwn yn ffigwr hanesyddol real. Mae'n gosod allan ei ddadl mewn pum rhan (adn. 1–4).

Yn gyntaf, roedd rhai "pethau a gyflawnwyd yn ein plith" (adn.1) Dyna oedd digwyddiadau gweinidogaeth Iesu.

Yn ail, gwelwyd y digwyddiadau hyn gan lygad-dystion oedd wedi "traddodi" yr hyn yr oeddent wedi ei weld i eraill (adn. 2).

Yn drydydd, roedd Luc yn un o'r rhai oedd "wedi ymchwilio yn fanwl i bopeth o'r dechreuad" (adn. 3).

Yn bedwerydd, mae Luc yn ysgrifennu canlyniadau ei ymchwil gan "eu hysgrifennu … yn eu trefn" (adn. 3).

Yn bumed, byddai darllenwyr, gan gynnwys Theophilus, yn darganfod yn efengyl Luc sail ddiogel i'w ffydd.

Y cwestiwn sydd yn aros yw pryd gwnaeth Luc yr ymchwil? Doedd e ddim yn un o'r Deuddeg, nac ychwaith yn llygad-dyst. Ond bu'n byw yn ddiweddarach ym Mhalesteina tra oedd Paul yn gaeth yng Nghesarea (Actau 24: 27). Beth wnaeth Luc yn ystod yr amser hwnnw? Ni allwn ond dyfalu. Mae'n sicr ei fod wedi teithio ar hyd a lled y wlad i gasglu deunydd ar gyfer ei efengyl ac ar gyfer yr hanesion cynnar o fywyd yr eglwys yn Jerwsalem a geir yn llyfr yr Actau. Mae'n sicr ei fod wedi ymweld â'r safleoedd oedd yn cael eu cysylltu â gweinidogaeth Iesu, gan ddod yn gyfarwydd â diwylliant Iddewig (ac yntau ei hun yn Genedl-ddyn), a chan gyfweld llygad-dystion. Rhaid bod y rhain wedi cynnwys y Forwyn Fair, oedd erbyn hynny yn hen wraig, oherwydd mae Luc yn adrodd stori Mair gan gynnwys manylion personol iawn am enedigaeth Iesu. Does dim amheuaeth nad Mair ei hunan oedd tarddiad y dystiolaeth hon. Mae'r cwbl i gyd yn sefydlu ein hyder yn nhystiolaeth hanesyddol ddibynadwy Luc.

Darllen pellach: Luc 1: 1–4

# Luc, Rhan 2 – Iesu, Gwaredwr y Byd

*Bydd edifeirwch, yn foddion maddeuant pechodau,*
*i'w gyhoeddi yn ei enw ef i'r holl genhedloedd, gan ddechrau yn Jerwsalem.*

Luc 24:47

Ddoe bu inni ystyried Luc fel hanesydd; heddiw, rydym am edrych arno fel diwinydd ac efengylwr. Beth yw ei neges? Yn syml, Iesu yw Gwaredwr y byd sydd yn ymestyn allan i bawb, beth bynnag fo'u cenedl, eu tras, eu safle mewn cymdeithas, eu hoed, neu eu rhyw. Mae Luc yn gosod reit ar gychwyn ei ddwy gyfrol ddatganiad o natur fyd-eang yr efengyl:

Luc 3: 6 – "Bydd y ddynolryw [*pasa sarx*] oll yn gweld iachawdwriaeth Duw."

Actau 2: 17 – "Tywalltaf o'm Hysbryd ar bawb [*pasa sarx*]."

Drwy'r efengyl ar ei hyd mae Luc yn mynnu dychwelyd at y thema hon fod Iesu'n cynnwys y bobl hynny yr oedd cymdeithas am eu hanwybyddu.

Am ei fod yn feddyg, mae'n ddealladwy fod Luc am bwysleisio trugaredd Iesu tuag at bobl oedd yn glaf ac yn dioddef. Ond roedd hefyd yn ofalus o wragedd ac o blant, o'r tlodion a'r anghenus, casglwyr trethi a phechaduriaid, ac yn arbennig Samariaid a Chenedl-ddynion. Ymhob achos, mae pwyslais Luc yn gryfach nag eiddo'r tri efengylwr arall.

Fel Cenedl-ddyn, roedd gorwelion eang gan Luc. Nid yw byth yn galw dyfroedd Galilea yn fôr, oherwydd yr oedd ef ei hun wedi hwylio ar y Môr Mawr (Môr y Canoldir), ac oherwydd hynny mae'n galw môr Galilea yn ddim mwy na llyn.

Yn llyfr yr Actau, mae Luc yn croniclo'r tair taith genhadol o dan arweiniad ei arwr, Paul, gan arwyddo hefyd y sefyllfaoedd lle'r oedd ef ei hun yn bresennol yn gwmni i Paul. Mae llyfr yr Actau yn cofnodi symudiad buddugoliaethus o Jerwsalem, prifddinas Iddewiaeth, i Rufain, prifddinas y byd. Ble bynnag yr oedd y teithwyr yn mynd, roeddent yn cyhoeddi iachawdwriaeth (oedd yn cynnwys maddeuant a'r Ysbryd) fel pethau oedd ar gael yng Nghrist i'r holl bobl, a Luc sydd yn cofnodi cyffes a chyhoeddiad bendigedig Pedr:

Ac nid oes iachawdwriaeth yn neb arall, oblegid nid oes enw arall dan y nef, wedi ei roi i'r ddynolryw, y mae'n rhaid i ni gael ein hachub drwyddo.

Actau 4: 12

Darllen pellach: Luc 24: 44–49

# Ioan, Rhan 1 – Iesu, Goleuni'r Ddynoliaeth

*Daeth pob peth i fod trwyddo ef; hebddo ef ni ddaeth un dim*
*sydd mewn bod. Ynddo ef yr oedd bywyd, a'r bywyd, goleuni dynion ydoedd.*

Ioan 1:3–4

Mae'n destun gofid i lawer fod Duw'n ymddangos yn bell. Mae'n ymddangos yn afreal a chyda Job mae'r bobl hyn yn llefain, "O na wyddwn ble y cawn ef!" (Job 23: 3).

Mae'r darlun hwn o Dduw pell yn un y mae Ioan yn ei chwalu'n llwyr. Yn rhagymadrodd ei efengyl, mae'n ysgrifennu am Dduw yn dod i'r byd yng Nghrist mewn ffordd driphlyg.

Yn gyntaf, yr oedd yn dod i'r byd. Camgymeriad mawr fyddai meddwl mai'r tro cyntaf i Dduw ddod i'r byd oedd pan anwyd yr Arglwydd Iesu. Na, Duw wnaeth y byd ac nid yw erioed wedi ei adael. Ef yw "y gwir oleuni, sydd yn goleuo pawb" (Ioan 1: 9), oedd "yn dod i'r byd" (Ioan 1: 9). Ymhell cyn iddo ddod roedd yn dod, gan roi bywyd a goleuni. Felly, mae popeth sydd yn hardd, yn dda, ac yn wir yn y byd yn bethau y medrwn ni eu hawlio sy'n eiddo i Iesu Grist. Efallai nad yw pobl yn gwybod hyn, oherwydd y mae Duw yn anweledig iddynt, ond ef, wedi'r cyfan, "yw goleuni dynion" (adn. 4). Does yr un person sydd mewn tywyllwch llwyr.

Yn ail, fe ddaeth i mewn i'r byd. "Daeth i'w gynefin ei hun" (adn.11). Roedd yr un oedd wedi bod yn dod at bob dyn yn awr yn dod at y bobl arbennig hyn. Roedd yr un oedd yn anweledig nawr yn dod mewn person, yn agored ac yn gyhoeddus. Mae'r Gair tragwyddol yn dod yn berson o gig a gwaed. Trasiedi'r gwirionedd yw nad oedd y byd wedi ei adnabod.

Yn drydydd, mae'n dal i ddod. Mae'n dod yn awr trwy ei Ysbryd ac i'r rhai sydd yn ei dderbyn, y rhai sy'n credu yn ei enw, mae'n rhoi'r hawl i fod yn blant Duw, wedi eu geni o Dduw (adn. 12).

Dylid ychwanegu ei fod yn dod mewn ffordd arall hefyd, er nad yw Ioan yn nodi hynny yn yr adnodau hyn. Yn ddiweddarach, mae'n adrodd addewid Iesu, "*Fe ddof yn ôl*, a'ch cymryd chwi ataf fy hun" (14: 3, y pwyslais wedi ei ychwanegu).

Dyma Dduw yn dod mewn pedair ffordd. Roedd yn dod yn wastad fel goleuni a bywyd y ddynoliaeth. Fe ddaeth ar y dydd Nadolig cyntaf. Mae'n dal i ddod gan ddisgwyl inni ei dderbyn, ac fe ddaw eto.

Darllen pellach: Ioan 1: 1–14

# Ioan, Rhan 2 – Iesu, Rhoddwr Bywyd

*Ond y mae'r rhain [yr arwyddion] wedi eu cofnodi er mwyn i chwi gredu*
*mai Iesu yw'r Meseia, Mab Duw, ac er mwyn i chwi trwy gredu gael*
*bywyd yn ei enw ef.*
Ioan 20:31

Mae Ioan yn nodi mai ei brif bwrpas wrth ysgrifennu ei efengyl oedd y byddai ei ddarllenwyr yn derbyn bywyd trwy Grist. Er mwyn derbyn bywyd trwy Grist, roedd yn rhaid iddynt gredu yng Nghrist, ac er mwyn iddynt gredu yng Nghrist, mae Ioan yn dewis rhai arwyddion sydd yn rhoi tystiolaeth i Grist. Trwy hyn mae tystiolaeth yn arwain i ffydd, a ffydd i fywyd.

Yn wir, mae Ioan yn gweld ei efengyl yn bennaf fel tystiolaeth i Grist. Gellir dweud bod yr efengyl hon yn debyg i lys barn, a'r Arglwydd Iesu sydd ar brawf. Gelwir nifer o dystion, gan ddechrau gyda Ioan Fedyddiwr; mae'r achos yn parhau trwy gofnodi saith arwydd goruwchnaturiol, ac i bob un mae honiad rhyfeddol.

1. Trodd Iesu y dŵr yn win, gan honni sefydlu trefn newydd.

2 a 3. Mae Iesu'n cyflawni dwy wyrth o iacháu, gan honni rhoi bywyd newydd.

4. Mae Iesu'n bwydo pum mil o bobl, gan honni ei fod yn Fara'r Bywyd.

5. Mae Iesu'n cerdded ar y dŵr, gan honni fod holl rymoedd natur o dan ei awdurdod.

6. Mae Iesu'n rhoi golwg i ddyn a anwyd yn ddall, gan honni bod yn Oleuni'r Byd.

7. Mae Iesu'n atgyfodi Lasarus o farwolaeth, gan honni bod yn atgyfodiad a bywyd.

Ac eto, mae agwedd arall ar dystiolaeth Ioan i Iesu. Mae'r saith arwydd a gofnodir yn hanner cyntaf yr efengyl yn arwyddion o rym ac awdurdod. Yn ail hanner yr efengyl, serch hynny, mae Ioan yn cofnodi arwyddion o wendid a gostyngeiddrwydd – yn gyntaf, wrth gofnodi golchi traed y disgyblion, ac yna yn y groes, arwydd y mae Ioan yn ei weld fel gogoneddiad Iesu.

I grynhoi, mae efengyl Ioan yn cael ei rhannu yn ddwy: gellir galw rhan 1 yn Llyfr yr Arwyddion, a rhan 2 yn Llyfr y Groes. Ond yn y ddwy, a thrwy'r efengyl, mae Ioan yn dwyn tystiolaeth i Iesu er mwyn i'w ddarllenwyr gredu ynddo, a thrwy hynny, dderbyn eu bywyd oddi wrtho.

Darllen pellach: Ioan 20: 30–31; 21: 25

# Wythnos 20: Blynyddoedd y Paratoi

Er bod y wybodaeth oedd ar gael i'r pedwar efengylydd yn ymddangos yn weddol denau, mae'r Testament Newydd yn cofnodi'r hyn y mae angen i ni ei wybod am fywyd Iesu rhwng ei enedigaeth a bedydd Ioan Fedyddiwr. Gelwir y blynyddoedd hyn yn aml yn "flynyddoedd cudd" gan eu bod yn dod o flaen ymddangosiad Iesu ar y llwyfan cyhoeddus.

Byddwn yn meddwl yr wythnos hon am blentyndod Iesu, yn ystyried y modd y bu iddo dyfu o ran aeddfedrwydd, ei waith wrth fainc y saer a'r dystiolaeth a roddwyd amdano gan Ioan Fedyddiwr. Yna, cyn y bedydd oedd yn arwyddo cychwyn ei weinidogaeth gyhoeddus, rydym am edrych ar ddwy sgwrs a gafodd (y naill gyda Nicodemus, a'r llall gyda'r wraig o Samaria) sydd yn cael eu cofnodi yn agos at gychwyn efengyl Ioan.

**Dydd Sul:** Babandod Iesu
**Dydd Llun:** Y Bachgen yn y Deml
**Dydd Mawrth:** Y Blynyddoedd Cudd
**Dydd Mercher:** Siop y Saer
**Dydd Iau:** Tystiolaeth Ioan Fedyddiwr
**Dydd Gwener:** Y Cyfarfod â Nicodemus
**Dydd Sadwrn:** Cyfarfod â'r Wraig o Samaria

# Babandod Iesu

*Cymerodd ei rieni ef [Iesu] i fyny i Jerwsalem i'w gyflwyno i'r Arglwydd.*
Luc 2:22

Mae Luc yn cofnodi mwy na'r tair efengyl arall am fabandod Iesu. Yn benodol, mae'n cyfeirio at dri digwyddiad neu dri pheth a ddigwyddodd iddo pan oedd yn dal yn blentyn.

Yn gyntaf, mae Iesu'n cael enwaedu arno yn wyth diwrnod oed. Rhoddwyd yr enwaediad yn arwydd i Abraham tua dwy fil o flynyddoedd ynghynt a hynny i ddynodi'r cyfamod yr oedd Duw wedi ei sefydlu gydag ef a'i ddisgynyddion. Roedd yr enwaediad yn gwneud Iesu yn wir fab Abraham (Genesis 17: 12; Lefiticus 12: 3).

Yn ail, fe'i gelwir yn Iesu, sy'n golygu "Mae Duw yn achubwr". Mae Mathew a Luc yn cofnodi bod yr angel wedi dweud wrth Joseff a Mair cyn iddo gael ei eni i'w alw yn Iesu (Mathew 1: 21, Luc 1: 31). Mae'r enw yn arwyddo bod Iesu wedi dod ar genhadaeth achubol.

Yn drydydd, mae Iesu'n cael ei gyflwyno i'r Arglwydd yn y deml yn Jerwsalem. Mae dau arfer o'r Hen Destament yn cyd-gloi yn y digwyddiad hwn, un mewn perthynas â'r fam, a'r llall mewn perthynas â'r plentyn. Ar y naill law, wedi i'r deugain diwrnod o ymwahanu seremonïol gael eu cyflawni, mae Joseff a Mair yn dod i gyflwyno'r aberthau angenrheidiol. Fel arfer, golygai hyn oen yn boethoffrwm a cholomen yn bechod offrwm. Ond mae Joseff a Mair yn cymryd mantais o'r amod a roddwyd i bobl dlawd ac yn dod â dwy golomen.

Ar y llaw arall, ers dyddiau'r ecsodus roedd pob mab cyntafanedig yn eiddo i'r Arglwydd, ond gellid eu prynu (Exodus 13: 2). O'u prynu roedd yn bosibl hefyd eu cyflwyno i Dduw ac i'w wasanaeth.

Mae Iesu felly yn cael enwaedu arno, yn cael ei enwi, ac yn cael ei gyflwyno, ac yn y tri digwyddiad hyn mae arwyddocâd i'w genhadaeth i'r byd. Mae enwaediad yn ei ddarlunio fel mab Abraham, aelod o bobl gyfamodol Duw. Drwy ei enw, mae Iesu yn cael ei gyhoeddi i fod yr un y mae'r nefoedd wedi ei anfon yn waredwr pechaduriaid. Mae ei gyflwyniad i Dduw yn arwydd ei fod wedi ymrwymo'n llwyr i wasanaethu Duw ac yn arwydd hefyd o'i barodrwydd i wneud ewyllys Duw yn wastad.

Darllen pellach: Luc 2: 21–24

# Y Bachgen yn y Deml

*Pam y buoch yn chwilio amdanaf? Onid oeddech yn gwybod mai*
*yn nhŷ fy Nhad y mae'n rhaid i mi fod?*
Luc 2:49

Yr unig ddigwyddiad sydd yn cael ei groniclo am blentyndod Iesu yw'r hanes amdano yn mynd ar goll yn y deml. Roedd y gyfraith yn mynnu bod pob oedolyn o blith yr Israeliaid i fynd i Jerwsalem ar y tair prif ŵyl – y Pasg, y Cynhaeaf, a'r Cynnull (Exodus 23: 14–17), er bod y cyfrifoldeb hwn yn cael ei gyfyngu i'r Pasg os oedd y daith yn rhy bell. Roedd Joseff a Mair yn mynd i'r deml yn Jerwsalem adeg y Pasg a'r tro hwn mae Iesu yn mynd gyda nhw. Erbyn hyn roedd yn ddeuddeg oed, a'r flwyddyn ganlynol pan oedd yn dair ar ddeg byddai'n cyrraedd statws "mab y gorchymyn" neu *bar mitzvah*, gan ymgymryd â chyfrifoldebau oedolyn yn y gymuned Iddewig.

Does dim manylion am y ffordd yr aeth ar goll. Efallai, oherwydd bod y pererinion yn Jerwsalem yn cael eu gwahanu yn wŷr a gwragedd, fod Mair a Joseff ill dau yn credu bod Iesu gyda'r llall. Beth bynnag a ddigwyddodd, ar ôl tri diwrnod dyma'r ddau yn ei gael yng nghyffiniau'r deml yn eistedd ymhlith yr athrawon, yn gwrando arnynt ac yn eu holi (Luc 2: 46). Roedd ei wrandawyr wedi "rhyfeddu" (adn. 47) at ei ddeall, a'i rieni wedi eu "syfrdanu" (adn. 48) – berfau a ddefnyddir mewn mannau eraill i fynegi'r rhyfeddod yr oedd pobl eraill yn ei deimlo ym mhresenoldeb Iesu.

Beth sy'n drawiadol fodd bynnag yw'r hyn a ddywedodd Iesu. Dyma'r geiriau cyntaf a gofnodir o'i enau. Sylwch yn arbennig ar ddau fanylyn.

Yn gyntaf, mae'n galw Duw yn Dad iddo, a'r deml yn dŷ ei Dad. Mae felly yn cywiro ei fam oedd wedi dweud, "Mae dy dad a minnau wedi bod yn llawn pryder yn chwilio amdanat" (adn. 48). Eisoes roedd Iesu'n ymwybodol o berthynas arbennig gyda Duw ei Dad.

Yn ail, mae Iesu yn mynegi arwydd o orfodaeth: "Onid oeddech yn gwybod mai yn nhŷ fy Nhad y mae'n rhaid i mi fod?" (adn. 49). Pam fod rhaid iddo fod â'r flaenoriaeth hon? Ni roddir ateb. Ond mae'n rhaid ei fod eisoes yn ymwybodol o'i genhadaeth fel y'i datguddir yn yr Ysgrythur a rhaid oedd cyflawni'r Ysgrythurau.

Darllen pellach: Luc 2: 41–51

# Y Blynyddoedd Cudd

*Ac yr oedd Iesu yn cynyddu mewn doethineb, a maintioli, a ffafr gyda Duw a'r holl bobl.*
Luc 2:52

Fel y nodwyd eisoes, y darlun byw o golli ac adfer y bachgen Iesu yn y deml yw'r unig ddigwyddiad cyhoeddus y mae Luc yn ei gofnodi rhwng genedigaeth a bedydd Iesu. Mae'n wir fod yr efengylau apocryffaidd yn ceisio llenwi'r bwlch hwn. Ond mae'r rhain i gyd yn ddiweddar, yn dyddio o'r ail ganrif OC, ac o ganlyniad, amheus yw eu gwerth hanesyddol. Maent hefyd yn camddysgu, ac mae eu cynnwys yn ymylol anghyffredin, ac eithrio un neu ddau ddigwyddiad. Mae cofnod cytbwys Luc yn wrthgyferbyniad iach.

Beth felly oedd Iesu yn ei gyflawni yn y deng mlynedd ar hugain cyn i'w weinidogaeth gyhoeddus gychwyn? Mae'n amlwg ei fod yn tyfu i fyny, ac yn hynny yn paratoi ar gyfer ei genhadaeth. Mae Luc yn dweud hyn wrthym mewn dwy adnod ym mhennod 2:

> Yr oedd y plentyn yn tyfu yn gryf ac yn llawn doethineb; ac yr oedd ffafr Duw arno.
>
> adnod 40

> Ac yr oedd Iesu yn cynyddu mewn doethineb, a maintioli, a ffafr gyda Duw a'r holl bobl.
>
> adnod 52

Mae adnod 40 yn pontio deuddeng mlynedd, oherwydd yn yr adnod flaenorol (adn. 39) mae Iesu'n parhau'n faban, tra yn yr adnod ganlynol (adn. 41) mae'n ddeuddeng mlwydd oed. Mae adnod 52 yn bont o ddeunaw mlynedd gan fod yr adnod flaenorol (adn. 51) yn gofnod o ddigwyddiad o'r cyfnod pan oedd yn ddeuddeg oed, a'r adnod ganlynol (3: 1) yn cofnodi'r ffaith ei fod bellach yn ddeg ar hugain oed.

Felly, yn ystod y ddau gyfnod hyn o ddeuddeg a deunaw mlynedd, roedd yn tyfu'n gorfforol, yn feddyliol ac yn ysbrydol. Roedd ei gorff yn datblygu'n naturiol. Roedd ei feddwl yn ehangu wrth iddo ddysgu ei wersi yn yr ysgol a gartref. Tyfodd hefyd mewn gras gan ddod yn fwy cymeradwy yng ngolwg Duw a'i gymdogion.

Mae rhai yn amau'r gwirionedd hwn. Os oedd Iesu yn tyfu yn y meysydd hyn, onid yw hynny'n awgrymu nad oedd cyn hynny yn berffaith? Na. Rydym yn honni nid fod Iesu wedi neidio'n syth o fabandod i fod yn oedolyn, ond ei fod wedi tyfu, ac ymhob cyfnod o'r tyfiant hwnnw roedd yn berffaith ar gyfer y cyfnod. Er enghraifft, nid yw dweud ei fod yn tyfu mewn ffafr gyda Duw yn golygu ei fod gynt allan o ffafr, ond yn hytrach, roedd yn plesio Duw yn ôl ei oed. Mae pwysleisio'r twf hwn yn warant o ddyndod hanfodol Iesu.

Darllen pellach: Hebreaid 2: 14–18

# Siop y Saer

*O ble y cafodd hwn y pethau hyn? ... Onid hwn yw'r saer?*
Marc 6:2–3

**M**ae'r gair saer yn ymddangos ddwywaith yn yr efengylau: y tro cyntaf gelwir Iesu "y saer" ac ar yr achlysur arall cyfeirir ato fel "mab y saer". O hyn gallwn gasglu bod Joseff yn gweithio fel saer, a bod Iesu yn gweithio fel prentis gan ymgymryd â chyfrifoldebau ei dad, efallai pan fu hwnnw farw.

Er y gellir defnyddio'r gair *tektōn* am amryw o grefftwyr, roedd fel arfer yn dynodi rhywun oedd yn gweithio gyda phren. Does dim amheuaeth felly nad oedd Iesu wedi bod yn adnewyddu a thrwsio celfi tŷ a chelfi amaethyddol. O edrych ar waith un arlunydd, J. E. Millais, yng nghanol y bedwaredd ganrif ar bymtheg, gallwn gael cymorth i ddyfalu beth oedd yn digwydd yn siop y saer. Mae'r plentyn Iesu ynghanol y darlun, ac mae'n amlwg ei fod wedi clwyfo ei hunan â hoelen. Mae Joseff yn pwyso drosodd i edrych ar y clwyf. Mae Mair ar yr un pryd yn ceisio cysuro Iesu gyda chusan ac mae'r Ioan Fedyddiwr ifanc yn cludo powlen o ddŵr i olchi'r clwyf. Mae Iesu'n pwyso yn erbyn y fainc sydd yn ymddangos fel petai'n symbol o allor aberth.

Does dim amheuaeth nad oedd rhai arweinwyr Cristnogol yn y mudiad Llafur Prydeinig wedi darganfod eu hysbrydoliaeth ym mywyd Iesu oherwydd ei fod wedi rhoi urddas i waith crefftwr. Yn ei *Life of Jesus Christ* (1879), ysgrifennodd James Stalker:

> Byddai'n anodd gorbwysleisio arwyddocâd y ffaith fod Duw wedi dewis, o blith pob math o swyddi posibl, ran gweithiwr cyffredin i'w fab tra oedd yn byw ymhlith dynion. Rhoddodd hyn urddas dragwyddol ar lafur cyffredin dynion.

Darllen pellach: Actau 20: 33–35

# Tystiolaeth Ioan Fedyddiwr

*Daeth dyn wedi ei anfon oddi wrth Dduw, a'i enw Ioan.*
*Daeth hwn yn dyst, i dystiolaethu am y goleuni, er mwyn i*
*bawb ddod i gredu trwyddo.*
Ioan 1:6–7

Cyfeiriwn yn aml at Ioan Fedyddiwr fel rhagredegydd Iesu, oherwydd yn unol â phroffwydoliaeth Eseia fe'i danfonwyd i baratoi "ffordd yr Arglwydd" (Marc 1: 3). Mae'r pedwar efengylydd yn cyfeirio at ei weinidogaeth oherwydd y mae'r pedwar yn cydnabod ei bwysigrwydd. Ynddo ef clywyd llais proffwydoliaeth, llais oedd wedi bod yn dawel ers blynyddoedd.

Neges Ioan oedd, "Edifarhewch, oherwydd y mae teyrnas nefoedd wedi dod yn agos" (Mathew 3: 2). Mewn geiriau eraill, roedd y Meseia ar fin cyrraedd i sefydlu ei deyrnasiad. Er mwyn paratoi ar gyfer ei ddyfodiad, roedd y bobl i edifarhau a derbyn bedydd edifeirwch Ioan i sicrhau maddeuant o'u pechodau. Ymatebodd llawer. Trwy gyffesu eu pechodau, fe'u bedyddiwyd gan Ioan yn Afon Iorddonen.

Rhoddodd Ioan hefyd rybudd o farn. Mae'n darlunio'r Meseia fel yr un sydd â gwyntyll yn ei law. Gyda hon bydd yn nithio'r grawn a'r us (Mathew 3: 12).

Ond prif nodwedd gweinidogaeth y Meseia yn ôl Ioan Fedyddiwr oedd gweinidogaethu iachawdwriaeth yn hytrach na dwyn barn. Dyma'i eiriau:

Dyma Oen Duw, sy'n cymryd ymaith bechod y byd! (Ioan 1: 29).

Hwn yw'r un sy'n bedyddio â'r Ysbryd Glân (Ioan 1: 33).

O roi'r ddwy adnod at ei gilydd, gwelwn mai gwaith hanfodol Iesu yw, ar y naill law "symud", ac ar y llaw arall "rhoi" – symud ymaith bechod, a bedyddio â'r Ysbryd Glân. Dyma ddwy rodd fendigedig Iesu Grist, ein Gwaredwr – maddeuant a'r Ysbryd. Dyma ddwy brif fendith y cyfamod newydd. Fe'u haddawyd gan y proffwydi, fe'u cadarnhawyd gan Ioan Fedyddiwr, a'u rhoi gan y Meseia.

Darllen pellach: Ioan 1: 29–34

# Y Cyfarfod â Nicodemus

*Atebodd Iesu ef: "Yn wir, yn wir, rwy'n dweud wrthyt,*
*oni chaiff rhywun ei eni o'r newydd ni all weld teyrnas Dduw."*

### Ioan 3:3

**M**ae Nicodemus yn esiampl ragorol o ŵr oedd yn ddidwyll yn ceisio adnabod y gwirionedd. Byddai'n hynod o braf petai mwy o rai tebyg iddo heddiw – gwŷr a gwragedd sydd yn barod i osod o'r neilltu ragfarn ac ofn, ac i geisio'r gwirionedd gyda chalon onest ac ysbryd gostyngedig. "Ceisiwch, ac fe gewch," yw addewid Iesu (Mathew 7: 7).

Rhaid bod Iesu wedi codi braw ar Nicodemus trwy ddweud wrtho fod yn rhaid ei eni o'r newydd. Beth yw ystyr hyn? Mae'n amlwg nad oedd yn cyfeirio at ailenedigaeth gorfforol nac ychwaith at weithred o hunanddiwygiad. Mae'n amlwg hefyd nad oedd Iesu yn cyfeirio at fedydd Cristnogol, gan nad oedd y bedydd wedi ei sefydlu nes ar ôl ei atgyfodiad. Mae'n sicr fod bedydd yn arwydd neu yn sacrament sy'n arwyddo'r enedigaeth newydd, ond mae'n rhaid bod yn ofalus nad ydym yn cymysgu'r arwydd allanol â'r hyn sydd yn digwydd yn fewnol. Mae bedydd yn ddatganiad cyhoeddus o'r enedigaeth newydd, gwaith sydd yn anweledig, gwaith cudd Duw yn y galon sydd yn rhoi bywyd newydd inni, a chychwyn newydd.

Ymhellach (yn ôl Iesu) mae'n rhaid ein geni ni o'r newydd. Heb gael ein geni o'r newydd, ni allwn weld na mynd i mewn i deyrnas Dduw. Roedd Nicodemus yn ŵr crefyddol, moesol, addysgedig, parchus a chwrtais. Roedd hyd yn oed yn credu yn nharddiad dwyfol Iesu, ond roedd y cyfan yn annigonol. Roedd yn rhaid iddo gael ei eni o'r newydd.

Sut mae'r enedigaeth newydd hon yn cymryd lle? O un safbwynt, mae'n waith Duw yn gyfan gwbl. Does neb erioed wedi rhoi genedigaeth iddo'i hunan, felly mae'r enedigaeth yn enedigaeth "oddi uchod", yn enedigaeth "trwy'r Ysbryd Glân". O'n hochr ni, rhaid edifarhau a chredu. Ni allai Nicodemus osgoi bedydd edifeirwch Ioan. Yn sicr, dyma olygai Iesu trwy gyfeirio at gael "eich geni o ddŵr". Yna, rhaid iddo gredu gan roi ei ymddiriedaeth yn Iesu y Meseia, y Gwaredwr yr oedd ei angen arno.

Darllen pellach: Ioan 3: 1–16

# Cyfarfod â'r Wraig o Samaria

*[Atebodd Iesu], "Pwy bynnag sy'n yfed o'r dŵr a roddaf fi iddo, ni bydd*
*arno syched byth. Bydd y dŵr a roddaf iddo yn troi yn ffynnon o ddŵr o'i*
*fewn, yn ffrydio i fywyd tragwyddol."*

Ioan 4:14

Mae Ioan yn cychwyn ei efengyl gyda'r datganiad mai "Duw oedd y Gair" (1:1) ac yn mynd ymlaen i gadarnhau bod "y Gair wedi dod yn gnawd" (adn. 14). Mae Ioan yn awr yn defnyddio cyfarfyddiad Iesu â'r wraig o Samaria i ddangos realiti'r ymgnawdoliad hwnnw. Roedd hi tua hanner dydd, a'r haul yn ei anterth, pan gyrhaeddodd Iesu a'i ddisgyblion ffynnon Jacob. Roedd eisiau bwyd, ac felly mae'n anfon ei ddisgyblion i'r pentref cyfagos i brynu bwyd. Roedd hefyd yn boeth ac yn sychedig ac felly mae'n gofyn i'r wraig o Samaria am ddiod. Mae'n amlwg fod Iesu yn ei ddyndod yn teimlo'r un anghenion corfforol â ninnau. Roedd yn wir ddyn.

Nodwedd arall o gymeriad Iesu y mae'r hanes hwn yn tynnu sylw ati yw ei agwedd at draddodiad. Mae'n geidwadol gyda golwg ar yr Ysgrythur ac yn credu mai dyma Air Duw, ond yn radical iawn mewn perthynas â thraddodiad, gan wybod nad yw ond yn gronicl o eiriau dynion. Mae person radical yn un sydd yn feirniadol o bob math o draddodiadau a chonfensiynau: nid yw'n fodlon eu derbyn yn unig oherwydd eu bod wedi eu trosglwyddo o genhedlaeth i genhedlaeth.

Roedd gan y wraig o Samaria anhawster triphlyg. Yn gyntaf, roedd yn wraig, ac roedd yn annerbyniol i ŵr siarad efo gwraig mewn lle cyhoeddus. Ond mae Iesu yn gwneud yr hyn nad oedd yn cael ei wneud. Yn ail, roedd yn Samariad a doedd yr Iddewon ddim yn gwneud dim â'r Samariaid. Yn drydydd, roedd yn bechadur. Roedd wedi cael pump o wŷr a bellach roedd yn byw gyda dyn nad oedd wedi priodi ag ef. Roedd athrawon parchus yn gwrthod cymysgu gyda phobl fel hon. Tair gwaith mae Iesu yn gwneud yr hyn na wneid. Mae'n fwriadol yn torri'r disgwyliadau cymdeithasol oedd yn amlwg yn ei ddydd. Doedd ganddo ddim diddordeb mewn disgrimineiddio ar sail rhyw, ar sail cenedl, ar sail rhagfarn, nac ychwaith ar sail snobyddiaeth foesol. Mae'n caru ac yn parchu pawb ac yn mynnu cyrraedd at bawb.

Felly, roedd Iesu yn geidwadol mewn perthynas â'r Ysgrythur ac yn radical mewn perthynas â diwylliant. Tebyg gen i fod angen cenhedlaeth newydd arnom ninnau hefyd, pobl sydd yn geidwadol radicalaidd.

Darllen pellach: Ioan 4: 7–18

# Wythnos 21: Y Weinidogaeth Gyhoeddus

Am ryw ddeng mlynedd ar hugain roedd Iesu wedi bod yn tyfu "mewn doethineb, a maintioli, a ffafr gyda Duw a'r holl bobl" (Luc 2: 52). Dyma flynyddoedd ei baratoad. Bellach roedd ei amser wedi dod i godi o'r cysgodion ac o gilfachau siop y saer i mewn i fywyd cyhoeddus. Aeth tua'r de i ymuno â'r cynulleidfaoedd oedd yn tyrru i wrando ar Ioan Fedyddiwr ac i gymryd ei fedyddio. Roedd bedydd yr Arglwydd Iesu yn rhyw fath o gomisiynu gan y Tad, comisiynu sy'n cael ei gadarnhau gan lais Duw a dyfodiad yr Ysbryd Glân arno.

Ac yntau wedi profi'r digwyddiad dramatig hwn, mae'n cael ei demtio gan y diafol, a hwnnw'n ceisio cael Iesu i osgoi'r groes. Wedi cael ei demtio, mae'n cychwyn cyhoeddi'r Newyddion Da am y Deyrnas a chyflawni gweithredoedd rhyfeddol o iacháu a oedd yn cadarnhau ei neges. Yn fuan gwelir pwysau cynyddol yn deillio o'i weinidogaeth, a chafodd yr Arglwydd Iesu ei gryfhau trwy ymneilltuo i weddïo, a hefyd drwy gwmni'r Deuddeg, pobl a alwodd ato i fod gydag ef ac i rannu ei weinidogaeth.

**Dydd Sul:**  Y Bedydd
**Dydd Llun:**  Y Temtasiynau
**Dydd Mawrth:**  Y Newyddion Da
**Dydd Mercher:**  Maniffesto Nasareth
**Dydd Iau:**  Y Weinidogaeth Iacháu
**Dydd Gwener:**  Bywyd Gweddi yr Arglwydd
**Dydd Sadwrn:**  Galwad y Deuddeg

# Y Bedydd

*Yn y dyddiau hynny daeth Iesu o Nasareth Galilea,*
*a bedyddiwyd ef yn afon Iorddonen gan Ioan.*
Marc 1:9

Yr oedd gweinidogaeth Ioan Fedyddiwr wedi creu cynnwrf anghyffredin. Dyma Ioan yn cael ei hun ynghanol diwygiad ysbrydol mawr. Daeth cynulleidfaoedd anferth i lannau Afon Iorddonen, ar y naill law i wrando ar ei alwad arnynt i droi mewn edifeirwch, ac ar y llaw arall i gymryd eu bedyddio. Roedd y farn yn agos, meddai Ioan, ac roedd am annog y bobl i ddianc rhag y llid oedd i ddod.

Efallai mai'r newyddion am y cyffro hwn a berswadiodd Iesu i adael ei gartref, ei waith, a'i deulu i ymuno â'r symudiad. Nid yw'n syndod, er hynny, pan gyflwynodd Iesu ei hun i Ioan i gael ei fedyddio, fod hwnnw'n anfodlon. Roedd wedi sôn eisoes am Iesu fel un oedd yn fwy nag ef, un nad oedd Ioan yn deilwng i ddatod carrai ei sandalau. Byddai'n llawer mwy priodol i Iesu fedyddio Ioan nag i Ioan fedyddio Iesu. Ond mae Iesu yn mynnu cael ei fedyddio.

Mae hefyd yn ymddangos yn rhyfedd i ni fod Iesu wedi gofyn am gael ei fedyddio. Bedydd edifeirwch oedd bedydd Ioan er maddeuant pechodau, tra oedd Iesu yn gwbl ddibechod. Efallai, felly, ei fod yn dymuno uniaethu ei hun â'i bobl ac yntau'n gwybod y byddai un diwrnod yn cario'u pechodau. Beth bynnag am hynny, roedd bedydd Ioan yn gomisiwn i Iesu wrth iddo ddod i buro gweddill tŷ Israel.

Wrth i Iesu godi o ddŵr y bedydd, mae'r nefoedd yn agor, yr Ysbryd yn disgyn arno fel colomen, a llais yn galw allan, "Hwn yw fy Mab ... ynddo ef yr wyf yn ymhyfrydu" (Mathew 3: 17). Mae'r geiriau yn dwyn at ei gilydd ddwy adnod o'r Hen Destament. Yn gyntaf, mae "Hwn yw fy Mab" yn adlais o Salm 2: 7 lle mae Duw yn cyhoeddi'r brenin yn llinach Dafydd i fod yn fab iddo ef. Mae ail ran yr ymadrodd, "ynddo ef yr wyf yn ymhyfrydu" yn adleisio Eseia 42: 1 lle mae Duw yn mynegi ei bleser llwyr yn ei was. Yn ei fedydd, mae Iesu'n cael ei gyhoeddi i fod yn Fab Duw ac yn was i Dduw.

Mae bedydd Iesu hefyd yn un o'r eiliadau hardd hynny lle cawn olwg ar undod y Drindod. Mae'r Tad yn cydnabod y Mab, ac mae'r Ysbryd yn disgyn arno. Fel yn hanes galwad y proffwydi, mae Iesu yn y bedydd yn cael ei gomisiynu i waith, gan dderbyn awdurdod a grym i gyflawni ei genhadaeth.

Darllen pellach: Mathew 3: 13–17

# Y Temtasiynau

*Yna arweiniwyd Iesu i'r anialwch gan yr Ysbryd, i gael ei demtio gan y diafol.*
Mathew 4:1

Aeth Iesu ar ei union o ddyfroedd Iorddonen i anialwch Jwdea, ac yno fe'i temtiwyd yn flin gan y diafol. Yr oedd i'r ymosodiad ddwy wedd.

Yn gyntaf, mae ymosodiad ar ei hunaniaeth, ar bwy yw Iesu. Roedd geiriau ei Dad – "Hwn yw fy Mab" – yn parhau yn ei glustiau pan heriwyd y llais o'r nefoedd gan y llais o uffern. Gwawdiodd y diafol, "*Os* Mab Duw wyt ti ... " (adn. 6), gan awgrymu nad oedd yn Fab Duw. Roedd yn fwriadol yn ceisio hau hadau amheuaeth ym meddwl Iesu. Er mwyn wynebu'r demtasiwn, rhaid bod Iesu wedi ailadrodd wrtho'i hun eiriau ei Dad, "Hwn yw fy Mab". Mae'r diafol yn parhau hyd heddiw i geisio tanseilio ein hymwybyddiaeth o'r hyn ydym, sef plant Duw. Ef, meddai'r Testament Newydd, yw y *diabolos*, hynny yw, yr un sydd yn cyhuddo ar gam. Rhaid i ni droi clust fyddar tuag ato gan wrando yn hytrach ar y cadarnhad a geir ar addewidion Duw yn yr Ysgrythurau.

Yn ail, mae'r diafol yn ymosod ar weinidogaeth Iesu, yn ymosod ar yr hyn yr oedd Iesu wedi dod i'r byd i'w gyflawni. Gwelsom ddoe fod y llais o'r nefoedd wedi cyhoeddi Iesu nid yn unig yn Fab Duw, ond hefyd yn was i Dduw, un a fyddai yn dioddef ac yn marw dros bechodau ei bobl. Mae'r diafol yn cynnig opsiynau llai costus. Pam na fuasai yn ennill y byd trwy ddiwallu newyn y byd, trwy amlygu rhyw arwydd anghyffredin o rym, neu trwy daro bargen gyda'r diafol – ac ymhob achos, osgoi'r groes? Un o hoff arfau'r diafol yw ceisio ein perswadio bod y canlyniad bob amser yn cyfiawnhau'r ffordd y cyrhaeddir at y canlyniad hwnnw.

Mae'r Arglwydd Iesu yn gwrthod gwrando ar lais y diafol. Mae'n gwrthod pob temtasiwn yn syth, yn reddfol ac yn angerddol. Doedd dim angen trafod pwy oedd na beth oedd bwriad ei ddyfodiad. Roedd y cyfan eisoes wedi ei setlo gan yr Ysgrythur ("Y mae'n ysgrifenedig"); bob tro, y mae Iesu'n dyfynnu testun priodol o Deuteronomium 6 neu 8. Mae cymysgedd o leisiau yn parhau heddiw. Mae'r diafol yn siarad trwy'r diwylliant seciwlar sydd o'n cwmpas. Mae Duw yn siarad trwy ei Air. Ar ba un fyddwn ni'n gwrando? Dim ond wrth inni ymarfer y ddisgyblaeth ddyddiol o ddarllen y Beibl y byddwn yn sicrhau na chaiff y diafol siarad yn ein bywyd ni. Rhaid i'w lais ef gael ei foddi gan lais Duw. "Gwrthsafwch y diafol, ac fe ffy oddi wrthych" (Iago 4: 7).

Darllen pellach: Mathew 4: 1–11

# Y Newyddion Da

*Daeth Iesu i Galilea gan gyhoeddi Efengyl Duw a dweud: "Y mae'r
amser wedi ei gyflawni ac y mae teyrnas Dduw wedi dod yn agos.
Edifarhewch a chredwch yr Efengyl."*

Marc 1:14–15

**M**ae'r geiriau hyn o ddiddordeb penodol, yn rhannol oherwydd dyma'r geiriau cyntaf a lefarodd Iesu yn ei weinidogaeth gyhoeddus, ac yn ail, oherwydd bod Marc yn eu galw ddwywaith yn "newyddion da". Felly, beth oedd yr efengyl yn ôl Iesu Grist? Mae'r efengyl yn cynnwys datganiad a gwŷs.

Mae'r datganiad yn cyfeirio at ddyfodiad y deyrnas. Wrth gwrs, mae Duw wedi bod yn frenin erioed, yn rheoli dros natur a hanes. Droeon a thro yn yr Hen Destament, rydym yn clywed pobl yr Arglwydd yn cyhoeddi, "Mae Duw yn teyrnasu". Ond mae'r proffwydi yn rhagweld amser pan fyddai Duw yn sefydlu teyrnas fwy personol na'i deyrnasiad cyffredinol yn y byd. Y Meseia fyddai'n sefydlu'r deyrnas hon. Ei nodweddion fyddai cyfiawnder a heddwch, a byddai'n ymestyn trwy'r byd ac yn parhau am byth. Mae'r deyrnas hon yn cynnig bywyd newydd a chymuned newydd.

Y Newyddion Da yw bod y Deyrnas hon wedi dod yn agos. Nid yw Iesu yn dweud ei bod wedi cyrraedd, oherwydd yr oedd ei chyflawnder eto i ddod. Ond roedd eisoes yn realiti yn y presennol, roedd yr amser wedi ei gyflawni, ac roedd Iesu wedi dod â'r Deyrnas. Yn fwy na hyn, roedd modd i bobl "dderbyn" a "mynd i mewn" i'r Deyrnas. Y ffordd i fynd i mewn oedd i edifarhau a chredu, hynny yw i droi yn benderfynol oddi wrth bob pechod ymwybodol a gosod ein bryd ar ffydd ac ymddiriedaeth lwyr yn Iesu fel y Brenin.

Mae cyhoeddiad cyntaf yr efengyl yn gosod ger ein bron y patrwm ar gyfer pob efengylu gwirioneddol. Rhaid i ni wneud cyhoeddiad (hynny yw esboniad trylwyr o'r Efengyl sef fod yr Iesu croeshoeliedig, atgyfodedig, yn teyrnasu), ac yna cyhoeddi gwŷs i'w bobl i ddod ato ef. Mae'r esbonio a'r cymell yn perthyn yn hanfodol i'w gilydd.

Darllen pellach: Mathew 9: 35–38

# Maniffesto Nasareth

*Y mae Ysbryd yr Arglwydd arnaf, oherwydd iddo*
*f'eneinio i bregethu'r newydd da i dlodion.*
Luc 4:18

Mae Mathew a Marc yn gosod ymweliad Iesu â synagog Nasareth yn ddiweddarach yn ei weinidogaeth. Ond mae Luc yn fwriadol yn gosod y digwyddiad ar ddechrau ei weinidogaeth, gan ei fod yn ei weld fel rhagflas proffwydol, nid yn unig o neges yr Arglwydd Iesu, ond hefyd o wrthodiad Iesu gan ei bobl ei hun.

Mae Iesu'n darllen dwy adnod gyntaf Eseia 61 ac yn honni yn syth fod Eseia yn cyfeirio ato ef. "Heddiw yn eich clyw chwi y mae'r Ysgrythur hon wedi ei chyflawni" (Luc 4: 21). Ef oedd y Meseia, yr un yr oedd Duw wedi ei eneinio, yr un a gomisiynwyd i ddod â gwaredigaeth i bedwar categori o bobl – y tlawd, y carcharorion, y dall a'r gorthrymedig.

Y cwestiwn hanfodol yma yw a yw'r grwpiau hyn i'w dehongli yn ysbrydol neu yn wleidyddol gymdeithasol. Rhoddir atebion amrywiol. Mae rhai yn gwneud yr efengyl yn ddim mwy na gwirionedd ysbrydol, ac felly'n deall y cyfan yn nhermau iachawdwriaeth oddi wrth bechodau. Mae eraill yn gwneud yr efengyl yn ddim byd mwy na maniffesto gwleidyddol, ac yn dweud nad yw'n cynnig dim mwy na rhyddhad o ormes. Nid yw'r naill na'r llall yn dderbyniol, oherwydd nid yw'r naill na'r llall yn gwneud cyfiawnder â'r testun. Mae'r bobl or-ysbrydol yn anghofio bod Iesu wedi ymwneud â'r tlodion, tra bod y rhai sydd am wneud yr efengyl yn ddim mwy na maniffesto gwleidyddol yn anghofio bod y gair Groeg am ryddid (adn. 18) hefyd yn golygu "maddeuant".

Yr unig ffordd felly i ddelio â'r anhawster yw nodi bod elfen o wirionedd yn y ddau honiad gan fod Iesu yn dysgu'r ddau wirionedd. Y tlodion yn yr Hen Destament yw'r tlodion yn yr ysbryd sydd yn galw allan am drugaredd a hefyd y tlodion sy'n cael eu gormesu ac sydd angen eu rhyddhau. Ymhellach, "mae'r efengyl yn dod â newyddion da i'r naill a'r llall. Mae'r tlodion yn yr ysbryd sy'n eu darostwng eu hunain o flaen Duw, yn derbyn trwy ffydd rodd rad iachawdwriaeth. Mae'r tlodion materol, a'r rhai di-rym, hefyd yn darganfod urddas fel plant Duw ac yn darganfod cariad brodyr a chwiorydd a fydd yn ymdrechu gyda nhw er mwyn iddynt adnabod rhyddhad o'r pethau hynny sydd am eu gormesu neu eu hiselhau."[1]

Mae'r hyn sydd yn wir am y tlodion (yn faterol ac yn ysbrydol) yn wir hefyd am y caethion, y byddar, a'r gorthrymedig. Mae'r efengyl yn newyddion da yn y ddwy ystyr iddynt hwythau hefyd.

Darllen pellach: Luc 4: 14–21

1. "The Manila Manifesto" (1980) yn John Stott (gol.), *Making Christ Known: historic mission documents from the Lausanne Movement, 1974–1989* (Grand Rapids: Eerdmans, 1997), 234-35.

# Y Weinidogaeth Iacháu

*Yr oedd yn mynd o amgylch Galilea gyfan, dan ddysgu yn eu synagogau hwy a phregethu efengyl y deyrnas, ac iacháu pob afiechyd a phob llesgedd ymhlith y bobl.*

Mathew 4:23

**M**ae ysgrifenwyr yr Efengylau yn disgrifio gweinidogaeth Iesu fel gweinidogaeth driphlyg – dysgu, pregethu a iacháu. Mae'r gwaith o ddysgu a phregethu yn hawdd i ni ei ddirnad a'i efelychu. Ond sut mae deall ei weinidogaeth iacháu?

Efallai mai'r lle y dylem ddechrau ystyriaeth o'r fath yw yn naioni cynhenid creadigaeth Duw. Yr hyn a olygir yw nad oedd afiechyd yn rhan o fwriad gwreiddiol Duw ar gyfer ei fyd, ac ni fydd yn rhan ychwaith o'i bwrpas tragwyddol ar gyfer y byd. Yn y nef newydd a'r ddaear newydd, fydd yna ddim "marwolaeth mwyach, na galar na llefain na phoen" (Datguddiad 21: 4). Felly, gan fod afiechyd a marwolaeth yn bethau sydd wedi dod i mewn i fyd da Duw, mae'n hollol briodol bod meddygon a gweinyddesau yn mynd i ryfel yn eu herbyn. Ymhellach, mae pob iachâd yn iachâd dwyfol gan fod Duw wedi rhoi yn y corff dynol y gallu hyd yn oed i'w iacháu ei hun yn aml. Er enghraifft, pan fyddwn yn dioddef o ryw anhwylder, mae myrddiwn o wrthgorffynnau yn cael eu creu o fewn y corff i ymladd yr anhwylder hwnnw. Dyma'r argyhoeddiad a arweiniodd y meddyg Ambroise Paré i ddweud, "fi a rwymodd y clwyf ond Duw a'i hiachaodd". Mae'r geiriau wedi eu naddu ar un o furiau yr École de Médicine ym Mharis.

Wedi dweud hyn, mae'r efengylau'n dweud yn glir fod gweinidogaeth iacháu Iesu o natur wahanol. Fel ei waith yn troi'r dŵr yn win, ei waith yn lluosogi torthau a physgod, ac yn cerdded ar y dŵr, roedd yr iacháu a gyflawnodd Iesu yn arddangosiad goruwchnaturiol o deyrnas Dduw.

Er mwyn deall hyn, byddai'n dda i ni osgoi dau eithaf. Ar y naill law, byddai'n nonsens llwyr i fynnu na all y Creawdwr gyflawni gwyrthiau, ac ar y llaw arall, nid oes gennym ryddid (fel y dywed rhai) i ddweud bod cyflawni gwyrthiau yn rhan normal o'r bywyd Cristnogol. Sut bynnag y byddwn ni'n diffinio gwyrthiau, mae un peth yn sicr: nid ydynt yn perthyn i'r arferol ond i'r anarferol. Petawn i'n honni fy mod yn medru iacháu cleifion fel y gwnâi Iesu, rhaid cofio ei fod ef yn iacháu heb unrhyw gymorth meddygol, heb unrhyw oedi, ond yn syth, yn gyfan gwbl, ac am byth, ac roedd hyd yn oed ei wrthwynebwyr yn gorfod cyffesu, "ni allwn wadu hyn" (Actau 4: 16).

Darllen pellach: Actau 4: 8–16

# Bywyd Gweddi yr Arglwydd

*Bore trannoeth yn gynnar iawn, cododd ef ac aeth allan.*
*Aeth ymaith i le unig, ac yno yr oedd yn gweddïo.*

### Marc 1:35

**M**ae'n anodd i ni ddychmygu pa mor heriol oedd gweinidogaeth driphlyg yr Arglwydd Iesu. Mae Marc yn rhoi amlinelliad o ddiwrnod yng Nghapernaum. Mae'n cychwyn gyda'r Iesu yn dysgu ac yn synnu ei wrandawyr oherwydd yr awdurdod oedd yn ei lais. Mae'r newyddion amdano'n ymledu'n gyflym drwy holl ardal Galilea, fel bod pobl yn tyrru i eistedd wrth ei draed i gael eu dysgu a'u hiacháu. Erbyn min nos, wedi i'r haul fachlud ac wrth i'r gwres gilio, disgwylid y byddai Iesu wedi cael cyfle i gael pryd ac ychydig o orffwys, ond "yr oedd yr holl dref wedi ymgynnull wrth y drws" (adn. 33), ac mae'n iacháu'r cleifion. Mae'n swnio'n hawdd, ond yn ddiweddarach, wrth i Iesu iacháu gwraig oedd yn dioddef o waedlif, darllenwn fod y grym wedi mynd allan ohono. Rhaid bod Iesu wedi ymlâdd, ac uwchben y cyfan, roedd yr ymosodiadau beunydd o du ysbrydion drwg. Roedd teyrnas Dduw wedi torri i mewn, ac yn sicr doedd teyrnas y diafol ddim am ildio tir heb frwydr.

Faint o'r gloch yr oedd Iesu yn noswylio tybed? Y cyfan a ddywedir yn y testun yw bod ar Iesu angen adferiad corfforol ac ysbrydol ar ôl diwrnod prysur yn y weinidogaeth. Felly, yn gynnar yn y bore, mae Iesu yn codi a mynd ar ei ben ei hun i weddïo.

Luc yw'r efengylwr sy'n cymryd y diddordeb pennaf yn yr agwedd hon ar ymddygiad Iesu. Mae'n nodi deg amgylchiad o leiaf pan fydd Iesu'n mynd i weddïo ac mae nifer ohonynt yn unigryw i'w efengyl.

Mae'n sicr fod Iesu yn gwybod adnodau o'r Hen Destament fel Eseia 40: 31: "y mae'r rhai sy'n disgwyl wrth yr ARGLWYDD yn adennill eu nerth". Ac mae Iesu yn ymwybodol fod adferiad corfforol ac ysbrydol yn dod trwy weddi. Rydym hefyd yn ymwybodol pa mor bersonol oedd ei berthynas â'i Dad a hynny oherwydd ei fod yn defnyddio'r ymadrodd Aramaeg, "Abba". Meddai'r diweddar Athro Joachim Jeremias, "Nid oes unman yn llenyddiaeth gweddïau Iddewiaeth gynnar ... lle gelwir ar Dduw fel Abba ... tra bod Iesu, ar y llaw arall, yn ei ddefnyddio bob tro y byddai'n gweddïo".[1] Wedi'i adnewyddu trwy weddi, dychwelai Iesu i wynebu pwysau ei weinidogaeth brysur. Mae rhythm hardd yn ei weinidogaeth rhwng gweddi a gweinidogaeth, adferiad a gweithgarwch, a'i galluogodd i ddioddef straen y weinidogaeth honno. Os dyna oedd angen Iesu, gymaint mwy y mae'n angen i ni.

Darllen pellach: Marc 1: 21–39

1. Joachim Jeremias, *The Central Message of the New Testament* (Llundain: SCM, 1965), 16–17, 19–20, 21, 30.

# Galwad y Deuddeg

*... galwodd ei ddisgyblion ato. Dewisodd o'u plith ddeuddeg,*
*a rhoi'r enw apostolion iddynt ...*
Luc 6:13

Yn ôl Luc, mae Iesu yn dewis ac yn galw'r Deuddeg wedi iddo dreulio noson gyfan mewn gweddi. Mae'n amlwg ei fod yn gwybod bod penderfyniad pwysig o'i flaen oherwydd roedd y deuddeg hyn i gyflawni gwaith penodol yn y dyfodol. Rwyf am wneud dau sylw penodol.

Yn gyntaf, mae Iesu'n dewis y deuddeg. Roedd ganddo eisoes nifer o ddilynwyr neu "ddisgyblion" ond o'r grŵp eang yma mae'n dewis deuddeg. Does dim amheuaeth nad oes arwyddocâd penodol i'r rhif hwn. Gwelai'r deuddeg apostol yn adlewyrchu deuddeg llwyth Israel. Roedd Iesu, gyda'i apostolion, am ffurfio dechreuadau'r Israel newydd.

Un o'r pethau mwyaf trawiadol am y rhestr yw'r amrywiaeth eang ymhlith y dynion hyn. Er enghraifft, roedd Mathew y casglwr trethi (oedd yn cael ei gydnabod fel bradwr), a Simon Selot (oedd yn genedlatholwr eithafol), yn perthyn i gwmni'r disgyblion. Efallai fod Iesu wedi dewis yn fwriadol ymhlith ei apostolion ddynion oedd yn wahanol yn ddiwylliannol er mwyn bod yn gysgod o'r gwahaniaeth a fyddai bob amser yn nodweddu cymuned ei bobl.

Yn ail, mae Iesu yn eu nodi fel apostolion, neu bobl "wedi eu danfon". Rhaid inni gofio bod dwy ystyr yn gefndir i'r ymadrodd. Yn yr Hen Destament, y rhai oedd "wedi eu danfon" oedd y proffwydi. Felly, fel y danfonodd Duw y proffwydi, felly y mae Iesu yn awr yn danfon ei apostolion. Ac yna mewn Iddewiaeth rabwnaidd, yr "un a ddanfonwyd" oedd y *shaliach* a ddanfonwyd gan y Sanhedrin i ddysgu. Am hwn fe ddywedwyd bod "yr un a ddanfonir gan berson fel y person ei hunan". Hynny yw, mae'r person yn cario awdurdod yr un sydd yn ei ddanfon. Yn yr ystyr hon felly mae Iesu yn medru dweud am y Deuddeg, "Y mae'r sawl sy'n eich derbyn chwi yn fy nerbyn i" (Mathew 10: 40), ac "Y mae'r sawl sy'n gwrando arnoch chwi yn gwrando arnaf fi" (Luc 10: 16).

Er mwyn arfogi'r apostolion hyn i siarad yn ei enw, mae Iesu'n eu dewis i "fod gydag ef" yn llygad-dystion sy'n clywed ei eiriau ac yn gweld ei weithredoedd, er mwyn iddynt yn ddiweddarach fedru dwyn tystiolaeth i'r hyn a welsant ac a glywsant (Marc 3: 14; gweler hefyd Ioan 15: 27). Mae ystyr arbennig a lle arbennig i'r alwad i fod yn apostolion wrth inni feddwl am awduriaeth y Testament Newydd.

Darllen pellach: Marc 3: 13–19

# Wythnos 22: Dysgu trwy Ddamhegion

Does dim amheuaeth nad oedd gan Iesu ddawn anghyffredin i ddysgu a'i hoff ffordd o ddysgu oedd trwy ddefnyddio dameg. Yn ei hanfod, mae dameg yn golygu cymhariaeth ac yn aml fe'i ceir ar ddull naratif dramatig sy'n cyfleu un prif wirionedd, o'i gymharu ag alegori sydd ymhob manylyn yn dysgu gwirioneddau gwahanol fel, er enghraifft, yn alegori'r winwydden a'r canghennau.

Gwaith cyntaf damhegion Iesu oedd egluro gwirionedd, yn arbennig felly gyda golwg ar gymeriad, gwerthoedd a dyfodiad teyrnas Dduw. Yn ail, roeddent yn annog y gwrandawyr i wneud penderfyniad o ryw fath. Yn drydydd, roeddent yn cuddio gwirionedd ynghyd â datguddio gwirionedd, "oherwydd er iddynt edrych nid ydynt yn gweld, ac er iddynt wrando nid ydynt yn clywed nac yn deall" (Mathew 13: 13). Nid bwriad y damhegion oedd i bobl fethu deall, ond os oedd y gwrandawyr yn caledu eu calonnau, dyna'r canlyniad.

**Dydd Sul:** Dameg yr Hedyn yn Tyfu

**Dydd Llun:** Dameg yr Heuwr

**Dydd Mawrth:** Dameg yr Efrau ymysg yr Ŷd

**Dydd Mercher:** Y Tair Dameg am Golli a Chadw, Rhan 1 – Efengyl

**Dydd Iau:** Y Tair Dameg am Golli a Chadw, Rhan 2 – Cenhadaeth

**Dydd Gwener:** Dameg y Pharisead a'r Casglwr Trethi

**Dydd Sadwrn:** Dameg y Samariad Trugarog

# Dameg yr Hedyn yn Tyfu

*Bydd dyn yn bwrw'r had ar y ddaear ac yna'n cysgu'r nos a chodi'r*
*dydd, a'r had yn egino ac yn tyfu mewn modd nas gŵyr ef. Ohoni*
*ei hun y mae'r ddaear yn dwyn ffrwyth, eginyn yn gyntaf, yna*
*tywysen, yna ŷd llawn yn y dywysen.*

Marc 4:26–28

Os ydym yn dilyn cronoleg Efengyl Marc, dameg yr hedyn yn tyfu oedd un o'r cyntaf. Ar yr adeg honno, wrth gwrs, roedd y deyrnas yn fechan iawn, a dim ond ychydig oedd wedi clywed pregethu Iesu ac wedi ymateb i wŷs yr efengyl. Mae'r ddameg hon yn cael ei chynnwys er mwyn cadarnhau ei ddilynwyr a'u calonogi wrth i ledaeniad y deyrnas ymddangos yn araf.

I ryw raddau gellir cymharu twf y deyrnas i dwf planhigyn. Mae'r ffermwr yn hau'r had, ac mewn amser, pan fydd y grawn yn aeddfed, mae'n estyn y cryman ac yn medi'r cynhaeaf. Ond rhwng hau a chynaeafu nid yw'r ffermwr yn gwneud braidd dim. Os yw'n cysgu neu'n codi nid yw'n gwneud fawr o wahaniaeth, oherwydd beth bynnag a wna, mae'r had yn egino ac yn tyfu.

Mae'r hyn sy'n digwydd ym myd natur yn wir hefyd yn nheyrnas Dduw. Mae'r deyrnas hon wedi tyfu'n anferth dros y blynyddoedd ond mae egwyddorion ei thyfiant yn aros yr un.

Yn gyntaf, mae'r deyrnas yn tyfu yn ddiatal; ni ellir rhwystro'r twf hwn. Mae grym dirgel ar waith sy'n dod ag "eginyn yn gyntaf, yna tywysen, yna ŷd llawn yn y dywysen" (adn. 28).

Yn ail, mae'r deyrnas yn tyfu yn ddiarwybod; mae'n amhosibl gwylio'r twf. Yn wir, mae'n tyfu hyd yn oed os nad ydym yn gwylio.

Yn drydydd, mae'r deyrnas yn tyfu yn ddigymell; ni allwn gyfrannu at y broses guddiedig hon o dwf. Mae'r ddaear yn cynhyrchu grawn "ohoni ei hun" (adn. 28). Y gair Groeg yw *automatē*. Nid ei fod yn awtomatig yn llythrennol wrth gwrs, oherwydd drwy weithgarwch dirgel yr Ysbryd Glân y mae'r deyrnas yn tyfu. Ond ei waith ef yw'r twf, nid ein gwaith ni.

Darllen pellach: Marc 4: 26–29

# Dameg yr Heuwr

*Aeth heuwr allan i hau ei had. Wrth iddo hau … [syrthiodd ar bridd gwahanol] … Wrth [i Iesu] ddweud hyn fe waeddodd, "Y sawl sydd â chlustiau ganddo i wrando, gwrandawed."*

Luc 8:5, 8

Gwaith hawdd yw dychmygu ffermwr o Balesteina yn hau yn y ganrif gyntaf. Mae ganddo fasged ar ei ochr, mae'n cerdded i fyny ac i lawr drwy ei gaeau yn gwasgaru'r had yn rheolaidd â'i fraich gref.

Mae Iesu yn ychwanegu ei esboniad i'r ddameg hon, ynghyd â'i ddihareb: "Y sawl sydd â chlustiau ganddo i wrando, gwrandawed." Disgrifio ei weinidogaeth ei hun mae Iesu wrth iddo ef hau had gair Duw, a'r ymateb gwahanol oedd i'r hau. Y gelynion oedd yr adar oedd yn bwyta'r had (y diafol), yr haul oedd yn ei losgi (temtasiwn a threialon), a'r drain oedd yn ei dagu (cyfoeth a bydolrwydd). Ond nid yw neges y ddameg yn dod i ben gyda hyn. Mae'n dilyn patrwm clir. Clywn bedair gwaith fod ychydig o'r had wedi disgyn, gan olygu (eto bedair gwaith) fod pedwar grŵp yn clywed gair Duw (adn. 11). Y cwestiwn sylfaenol yw beth wnaeth y bobl â'r had neu â'r neges o'i chlywed. Pa fath o dderbyniad gafodd y Gair?

Mae rhai nad ydynt yn derbyn y Gair o gwbl. Nid yw byth yn chwalu eu hamddiffynfeydd. Mae eu meddwl wedi ei gau a'u calon yn galed. Mae'r rhain ar drugaredd y diafol. Mae eraill yn rhoi derbyniad arwynebol i'r Gair. Mae'n wir eu bod nhw yn ei groesawu'n frwdfrydig ar y cychwyn, ac maen nhw'n ymddangos fel credinwyr am ychydig o amser, ond nid yw'r had fyth yn gwreiddio. Mae cerrig o dan y tir. O ganlyniad, pan gwyd gwres tanbaid yr haul (temtasiwn a phrofedigaethau) arnyn nhw, mae eu bywyd ysbrydol yn diflannu.

Mae eraill yn rhoi derbyniad cymysg i'r Gair. Maen nhw'n ei dderbyn, ond yn derbyn pethau eraill hefyd. Ni allant wahaniaethu rhwng yr hyn sy'n fydol a'r hyn sy'n dduwiol. Pobl yw'r rhain sy'n ymfalchïo mewn cadw meddwl agored – yn wir, mae eu meddwl mor agored fel ei bod yn amhosibl iddynt gadw dim i mewn na chadw dim allan. Yn y diwedd mae gwaith, pleser, cyfoeth, fel y drain yn tagu eu bywyd ysbrydol.

Ond mae eraill sydd yn derbyn y Gair yn llawn. Maent yn dal gafael arno ac yn dyfalbarhau. Maent yn rhoi blaenoriaeth i'r Gair. Maent yn ei fwydo ac mae'r Gair yn dwyn ffrwyth yn eu bywyd.

Darllen pellach: Luc 8: 4–18

# Dameg yr Efrau ymysg yr Ŷd

*Gadewch i'r ddau dyfu gyda'i gilydd hyd y cynhaeaf ...*
Mathew 13:30

**M**ae'r ddameg hon yn ein cyflwyno i'r ffenomen rhyfedd a elwir yn Gristnogaeth arwynebol. Hynny yw, mae'n bosibl i fod yn Gristion mewn enw, ond nid yn y galon, mewn ymddangosiad, nid mewn gwirionedd.

Mae'r stori'n eglur. Mae dau yn hau, un yn ffermwr a'r llall yn elyn iddo. Mae dau gnwd, un yn gnwd o ŷd a'r llall yn gnwd o efrau. Byddai dau gynhaeaf, un ar gyfer yr efrau i'w llosgi a'r llall ar gyfer yr ŷd i'w gynaeafu. Ond yr un cae sydd yn y ddameg drwyddi draw. Mae'r ddameg yn dysgu tair gwers.

Yn gyntaf, mae'r eglwys yn gymuned gymysg. Fel roedd y caeau yn cynnwys ŷd ac efrau, felly y mae'r eglwys yn cynnwys credinwyr ac anghredinwyr. Mae rhai yn gwadu hynny. Mae'r rhain yn cyfeirio at adnod 38, lle mae Iesu yn cyhoeddi mai "y maes yw'r byd". Ond mae'r gelyn yn hau ei efrau "ymysg yr ŷd" (adn. 25), nid mewn cae gwahanol, ac yn y diwedd bydd drwgweithredwyr yn cael eu casglu allan o'r deyrnas, hynny yw, allan o'r gymuned sy'n cydnabod Iesu yn Frenin. Felly mae'r eglwys yn cynnwys o fewn ei haelodaeth, y gwir a'r gau. Mae hyn yn cyfiawnhau'r gwahaniaethu rhwng yr eglwys weledig (pawb sydd wedi cael ei fedyddio) a'r eglwys anweledig (y rhai sydd mewn gwirionedd yn eiddo i Iesu Grist).

Yn ail, mae'r diafol ar waith yn yr eglwys. Rwy'n ymwybodol nad yw rhai arweinwyr eglwysig ddim yn credu yn y diafol bellach. Roedd Iesu'n credu ynddo, ac fe ddylai hynny fod yn ddigon i ni. Mae'r diafol yn mynnu ymwthio i ganol yr eglwys gyda'i weision, a'r rhain yn aml yn ymddangos yn gredinwyr go iawn. Oherwydd yn y dechrau mae'r efrau'n ymddangos yn anghyffredin o debyg i'r ŷd a bron na allwch wahaniaethu rhyngddynt.

Yn drydydd, bydd gwahanu yn y diwedd. Ni fydd y rhai sydd yn cymryd arnynt eu bod yn Gristnogion yn medru cuddio yn y diwedd. Bydd Dydd y Farn yn dadlennu pwy sydd yn eiddo i Iesu. Yn y cyfamser, rhaid inni fod yn ofalus i beidio â gwneud gwaith Duw trwy geisio gwahanu'r ŷd a'r efrau. Nid bod hyn yn golygu bod yr eglwys i fod yn gymuned mor gynhwysol fel nad oes lle i unrhyw fath o ddisgyblaeth. Mae pobl sydd yn agored ynglŷn â'u hanghrediniaeth a'u gweithredoedd drwg i gael eu disgyblu, ond ni allwn ddarllen calonnau a rhaid i ni beidio â phwyso a mesur y rhai sy'n proffesu ac sy'n ymddangos yn wir gredinwyr.

Darllen pellach: Mathew 13: 24–30, 36–43

# Y Tair Dameg am Golli a Chadw, Rhan 1 – Efengyl

*"Yr oedd hwn, fy mab, wedi marw, a daeth yn fyw eto; yr oedd ar goll, a chafwyd hyd iddo." Yna dechreusant wledda yn llawen.*

Luc 15:24

Rhaid mai Luc 15 yw un o'r penodau mwyaf cyfarwydd a mwyaf annwyl yn yr holl Feibl, oherwydd mae'n cynnwys tair dameg sy'n dysgu'r un gwirionedd – am y ddafad golledig, y darn arian colledig, a'r mab colledig. Cafwyd dehongli amrywiol ar y damhegion hyn, a rhaid imi adael i'm darllenwyr farnu ai cywir neu beidio yw fy mhwyslais i ar ddau wirionedd. Heddiw rydym am feddwl am yr efengyl, ac yfory am y genhadaeth.

Mae dameg y mab colledig yn rhoi darlun clir i ni o'n cyflwr fel pobl. Dyma hunangofiant pob dyn. Mae'r mab yn gwneud ymdrech benodol, fwriadol i fod yn annibynnol. Roedd mynnu ei etifeddiaeth cystal â dweud wrth ei dad ei fod yn dymuno iddo farw. Yn y wlad bell, mae ei ewyllys hunanol yn dirywio i'r fath raddau ei fod yn gwneud drwg sylweddol iddo'i hun. Mae ei fywyd yn mynd yn eithafol ac yn anfoesol. Pan ddaeth newyn, suddodd mor ddwfn fel ei fod yn cael swydd yn bwydo moch (peth ffiaidd i Iddew). Daeth neb i'w gynorthwyo. Roedd heb ddim, mewn newyn, ac yn unig.

Yn y cyfamser, ni phallodd cariad ei dad tuag ato. Mae'n gweld ei golli ac yn hiraethu am ei ddychweliad. Dyna yw gras, cariad heb na haeddiant na hawl. Yn fwy na hynny, mae cariad Duw yn dioddef er ein mwyn. Mae rhai beirniaid rhyddfrydol yn dadlau nad yw'r tad yn mentro dim nac yn cael ei frifo o gwbl yn y ddameg. Mae Moslemiaid hefyd yn cyfeirio at y ddameg gan fynnu bod y bachgen ifanc wedi ei achub heb Waredwr, oherwydd mae'r ddameg yn dysgu maddeuant heb Iawn. Ond yn ei lyfr *The Cross and the Prodigal*, mae Dr. Kenneth Bailey, arbenigwr ar ddiwylliant y Dwyrain Canol, yn esbonio arwyddocâd y ddameg. Byddai'r pentref i gyd yn gwybod am warth y mab, ac yn gwybod ei fod hefyd yn haeddu ei gosbi. Ond yn hytrach na chosbi ei fab, mae'r tad yn dioddef y gosb ei hunan. Byddai dyn o'i oed a'i safle cymdeithasol ef bob amser yn cerdded yn araf ac yn urddasol, heb fyth redeg i unman. Ond yn y ddameg fe'i gwelwn yn rhedeg i lawr y ffordd gan beryglu ei enw da o flaen y pentref i gyd, a chymryd arno'i hunan warth a chywilydd ei fab. Mae'r ffaith fod y tad wedi dod i lawr a mynd allan yn rhyw awgrym o'r ymgnawdoliad. Mae'r olygfa o warth ar strydoedd y pentref yn rhyw gysgod o ystyr y groes.

Darllen pellach: Luc 15: 11–24

# Y Tair Dameg am Golli a Chadw,
## Rhan 2 – Cenhadaeth

*Yr oedd yr holl gasglwyr trethi a'r pechaduriaid yn nesáu ato i wrando arno. Ond yr oedd y Phariseaid ... yn grwgnach ... gan ddweud, "Y mae hwn yn croesawu pechaduriaid ac yn cydfwyta gyda hwy."*

Luc 15:1–2

Gallwn yn hawdd fynd heibio'r cyfeiriad golygyddol o eiddo Luc, sydd yn disgrifio cyd-destun y tair dameg hyn. Roedd pobl yn casáu casglwyr trethi oherwydd eu bod yn cydweithio gyda'r Rhufeiniaid (yn benodol yng Ngalilea yn gweithio i Herod Antipas), ac roeddent fel arfer yn euog o dwyll. Roedd pechaduriaid, ar y llaw arall, yn derm a ddefnyddiai'r Phariseaid i ddifrïo'r bobl gyffredin oedd yn anllythrennog yn y gyfraith. Roedd y Phariseaid yn gosod y ddau grŵp o bobl reit ar ymylon cymdeithas. Felly pan ddaeth Iesu ac ymwneud â'r bobl hyn, gwylltiodd y Phariseaid. "Mae'r dyn yma'n croesawu pechaduriaid," medden nhw yn eu braw a'u dychryn. Ond mae Luc yn cofnodi hyn gyda chymeradwyaeth, yn wir gydag edmygedd. Felly dylem ninnau hefyd. Yn wir, pechaduriaid yw'r unig bobl y mae Iesu'n eu croesawu. Os na fyddai'n gwneud hynny, ni fyddai unrhyw obaith i ni!

Mae Iesu yn rhannu'r tair dameg er mwyn dwyn i'r golwg y gwahaniaeth sylfaenol oedd rhyngddo ef a'r Phariseaid. Roedd yn croesawu pechaduriaid, roedden nhw yn eu gwrthwynebu ac yn eu gwrthod. Roeddent yn meddu'r syniad anghywir o sancteiddrwydd. Credent ei bod yn bosibl iddynt gael eu halogi drwy ymwneud â phobl, felly yr oeddent yn cadw'n ddigon pell. Roedd Iesu, ar y llaw arall, yn ymwneud â nhw a hyd yn oed yn barod i gael ei alw yn "gyfaill i gasglwyr trethi a phechaduriaid" (Mathew 11: 19). Petai'r Phariseaid yn gweld putain yn agosáu, byddent yn casglu eu dillad o'u hamgylch ac yn dianc o'i gŵydd. Ond, pan yw putain yn agosáu at Iesu, mae'n derbyn ei haddoliad.

Y cwestiwn i ni yw i bwy fyddwn ni'n ymdebygu – Iesu neu'r Phariseaid? A fyddwn ni'n osgoi pechaduriaid neu yn ceisio eu cwmni? Rhaid bod yn ofalus i beidio â chamddeall hyn. Nid yw'r ffaith i Iesu groesawu pechaduriaid olygu ei fod yn derbyn eu pechodau. I'r gwrthwyneb, mae'r tair dameg yn gorffen gyda nodyn o edifeirwch a dathlu. Mae Iesu yn ymwrthod â'r ddau eithaf – Phariseaeth a chydymffurfio. Yn ôl Iesu, mae llawenydd yn y nefoedd dros un pechadur sydd yn edifarhau. Oherwydd bod y dyn hwn yn croesawu pechaduriaid, rhaid i ninnau hefyd eu croesawu. Mae cenhadaeth go iawn yn amhosibl heb hyn.

Darllen pellach: Luc 15: 1–10

# Dameg y Pharisead a'r Casglwr Trethi

*Rwy'n dweud wrthych, dyma'r un [y casglwr trethi] a aeth
adref wedi ei gyfiawnhau, nid y llall [y Pharisead].*

Luc 18:14

**M**ae cyfiawnhad yn derm cyfreithiol, y gwrthwyneb i gondemniad.
Gorchmynnwyd gweinyddwyr y gyfraith yn yr Hen Destament i gyfiawnhau'r
dieuog ac i gondemnio'r euog. Gallwn ddychmygu teimladau'r Phariseaid
wrth iddynt glywed Iesu yn cyhoeddi bod y casglwr trethi pechadurus wedi ei gyfiawnhau,
a'r Pharisead yn cael ei gondemnio. Oedd Iesu yn priodoli i Dduw weithred yr oedd
Duw ei hun wedi ei gwahardd i farnwyr dynol?

Mae'r ddau gymeriad yn y ddameg yn mynd i'r deml i weddïo. Ond mae'r ddau yn
wahanol iawn.

Yn gyntaf, roedd gan y ddau feddwl gwahanol iawn ohonynt eu hunain. Bum gwaith
mae'r Pharisead yn siarad amdano'i hun. Unwaith y mae'r casglwr trethi yn gwneud hyn,
a hynny mewn ffordd sy'n ei gyhuddo, "O Dduw, bydd drugarog wrthyf fi, bechadur"
(adn. 13). Dyma iaith gwir edifeirwch. Ymhellach, roedd yr olwg a feddai y ddau arnynt
eu hunain yn cael ei hadlewyrchu yn eu hystum. Mae'r ddau yn sefyll (yn ôl arfer yr
Iddewon). Ond mae'r Pharisead yn sefyll yn dalsyth, yn falch, yn meddwl am neb na
dim ond ef ei hunan, tra bod y casglwr trethi yn "sefyll ymhell i ffwrdd" (adn. 13), â'i
lygaid at y ddaear ac yn curo ei fron.

Yna, roedd gan y ddau wrthrych gwahanol i obeithio ynddo gyda golwg ar gael eu
derbyn gan Dduw. Mae'r Pharisead yn ymddiried ynddo ef ei hunan ac yn ei gyfiawnder
ei hunan, tra bod y casglwr trethi yn ymddiried yn nhrugaredd Duw yn unig.

Mae'r Archesgob Thomas Cranmer mewn Gwasanaeth Cymun yn 1552 yn ein rhoi
yn y lle y mae Duw yn dymuno inni fod, hynny yw, ochr yn ochr â'r casglwyr trethi,
"heb bwyso ar ein daioni ein hunain, ond yn hytrach yn ymddiried bod maddeuant i'n
troseddau yn Iesu Grist." Mae'n mynd ymlaen i nodi nad ydym yn honni i ddod at
fwrdd yr Arglwydd gan ymddiried yn ein cyfiawnder ein hunain ond yn "ei drugareddau
aml ef". Mae'r weddi hon sy'n arwyddo ein mynediad gostyngedig yn parhau i fod yn
iaith briodol y gwir edifeiriol.

Darllen pellach: Luc 19: 9–14

# Dameg y Samariad Trugarog

*Câr dy gymydog fel ti dy hun.*
Luc 10:27

Mae nifer di-ri' wedi edmygu'r ddameg hon, a llawer wedi ei dehongli mewn ffyrdd gwahanol. Er enghraifft, mae sawl esboniwr o'r hen fyd a'r modern, Awstin yn benodol, yn ei hystyried yn alegori o'n prynedigaeth. Y Samariad Trugarog yw Iesu Grist ein Prynwr, sydd yn ein cael ni yn hanner marw, yn tendio i'n clwyfau, yn ein cyflwyno i'r eglwys (y dafarn), yn rhoi i'r tafarnwr ddau ddarn o arian (y sacramentau) ac yn addo dod yn ei ôl. Mae'n ddehongliad cywrain, a gallwn o leiaf edrych ar y Samariaid trugarog fel darlun o gariad achubol. Ond nid oes gan esboniwr Beiblaidd hawl i wneud alegori o bob manylyn. Yn hytrach, mae'r ddameg hon yn taflu goleuni ar beth yw gwir ystyr "caru eich cymydog".

Yn gyntaf, mae'r ddameg yn eglureb o gariad. Yn negyddol, rhoddodd Moses esiamplau i ni o'r modd, os byddwn yn caru cymydog, na fyddwn yn anwybyddu'r tlawd, nac ychwaith yn cymryd mantais ar bobl sydd yn ennill cyflog, nac yn gwneud drwg i'r byddar na'r dall, nac yn ceisio gwyro cyfiawnder, nac yn defnyddio pwysau anghywir mewn gwaith, nac yn dal dig na cheisio dial, oherwydd mae'r cwbl i gyd yn anghyson â'r gorchymyn i "garu ein cymydog" (Lefiticus 19: 18). O'r ochr bositif, rydym i geisio'r daioni eithaf i'n cymydog.

Yn ail, mae'r ddameg yn rhoi diffiniad inni o bwy yw ein cymydog. Y Samariad, o bawb, a ddaeth i achub cam y gŵr a gafodd ei ddal gan y lladron. Roedd y Samariaid yn bobl yr oedd yr Iddewon yn eu casáu ac yn eu hystyried yn bobl gymysgryw. Ac eto, dyma Samariad yn gwneud daioni i Iddew, rhywbeth na fyddai Iddew byth yn breuddwydio ei wneud i Samariad. Mae gwir gariad at gymydog yn ymateb i angen. Mae cariad yn diffinio pwy yw'r cymydog y dylem ei wasanaethu, a beth yw ystyr bod yn gymydog.

Er nad oes fawr neb yn y byd heddiw sy'n perthyn i lwyth y Samariaid, mae llawer iawn o bobl sy'n medru bod yn wrthrychau ein gwrthodiad ni. Rwy'n meddwl am bobl o genhedloedd gwahanol, o liw gwahanol, o ddiwylliant gwahanol; pobl sydd yn wrywgydwyr ac yn dioddef oherwydd homoffobia; pobl o ffydd wahanol, fel Moslemiaid. Mae dameg yr Arglwydd Iesu yn ein herio ni i fynd heibio i bob math o ragfarn, boed hynny yn grefyddol, yn rhywiol, yn gymdeithasol neu yn hiliol. Nid awgrym yw hwn y dylem gyfaddawdu o ran ein credoau a'n moesau Cristnogol, ond dweud yn hytrach na ddylai ein credoau a'n moesau ddod ar draws ein cariad tuag at ein cymdogion. Dyma mae'r Iesu yn ei olygu wrth ddweud wrthym, "Dos, a gwna dithau yr un modd" (adn. 37).

Darllen pellach: Luc 10: 25–37

# Wythnos 23: Y Bregeth ar y Mynydd

Mae rhai pobl yn gwneud yr honiad arwynebol eu bod yn byw yn unol â gofynion y Bregeth ar y Mynydd. Mae'n gwestiwn gen i a ydyn nhw wedi darllen y Bregeth yn iawn erioed. Yr ymateb mwy cyffredin yw bod y Bregeth yn ddelfryd ragorol ond yn rhyfeddol o anymarferol gan fod ei gofynion yn rhai na ellir eu sylweddoli. Cyfunodd Tolstoy y ddau ymateb i ryw raddau, oherwydd ar y naill law roedd yn dyheu am weld y Bregeth yn cael ei gwireddu ym mywydau pobl, ond ar y llaw arall yn cydnabod ei fethiannau personol.

Hanfod y Bregeth (oedd, mae'n debyg, yn fwy o ysgol haf estynedig nag un bregeth) yw galwad Crist ar ei ddilynwyr i fod yn wahanol i bawb arall. "Peidiwch felly â bod yn debyg iddynt hwy," meddai (Mathew 6: 8). Mae'r deyrnas yr oedd Iesu yn ei chyhoeddi yn ddiwylliant newydd gyda safonau gwahanol a gwerthoedd gwahanol. Mae Iesu yn sôn am gyfiawnder, dylanwad, duwioldeb, ymddiriedaeth, mae'n cyfeirio at ei ddyheadau, ac yn cloi trwy gyhoeddi her benodol i ddewis ei ffordd ef.

**Dydd Sul:** Y Gwynfydau
**Dydd Llun:** Halen a Goleuni
**Dydd Mawrth:** Crist a'r Gyfraith
**Dydd Mercher:** Chwe Gwrthddywediad
**Dydd Iau:** Ymarferion Crefyddol
**Dydd Gwener:** Dyheadau Da a Drwg
**Dydd Sadwrn:** Y Dewis Radical

# Y Gwynfydau

*Gwyn eu byd y rhai sy'n dlodion yn yr ysbryd,*
*oherwydd eiddynt hwy yw teyrnas nefoedd.*
Mathew 5:3

Rhaid cychwyn trwy nodi tri pheth negyddol. Yn gyntaf, nid yw Iesu yn ein hannog i fod yn ddewisol, er enghraifft, trwy alw rhai yn addfwyn ac eraill yn drugarog. Na, y mae'r wyth gwynfyd hyn fel y naw ffrwyth sy'n eiddo'r Ysbryd, i fod i nodweddu dilynwyr Crist. Yn ail, nid yw Iesu yn cynnig awgrym o'r modd i ddiogelu iechyd meddwl. Tra ei bod yn wir bod y gair "gwynfyd" (*makarios* yn y gwreiddiol) yn gallu golygu "hapus", nid mynegi barn oddrychol y mae Iesu (beth yr ydym yn ei deimlo), ond barn wrthrychol (beth mae Duw yn ei feddwl). Yn drydydd, nid yw Iesu yn pregethu bod iachawdwriaeth yn dod trwy weithredoedd da, ond yn hytrach yn dysgu sut y mae'r rhai sydd eisoes wedi eu haileni trwy'r Ysbryd yn mynd i ymddwyn.

Mae'r tlodion yn yr ysbryd yn bobl sy'n cydnabod eu bod yn gwbl dlawd yn ysbrydol. Eu hiaith gyffredin yw, " Dof yn waglaw at dy groes, glynaf wrthi drwy fy oes". Mae'r rhai sy'n galaru yn mynd ymhellach. Nid colli rhywun annwyl sydd yn achosi'r galar hwn ond colli eu hintegriti a'u hunan-barch. Cânt eu cysuro gan faddeuant Duw. Mae'r addfwyn, yn ôl y cyd-destun, yn fwy na pharod i ganiatáu i eraill eu hystyried fel y maen nhw'n eu gweld eu hunain. Y cam nesaf yw eu bod yn newynu ac yn sychedu am gyfiawnder. Mae'r awydd hwn am fwyd ysbrydol yn nodweddiadol o bobl Dduw.

Os yw'r pedwar gwynfyd cyntaf yn ymwneud â'n perthynas â Duw, mae'r pedwar nesaf yn ymwneud â'n perthynas ag eraill. Gan fod ein Duw yn Dduw trugarog, rhaid i'w bobl hefyd fod yn drugarog, gan garu a gwasanaethu pwy bynnag sydd mewn angen, fel yn achos y Samariad Trugarog yr wythnos ddiwethaf. Y bobl nesaf sydd am brofi bendith yw'r pur o galon, hynny yw, y bobl hynny sydd yn unplyg ac yn amlwg ddidwyll. Mae'r Cristion hefyd i fod yn berson sydd yn ceisio heddwch. Bydd y bobl yma yn cael eu galw'n blant Duw gan mai eu Tad yw'r un sydd uwchlaw pawb wedi ceisio heddwch ac wedi prynu heddwch trwy farwolaeth ei Fab (Colosiaid 1: 20). Mae'r wythfed gwynfyd yn cyhoeddi bendith ar bawb sydd yn cael eu herlid oherwydd cyfiawnder. Mae'r erledigaeth sydd ar Gristnogion ar gynnydd mewn nifer o wledydd heddiw. Mae'n agwedd ar ein galwad Gristnogol, ac mae Iesu yn ein dysgu ei fod yn ein gosod mewn olyniaeth anrhydeddus iawn gan fod y proffwydi hwythau wedi eu herlid o'n blaen.

Felly, mae'r diwylliant newydd y mae Iesu'n ei gyhoeddi yn gwbl wrthgyferbyniol i ddiwylliant y byd. Mae Iesu yn canmol y rhai y mae'r byd yn edrych i lawr arnynt gan gyhoeddi mai y rhai a wrthodwyd gan y byd yw'r rhai sy'n cael eu bendithio mewn gwirionedd.

Darllen pellach: Mathew 5: 1–12

# Halen a Goleuni

*Chwi yw halen y ddaear ... Chwi yw goleuni'r byd ...*
*Felly boed i'ch goleuni chwithau lewyrchu gerbron eraill.*
Mathew 5: 13–14, 16

**M**ae halen a goleuni, mae'n siŵr, yn cyfeirio at y ddau beth mwyaf cyffredin mewn unrhyw gartref. Mae'n sicr fod Iesu yn aml wedi gwylio ei fam yn defnyddio halen yn y gegin yn y dyddiau hynny cyn cyfnod yr oergell. Defnyddid halen er mwyn diogelu bwyd a hefyd er mwyn glanhau clwyfau. Felly, byddai Mair wedi gadael i'r pysgod a'r cig fwydo mewn dŵr a halen, a byddai wedi cynnau'r lampau olew hefyd wrth i'r haul fachlud.

Dyma'r darluniau y mae Iesu'n dewis eu defnyddio er mwyn egluro'r dylanwad y gobeithiai y byddai ei ddisgyblion yn ei amlygu. Beth mae Iesu'n ei olygu? Beth sydd yn briodol i ni ei ddeall yn ei ddewis o ddarlun? Rwyf am awgrymu ei fod yn dysgu pedwar peth. Yn gyntaf, mae Cristnogion yn bobl wahanol iawn i bobl sydd ddim yn Gristnogion. Mae'r ddau ddarlun yn gosod y ddwy gymuned yn wrthgyferbyniol i'w gilydd. Ar y naill law, mae'r byd; ar y llaw arall, mae'r saint sydd i fod yn oleuni i'r byd tywyll hwn. Eto, mae'r byd fel cig sydd yn pydru, fel pysgod sy'n pydru. Y Cristnogion yw'r halen sydd yn atal y pydredd hwn. Mae'r ddwy gymuned mor wahanol i'w gilydd ag yw goleuni a thywyllwch a halen a phydredd.

Yn ail, mae rhaid i Gristnogion ymwneud â chymdeithas ddi-Grist. Er ein bod ni yn ysbrydol ac yn foesol ar wahân, eto nid ydym i fod ar wahân yn gymdeithasol. Does dim gwerth o gwbl i oleuni os yw wedi ei gadw mewn cwpwrdd, ddim mwy nag i halen os yw'n aros yn y pot. Rhaid i'r goleuni lewyrchu yn y tywyllwch, rhaid i'r halen gael ei roi ar y cig. Mae'r ddau ddarlun yn egluro pwysigrwydd ymwneud â'r byd.

Yn drydydd, gall Cristnogion ddylanwadu ar gymdeithas ddi-Grist a'i newid. Mae halen a goleuni yn ddefnyddiau effeithiol. Maent yn effeithio newid. Wrth i halen gael ei gyflwyno i'r cig, mae rhywbeth yn digwydd; mae'r pydredd bacteriol yn marw. Yn yr un modd, wrth i'r golau gael ei droi ymlaen, mae rhywbeth yn digwydd; mae'r tywyllwch yn cael ei chwalu. Nid dim ond unigolion all gael eu newid; gellir newid cymdeithas gyfan. Wrth gwrs, mae'n amhosibl perffeithio cymdeithas, ond mae'n bosib gwella cymdeithas. Mae hanes yn llawn enghreifftiau o gymdeithas yn cael ei hiacháu trwy ddylanwad Cristnogion.

Yn bedwerydd, rhaid i Gristnogion ddiogelu eu harwahanrwydd. Rhaid i halen barhau i fod yn halen, neu fel arall ni fydd o werth yn y byd. Rhaid i oleuni ddiogelu ei ddisgleirdeb. Fel arall, ni fydd yn chwalu'r tywyllwch. Beth am yr arwahanrwydd sydd yn perthyn i Gristnogion? Dyma weddill testun y Bregeth ar y Mynydd.

Darllen pellach: Mathew 5: 13–16

# Crist a'r Gyfraith

*Peidiwch â thybio i mi ddod i ddileu'r Gyfraith na'r*
*proffwydi; ni ddeuthum i ddileu ond i gyflawni.*
Mathew 5:17

R oedd llawer wedi eu syfrdanu gan awdurdod Iesu. "Beth yw hyn?" oedd eu cwestiwn. "Dysgeidiaeth newydd!" Yn benodol, roeddent yn awyddus i wybod beth oedd y berthynas rhwng awdurdod Iesu ac awdurdod cyfraith Moses.

Wrth ddelio â'r cwestiwn hwn, boed yn gwestiwn ar lafar ai peidio, mae Iesu'n rhoi ateb penodol. Ni ddaeth i gael gwared â'r Hen Destament, ond i'w gyflawni, hynny yw, i ddod â'r gyfraith a'r addewidion sydd ynddi i'w cyflawnder. Mae'n dod i ufuddhau i'r gyfraith ac yn dod i roi gwir ystyr iddi. Roedd i'r gyfraith werth parhaol. O ganlyniad, mae mawredd yn nheyrnas Dduw yn cael ei fesur trwy ystyried ufudd-dod i gyfraith Duw. Mae Iesu'n parhau, "Rwy'n dweud wrthych, oni fydd eich cyfiawnder chwi yn rhagori llawer ar eiddo'r ysgrifenyddion a'r Phariseaid, nid ewch byth i mewn i deyrnas nefoedd" (adn. 20). Wedi clywed hyn, rhaid bod y disgyblion bron wedi drysu. I'r ysgrifenyddion a'r Phariseaid y perthynai'r enw o fod y bobl fwyaf cyfiawn ar y ddaear. Yn unol â'r hyn rydym wedi ei weld yn barod, roeddent wedi dod i'r casgliad fod 248 o orchmynion yn yr Hen Destament a 365 o gymalau oedd yn rhoi caniatâd, a'u honiad nhw oedd eu bod yn cadw pob un. Sut yn y byd oedd hi'n bosibl i ddisgyblion Iesu fod yn fwy cyfiawn na'r bobl fwyaf cyfiawn ar y ddaear? Nid yw'r cwestiwn yn un anodd ei ateb. Mae cyfiawnder Cristnogol yn fwy na chyfiawnder y Phariseaid oherwydd y mae'n ddyfnach: cyfiawnder y galon yw hyn.

Mae gweddill pennod 5 efengyl Mathew yn cynnwys chwe pharagraff, ac ymhob un o'r chwech mae gwrthddywediad sy'n cael ei gyflwyno â'r geiriau, "Yr ydych wedi clywed ... ond yr wyf fi'n dweud wrthych." Gyda phwy y mae Iesu yn ei gymharu ei hunan? Mae llawer o esbonwyr wedi cynnig bod Iesu yn ei osod ei hun yn erbyn Moses. Nid yw hyn yn wir o gwbl, am ddau reswm o leiaf. Yn gyntaf, mae Iesu wrth ddyfynnu'r Ysgrythur yn defnyddio'r ymadrodd, "Ysgrifennwyd"; roedd y fformiwla, "Dywedwyd" yn cyflwyno traddodiad llafar, nid yr Ysgrythur. Yn ail, mae Iesu wedi cadarnhau mewn termau eglur awdurdod parhaol yr Ysgrythur (adn. 17–18). Mae'n amhosibl credu ei fod ef ei hun, yn union wedi iddo gadarnhau awdurdod yr Ysgrythur, yn ei gwrth-ddweud, gan ei wrth-ddweud ei hunan. Na. Mae'n cadarnhau'r Ysgrythur, mae'n pwysleisio ei hawdurdod ac yn rhoi iddi ei gwir ystyr fel y gwelwn yfory.

Darllen pellach: Mathew 5: 17–20

# Chwe Gwrthddywediad

*Clywsoch fel y dywedwyd, "Câr dy gymydog, a chasâ dy elyn."*
*Ond 'rwyf fi'n dweud wrthych: carwch eich gelynion.*
Mathew 5: 43–44

Fe welwyd ddoe mai'r hyn y mae Iesu yn ei wrth-ddweud yn y chwe gwrthddywediad hyn ym mhennod 5 efengyl Mathew yw nid yr Ysgrythur, ond traddodiad. Mae'r chwe gwrthddywediad yn amrywiadau ar yr un thema. Oherwydd fod yr ysgrifenyddion a'r Phariseaid yn cael y gyfraith yn faich, maent yn ceisio lleihau ei her gan wneud y gofynion yn llai, a'r caniatâd yn fwy helaeth. Yn y ffordd hon maent yn ei gwneud yn haws i gadw'r gyfraith. Rydym am edrych ar y pumed a'r chweched o'r gwrthddywediadau hyn fel esiamplau.

Dyma'r pumed: "Clywsoch fel y dywedwyd, 'Llygad am lygad, a dant am ddant.' Ond 'rwyf fi'n dweud wrthych: peidiwch â gwrthsefyll y sawl sy'n gwneud drwg i chwi" (adn. 38). Roedd llygad am lygad yn gyfarwyddyd i farnwyr Israel. Roedd yn mynegi'r *lex talionis*, hynny yw, yr egwyddor fod angen iawn perffaith am unrhyw drosedd fel y ddedfryd fwyaf. Ond mae'r ysgrifenyddion a'r Phariseaid yn ymestyn hyn o'r llysoedd barn, sef ei briod le, i fyd perthynas pobl â'i gilydd (lle nad oedd y gorchymyn i'w weithredu). Roeddent yn defnyddio'r geiriau i gyfiawnhau dial, rhywbeth yr oedd y gyfraith yn ei wrthod yn benodol.

Ac yna mae'r chweched gwrthddywediad: "Clywsoch fel y dywedwyd, 'Câr dy gymydog, a chasâ dy elyn.' Ond 'rwyf fi'n dweud wrthych: carwch eich gelynion" (adn. 43–44). Roedd y dyfyniad o eiddo'r ysgrifenyddion yn gwyrdroi'r Ysgrythur, oherwydd roedd yn ychwanegu at y gorchymyn i garu ein cymydog orchymyn cyffelyb i gasáu ein gelynion, gorchymyn nad yw ddim yn nhestun yr Hen Destament. Roedd athrawon y gyfraith yn gofyn iddynt eu hunain, pwy oedd eu cymydog, neu bwy oedd y bobl roedd rhaid iddyn nhw eu caru. Roeddent yn ateb trwy ddweud mai eu cymydog oedd eu teulu, eu hil, pobl o'r un grefydd â nhw. Felly os dim ond gorchymyn i garu cymydog sydd yn yr Ysgrythur, roedd hyn gystal â rhoi caniatâd iddynt i gasáu eu gelynion. Ond mae Iesu yn condemnio'r camddefnydd hwn o Air Duw. Mae'n cymydog, yn iaith Duw, yn cynnwys ein gelynion.

Os ydym yn bobl sydd yn caru dim ond y rhai sy'n ein caru ni, nid ydym yn ddim gwell na'r annuwiol. Os ydym ar y llaw arall yn caru'n gelynion, bydd yn dod yn amlwg ein bod ni yn blant i'n Tad nefol, oherwydd ni pherthyn ddim gwahaniaeth i'w gariad ef; mae'n rhoi glaw a haul i bob un yn ddiwahân. Mae'r awdur Alfred Plummer yn crynhoi'r dewisiadau sydd gan Gristnogion. Mae talu drwg am dda o'r diafol. Mae talu da am dda yn ddynol. Mae rhoi da am ddrwg yn ddwyfol.

Darllen pellach: Mathew 5: 43–48

# Ymarferion Crefyddol

*Cymerwch ofal i beidio â chyflawni eich "dyletswyddau crefyddol"*
*o flaen eraill, er mwyn cael eich gweld ganddynt.*
Mathew 6:1

Mae'n amlwg fod Iesu yn cymryd yn ganiataol y byddai ei ddisgyblion yn cofio'r disgwyliadau arferol o roi, gweddïo ac ymprydio. I'r tri ymrwymiad hyn y perthyn amlygiad o'n cariad tuag at Dduw (yn ein gweddïau), ein cariad tuag at eraill (yn ein rhoi), a'n cariad tuag at ein hunain (yn ein hymprydio). Mae'r tri pharagraff ar gychwyn Mathew 6 yn dilyn patrwm unffurf. Mewn geiriau darluniadol cryf, mae Iesu'n darlunio'r rhagrithiwr sy'n ymarfer ei grefydd o flaen dynion er mwyn cael eu cymeradwyaeth. Os ydych yn gwneud hyn, meddai Iesu, byddwch yn cael eich tâl yn llawn, hynny yw, cymeradwyaeth pobl. Nid felly y dylai ei bobl ef ymarfer eu duwioldeb. Maent yn gwneud hyn yn gyfrinachol, oherwydd eu hunig ddymuniad yw byw eu bywyd yn llygad y Tad sydd yn gweld yn y dirgel, ac yn talu yn yr amlwg.

Esiampl gyntaf Iesu yw rhoi. Mae'n darlunio Pharisead ar y ffordd i wneud cyfraniad. O'i flaen mae trwmpedwyr yn chwythu ffanfer uchel er mwyn cynnull cynulleidfa. Actor yw'r rhagrithiwr sy'n byw ei fywyd fel petai mewn theatr yn barhaus. Nid felly y mae pobl yr Arglwydd yn ymddwyn. Nid yw'r rhain yn caniatáu i'w llaw chwith wybod beth mae eu llaw dde yn ei wneud. Hynny yw, nid ydym i fod hyd yn oed yn hunanymwybodol o'n rhoi, ac yn sicr ni ddylem longyfarch ein hunain arno.

Ail esiampl Iesu yw gweddi. Nid ydym i hysbysebu ein bywyd gweddi, ond yn hytrach i fynd i mewn i'n hystafell a chau'r drws a gweddïo ar y Tad sydd yn y dirgel. Does dim yn fwy tebygol o ddistrywio gweddi na chymryd golwg ar y gynulleidfa ddynol. Yn yr un modd, does dim yn fwy tebygol o gyfoethogi gweddi na'r ymwybyddiaeth fod Duw yn gwylio. Bydd Duw yn ein gwobrwyo – nid â gwobr amhriodol, ond â'r hyn sydd ei angen fwyaf ar ein henaid, hynny yw mynediad i'w bresenoldeb.

Trydedd esiampl Iesu yw ympryd, rhywbeth y cymerai'n ganiataol ei fod yn rhan o fywyd ei ddisgyblion. Mae'r Beibl yn awgrymu y dylai ymprydio fod yn rhan arferol o'n bywyd ysbrydol ni. Mae ymprydio yn gysylltiedig a'n hedifeirwch, ein hunanddisgyblaeth, a'n consýrn dros y newynog; ac fe'i cysylltir yn fynych ag adegau arbennig o weddïo neu anghenion arbennig. Pan fyddwn yn ymprydio, nid ydym i edrych yn drist neu i dynnu sylw atom ein hunain, ond gwneud pob ymdrech i sicrhau nad oes neb yn gwybod.

Mae'r gymhariaeth yn eglur. Mae'r ymagweddiad Phariseaidd bob amser yn cael ei gymell gan falchder personol ac yn cael ei wobrwyo gan ddynion. Mae duwioldeb Cristnogol yn gyfrinachol; y cymhelliad yw gostyngeiddrwydd, a'r wobr yw Duw ei hun.

Darllen pellach: Mathew 6: 1–18

# Dyheadau Da a Drwg

*Ond ceisiwch yn gyntaf deyrnas Dduw a'i gyfiawnder ef,*
*a rhoir y pethau hyn i gyd yn ychwaneg i chwi.*
Mathew 6:33

**M**ae Iesu yn cymharu'r hyn y mae'r paganiaid yn ei geisio a'r hyn y dylai'r Cristion ei geisio yn gyntaf. Yr hyn a geisiwn yw'r hyn a osodwn o'n blaen fel y daioni eithaf sy'n hawlio ein bywyd cyfan. Mae'r paganiaid wedi eu meddiannu gan ofal dros bethau (bwyd, dillad, diod), tra bod y Cristion i ystyried yn flaenoriaeth, deyrnasiad a chyfiawnder Duw, ac ymestyniad y cyfiawnder hwn drwy'r byd i gyd.

Mae Iesu'n cychwyn drwy nodi'r negyddol. Mae'n ailadrodd deirgwaith y gwaharddiad i beidio â gofidio am bethau materol. Nid yw'n gwahardd gofal priodol, ond yn hytrach yn gwahardd gofid amhriodol. Mae gofid o'r fath yn anghyson â ffydd Gristnogol. Os yw Duw eisoes yn gofalu am ein bywyd a'n corff, onid yw'n briodol i ni ymddiried ynddo i ofalu am ein bwyd a'n dillad? Eto, os yw Duw yn bwydo'r adar ac yn gwisgo'r lili, onid yw'n briodol i ni ymddiried y bydd Duw yn ein gwisgo ac yn ein bwydo ninnau hefyd?

Ar yr un pryd, mae'n bwysig nad ydym yn camddeall dysgeidiaeth Iesu. Yn gyntaf, nid yw ymddiried yn Nuw yn golygu na ddylem weithio i sicrhau bywoliaeth. Mae'r adar yn dysgu'r wers hon i ni. Sut mae Duw yn bwydo'r adar? Yr ateb yw, nid yw'n bwydo'r adar! Roedd Iesu'n un oedd yn sylwi'n fanwl ar fyd natur o'i gwmpas. Roedd yn gwybod yn iawn fod adar yn bwydo'u hunain. Dim ond yn anuniongyrchol y mae Duw yn eu bwydo trwy roi iddyn nhw'r gallu i fwydo eu hunain. Yn ail, nid yw ymddiried yn Nuw yn golygu na fydd anawsterau a thrafferthion yn cyfarfod â'r saint. Er ei bod yn wir nad oes un aderyn y to yn disgyn i'r ddaear heb ganiatâd y Tad, mae'n wir bod adar y to yn disgyn i'r ddaear. Felly hefyd pobl.

Yn hytrach na bod wedi eu meddiannu â gofid am bethau materol, dylai dilynwyr Iesu geisio'n gyntaf deyrnas Dduw a chyfiawnder Duw. Ystyr ceisio teyrnas Duw yw cyhoeddi Crist yn Frenin fel bod pobl yn ymddarostwng i'w lywodraeth. Mae ceisio cyfiawnder Duw yn gyfystyr â chofio bod Duw yn caru cyfiawnder ac yn casáu anghyfiawnder; a hyd yn oed y tu allan i gylch ei deyrnas, mae cyfiawnder yn rhyngu bodd Duw yn fwy nag anghyfiawnder, rhyddid yn fwy na gormes, heddwch yn fwy na thrais. Yn hyn y mae ein cyfrifoldebau efengylaidd a chymdeithasol yn cael eu cyfuno, ac yn y cwbl i gyd ein dyhead pennaf yw gogoneddu Duw.

Darllen pellach: Mathew 6: 25–34

# Y Dewis Radical

*Nid pawb sy'n dweud wrthyf, "Arglwydd, Arglwydd", fydd yn mynd i*
*mewn i deyrnas nefoedd, ond y sawl sy'n gwneud ewyllys fy Nhad,*
*yr hwn sydd yn y nefoedd.*
Mathew 7:21

Wrth gloi y Bregeth ar y Mynydd mae Iesu yn gosod o'n blaen y dewis radical rhwng ufudd-dod ac anufudd-dod. Ni ellir wrth gwrs ein hachub trwy ufudd-dod: yn hytrach yr hyn sydd yn cael ei ddysgu yn yr Ysgrythur yw bod y rhai sydd wedi eu hachub yn dangos hynny trwy eu hufudd-dod.

Yn gyntaf, mae Iesu'n ein rhybuddio rhag bod yn bobl sydd ddim ond yn proffesu ffydd ar air (adn. 21–23). Mae angen cyffes eiriol i'n ffydd. Rhaid cyffesu "Iesu yn Arglwydd". Ond os nad yw'r gyffes yn cyd-fynd â bywyd sydd wedi ei ddarostwng i arglwyddiaeth Iesu, mae'n gyffes wag. Mae'n bosibl hefyd y clywn ar y dydd olaf y geiriau ofnadwy hyn o eiddo Iesu: "Nid adnabûm erioed mohonoch; ewch ymaith oddi wrthyf, chwi ddrwgweithredwyr" (adn. 23).

Yn ail, mae Iesu'n ein rhybuddio o'r perygl o wybodaeth feddyliol yn unig. Y rhybudd yn adnodau 21–23 yw gofalu nad ydym yn dweud heb wneud. Yn adnodau 24–27 dangosir y gwahaniaeth rhwng clywed a gwneud. Mae Iesu'n darlunio hyn trwy ddefnyddio dameg gyfarwydd iawn am ddau adeiladwr. Yn y ddameg mae dyn call yn adeiladu ei dŷ ar y graig a dyn ffôl yn ei gweld yn ormod o drafferth i boeni am seiliau ac yn adeiladu ei dŷ ar y tywod. Wrth i'r ddau fynd rhagddynt gyda'r adeiladu, ni fyddai neb wrth gerdded heibio yn gweld dim gwahaniaeth rhwng y ddau dŷ. Roedd y gwahaniaeth yn y seiliau ac mae'r seiliau yn bethau na ellir eu gweld. Dim ond pan ddaw'r storm yn ei grym yn erbyn y ddau dŷ y gwelir y gwahaniaeth rhyngddynt. Yn yr un modd, mae pobl sydd yn proffesu eu bod yn Gristnogion yn edrych yn debyg iawn i'r rhai sy'n Gristnogion go iawn. Mae'r ddau grŵp yn ymddangos fel petaent yn adeiladu bywydau Cristnogol. Mae'r ddau grŵp yn gwrando ar eiriau Iesu. Mae'r ddau grŵp yn mynd i'r eglwys, yn darllen y Beibl, yn gwrando ar bregethau. Ond mae'r seiliau wedi eu cuddio o olwg pobl a dim ond storm profiadau yn y bywyd hwn a storm y farn ar y dydd olaf fydd yn dangos pwy yw pwy.

Mae'r Bregeth ar y Mynydd, felly, yn cloi gyda'r nodyn difrifol hwn, yr her radical hon. Does ond dwy ffordd (un gul ac un lydan) a does ond dwy sylfaen (craig a thywod). Pa ffordd rydym ni'n ei theithio? Ar ba sail y byddwn ni'n adeiladu?

Darllen pellach: Mathew 7: 13–29

# Wythnos 24: Gweddi'r Arglwydd

Rydym am ddychwelyd yr wythnos hon at ddysgeidiaeth Iesu ar weddi, fel y nodir yn Mathew 6: 7–15. Mae nawr yn pwysleisio'r rhagrith y dylid ei osgoi mewn gweddi, hynny yw bod yn ailadroddus (adn. 7) a'r perygl o fod yn ddiystyr ac yn fecanyddol. Mae'r perygl cyntaf yn un na lwyddodd y Phariseaid i'w osgoi, a'r ail yn un na lwyddodd y Cenhedloedd na'r paganiaid i'w osgoi. Camddefnydd o bwrpas gweddi yw rhagrith (mynnu'r gogoniant i ni ein hunain yn hytrach nag i Dduw); tra bod gorddefnydd o eiriau yn gamddefnydd o natur gweddi (ei ddarostwng o fod yn agosáu personol a real at Dduw i fod yn ddim mwy nag ailadrodd geiriau). Felly, mae Iesu yn cymharu'r ffordd baganaidd o ddefnyddio geiriau â'r ffordd Gristnogol o gymundeb ystyriol gyda Duw, ac mae'n darlunio hyn trwy brydferthwch a chydbwysedd Gweddi'r Arglwydd.

**Dydd Sul:** Gweddi'r Paganiaid
**Dydd Llun:** Gweddi Gristnogol
**Dydd Mawrth:** Consýrn am Ogoniant Duw
**Dydd Mercher:** Dyro inni heddiw ein Bara Beunyddiol
**Dydd Iau:** Maddau ein Troseddau
**Dydd Gwener:** Gwared ni rhag y Drwg
**Dydd Sadwrn:** Ein Ffordd o Weld Duw

# Gweddi'r Paganiaid

*Ac wrth weddïo, peidiwch â phentyrru geiriau fel y mae'r*
*Cenhedloedd yn gwneud; y maent hwy'n tybied y cânt eu*
*gwrando am eu haml eiriau.*
Mathew 6:7

Gellir cyfieithu'r ferf Roeg *battalogeo* fel "defnyddio geiriau gwag ailadroddus", "pentyrru ymadroddion gwag" a "pharhau i barablu". Nid yw'r ferf i'w gweld yn unman arall ac nid oes neb yn gwybod i sicrwydd beth mae'n ei olygu. Mae rhai ysgolheigion yn credu ei bod wedi deillio o'r brenin Battus oedd yn dioddef o atal dweud, neu o Battus arall oedd yn awdur nifer o gerddi hir ac ymadroddus iawn. Mae'r rhan fwyaf, er hynny, yn tybied ei bod yn cyfleu rhywun sy'n parablu yn unig.

Beth felly mae Iesu'n ei wahardd mewn gweddi? Yn sicr, nid yw'n gwahardd ailadrodd – oherwydd gweddïodd ef ei hun yr un geiriau yng Ngethsemane – ond yn hytrach y gweddïau hynny sy'n cynnwys geiriau heb ystyr. Mae'n sicr y byddai'n cynnwys olwynion gweddi a baneri gweddi. Byddai hefyd yn cynnwys yr ailadrodd hwnnw a welir mewn myfyrdodau amrywiol ymhlith y paganiaid. Clywir bod Maharishi Mahesh Yogi ei hun wedi mynegi gofid ei fod wedi camarwain pobl yn ei ddewis gwael o'r gair myfyrdod, gan fod myfyrdod bob amser yn ddefnydd ymwybodol o'r ymennydd. Byddai gwaharddiad Iesu hefyd yn cynnwys y defnydd o'r rosari, os nad yw'r perlau yn cynorthwyo i feddwl yn ddwys yn hytrach na chael gwared â meddwl.

Beth am ffurfiau litwrgïaidd ar addoliad? A ellir dweud bod Anglicaniaid yn euog o *battalogia*? Mae'n siŵr y gellir yn achos rhai, os yw eu meddyliau yn crwydro. Ond mae'r rhan fwyaf ohonom yn darganfod bod geiriau yn gymorth i ganolbwyntio.

I grynhoi felly, yr hyn mae Iesu yn ei wahardd i'w bobl yw rhyw fath o weddi sy'n defnyddio'r geg tra bod yr ymennydd yn cysgu. Mae'r paganiaid yn mynd trwy'r arfer o weddi oherwydd eu bod yn tybio y bydd pentyrru geiriau yn sicrhau gwrandawiad mewn rhyw ffordd. Mae hyn yn syniad hurt. Pa fath o Dduw fyddai'n cael ei blesio gan weddïau mecanyddol sy'n cynnwys ystadegau uchel o ran amser a'r defnydd o eiriau? "Peidiwch felly â bod yn debyg iddynt hwy," meddai Iesu (adn. 8).

Darllen pellach: Mathew 6: 5–8

# Gweddi Gristnogol

*Peidiwch felly â bod yn debyg iddynt hwy, oherwydd y mae eich Tad yn*
*gwybod cyn i chwi ofyn iddo beth yw eich anghenion.*

Mathew 6:8

Yrheswm pam na ddylai Cristnogion weddïo fel y paganiaid yw oherwydd ein bod yn credu mewn Duw sydd yn fyw ac yn wir. Nid ydym i wneud fel nhw oherwydd nid ydym yn meddwl fel y mae'r rhain yn meddwl. Mae ein Tad yn gwybod beth yw ein hangen cyn inni ofyn dim ganddo. Nid yw ein hanghenion yn guddiedig oddi wrtho ac nid yw ychwaith yn amharod i gyfarfod â'n hanghenion. Pam felly y dylem weddïo? Beth yw pwrpas gweddi? Rwyf am adael i John Calvin, un o'r diwygwyr Protestannaidd, i ateb y cwestiwn yn eglur:

> Nid yw credinwyr yn gweddïo gyda'r bwriad o roi gwybod i Dduw am bethau nad yw Duw yn ymwybodol ohonynt yn barod, nac ychwaith oherwydd eu bod yn awyddus i weld Duw yn cyflawni ei ddyletswydd, nac ychwaith eu bod yn credu bod Duw yn amharod i wneud hynny. I'r gwrthwyneb, maent yn gweddïo er mwyn annog ynddynt eu hunain yr awydd i'w geisio, er mwyn ymarfer eu ffydd wrth fyfyrio ar ei addewidion, er mwyn delio â'u gofidiau wrth eu tywallt i mewn i fynwes Duw; mewn gair er mwyn cyhoeddi bod y cyfan o'u gobaith a'u disgwyliadau yn dod o law Duw yn unig, hynny yw, eu disgwyliadau yn bersonol a'u disgwyliadau gyda golwg ar eraill.

Os oedd gweddïau'r Phariseaid yn rhagrithiol a rhai'r paganiaid yn fecanyddol, yna mae rhaid i weddi'r Cristion fod yn real, yn ddidwyll o'i chymharu â'r rhagrithiol, yn ystyriol o'i chymharu â'r mecanyddol.

Mae'r hyn a elwir yn Weddi'r Arglwydd wedi ei roi inni gan Iesu fel model o'r hyn yw gweddïo Cristnogol. Yn ôl Mathew, mae'n rhoi'r weddi yn batrwm i'w ddilyn. "Felly, gweddïwch chwi fel hyn" (adn. 9); yn ôl Luc, yn ffurf i'w defnyddio ("Pan weddïwch, dywedwch ... " (Luc 11: 2). Yn wir, gallwn ddefnyddio'r weddi hon yn y ddwy ffordd.

Dysgodd Iesu inni gyfarch Duw fel "ein Tad yn y nefoedd" (adn. 9). Mae hyn yn awgrymu yn gyntaf ei fod yn bersonol. Fe all fod – yn ôl un o ymadroddion mwyaf cyfarwydd C. S. Lewis – "tu hwnt i bersonoliaeth", ond yn sicr nid yw yn llai. Yn ail, mae'n gariadus. Nid y math o dad y clywn amdano o bryd i'w gilydd – yn rhyw fath o benarglwydd, yn feddwyn – ond un sy'n cyflawni holl ddelfrydau tadolaeth yn ei ofal cariadus dros ei blant. Yn drydydd, mae'n rymus. Yr hyn y mae ei gariad yn ei gyfarwyddo, mae ei nerth hefyd yn abl i'w gyflawni. Mae bob amser yn ddoeth cyn inni weddïo i dreulio ychydig o amser yn myfyrio ar bwy yw Duw, pwy yw'r un yr ydym yn dod o'i flaen.

Darllen pellach: Mathew 6: 7–13

# Consýrn am Ogoniant Duw

*Felly, gweddïwch chwi fel hyn: 'Ein Tad yn y nefoedd, sancteiddier dy enw;*
*deled dy deyrnas; gwneler dy ewyllys, ar y ddaear fel yn y nef.'*
Mathew 6:9–10

**M**ae chwech erfyniad yng Ngweddi'r Arglwydd. Mae'r tri cyntaf yn ymwneud â gogoniant Duw (ei enw, ei deyrnas, a'i ewyllys), tra bod yr ail set o dair â chonsýrn dros ein hanghenion ni (bara beunyddiol, maddeuant a gwaredigaeth). Mae blaenoriaeth gyffelyb i'w chanfod yn y Deg Gorchymyn, gan fod y pump cyntaf yn ymwneud â'n cyfrifoldebau i Dduw, a'r ail set o bump yn ymwneud â'n cyfrifoldeb at ein cymydog.

Heddiw, rydym am roi ein ffocws ar ogoniant Duw mewn perthynas â'i enw, ei deyrnasiad, a'i ewyllys. Mae enw yn cynrychioli'r person sydd yn ei gario, ei natur, ei gymeriad, ei weithredoedd. Felly, mae "enw" Duw yn gyfystyr â Duw ei hun fel y mae Duw wedi ei ddatguddio'i hunan. Mae ei enw eisoes yn sanctaidd gan ei fod wedi ei ddyrchafu goruwch pob enw arall. Eto, rydym yn gweddïo am weld enw Duw yn cael ei sancteiddio, hynny yw, ei fod yn cael yr anrhydedd sydd yn ddyledus iddo yn ein bywyd ni, ym mywyd yr eglwys ac ym mywyd y byd.

Teyrnas Dduw yw ei lywodraeth frenhinol, nid yn gymaint yn ei sofraniaeth absoliwt dros natur a hanes, ond yn hytrach fel y daeth i'r byd yn Iesu. Gweddïo dros ddyfodiad teyrnas Dduw yw gweddïo am iddi dyfu wrth i dystiolaeth yr eglwys arwain pobl i ildio i Iesu, ac am iddi gael ei chyflawni yn ailddyfodiad Crist mewn gogoniant.

Gan fod ewyllys Duw yn ewyllys un sydd yn berffaith mewn gwybodaeth, mewn cariad, ac mewn gallu, mae'n wiriondeb i wrthwynebu'r ewyllys honno ac yn ddoethineb i'w dirnad, ei dymuno a'i gweithredu. Mae angen inni weddïo felly y bydd ewyllys Duw yn cael ei chyflawni ar y ddaear fel y mae yn y nefoedd.

Mae'n gymharol hawdd ailadrodd Gweddi'r Arglwydd braidd fel parot, neu fel rhywun sy'n "parablu". Ond mae gweddïo'r weddi hon gyda didwylledd yn arwain at ganlyniadau radical. Nid ein blaenoriaeth mwyach yw ein henw ni, ein teyrnas fach ni, ein hewyllys fechan ni, ond yn hytrach enw, teyrnas ac ewyllys Duw. Os medrwn weddïo'r tri erfyniad hyn â'r gonestrwydd y mae Iesu yn ei geisio yn ein calon ni, bydd hynny'n brawf o realiti a dyfnder ein proffes Gristnogol.

Darllen pellach: Effesiaid 1: 3–14

# Dyro inni heddiw ein Bara Beunyddiol

*Paid â rhoi imi dlodi na chyfoeth; portha fi â'm dogn o fwyd.*
Diarhebion 30:8

Yn ail hanner Gweddi'r Arglwydd, gwelwn y newid o 'dy' i 'ein' wrth inni droi o bethau Duw at ein pethau ni. Wedi mynegi ein consýrn ysol am ogoniant Duw, rydym yn awr yn mynegi ein dibyniaeth ostyngedig ar ei ras. Er bod ein hanghenion personol wedi eu rhoi yn eilbeth, nid ydynt yn ddibwys yng ngolwg y nefoedd. Mae peidio â nodi'r rhain mewn gweddi ar sail y ffaith nad ydym am drafferthu Duw â'r fath bethau yn gymaint o gamgymeriad ag yw caniatáu i'r pethau hyn fod yn bopeth yn ein gweddïau.

Roedd rhai esbonwyr cynnar yn methu credu bod Iesu yn cymeradwyo cais am fara llythrennol. Iddyn nhw roedd yn ymddangos yn anaddas. Felly, roedden nhw'n creu alegori o'r erfyniad. Roedd rhai o'r tadau cynnar megis Tertullian, Cyprian ac Awstin yn credu bod y cyfeiriad naill ai at fara dirgel Gair Duw (Awstin) neu at fara'r sacrament mewn cymundeb. Dylem fod yn ddiolchgar am y pwyslais a adferwyd gan y diwygwyr Protestannaidd. Tybiai Calvin fod y ffordd roedd y tadau wedi gorysbrydoli'r erfyniad yn absŵrd. Ysgrifennodd Luther fod bara yn arwydd o bopeth sydd yn angenrheidiol i ddiogelu'r bywyd hwn: bwyd, corff iach, tywydd da, cartref, gwraig, plant, llywodraeth dda a heddwch.

Nid yw ceisio Duw gyda golwg ar ein bara beunyddiol fel hyn yn gwadu fod rhaid i'r rhan fwyaf o bobl ennill eu bywoliaeth, nac ychwaith fod gorchymyn inni fwydo'r newynog ein hunain. Yn hytrach, yr hyn a geir yma yw mynegiant o'n dibyniaeth lwyr ar yr Arglwydd sydd yn defnyddio dulliau dynol i gynhyrchu ac i rannu'r bara yn ôl ei bwrpas ei hun.

Ymhellach mae'n ymddangos bod Iesu yn awyddus i'w ddilynwyr fod yn ymwybodol o'u dibyniaeth o ddydd i ddydd. Mae'r ansoddair Groeg *epiousios* yn "ein bara beunyddiol" yn anghyfarwydd iawn yn ei gyfnod, i'r fath raddau fod Origen yn credu mai'r efengylwyr oedd wedi ei fathu. Gall olygu "am y diwrnod heddiw" neu "am y dydd yfory": mae'n weddi at y dyfodol agos. Rydym i fyw un dydd ar y tro. Mae diolch cyn bwyta bwyd yn cydnabod hyn. Mae'n arfer Cristnogol da.

Darllen pellach: Deuteronomium 26: 1–11

# Maddau ein Troseddau

*Maddau inni ein troseddau, fel yr ŷm ni wedi maddau i'r rhai a*
*droseddodd yn ein herbyn.*
Mathew 6:12

Nid oedd Marghanita Laski, y nofelydd Saesneg adnabyddus o'r ugeinfed ganrif, yn cuddio'i hanffyddiaeth. Mae'n syndod felly iddi gydnabod mewn cyfweliad teledu unwaith, "Yr hyn sy'n ennyn y mwyaf o eiddigedd ynof atoch chi Gristnogion yw eich maddeuant. Does gen i ddim neb i faddau i mi." Roedd yn iawn. Mae maddeuant yng nghalon yr efengyl. Yn wir, mae'n gwbl angenrheidiol i fywyd ac iechyd yr enaid, i'r un graddau ag y mae bwyd yn angenrheidiol i'r corff.

Felly, yr erfyniad nesaf yng Ngweddi'r Arglwydd yw, "Maddau inni ein troseddau." Mae pechod yn cael ei gymharu â dyled oherwydd mae'n haeddu cael ei gosbi, a phan fydd Duw yn maddau, mae'n cymryd y gosb arno'i hunan ac yn ein cyhoeddi ni yn rhydd o'r ddyled.

Mae ychwanegu'r geiriau "fel yr ŷm ni wedi maddau i'r rhai a droseddodd yn ein herbyn" yn cael ei bwysleisio ymhellach yn adnodau 14 ac 15 sy'n dilyn y weddi ac yn cyhoeddi bod y Tad yn maddau i ni os byddwn ninnau hefyd yn maddau i eraill, ond yn gwrthod maddau os byddwn ni'n gwrthod maddau. Yn sicr nid yw hyn yn meddwl bod ein maddeuant ni yn ennill yr hawl i gael maddeuant gan Dduw. Yn hytrach, yr hyn a olygir yw bod Duw yn maddau i'r edifeiriol yn unig, ac un o'r arwyddion amlycaf o'n hedifeirwch yw ysbryd maddeugar. Unwaith yr agorir ein llygaid i weld mawredd ein trosedd yn erbyn Duw, mae'r camweddau y mae eraill yn eu gwneud yn ein golwg ni yn ymddangos yn fychan iawn. Os ar y llaw arall y mae gennym olwg rhy fawr ar droseddau pobl eraill, mae'n amlwg ein bod wedi gwneud ein troseddau ni yn bethau bach iawn. Y gwahaniaeth hwn rhwng maint y dyledion yw prif bwynt dameg y gwas anfaddeugar. Mae Iesu'n crynhoi ar ddiwedd y ddameg trwy ddweud, "Fe faddeuais i yr holl ddyled honno i ti [a oedd yn enfawr] ... Oni ddylit tithau fod wedi trugarhau wrth dy gydwas [oedd â dyled fechan], fel y gwneuthum i wrthyt ti?" (18: 32–33).

Darllen pellach: Mathew 18: 23–35

# Gwared ni rhag y Drwg

*Ond gwared ni rhag yr Un drwg.*
Mathew 6:13

**M**ae'r ddau erfyniad olaf yng Ngweddi'r Arglwydd yn un mewn gwirionedd. Gellir eu hystyried fel agwedd negyddol ac agwedd bositif ar yr un weddi. Ond mae dwy broblem yn ein hwynebu.

Yn gyntaf, mae'r Beibl yn dweud wrthym nad yw Duw yn ein temtio, ac na all wneud hynny (Iago 1: 13). Beth, felly, yw pwrpas gweddïo na fydd Duw yn gwneud yr hyn y mae wedi addo peidio â'i wneud? Mae rhai yn ateb trwy ddehongli'r gair "temtio" i olygu "profi". Esboniad gwell fyddai uno'r ddau gymal yn y weddi: i ddeall "paid â'n harwain ni i brawf" yng ngoleuni'r ymadrodd "gwared ni rhag drwg", gan ddehongli "drwg" fel "yr un drwg". Hynny yw, y diafol yw'r un mewn golwg yma sy'n temtio pobl Dduw i bechu, a'r un y mae rhaid inni gael ein gwaredu rhagddo.

Yn ail, mae'r Beibl yn dweud bod profedigaethau'n dda i ni (Iago 1: 2). Os felly, pam y dylem weddïo am beidio â chael ein harwain iddyn nhw? Mae'n debyg mai'r ateb yma yw bod y weddi hon yn gais am ras i ennill buddugoliaeth mewn prawf yn hytrach nag osgoi prawf. Gellir wedyn aralleirio'r erfyniad: "Paid â chaniatáu inni felly gael ein harwain i demtasiwn fel y byddwn yn syrthio neu yn ildio i'r temtasiwn hwnnw, ond yn hytrach, gwared ni rhag yr un drwg."

Wrth edrych yn ôl yn awr, gallwn weld y tri erfyniad sydd yng Ngweddi'r Arglwydd yn rhai cynhwysfawr. Mewn egwyddor maen nhw'n delio â'n holl angen fel pobl – ein hangen materol (ein bara beunyddiol), ein hangen ysbrydol (maddeuant am bechod), a'n hangen moesol (cael ein gwared rhag y drwg). Wrth inni weddïo'r weddi hon, rydym yn mynegi ein dibyniaeth ostyngedig ar Dduw ymhob rhan o'n bywyd o ddydd i ddydd. Ymhellach mae'r Cristion trindodaidd yn siŵr o weld yn y tri erfyniad hyn gyfeiriad cysgodol at dri pherson y Drindod, gan mai trwy waith y Tad yn creu a thrwy ragluniaeth y derbyniwn ein bara beunyddiol, trwy waith iawnol y Mab y derbyniwn faddeuant o'n pechodau, a thrwy rym yr Ysbryd Glân ynom y cawn ein gwared rhag yr un drwg. Does ryfedd felly fod rhai o'r llawysgrifau hynaf (nid y rhai gorau) yn gorffen gyda'r docsoleg, gan roi'r deyrnas, y grym a'r gogoniant i'r Duw trindodaidd, gan mai iddo ef ac iddo ef yn unig y maent yn perthyn.

Darllen pellach: 1 Ioan 3: 7–10

# Ein Ffordd o Weld Duw

*Am hynny, os ydych chwi, sy'n ddrwg, yn medru rhoi rhoddion da*
*i'ch plant, gymaint mwy y rhydd eich Tad sydd yn y nefoedd*
*bethau da i'r rhai sy'n gofyn ganddo!*
Mathew 7:11

**M**ae'n ymddangos bod Iesu wedi rhoi i ni yng Ngweddi'r Arglwydd fodel o wir weddi, gweddi Gristnogol, o'i chymharu â gweddi'r Phariseaid a'r paganiaid. Yn sicr, ni all neb adrodd Gweddi'r Arglwydd yn rhagrithiol nac yn fecanyddol. Ond os ydym yn golygu'r hyn a ddywedwn, mae Gweddi'r Arglwydd yn dod yn ddewis amlwg wrth inni ystyried sut y dylem weddïo.

Mae camgymeriad y rhagrithiwr yn amlwg. Mae'n gorwedd yn ei hunanoldeb. Hyd yn oed yn ei weddïau, mae ganddo obsesiwn â'r ffordd y mae'n edrych, sut y mae pobl yn ei weld. Ond yng Ngweddi'r Arglwydd, mae obsesiwn y Cristion â Duw – ei enw, ei deyrnas, ei ewyllys – nid â'i ewyllys ei hunan.

Camgymeriad y paganiad yw peidio â defnyddio'r meddwl. Mae hwn yn gweddïo gan barablu yn ddisynnwyr a rhoi geiriau i'r litwrgi disynnwyr hwn. Wyneb yn wyneb â hyn, mae Iesu'n ein gwahodd ni i hysbysu ein Tad nefol o'n holl anghenion ac i wneud hynny yn ystyriol, yn ostyngedig, gan fynegi ein dibyniaeth ddyddiol arno.

Felly, y gwahaniaeth sylfaenol rhwng mathau gwahanol o weddïo yw'r ffordd yr ydym yn synied am y Duw sy'n wrthrych ein gweddïau. Pa fath Dduw yw'r un sydd â diddordeb mewn hunanoldeb ac mewn gweddïau diystyr? Ai dim ond ychwanegiad i'n personoliaeth ni yw Duw, un y gallwn ei ddefnyddio i ychwanegu at ein statws, neu efallai yr ystyriwn Dduw yn ddim mwy na chyfrifiadur i ni fwydo geiriau yn fecanyddol i mewn iddo? O'r rhain i gyd, trown yn ôl at ddysgeidiaeth Iesu a'r ddysgeidiaeth sylfaenol mai Duw yw ein Tad yn y nefoedd. Rhaid inni gofio ei fod yn caru ei blant. Mae'n gweld ei blant yn y lle dirgel hyd yn oed. Mae'n adnabod anghenion ei blant cyn iddynt eu mynegi, ac yn gweithredu ar eu rhan gyda'i rym brenhinol nefol. Os bydd inni ganiatáu i'r Ysgrythur lunio ein darlun o Dduw, ni fydd unrhyw berygl inni weddïo yn rhagrithiol, ond bob amser gydag integriti. Ni fyddwn yn gweddïo'n fecanyddol ond yn ystyriol, gan amlygu ein bod yn wir yn blant Duw.

Darllen pellach: Mathew 7: 7–11

# Wythnos 25: Trobwynt

Wrth inni ystyried temtiad Iesu gwelsom fod pob un o eiriau'r diafol yn ymdrech i'w berswadio i ddilyn llwybr poblogaidd ac osgoi'r groes. Mae'r un demtasiwn i anufudd-dod ac i gyfaddawd yn ei ganlyn ar hyd ei weinidogaeth.

Dyma sy'n esbonio pam fod Iesu yn ymosodol iawn wrth orchymyn i bobl beidio ag adrodd am ei wyrthiau. Dyma'r hyn a adnabyddir fel y "gyfrinach feseianaidd". Nid oedd Iesu am i bobl wybod y gwirionedd amdano fel y Meseia nes y byddent yn barod i gymryd gafael llwyr yn holl oblygiadau cyffesu bod Iesu yn Feseia.

Yr wythnos hon rydym am ddynesu at ddigwyddiad arwyddocaol pan yw Pedr am y tro cyntaf yn gwneud cyffes agored o Iesu fel Meseia ac yna'n dod i ddeall – a hynny yn dilyn protest – angenrheidrwydd y groes. Dyma oedd y trobwynt yng ngweinidogaeth Iesu.

**Dydd Sul:** Cyffes Pedr
**Dydd Llun:** Angenrheidrwydd y Groes
**Dydd Mawrth:** Codi'r Groes
**Dydd Mercher:** Darganfod ein Hunain
**Dydd Iau:** Y Gweddnewidiad
**Dydd Gwener:** Yr Ymadrodd Iawnol
**Dydd Sadwrn:** Mawredd yn Nheyrnas Dduw

# Cyffes Pedr

*"Pwy meddwch chwi ydwyf fi?"*
*Atebodd Simon Pedr, "Ti yw'r Meseia, Mab y Duw byw."*
Mathew 16:15–16

Bellach roedd yr amser wedi cyrraedd i'r disgyblion wneud cyhoeddiad clir o'u ffydd yn Iesu fel y Meseia. Mae Iesu'n mynd â nhw i'r gogledd, i bentref Cesarea Philipi, hynny wrth droed Mynydd Hermon ac yn agos at darddle Afon Iorddonen. Ym mhreifatrwydd y cyfarfod hwn mae Iesu'n gofyn dau gwestiwn iddynt. Gyda golwg ar y cwestiwn cyntaf am farn y bobl, mae'r disgyblion yn ateb bod rhai pobl yn credu mai Ioan Fedyddiwr, Eleias, Jeremeia, neu un o'r proffwydi eraill oedd Iesu. I'r ail gwestiwn, oedd yn gofyn i'r disgyblion pwy oedden nhw'n meddwl oedd Iesu, mae Simon Pedr fel arweinydd a phrif lefarydd y Deuddeg yn dweud, "Ti yw y Crist". Yn ôl Mathew, mae Pedr yn ychwanegu "Mab y Duw byw", er ei bod yn debygol fod Pedr yn defnyddio'r ymadrodd yn ei ystyr feseianaidd. Yna, wrth i Pedr ddwyn tystiolaeth i Iesu, mae Iesu yn dwyn tystiolaeth i Pedr.

Yn gyntaf, roedd Pedr wedi dod i'r argyhoeddiad hwn nid trwy resymu dynol ond trwy ddatguddiad dwyfol.

Yn ail, roedd Pedr mewn rhyw ystyr yn graig, ac ar y graig hon byddai'r Meseia yn adeiladu cymuned a fyddai'n para am byth. Mae'r adnod hon, wrth gwrs, yn adnod anodd. Ond wrth inni benderfynu ynglŷn â hi, byddai'n ddoeth i ni gofio mai Iesu Grist ei hun, trwy gydol y Testament Newydd, yw'r graig y mae'r eglwys wedi ei hadeiladu arni, a bod mwyafrif y tadau cynnar yn dysgu mai'r graig yw'r ffydd oedd yn cael ei chyffesu gan Pedr, nid Pedr yn cyffesu'r ffydd.

Yn drydydd, rhoddwyd i Pedr allweddi'r deyrnas, allweddi y byddai'n eu defnyddio – a siarad yn hanesyddol – i roi mynediad i deyrnas Dduw i'r Iddewon yn gyntaf, yna i'r Samariaid, ac yna i'r cenhedloedd.

Mae un pwynt arall: gyda chyffes Pedr o'i ffydd mae Iesu yn ei rybuddio "i beidio â dweud wrth neb amdano" (Marc 8: 30). Byddwn yn dysgu yfory mai dyma'r tro olaf y gorchmynnodd Iesu dawelwch ymhlith ei ddisgyblion a pham y gwnaeth hynny.

Darllen pellach: Mathew 16: 13–20

# Angenrheidrwydd y Groes

*Yna dechreuodd [Iesu] eu dysgu bod yn rhaid i Fab y Dyn ddioddef
llawer, a chael ei ... ladd ... Yr oedd yn llefaru'r gair hwn yn gwbl agored.*
### Marc 8:31–32

Cyn inni ddelio â'r gwrthdrawiad rhwng Pedr ac Iesu, mi fyddai o fantais, mae'n debyg, i gynnwys ychydig o wybodaeth hanesyddol gefndirol. Am dros saith cant o flynyddoedd, roedd Israel wedi cael ei gorthrymu gan ymerodraethau Asyria, Babilon, Persia, Groeg a Rhufain – yn ddi-dor ar wahân i un cyfnod byr o dan y Macabeaid. Gyda throad y ganrif gyntaf, cododd nifer o fudiadau apocalyptaidd, a'u harweinwyr yn gwneud addewidion rhyfeddol. Yn ôl y rhain roedd Duw ar fin torri i mewn i hanes drwy gyfrwng y Meseia; byddai gelynion Israel yn cael eu distrywio mewn ymgyrch waedlyd, a byddai'r oes feseianaidd o heddwch a rhyddid yn gwawrio.

Roedd Galilea yn ardal lle'r oedd gwrandawiad parod i'r disgwyliadau hyn ac roedd nifer yn rhoi eu gobeithion yn Iesu o Nasareth. Felly, mae Ioan yn cofnodi bod Iesu yn synhwyro "eu bod am ddod a'i gipio ymaith i'w wneud yn frenin, a chiliodd i'r mynydd eto ar ei ben ei hun" (Ioan 6: 15). Ond ni ddaeth Iesu i fod yn Feseia milwrol. Dyna pam mae'n gorchymyn tawelwch a chyfrinachedd.

Nawr, wrth i Pedr gyffesu Iesu yn Feseia, roedd angen i'r disgyblion wybod hefyd am ddioddefaint y Meseia. Felly, dechreuodd Iesu "eu dysgu [yr oedd yn ddysgeidiaeth newydd iddynt] bod yn rhaid i Fab y Dyn ddioddef llawer ... a'i ladd (Marc 8: 31). Bellach, y mae'n siarad yn glir ac yn agored; does dim angen tawelwch. Mae Pedr yn gwrando ac yna'n ffrwydro. "Na ..., Arglwydd. Ni chaiff hyn ddigwydd i ti" (Mathew 16: 22). Byddai Pedr yn gyfarwydd â'r darlun o Fab y Dyn yn Daniel pennod 7, yr un y rhoddwyd iddo "arglwyddiaeth a gogoniant a brenhiniaeth" fel y byddai pob cenedl yn syrthio i'w addoli (Daniel 7: 14). Sut felly oedd hi'n bosibl i Fab y Dyn ddioddef? Roedd yn wrthddywediad. Mae Pedr yn ddigon hy i anghytuno â Iesu, ac mae Iesu yn troi nawr ar Pedr. "Dos ymaith o'm golwg, Satan," meddai (Mathew 16: 23). Roedd yr un person a oedd ychydig eiliadau ynghynt wedi derbyn datguddiad dwyfol, bellach wedi ei dwyllo gan y diafol.

Mae'n siŵr fod llais Pedr yn dal i foddi llais Crist hyd yn oed heddiw. Mae llawer fel Pedr yn gwadu angenrheidrwydd y groes. Mae'r groes yn parhau i fod yn faen tramgwydd i falchder dynol.

Darllen pellach: Marc 8: 31–33

# Codi'r Groes

*Os myn neb ddod ar fy ôl i, rhaid iddo ymwadu ag ef ei hun a chodi ei groes a'm canlyn i.*

Marc 8:34

Mae'n ymddangos yn rhyfeddol i mi fod Iesu, wedi siarad am ei groes ef, yn symud yn union i siarad am ein croes ni. Roedd yn gwybod eisoes y byddai'n cael ei groeshoelio. Mae'n dweud nawr fod unrhyw un sy'n dymuno ei ddilyn yn gorfod codi eu croes hwythau.

Beth mae Iesu'n ei olygu? Yn ôl H. B. Swete yn ei esboniad ar efengyl Marc, mae codi'r groes yn golygu "rhoi eich hunan yn sefyllfa dyn sydd wedi ei gondemnio ac ar ei ffordd i gael ei ladd." Petai un ohonom wedi byw yn ystod cyfnod y Rhufeiniaid ym Mhalesteina, ac yn gweld dyn yn cludo croes neu *patibulum*, ni fyddai angen inni ofyn i'r person, "Esgusodwch fi, ond beth yn y byd ydych chi'n ei wneud?" Na, byddem yn deall ar unwaith fod hwn wedi ei gondemnio, gan fod y Rhufeiniaid yn gorfodi'r rhai oedd wedi eu condemnio i farwolaeth i gario eu croes eu hunain i'r man lle roeddent i'w croeshoelio.

Dyma'r darlun y mae Iesu yn ei ddewis i egluro ystyr hunanymwadu. Mae angen inni achub yr iaith hon rhag iddi gael ei diraddio. Nid ydym i feddwl bod hunanymwadu yn golygu rhoi i fyny ychydig o bleserau yn ystod tymor y Grawys neu dybied mai rhyw brawf personol a phoenus yw "fy nghroes i". Rydym bob amser mewn perygl o fychanu disgyblaeth Gristnogol, fel petai'n ddim mwy nag ychwanegu ychydig o barchusrwydd duwiol i fywyd sydd yn ei hanfod yn seciwlar. Rhwydd iawn yw edrych o dan y math yma o grefydd arwynebol, ac oddi tan y cyfan, gweld yr un hen feddwl paganaidd. Na, mae dod yn Gristion yn golygu newid sydd mor radical fel nad oes yr un darlun yn medru gwneud cyfiawnder ag ef ac eithrio'r darlun hwn o farwolaeth ac atgyfodiad – marw i'r hen fywyd o hunanoldeb a chodi i fywyd newydd o sancteiddrwydd a chariad. Mae Paul yn ychwanegu at eiriau Iesu wrth ysgrifennu at y Galatiaid, "Yr wyf wedi fy nghroeshoelio gyda Christ" (Galatiaid 2: 20) ac ymhellach, "Y mae pobl Crist Iesu wedi croeshoelio'r cnawd ynghyd â'i nwydau a'i chwantau" (Galatiaid 5: 24).

Un peth i orffen: mae Luc yn ychwanegu'r ymadrodd 'bob dydd' i eiriau Iesu: "Os myn neb ddod ar fy ôl i, rhaid iddo ymwadu ag ef ei hun a chodi ei groes *bob dydd* a'm canlyn i" (Luc 9: 23, y pwyslais wedi ei ychwanegu).

Darllen pellach: Rhufeiniaid 8: 12–14

# Darganfod ein Hunain

*Oherwydd pwy bynnag a fyn gadw ei fywyd, fe'i cyll, ond pwy bynnag a gyll ei fywyd er fy mwyn i a'r Efengyl, fe'i ceidw.*

Marc 8:35

**G**an fod yr adnod hon yn siarad yn benodol am achub a cholli ein bywyd, roeddwn yn arfer credu bod y cyfeiriad penodol yma at ferthyron Cristnogol a fyddai, wrth farw i Iesu, yn cael mynediad i fywyd tragwyddol. Ond, er bod yr adnod efallai yn cynnwys cyfeiriad at ferthyrdod, rwy'n gweld bellach fod Iesu'n cymhwyso'r gwirionedd yn llawer mwy eang na hynny. Mae'r iaith yn awgrymu hynny. Y gair a gyfieithir yn "fywyd" yw *psuchē*, sy'n golygu "enaid" neu "hunan". Yn wir, mae Luc yn mynegi geiriau Iesu trwy ddweud: "Pa elw a gaiff rhywun o ennill yr holl fyd a'i ddifetha neu ei fforffedu ei hun?" (Luc 9: 25).

Efallai y gellir aralleirio un o hoff ymadroddion Iesu fel hyn: "Os ydych yn mynnu dal gafael ynoch chi eich hunan, ac yn gwrthod gollwng gafael, yn mynnu byw i chi eich hunan, byddwch yn colli eich hunan. Dyna ffordd marwolaeth, nid ffordd bywyd. Ond os ydych yn barod i golli eich hunan, i roi yr hunan o'r neilltu mewn cariad yng ngwasanaeth yr efengyl, yna, yr eiliad y byddwch yn ildio, wrth i chi feddwl eich bod wedi colli'r cyfan, mae gwyrth yn cymryd lle ac rydych yn darganfod eich hunan."

Yn y blynyddoedd diwethaf mae nifer o astudiaethau seicolegol wedi eu datblygu sydd yn rhoi pwyslais ar ddarganfod yr hunan. Mae'r geiriau'n swnio'n addawol iawn i'r Cristion, nes inni gofio bod Iesu yn dweud mai'r unig ffordd i ddarganfod yr hunan yw i wadu'r hunan, a'r unig ffordd i fyw yw i farw i'n hunanoldeb ein hunain.

Ar ddau amgylchiad arall, mae Iesu'n defnyddio iaith byd masnach, iaith elw, colled a chyfnewidfa. Mae'n gofyn dau gwestiwn sydd yn aros heb eu hateb. Yn gyntaf, pa elw a gaiff dyn os yw'n ennill yr holl fyd (yr holl gyfoeth, grym ac enwogrwydd mae'r byd yn eu cynnig) a cholli'r hunan? Yn ail, beth all rywun ei roi yn gyfnewid am ei hunan? Mae'r ddau gwestiwn yn pwysleisio gwerth anhraethol yr hunan o'i gymharu â gwerth y byd. Mewn un ystyr mae'n amhosibl ennill yr holl fyd. Mewn ystyr arall, hyd yn oed petai hynny'n bosibl, ni fyddai'n para, a thra byddai'n para, ni fyddai'n bodloni.

Darllen pellach: Luc 12: 13–21

# Y Gweddnewidiad

*Y mae rhai o'r sawl sy'n sefyll yma na phrofant flas marwolaeth nes
iddynt weld teyrnas Dduw wedi dyfod mewn nerth.*

Marc 9:1

Mae'n ymddangos bod yr efengylwyr wedi dehongli addewidion Iesu fel rhai oedd yn cyfeirio at ei weddnewidiad, gan eu bod i gyd yn mynd ar eu hunion i ddisgrifio'r digwyddiad hwnnw. Ond sut ddylem ni ddehongli'r gweddnewidiad? Rwyf am nodi pedair agwedd.

Yn gyntaf, mae'r gweddnewidiad yn gadarnhad. Roedd Iesu wedi peri braw i'r Deuddeg trwy ragfynegi ei ddioddefaint. Ond yn awr mae'n rhoi golwg iddynt ar ei ogoniant er mwyn eu sicrhau mai trwy ei ddioddefaint y byddai'r Meseia yn cael mynediad i'w ogoniant.

Yn ail, roedd yn gyflawniad. Wrth gwrs, mae'n arwyddocaol iawn fod Moses ac Eleias wedi ymddangos iddynt ac yn ôl Luc, wedi siarad gyda Iesu am ei "ecsodus", hynny yw, ei farwolaeth. Roedd y ddau yn cynrychioli ar y naill law y gyfraith, ac ar y llaw arall y proffwydi. Er hynny, buan y diflannodd y ddau. Bellach, gan fod y realiti wedi dod, nid oedd angen y cysgodion mwyach. Yn ychwanegol, mae'r llais nefol yn cyfarch Iesu mewn ymadrodd sydd yn gyfuniad o dri ymadrodd o'r Hen Destament – "Fy mab wyt ti" (Salm 2: 7), "yr wyf yn ymhyfrydu ynddo" (Eseia 42: 1), "arno ef yr wyt i wrando" (Deuteronomium 18: 15). Mae Iesu felly yn cael ei gydnabod yn ei dair swydd fel Proffwyd, Offeiriad a Brenin – y Brenin a fyddai'n rheoli dros ei deyrnas, y Gwas-offeiriad a fyddai'n cynnig ei hunan yn aberth dros bechod, a'r Proffwyd a fyddai'n cyflawni'r datguddiad o Dduw.

Yn drydydd, roedd yn awgrym o'r disgwyliad. Yn ôl Marc 9: 9, mae Iesu yn gorchymyn i Pedr, Iago ac Ioan i beidio â dweud wrth neb am yr hyn roeddent wedi ei weld nes iddo gael ei atgyfodi. Nid dychweliad oedd hyn at y gyfrinach feseianaidd ond cydnabyddiaeth na fyddai neb yn medru deall gweddnewidiad Iesu nes iddo atgyfodi. Mae hyn yn wir oherwydd yr oedd y corff a gafodd yn y gweddnewidiad yn rhagflas o'i gorff atgyfodedig.

Yn bedwerydd, roedd yn demtasiwn. Rwy'n cydnabod bod hyn braidd yn ymylol, ond os oedd y corff a weddnewidiwyd yn ddiweddarach i ddod yn gorff atgyfodedig, mae'n sicr y gallai fod wedi camu yn syth i'w ogoniant heb yr angen i farw. Ond nid yw'n gwneud hyn. Unwaith eto, mae'n ymwrthod â'r demtasiwn i osgoi'r groes. Mae'n fwriadol yn dychwelyd i'r byd hwn er mwyn marw dros ein pechodau.

Darllen pellach: 2 Pedr 1: 16–18

# Yr Ymadrodd Iawnol

*Oherwydd Mab y Dyn, yntau, ni ddaeth i gael ei wasanaethu ond i
wasanaethu, ac i roi ei einioes yn bridwerth dros lawer.*
Marc 10:45

Mae Marc yn cofnodi tri digwyddiad penodol lle mae Iesu yn rhagweld ei ddioddefaint a'i farwolaeth. Dyma'r trydydd. Mae hyn yn arbennig o bwysig oherwydd dyma ddehongliad yr Arglwydd ei hun o'r groes. Mae'n rhesymol i feddwl ei fod ef yn deall ystyr ei farwolaeth, os oedd rhywun yn ei deall.

I gychwyn, mae'n pwysleisio y byddai ei farwolaeth yn wirfoddol. Yr oedd eisoes wedi disgrifio ei farwolaeth yng nghyd-destun y ffaith y byddai'n cael ei fradychu, yn cael ei wrthod, ac yna'n cael ei ladd. Yn awr, mae'n dweud bod Mab y Dyn wedi dod, nid i gael ei wasanaethu, ond i wasanaethu ac i'w roi ei hunan. Mewn geiriau eraill, roedd wedi dod nid yn gymaint i fyw ei fywyd ond i roi ei fywyd, a hynny yn benllanw bywyd o wasanaeth.

Yn benodol, mae Iesu'n mynd ymlaen i ddweud ei fod wedi dod i'w roi "ei hun yn bridwerth dros lawer", ymadrodd y mae Pedr yn ei ddehongli yn ddiweddarach fel "dros bawb" (1 Timotheus 2: 6). Beth, felly, y gallwn ei ddirnad yn yr ymadrodd iawnol hwn? Yn gyntaf, mae'n mynegi dyfnder ein hangen ni. Fe'n darlunnir fel pobl sydd yn gaethweision i bechod, pobl sy'n anabl i sicrhau ein rhyddid. Yn ail, mae'n mynegi gwerth y pris a dalwyd er mwyn ein gwaredu. Mae Pedr yn ysgrifennu yn ddiweddarach ein bod wedi ein prynu nid ag arian ac aur "ond â gwaed gwerthfawr Un oedd fel oen di-fai a di-nam" (1 Pedr 1: 19). Mae'n amlwg fod y Pasg yn glir ym meddwl Pedr. Fel yr oedd cyntafanedig yr Israeliaid wedi eu hachub drwy aberthu yr Oen, felly y mae Iesu yn marw yn ein lle ni. Yn drydydd, mae'n awgrymu, rydym nawr yn eiddo i'r Arglwydd Iesu Grist, gan ein bod wedi ein prynu ganddo. Wrth ysgrifennu at Titus, mae Paul yn dweud bod Iesu Grist wedi "rhoi ei hun drosom ni i brynu rhyddid inni oddi wrth bob anghyfraith, a'n glanhau ni i fod yn bobl wedi eu neilltuo iddo ef ei hun" (Titus 2: 14). Felly, rydym yn eiddo iddo ef dros amser a thragwyddoldeb.

Darllen pellach: Datguddiad 5: 6–10

# Mawredd yn Nheyrnas Duw

*Pwy bynnag sydd am fod yn fawr yn eich plith, rhaid iddo fod yn was i chwi, a phwy*
*bynnag sydd am fod yn flaenaf yn eich plith, rhaid iddo fod yn gaethwas i bawb.*
Marc 10:43–44

Pan safodd Iago ac Ioan, meibion Sebedeus, o flaen Iesu, roedd y gwrthgyferbyniad rhyngddynt yn gyflawn. Roedd Iesu wedi dod i roi ac i wasanaethu; roedd y ddau hyn am gael a theyrnasu. Mae'r un dewis yn ein hwynebu ni heddiw.

Yn gyntaf, mae'r dewis rhwng ceisio'r hyn sydd o les i ni ein hunain a hunanaberth. Mae Iago ac Ioan yn dweud wrth Iesu, "Yr ydym am iti wneud i ni y peth a ofynnwn gennyt" (adn. 35). Mae'n sicr bod eu cais yn briodol i'w gynnwys yn y *Guinness Book of Records* fel y weddi fwyaf amhriodol a weddïwyd erioed. Mae'r hunanoldeb sy'n ganolog i'w geiriau yn anodd ei ddirnad. Roedd y ddau hyn yn meddwl y byddai rhyw ymgiprys yn y dydd olaf i gyrraedd y seddau gorau yn y deyrnas. Felly, maen nhw'n barnu ei bod yn beth call i ddiogelu eu seddau ymlaen llaw. Mae eu gweddi yn ymdrech i blygu ewyllys Duw i'w hewyllys nhw, tra bod gwir weddi yn golygu ildio ein hewyllys ni i ewyllys Duw.

Yn ail, mae'r dewis rhwng grym a gwasanaeth. Mae'r ddau yn gofyn i Iesu a fyddai'n bosibl iddynt eistedd ar bob ochr iddo yn y deyrnas. Ar beth roedd y bechgyn hyn yn disgwyl eistedd? Ar y llawr? Ar glustogau? Ar gadeiriau? Na, yn siŵr, ar orseddau. Roedd y ddau yn dod o deuluoedd dosbarth canol, gyda gweision yn gwneud y cyfan iddynt. Efallai bod y ddau yn gweld eisiau'r bywyd hwnnw ac yn awyddus i adfer grym a rheolaeth. Yn y byd, meddai Iesu, mae eu "gwŷr mawr hwy yn dangos eu hawdurdod drostynt. Ond nid felly y mae yn eich plith chwi" (adn. 42–43). Mae cymuned newydd Iesu yn cael ei threfnu ar sail egwyddor wahanol iawn – gwasanaeth, nid grym, gostyngeiddrwydd, nid awdurdod.

Yn drydydd, mae'r dewis rhwng dioddefaint a sicrwydd. Wrth adael eu cartref a dilyn Iesu, roedd Iago ac Ioan wedi dod yn bobl heb gartref. Oedd y ddau hyn yn edifar am eu penderfyniad? Wrth ateb cwestiwn Iesu, maent yn honni y gallent rannu ei gwpan a'i fedydd ef, oherwydd roeddent yn meddwl ei fod yn cyfeirio at y gwleddoedd meseianaidd oedd o'u blaen, tra oedd Iesu mewn gwirionedd yn cyfeirio at ei ddioddefaint a ffordd y groes. Felly, mae Iago ac Ioan yn chwennych anrhydedd, grym a diogelwch, tra bod Iesu yn cynnig aberth, gwasanaeth a dioddefaint. Gyda'i eiriau rhyfeddol "nid felly yn eich plith chwi", mae Iesu'n mynegi bod dwy gymuned wahanol iawn yn y byd, gyda gwerthoedd gwahanol iawn. Symbol y naill yw'r orsedd, symbol y llall yw'r groes.

Darllen pellach: Marc 10: 35–45

# Wythnos 26: Geiriau Dadleuol Iesu

Does dim amheuaeth nad oedd Iesu yn fynych yn berson anodd iawn ei ddeall. Roedd mewn trafodaeth yn aml gydag arweinwyr crefyddol ei ddydd. Roedd yn anghytuno â nhw a hwythau'r un modd yn anghytuno ag ef. Felly mae Marc, yn dilyn trosolwg o weinidogaeth gyhoeddus Iesu yn ei bennod gyntaf, yn gosod allan yn yr ail bennod bedwar o'r gwrthdrawiadau hyn. Beth sydd yn drawiadol amdanynt yw bod Iesu yn mynnu ei hunaniaeth unigryw ym mhob un o'r trafodaethau. Wedi edrych ar y pedwar hyn, byddwn yn edrych hefyd ar dri arall, ar draddodiad, ar awdurdod ac ar ysgariad, sy'n cael eu cynnwys yn ddiweddarach yn efengyl Marc.

**Dydd Sul:** Y Drafodaeth am Faddeuant
**Dydd Llun:** Y Drafodaeth am Ymwneud â'r Byd
**Dydd Mawrth:** Y Drafodaeth am Ymprydio
**Dydd Mercher:** Y Drafodaeth am y Saboth
**Dydd Iau:** Y Drafodaeth am Draddodiad
**Dydd Gwener:** Y Drafodaeth am Ysgariad
**Dydd Sadwrn:** Y Drafodaeth am Dalu Trethi

# Y Drafodaeth am Faddeuant

*[Mae] gan Fab y Dyn awdurdod i faddau pechodau ar y ddaear.*
Marc 2:10

**M**ae Marc yn adrodd hanes y gŵr a gafodd ei iacháu ac a brofodd faddeuant. Cafodd ei gludo gan bedwar o'i gyfeillion, ond oherwydd maint y dyrfa roedd yn amhosibl iddynt gyrraedd at Iesu. Felly mae ei ffrindiau'n gwneud twll yn nho'r tŷ gan ollwng y dyn i lawr ar ei wely drwy'r twll. Er syndod i bawb, yn hytrach na chyhoeddi fod y dyn wedi ei iacháu, mae Iesu'n cyhoeddi ei fod wedi cael maddeuant, oherwydd y mae iechyd a maddeuant yn ddwy fendith sy'n perthyn i'r deyrnas Feseianaidd.

Ar unwaith mae athrawon y gyfraith oedd yn eistedd yno, yn gwylltio, gan ddweud "Pam y mae hwn yn siarad fel hyn? Y mae'n cablu. Pwy ond Duw yn unig a all faddau pechodau?" (adn. 7). Wrth ymateb, mae Iesu'n cymharu'r ddwy fendith ond yn ychwanegu ei fod wedi cyhoeddi maddeuant yn gyntaf am ei fod yn awyddus i bobl wybod fod ganddo awdurdod i faddau pechodau. Yna mae'n iacháu'r gŵr ac mae hwnnw'n codi ac yn cerdded allan o flaen pawb ac er syndod i bawb.

Ychydig yn ddiweddarach, mae Luc yn cofnodi digwyddiad tebyg. Mae Iesu'n caniatáu i butain ei eneinio â phersawr, ac i wlychu ei draed â'i dagrau a'u gorchuddio â chusanau. Mae Iesu'n cyhoeddi bod y wraig hon wedi derbyn maddeuant, ac mae gwahoddedigion yn y wledd yn dweud wrth ei gilydd : "Pwy yw hwn sydd hyd yn oed yn maddau pechodau?"(Luc 7: 49).

Felly ar ddau amgylchiad gwahanol mae Iesu'n maddau pechodau pobl gan ddweud, "Maddeuwyd dy bechodau". Yn y ddau achos, mae'r bobl oedd yn gwrando yn cydnabod geiriau Iesu yn rhywbeth mwy na datganiad, maent yn eu cydnabod yn ddatganiad absoliwt. Yn y ddau achos hefyd, roedd nifer o'r tystion wedi gwylltio gan eu bod yn gwybod nad oedd neb yn gallu maddau pechodau ond Duw ei hunan.

Darllen pellach: Marc 2: 1–12

# Y Drafodaeth am Ymwneud â'r Byd

*Nid ar y cryfion, ond ar y cleifion, y mae angen meddyg;*
*i alw pechaduriaid, nid rhai cyfiawn, yr wyf fi wedi dod.*
Marc 2:17

Yng nghofnod Marc o'r ail drafodaeth mae'r ymadrodd "casglwyr trethi a phechaduriaid" yn cael ei ddefnyddio dair gwaith. Fel y gwelwyd eisoes (tudalen 188), roedd y casglwyr trethi'n bobl oedd yn cael eu casáu gan bawb, ac yn sicr gan boblogaeth Iddewig Galilea. Roedd hynny yn gyntaf oherwydd bod y trethi'n mynd tuag at ariannu cynlluniau Herod Antipas, yn ail, oherwydd bod eu gwaith yn peri bod yn rhaid iddyn nhw ddod i gysylltiad agos â'r cenhedloedd, ac yn drydydd, oherwydd bod bron pob un ohonynt yn mynd â chymaint o arian â phosibl oddi wrth y bobl.

Mae "pechaduriaid" yn y cyd-destun hwn yn cyfeirio nid yn unig at bobl oedd yn anufudd i gyfraith foesol Duw (fel pob un ohonom) ond at y rhai hynny oedd hefyd, naill ai drwy anwybodaeth neu o fwriad, yn gwrthod byw yn ôl traddodiad yr ysgrifenyddion. Roedd pobl barchus yn cefnu ar y ddau grŵp ac ni fyddent yn cael cynnig unrhyw fath o letygarwch nac yn derbyn lletygarwch ganddynt, rhag ofn halogi seremonïol. Mae Iesu'n fwriadol ac yn rhydd yn ymwneud â'r bobl hyn, heb unrhyw ofnau. Mae'n galw Lefi-Mathew oedd yn gasglwr trethi, ac yna'n derbyn ei wahoddiad am bryd o fwyd yn ei dŷ a hynny yng nghwmni nifer o gasglwyr trethi eraill a "phechaduriaid".

Pan yw athrawon y gyfraith yn gwrthwynebu, mae Iesu'n ateb drwy ddyfynnu dihareb lle mae'n cyffelybu ei hun i feddyg, meddyg oedd i ateb angen nid y rhai iach ond y cleifion, ac felly roedd yn anochel y byddai pobl yn cael hyd i Iesu ymhlith rhai oedd mewn angen. Wrth ddweud ei fod wedi dod i alw i edifeirwch nid y cyfiawn ond pechaduriaid, nid dweud y mae Iesu fod rhai pobl yn gyfiawn, i'r graddau nad oes angen iachawdwriaeth arnynt, ond fod rhai pobl sy'n meddwl eu bod nhw'n gyfiawn. Wrth ddefnyddio'r gair "cyfiawn" yma, mae Iesu'n golygu "yr hunangyfiawn". Yn yr un modd na fydd yr un ohonom yn tueddu i fynd at y meddyg os nad ydym yn sâl, ac yn cydnabod hynny, felly hefyd, ni fyddwn yn dod at yr Arglwydd Iesu os nad ydym yn bechaduriaid ac yn cydnabod hynny. Does dim yn cadw pobl allan o deyrnas Dduw yn fwy effeithiol na balchder a hunangyfiawnder.

Darllen pellach: Marc 2: 13–17

# Y Drafodaeth am Ymprydio

*A all gwesteion priodas ymprydio tra bydd y priodfab gyda hwy?*
Marc 2:19

Mae Marc yn cychwyn ei adroddiad ar y drydedd drafodaeth drwy dynnu sylw at y gwahaniaeth rhwng tri grŵp gwahanol o ddisgyblion, disgyblion Ioan Fedyddiwr, disgyblion y Phariseaid a disgyblion Iesu. Yr oedd disgyblion Ioan Fedyddiwr a disgyblion y Phariseaid yn ymprydio, yn ôl Marc. Ond nid felly disgyblion Iesu: "bwyta ac yfed y mae dy ddisgyblion di" (Luc 5: 33). Felly y mae rhai pobl yn dod at Iesu ac yn gofyn iddo pam fod y ddau grŵp arall yn ymprydio tra bod y lleill yn bwyta ac yn gwledda.

Felly mae Iesu'n gofyn cwestiwn: "A all gwesteion priodas ymprydio tra bydd y priodfab gyda hwy? " (Marc 2: 19). Mae rhai esbonwyr yn deall hyn fel dihareb sydd yn cyfeirio at weithredu amhriodol; er enghraifft, byddai'n amhriodol i ni wneud y peth hwn neu'r peth arall, fel y byddai'n amhriodol i'r gwahoddedigion ymprydio yn ystod cyfnod y wledd briodas.

Yn bersonol credaf fod alegori yma. Yr oedd Iesu'r priodfab gyda'r disgyblion. Roedd hwn yn amser i lawenhau a gorfoleddu. Roedd yn gwbl amhriodol iddynt ymprydio ar yr adeg hon. Ond meddai Iesu, "Ond fe ddaw dyddiau pan ddygir y priodfab oddi wrthynt" (adn. 20). Mae 'dygir' neu 'cael ei gymryd i ffwrdd' yn gyfeiriad at ei farwolaeth erchyll. Mae'n wir dweud nad oedd eto wedi sôn am ei ddioddefaint mewn geiriau eglur, ond er nad oedd wedi dweud wrth y disgyblion roedd ef ei hun yn gwybod am ei ddyfodol. Ar y diwrnod hwnnw pan fyddai'n cael ei gymryd oddi wrthynt, byddent yn galaru ac yn ymprydio. Fel y gwelwyd yn y Bregeth ar y Mynydd, mae Iesu'n cymryd yn ganiataol y byddai rhoi, gweddi ac ympryd yn rhan o fywyd y Cristion.

Nid bod ympryd bob amser i'w gysylltu â galar. Mewn un ystyr mae'r priodfab wedi ei ddwyn oddi arnom, mewn ystyr arall mae wedi dychwelyd trwy'r Ysbryd Glân ac mae ein galar wedi troi yn llawenydd (Ioan 16: 20–22).

Darllen pellach: Marc 2: 18–20

# Y Drafodaeth am y Saboth

*Y Saboth a wnaethpwyd er mwyn dyn, ac nid dyn er mwyn y Saboth.*
*Felly y mae Mab y Dyn yn arglwydd hyd yn oed ar y Saboth.*
Marc 2:27–28

Trafodaeth am y Saboth oedd y bedwaredd drafodaeth rhwng Iesu a'r arweinwyr crefyddol, a chanolbwyntiodd ar yr hyn oedd yn gyfreithlon neu'n anghyfreithlon i'w wneud ar y diwrnod arbennig hwnnw. Mae Marc yn cofnodi dau ddigwyddiad ac mae'r ddau'n digwydd ar y Saboth.

Mae'r cyntaf yn digwydd mewn cae o rawn lle mae Iesu'n caniatáu i'w ddisgyblion gerdded trwy'r grawn a chymryd ychydig ohonynt i'w bwyta. Nawr roedd y gyfraith yn benodol yn gwahardd cynaeafu ar y Saboth (Exodus 34: 21); roedd y traddodiad llafar yn nodi bod cymryd rhyw ychydig yn bersonol i'w ystyried yn gynaeafu ac roedd y disgyblion yn euog (yng ngolwg yr ysgrifenyddion) o dorri'r gyfraith. Ond mae Iesu'n apelio at yr Ysgrythur. Mae'n atgoffa ei ddisgyblion fod Dafydd a'i gymdeithion wedi bwyta bara'r tabernacl pan oeddynt yn newynu: roedd y bara hwn wedi ei osod yn benodol ar gyfer yr offeiriaid yn unig. Nid yw'r Ysgrythur yn eu condemnio, ac mae hyn yn dangos bod yr Ysgrythur yn llawer mwy hyblyg wrth gymhwyso'r gyfraith nag oedd y Phariseaid eu hunain. Mae Iesu'n dod â'r drafodaeth i ben drwy gyhoeddi bod y Saboth wedi ei wneud er mwyn dyn, hynny yw, er ei fwynhad, nid dyn er mwyn y Saboth, ac mai ef ei hunan oedd Arglwydd y Saboth, gan fod ganddo'r awdurdod i'w ddehongli yn gywir.

Mae'r ail ddigwyddiad yn cymryd lle yn y synagog lle mae Iesu ar y Saboth yn iacháu dyn oedd â llaw wywedig. Mae'n dweud wrth y dyn am sefyll i fyny o flaen pawb. Yna mae'n gofyn i'r bobl, "A yw'n gyfreithlon gwneud da ar y Saboth, ynteu gwneud drwg, achub bywyd, ynteu lladd?"(3: 4). Does neb yn ateb, oherwydd yr oedd mwy yng nghwestiwn Iesu nag oedd i'w weld ar yr olwg gyntaf. Mae'n dinoethi eu rhagrith. Oherwydd lle'r oedd Iesu'n bwriadu gwneud daioni ac iacháu ar y Saboth, roedd y bobl hyn yn llawn o gynllwynion drwg ac yn ôl Marc, "aeth y Phariseaid allan ar eu hunion a chynllwyn â'r Herodianiaid yn ei erbyn, sut i'w ladd" (adn. 6).

Wrth inni edrych yn ôl dros y pedair trafodaeth hyn sydd wedi eu dwyn ynghyd gan Marc, gwelwn nid yn unig eu bod yn cynnwys dysgeidiaeth bwysig, ond eu bod yn darlunio Iesu fel yr un sofran hwnnw, Mab Duw. Fe'i gwelwn fel Mab y Dyn, gyda'r awdurdod i faddau pechodau, fel y meddyg eneidiau, fel y priodfab sy'n llenwi ei wahoddedigion â llawenydd ac fel yr un sy'n Arglwydd hyd yn oed ar y Saboth.

Darllen pellach: Marc 2: 23–3: 6

# Y Drafodaeth am Draddodiad

*Rhai da ydych chwi am wrthod gorchymyn Duw er*
*mwyn cadarnhau eich traddodiad eich hunain.*
Marc 7:9

R oedd rhai Phariseaid ac ysgrifenyddion wedi dod o Jerwsalem. Wrth ymgasglu o amgylch Iesu, roeddent yn gresynu i weld ei ddisgyblion yn bwyta â dwylo aflan. Nid cwestiwn o lanweithdra personol oedd hyn ond o burdeb seremonïol yn ôl traddodiad yr hynafiaid. Mae Marc yn esbonio i'w gynulleidfa o Genhedloedd fod "llawer o bethau eraill a etifeddwyd ganddynt i'w cadw, megis golchi cwpanau ac ystenau a llestri pres" (adn. 4).

Felly roedd y Phariseaid yn byw o dan awdurdod traddodiadau oedd yn symud o genhedlaeth i genhedlaeth. Ac roedd y bobl hyn yn eu dilyn yn gaethiwus, hyd yn oed os oedd hynny'n gwrthddweud yr Ysgrythur. Dyma'r rheswm pam mae Iesu'n eu beirniadu. Dair gwaith mae'n ailadrodd yr un feirniadaeth gan ddefnyddio bron yr un geiriau: "Yr ydych yn anwybyddu gorchymyn Duw ac yn glynu wrth draddodiad dynol" (adn. 8). Mae'n amlwg fod Iesu'n ystyried traddodiad yn eiriau dynion a'r Ysgrythur yn air Duw. Roedd y Phariseaid yn caniatáu i'w traddodiadau amharu ar air Duw a llywodraethu drosto yn hytrach na gadael i air Duw ddiwygio'u traddodiadau.

Dyma oedd y prif fater yn ystod y diwygiad Protestannaidd. Roedd yr Eglwys Gatholig yn yr Oesoedd Canol wedi gorchuddio gair Duw â llu o draddodiadau anysgrythurol. Yn yr un modd ag y symudodd Iesu yr holl draddodiadau hyn oedd yn perthyn i'r hynafiaid, bu'r diwygwyr wrthi yn ysgubo ymaith y traddodiadau oedd yn perthyn i'r eglwys ganoloesol er mwyn sicrhau mai gair Duw oedd yn sofran. Roedd y Diwygwyr yn dysgu bod yr Ysgrythur yn fwy na thraddodiad, ac mae eglwysi diwygiedig, gan gynnwys yr eglwys Anglicanaidd, yn parhau i wneud hynny. Dywedir yn aml fod gan yr eglwys Anglicanaidd awdurdod triphlyg – Ysgrythur, traddodiad a rheswm. Ond nid yw hyn yn wir. Wrth gydnabod bod i draddodiad a rheswm le yn y modd yr ydym yn esbonio'r Ysgrythur, beth ddylem ei wneud pan fydd Ysgrythur, traddodiad a rheswm yn milwrio yn erbyn ei gilydd? Yr ateb syml yw mai i'r Ysgrythur y perthyn yr awdurdod terfynol. Mae dilynwyr Iesu yn cael eu galw i Anghydffurfiaeth radical gyda golwg ar draddodiad a chonfensiwn er mwyn anrhydeddu'r Ysgrythur fel gair Duw, wrth iddynt fyw eu bywydau o dan arglwyddiaeth Iesu Grist.

Darllen pellach: Marc 7: 1–13

# Y Drafodaeth am Ysgariad

*"Onid ydych wedi darllen mai yn wryw a benyw y gwnaeth y Creawdwr hwy o'r dechreuad?" A dywedodd, "Dyna pam y bydd dyn yn gadael ei dad a'i fam ac yn glynu wrth ei wraig, a bydd y ddau yn un cnawd."*
Mathew 19:4–5

Unwaith eto mae rhai o'r Phariseaid yn dod at Iesu er mwyn ei brofi. Yn ôl Mathew, eu cwestiwn oedd, "A yw'n gyfreithlon i ŵr ysgaru ei wraig am unrhyw reswm a fyn?" (adn. 3). Nid oedd y cwestiwn hwn yn deillio o gymhellion pur am seiliau ysgariad ac mae'n swnio fel cwestiwn cyfoes iawn, ond hen gwestiwn ydyw. Yn ystod y ganrif gyntaf CC yr oedd dwy blaid Phariseaidd, y naill yn cael ei harwain gan Rabi Shammai a'r llall gan Rabi Hillel, yn trafod yr union gwestiwn hwn. Roedd Rabi Shammai yn un cul ei olygon ac yn mynnu bod ysgariad i'w ganiatáu yn unig mewn sefyllfa lle roedd achos o drosedd rywiol ddifrifol. Roedd Rabi Hillel ar y llaw arall yn llawer mwy rhyddfrydol ac yn awgrymu y gall dyn ysgaru ei wraig am y rhesymau mwyaf ymylol, er enghraifft am ei bod yn berson cwerylgar neu yn methu coginio. Mae'r Phariseaid yn awyddus i dynnu Iesu i mewn i'r drafodaeth rabinaidd hon. Ar ba ochr i'r drafodaeth roedd Iesu?

Nid yw Iesu'n rhoi ateb clir i'r cwestiwn am ysgariad, ond yn hytrach mae'n siarad gyda'r Phariseaid am briodas. Mae'n eu cyfeirio nôl at Genesis 1 a 2, gan dynnu sylw yn benodol at ddwy ffaith, fod rhywioldeb dynol yn rhywbeth y mae Duw ei hun wedi ei greu, a bod priodas yn rhywbeth y mae Duw wedi ei ordeinio. Mae'n cyfuno dau destun (Genesis 1: 27; 2: 24) ac yn gwneud Duw yn awdur y naill a'r llall. Mae'r Creawdwr ("yn wryw a benyw y gwnaeth y Creawdwr hwy o'r dechreuad" (Mathew 19: 4)) hefyd wedi dweud , "Dyna pam y bydd dyn yn gadael ei dad a'i fam ac yn glynu wrth ei wraig, a bydd y ddau yn un cnawd" (adn. 5). "Felly," meddai Iesu, gan ychwanegu ei gadarnhad personol, "yr hyn a gysylltodd Duw, ni ddylai neb ei wahanu" (adn. 6). Mae'r ddysgeidiaeth yn glir. Mae'r uniad priodasol yn fwy na chytundeb dynol, mae'n iau ddwyfol. Er bod Moses yn caniatáu ysgariad am drosedd ddifrifol, dywed Iesu fod hyn oherwydd caledwch calonnau dynol: "Oherwydd eich ystyfnigrwydd y rhoddodd Moses ganiatâd ichwi i ysgaru eich gwragedd, ond nid felly yr oedd o'r dechreuad" (adn. 8). Yn fy ngweinidogaeth fugeiliol fy hun, rwyf wedi gweld bod blaenoriaethau Iesu yn rheol ddefnyddiol. Pan ddaw unrhyw un i siarad am ysgariad, rwy'n tueddu i wrthod nes ein bod ni yn gyntaf wedi sôn am briodas a chymod.

Darllen pellach: Mathew 19: 3–9

# Y Drafodaeth am Dalu Trethi

*Talwch bethau Cesar i Gesar, a phethau Duw i Dduw.*
Marc 12:17

Roedd y cwestiwn a ddylai Iddewon teyrngar dalu trethi i'r ymerawdwr yn un anodd a gwleidyddol emosiynol yn y dyddiau hynny. Ar y naill law roedd selotiaid fel Jwdas y Galilead, a arweiniodd yn 6 OC ymgyrch yn erbyn Rhufain o dan y faner 'Dim anrhydedd i'r Rhufeiniaid'. Ar y llaw arall roedd y Phariseaid oedd yn llawer mwy cymedrol, yn gwrthwynebu ond ar yr un pryd yn mynnu talu. Roedd yr Herodianiaid ar y llaw arall yn cefnogi polisi o dalu bob amser. Daeth tyrfa gymysg (oedd yn amrywio yn eu barn am dalu ond yn un yn eu gwrthwynebiad i Iesu) ato un diwrnod â'u cwestiwn: "A yw'n gyfreithlon talu treth i Gesar, ai nid yw? A ydym i dalu, neu beidio â thalu?" (adn. 14), gan osod Iesu yng nghanol y drafodaeth. Petai'n dweud "na" byddai'n sicr o gael ei arestio a gwaeth na hynny. Petai'n dweud ei bod yn iawn i dalu trethi, byddai'n sicr o golli cefnogaeth y boblogaeth.

Mae Iesu'n gofyn am ddarn arian denariws ac yn holi delw pwy oedd ar y darn. Roedd yr ateb yn rhwydd, delw Cesar. A dweud y gwir, delw Tiberiws, oedd yn ymerawdwr ar y pryd, tra byddai'r geiriad yn darllen yn Lladin: "Tiberiws Cesar, mab y dwyfol Awgwstws, yr archoffeiriad".

Drwy nodi bod pethau Cesar yn eiddo i Cesar a phethau Duw yn eiddo i Dduw, nid yw Iesu'n awgrymu fod dau fyd yn bodoli, un yn eiddo Cesar ac un yn eiddo Duw, oherwydd y gwir yw bod popeth oedd yn eiddo i Gesar yn eiddo i Dduw yn y pen draw. Yn hytrach, mae Iesu'n dweud bod angen i bobl Dduw roi i Gesar (neu yn llythrennol i "roi yn ôl" fel petaent yn talu dyled) yr anrhydedd oedd yn ddyledus iddo. Roedd yn amhosibl i bobl fwynhau bendithion teyrnasiad Rhufain (pethau fel heddwch, cyfiawnder, addysg a phriffyrdd) a rhoi dim yn ôl. Ac eto roedd cyfyngiadau ar yr hyn oedd yn ddyledus i Gesar. Yn sicr nid oedd yr Iddewon i fod i gymryd unrhyw ran yn y cwlt o addoli'r ymerawdwr. Nid yw dwyfoli llywodraeth wedi gorffen gydag ymerodraeth Rhufain. Hyd yn oed heddiw, y mae gwledydd a llywodraethau asgell dde ac asgell chwith sy'n gofyn am ymrwymiad digwestiwn, ymrwymiad na all y Cristion fyth ei roi. Mae Cristnogion felly yn dal i gael eu carcharu, yn dal i gael eu herlid, yn dal i wynebu marwolaeth yn hytrach na chyfaddawdu ar eu hymrwymiad i Dduw. Mae Cristnogion yn ddinasyddion ffyddlon sy'n rhoi i Gesar beth sy'n eiddo Cesar, ond maent yn dal eu haddoliad yn ôl ac yn addoli Duw yn unig. Yn hynny, maen nhw'n rhoi i Dduw beth sy'n eiddo Duw.

Darllen pellach: Marc 12: 13–17

# Wythnos 27: Yr Wythnos Olaf

Dros gyfnod o chwe wythnos rydym wedi bod yn myfyrio ar rai o brif eiriau a phrif weithredoedd yr Arglwydd Iesu yn ystod ei weinidogaeth gyhoeddus. Rydym yn awr yn nesáu at ei wythnos olaf ar y ddaear, yr wythnos a elwir gan lawer yn Wythnos Sanctaidd. Mae'r wythnos yn cychwyn gyda mynediad buddugoliaethus Iesu i mewn i Jerwsalem (Sul y Blodau) ac yn gorffen gyda'r croesholiad (Dydd Gwener y Groglith). Mae'n arbennig o arwyddocaol fod pob un o'r efengylwyr yn rhoi amser helaeth i edrych ar ddigwyddiadau'r wythnos olaf hon – yn achos Luc chwarter yr efengyl, yn achos Mathew a Marc tua thraean, ac yn achos Ioan bron hanner. Mae hyn yn dangos pa mor bwysig roedd yr awduron hyn yn ystyried y digwyddiadau o amgylch marwolaeth Iesu.

**Dydd Sul:** Mynediad Buddugoliaethus i Jerwsalem
**Dydd Llun:** Glanhau'r Deml
**Dydd Mawrth:** Dameg y Tenantiaid
**Dydd Mercher:** Camgymeriad y Sadwceaid
**Dydd Iau:** Yr Apocalyps Bychan
**Dydd Gwener:** Yr Eneinio gan Mair
**Dydd Sadwrn:** Cymhelliad Jwdas

# Mynediad Buddugoliaethus i Jerwsalem

*Pan ddaeth yn agos a gweld y ddinas, wylodd drosti.*
Luc. 19:41

Mae'r digwyddiad hwn yn cael ei gofnodi gan y pedwar efengylydd, er bod pob un yn ychwanegu manylion y mae'r lleill yn eu gadael allan. Mae'n amlwg fod Iesu wedi bwriadu cyflawni'r hyn a ysgrifennwyd amdano ym mhroffwydoliaeth Sechareia, pennod 9, hynny yw bod y brenin oedd i ddod am farchogaeth i mewn i Jerwsalem gan ddwyn iachawdwriaeth. Nid marchogaeth fel pencampwr ar farch rhyfel fyddai hwn; i'r gwrthwyneb, roedd am ddod yn ostyngedig ar gefn asyn, o bob creadur. Fe fyddai "... yn siarad heddwch â'r cenhedloedd" (Sechareia 9: 10).

Mae'r digwyddiad yn awgrymu bod pob elfen eisoes wedi ei pharatoi ymlaen llaw. Mwy na thebyg fod Iesu wedi trefnu ar ymweliad cynharach i ffrindiau ym Methania roi benthyg ei asyn iddo, a'i ryddhau mewn ateb i'r geiriau arbennig, "Mae ei angen ar y Meistr". Wedi hyn mae'r tyrfaoedd yn ychwanegu at ddrama'r digwyddiad gan daenu eu dillad ar gefn yr asyn ac ar y ffordd a dechrau uno i lawenhau a moli.

Wedi dod trwy bentrefi Bethania a Bethffage mae'r dyrfa yn troi o amgylch cornel Mynydd yr Olewydd, ac o'r fan honno mae holl ogoniant dinas Jerwsalem yn dod i'r golwg. Yma, wrth i floeddiadau'r dyrfa ddechrau tawelu, a hynny er syndod i bawb, mae Iesu'n beichio crio. Trwy ei ddagrau, mae'n dechrau cyhoeddi galarnad broffwydol dros y ddinas, gan ragweld y byddai Jerwsalem yn cael ei chwalu oherwydd nad oedd wedi adnabod amser ymweliad Duw.

Mae'n rhyfeddol fod Iesu yn wylo dros Jerwsalem mewn cariad ar yr union foment yr oedd yn ei rhybuddio am y farn oedd i ddod. Y mae barn ddwyfol (sef prif thema'r wythnos hon) yn rhywbeth real a brawychus. Ond mae'r Duw sydd yn barnu hefyd yn Dduw sydd yn galaru ac yn wylo. Nid yw'n fodlon i neb gael ei golli. Yn y diwedd pan fydd y farn olaf yn cael ei gweinyddu ar bawb (ac mae Iesu'n cadarnhau y bydd hyn yn digwydd) bydd llygaid Duw ei hun yn llawn dagrau.

Darllen pellach: Luc 19: 41–44

# Glanhau'r Deml

*A dechreuodd eu dysgu a dweud wrthynt, "Onid yw'n ysgrifenedig: 'Gelwir fy nhŷ i yn dy gweddi i'r holl genhedloedd, ond yr ydych chwi wedi ei wneud yn ogof lladron'?"*

Marc 11:17

Dywed Marc fod Iesu, ar ôl iddo ddod i mewn i Jerwsalem, wedi mynd i fyny i'r deml i "edrych o'i gwmpas ar bopeth" (adn. 11). Yna gan ei bod yn hwyr aeth gyda'r Deuddeg allan o'r ddinas dros nos. Roedd ganddo felly amser i fyfyrio ar yr hyn roedd wedi ei weld a'r hyn oedd wedi ei synnu, yn benodol, y ffordd roedd teml Duw wedi ei throi yn farchnad; canolbwynt bywyd crefyddol Israel bellach yn lle i farsiandïwyr.

Roedd gwaith y cyfnewidwyr yn y deml yn cael ei wneud mewn perthynas â threth y deml ac â'r marsiandïwyr oedd yn gwerthu defaid a gwartheg ar gyfer aberthau. Roedd y gwaith hwn wedi tyfu i fod yn broffidiol iawn, yn arbennig felly i'r archoffeiriaid, oedd wedi dod yn gyfoethog wrth ecsbloetio'r pererinion. Roedd wedi troi tŷ Dduw yn ogof i ladron, meddai'r Arglwydd Iesu, gan ddyfynnu o Eseia a Jeremeia. Roedd Iesu yn gweithredu gydag elfen o drais. Yn ôl Ioan mae'n estyn rhaff a fyddai'n cael ei defnyddio fel arfer i gael gwared ag anifeiliaid, nid rhywbeth a ddefnyddid ar bobl ("a gyrrodd hwy oll allan o'r deml, y defaid a'r ychen hefyd" (Ioan 2: 15)). Yn ychwanegol, mae'n troi byrddau'r cyfnewidwyr arian a'r rhai oedd yn marchnata mewn colomennod. Mae hefyd yn gwahardd pobl rhag cludo eu nwyddau drwy gynteddau'r deml.

Mae'r darlun hwn a bortreadir gan yr efengylwyr bellach yn cyflwyno persbectif arall inni. Roedd y Crist oedd wedi marchogaeth i Jerwsalem mewn gostyngeiddrwydd, ac wedi wylo dros y ddinas oherwydd ei dallineb penstiff, nawr yn estyn chwip oedd yn arwydd o farn. Dim ond i'r graddau y medrwn weld y dagrau sydd yn ei lygaid y gallwn ddeall arwyddocâd ac ystyr y chwip sydd yn ei law.

Darllen pellach: Marc 11: 15–18

# Dameg y Tenantiaid

*Yn y diwedd anfonodd atynt ei fab, gan ddweud, "Fe barchant fy mab" ... Ond pan welodd y tenantiaid y mab ... [c]ymerasant ef, a'i fwrw allan o'r winllan, a'i ladd.*

Mathew 21:37–39

Wrth i'r wythnos olaf fynd yn ei blaen, mae gwrthwynebiad gelynion Iesu yn cryfhau, ac mae un o brif themâu'r wythnos, sef y farn oedd i ddod, yn cael ei hegluro. Esiampl o hyn yw'r ddameg hon, er bod y ddameg yn fwy o alegori.

Mae'n amlwg mai Duw ei hun yw'r perchennog tir a blannodd winllan a darparu mur o'i chwmpas a thŵr i wylio drosti, ac Israel, yn ôl Eseia 5, yw ei winllan. Mae Duw yn gwneud popeth o fewn ei allu i sicrhau bod ei bobl yn dwyn ffrwyth mewn gweithredoedd da. Cyfeirio at arweinwyr Israel mae'r tenant a gafodd ganiatâd i rentu'r winllan. Ymhen hir a hwyr, mae'r grawnwin yn barod i'w cynaeafu, ac mae'r perchennog yn danfon ei weision (y proffwydi) i gasglu'r ffrwyth, ond mae'r tenantiaid yn cymryd gafael ar y gweision hyn, eu curo, eu llabyddio a'u lladd. Felly, mae'r perchennog yn danfon mwy o weision, ond mae'r rhain hefyd yn cael eu trin yn yr un modd. Yn y diwedd mae'n danfon ei fab ei hun. "Fe barchant fy mab," meddai wrtho'i hun (adn. 37). Ond i'r gwrthwyneb, mae'r tenantiaid yn ei ladd yntau hefyd.

Wrth grynhoi, mae Iesu'n gofyn cwestiwn clir i'r gwrandawyr, cwestiwn oedd yn eu gorfodi i ddod i farn foesol yn eu herbyn eu hunain, oherwydd drwy eu hateb roeddent yn condemnio'u hunain. Yn wir mae Mathew yn dweud hynny'n glir: "Pan glywodd y prif offeiriaid a'r Phariseaid ei ddamhegion, gwyddent mai amdanynt hwy yr oedd yn sôn" (Mathew 21: 45). Dyma gwestiwn Iesu: "Felly pan ddaw perchen y winllan, beth a wna i'r tenantiaid hynny?" (adn. 40). A'u hateb: "Fe lwyr ddifetha'r dyhirod," meddent wrtho, "a gosod y winllan i denantiaid eraill, rhai fydd yn rhoi'r ffrwythau iddo yn eu tymhorau" (adn. 41). Ac meddai Iesu, "Am hynny rwy'n dweud wrthych y cymerir teyrnas Dduw oddi wrthych chwi, ac fe'i rhoddir i genedl sy'n dwyn ei ffrwythau hi" (adn. 43).

Darllen pellach: Mathew 21: 33–41

# Camgymeriad y Sadwceaid

*Atebodd Iesu hwy, "Yr ydych yn cyfeiliorni am nad
ydych yn deall na'r Ysgrythurau na gallu Duw."*
Mathew 22:29

Roedd y Phariseaid a'r Sadwceaid yn anghytuno â'i gilydd yn gyson. Er enghraifft, roedd y Phariseaid wedi bathu diwinyddiaeth ddiddorol iawn am fywyd ar ôl marwolaeth, ond roedd y Sadwceaid yn gwrthod hyn, gan ddysgu bod ein heneidiau a'n cyrff yn marw gyda'i gilydd. Mwy sylfaenol oedd eu hagwedd at yr Ysgrythur, ac mae Iesu'n cwestiynu'r ddwy garfan. Roedd y Phariseaid yn ychwanegu at yr Ysgrythur (eu traddodiadau); roedd y Sadwceaid yn tynnu oddi ar yr Ysgrythur (yr elfennau goruwchnaturiol).

Yn ystod yr wythnos olaf daeth rhai o'r Sadwceaid at Iesu gyda chwestiwn oedd yn ymwneud â'r gyfraith a phriodas. Yn ôl y gyfraith, os oedd gŵr yn marw heb blant, roedd rhaid i'w frawd briodi ei weddw. "Wel," meddai'r Sadwceaid, "un tro roedd saith o frodyr. Mae'r saith ohonynt yn marw heb blant ac yn y diwedd mae'r wraig ei hunan yn marw. Gwraig i bwy fydd hon yn y bywyd nesaf gan fod y saith wedi ei phriodi hi?" (aralleiriad y cyfieithydd). Rwy'n siŵr y gallwch ddychmygu'r gwawd oedd yng nghalonnau ac ar wynebau'r Sadwceaid. Rhaid eu bod yn tybio eu bod yn glyfar ofnadwy ac y gellid dangos bod credu mewn bywyd ar ôl marwolaeth yn nonsens.

Mae Iesu yn cychwyn ac yn gorffen ei ateb gyda datganiad clir fod y Sadwceaid wedi gwneud camgymeriad, camgymeriad mawr yn wir (Marc 12: 27). Roedd y camgymeriad yn deillio o'u hanwybodaeth. Nid oeddent yn gwybod yr Ysgrythur ar y naill law, nac ychwaith ar y llaw arall, rym Duw.

Fel esiampl o anwybodaeth y Sadwceaid o'r Ysgrythur, mae Iesu'n eu cyfeirio at y digwyddiad hwnnw lle gwelodd Moses y berth yn llosgi a'r hyn oedd ymhlyg wrth i Dduw ei gyhoeddi ei hun yn Dduw Abraham, Isaac a Jacob. Roedd Duw wedi sefydlu cyfamod unigryw o gariad gyda'r tadau. Oedd y Sadwceaid yn credu o ddifrif fod cyfamod o'r fath yn gallu cael ei chwalu gan farwolaeth? Heddiw yn yr un modd, mae llawer o gamgymeriadau yn deillio o anwybodaeth o'r Ysgrythur ac amarch tuag ati.

Ond yn y bôn, sail camgymeriad y Sadwceaid oedd anwybodaeth o fath arall. Yn eu tyb nhw, os oedd bywyd ar ôl marw, fe fyddai'r un fath â'r bywyd yr oedden nhw'n ei fyw cyn marw. Tebyg nad oedd wedi gwawrio ar y bobl hyn y gallai Duw greu trefn bywyd lle nad oedd priodas. Roeddent yn gwbl anwybodus am rym Duw.

Darllen pellach: Marc 12: 18–27

# Yr Apocalyps Bychan

*Yn wir, rwy'n dweud wrthych, nid â'r genhedlaeth
hon heibio nes i'r holl bethau hyn ddigwydd.*
Marc 13:30

Wrth i Iesu a'i ddisgyblion eistedd un diwrnod ar Fynydd yr Olewydd, roeddent yn mwynhau golygfa ardderchog dros Ddyffryn Cedron i gyfeiriad teml Herod. Eisoes treuliwyd tua hanner can mlynedd yn adeiladu'r deml, a doedd y gwaith ddim wedi ei gwblhau; er hynny roedd yr olygfa'n ardderchog, "y fath feini enfawr a'r fath adeiladau gwych!" meddai'r disgyblion (adn. 1). Er syndod iddynt mae Iesu'n ymateb na fyddai'r un garreg yn goroesi'r chwalfa a fyddai'n dod yn hanes y deml. Dyma gychwyn yr hyn a elwir yn apocalyps bychan, a gofnodir yn Marc 13, Mathew 24 a Luc 21, lle mae Iesu'n edrych i'r dyfodol. Yr anhawster wrth ddehongli'r sgwrs hon yw bod Iesu'n edrych ymlaen at y dyfodol agos (cwymp Jerwsalem a chwalu'r deml yn 70 OC) ac at y diwedd terfynol (yr ailddyfodiad a diwedd hanes). Mae'r ddau ddigwyddiad i raddau yn cael eu plethu yn nysgeidiaeth Iesu, ac felly nid yw bob amser yn glir at ba un o'r ddau y mae'n cyfeirio.

Ceir arwyddion clir i ddangos bod yr apocalyps ar fin cyrraedd: byddai sawl un yn codi ac yn ei alw ei hun yn Feseia, byddai rhyfeloedd a sôn am ryfeloedd, daeargrynfeydd a newyn. "Dechrau'r gwewyr fydd hyn," meddai Iesu (adn. 9); nid dyma'r diwedd. Arwyddion eraill o'r diwedd fyddai erlid a merthyrdod y saint; pregethu'r efengyl ym mhob rhan o'r byd; rhaniadau o fewn teuluoedd; a dychrynfeydd yn yr haul, y lleuad a'r sêr – delweddau cyfarwydd, apocalyptaidd o gynnwrf cymdeithasol. Ac yna byddai pobl yn gweld "... [M]ab y Dyn yn dyfod yn y cymylau gyda nerth mawr a gogoniant" (adn. 26); yn wir, ni fyddai'r genhedlaeth honno'n mynd heibio nes byddai'r arwyddion hyn i gyd wedi ymddangos. Er hynny does neb, hyd yn oed y Mab ei hun, yn gwybod y dydd na'r awr.

Mae prif bwyslais yr apocalyps bychan hwn yn cael ei ddarganfod, nid mewn unrhyw raglen o arwyddion a digwyddiadau, ond yn hytrach yng ngwahoddiad Iesu (sy'n cael ei ailadrodd saith gwaith yn Marc 13) i fod yn effro ac i fod yn barod am ei ddyfodiad, gan nad oes neb yn gwybod pryd y bydd yn digwydd. "A'r hyn yr wyf yn ei ddweud wrthych chwi, yr wyf yn ei ddweud wrth bawb: byddwch wyliadwrus" (adn. 37).

Darllen pellach: Marc 13

# Yr Eneinio gan Mair

*... achubodd y blaen i eneinio fy nghorff erbyn y gladdedigaeth.*
Marc 14:8

Digwyddiad dramatig arall, ac un sy'n cael ei gofio'n dda, yw'r hyn a ddigwyddodd un min nos ym Methania yn ystod yr wythnos hon. Roedd Iesu'n cael pryd o fwyd fel un o wahoddedigion Simon y gwahanglwyfus, clefyd roedd Iesu wrth gwrs wedi ei iacháu. Wrth iddo eistedd i wledda, dyma wraig yn dod ato o'r tu cefn iddo. Nid ydym yn cael gwybod pwy yw hi gan Marc, ond mae Ioan yn ei chydnabod fel Mair o Fethania, un o ddwy chwaer Lasarus, a oedd yn ddiweddar wedi ei godi o farw (Ioan 12: 1–8). Roedd Mair wedi dod â chawg o bersawr drud gyda hi. Mae'n torri'r cawg ac yn tywallt y persawr dros ben Iesu. Gall mai'r eneinio hyn oedd ffordd Mair o ddangos ei bod yn ei gydnabod fel y Meseia. Er hynny roedd y bobl oedd yn gwylio'r digwyddiad yn tybied mai gwastraff llwyr oedd y weithred. Gellid bod wedi gwerthu'r persawr hwn am werth blwyddyn o gyflog a rhoi'r arian i'r tlodion.

Mae Iesu yn ei hamddiffyn. O'i eiriau, gallwn ddysgu pum gwirionedd sydd ag arwyddocâd arbennig iddynt. Yn gyntaf, nid gweithred wastraffus, ond "gweithred hardd" (Marc 14: 6) oedd hon, a mynegiant o'i defosiwn llwyr i Iesu. Yn ail, nid oedd hon mewn unrhyw ffordd yn ddibris o anghenion y tlawd, ond roedd yn mentro rhoi Iesu yn uwch na hyd yn oed eu hanghenion nhw yn ei rhestr o flaenoriaethau. Yn drydydd, roedd wedi gwneud yr hyn a allodd yn ôl yr adnoddau a oedd ganddi, gan gydnabod bod pobl eraill yn gallu gwasanaethu Iesu mewn ffyrdd eraill. Yn bedwerydd, roedd wedi tywallt yr ennaint dros ei gorff gan ragweld yr eneinio a fyddai'n digwydd adeg ei gladdu. Yn bumed, byddai Mair a'r weithred hon o gariad rhyfeddol yn cael eu cofio ble bynnag y byddai'r efengyl yn cael ei phregethu drwy'r byd i gyd.

Yn efengyl Marc mae'r ddwy weithred wrthgyferbyniol, hynny yw cariad angerddol Mair a brad Jwdas, yn cael eu gosod ochr yn ochr, a byddwn yn edrych ar yr ail yfory.

Darllen pellach: Marc 14: 1–11

# Cymhelliad Jwdas

*Yna aeth Jwdas Iscariot, hwnnw oedd yn un o'r*
*Deuddeg, at y prif offeiriaid i'w fradychu ef iddynt.*
Marc 14:10

Mae'n wir i ddweud bod y bradychu hwn o du Jwdas wedi ei weld gan yr eglwys fore yn gyflawniad o'r Ysgrythur (gweler Salm 41: 9, Ioan 17: 12), a bod hyn wedi digwydd wedi i Satan ei gymell yn gyntaf, ac yna mynd i mewn i Jwdas (Ioan 13: 2, 27). Eto, rhaid dweud nad yw'r ffeithiau hyn yn esgusodi Jwdas. Nid yw proffwydoliaeth Feiblaidd ar y naill law na dylanwad y diafol ar y llaw arall yn dwyn y cyfrifoldeb personol oddi arno. Ar y funud olaf yn yr oruwchystafell, mae Iesu'n pledio gydag ef (Ioan 13: 25–30), a phan wrthododd Jwdas wrando, meddai Iesu, "ond gwae'r dyn hwnnw y bradychir Mab y Dyn ganddo!" (Mathew 26: 24).

Beth felly oedd cymhelliad Jwdas? Mae efengylwyr yn rhoi'r ffocws ar ei gariad at arian. Yn ôl Ioan ef oedd trysorydd y criw o apostolion, ond roedd hefyd yn lleidr a ddefnyddiai'r arian a rennid rhyngddynt at ei ddibenion ei hun. Does ryfedd ei fod wedi gwaredu at weithred hardd Mair. Mae'n debyg ei fod wedi mynd yn syth at yr offeiriaid er mwyn ceisio adfer rhywfaint o'r golled. Mae'n taro bargen gyda'r rhain gan fodloni ar dri deg darn o arian, sef y pris a ddisgwylid fel arfer am ryddhau gwas cyffredin.

Cymhelliad posibl arall y tu ôl i weithred Jwdas oedd y gwleidyddol. Mae llawer wedi dyfalu beth yw ystyr cyfenw Jwdas, sef Iscariot. Mae rhai'n credu ei fod yn cyfeirio at le arbennig a'i fod yn "ddyn o Kerioth", pentref i'r de o Hebron. Mae eraill yn credu bod Iscariot yn ffurf arall ar y gair *sikarios*, sy'n cyfeirio at lofrudd (o *sika*, cleddyf), a bod Jwdas yn aelod o'r *sikari*, grŵp o wrthryfelwyr y cyfeirir atynt gan Joseffus, hanesydd Iddewig o'r ganrif gyntaf. A oedd Jwdas felly yn genedlaetholwr eithafol, yn hiraethu am waredigaeth Israel o reolaeth Rhufain, ac wedi ei siomi ym methiant meseianaidd Iesu? Mae hyn yn bosibilrwydd, ond nid yw'r dystiolaeth yn ddigon cryf i ni fod yn siŵr.

Mae'r efengylwyr yn gwrthgyferbynnu Mair a Jwdas, gan bwysleisio haelioni anghyffredin Mair a bargen oeraidd Jwdas. Tra oedd Jwdas wedi gwylltio gan yr hyn a welai yn wastraff o gyflog blwyddyn gan Mair, roedd e'n barod i werthu Iesu am drydedd ran o'r cyflog hwnnw. Yn wir, "gwraidd pob math o ddrwg yw cariad at arian" (1 Timotheus 6: 10).

Darllen pellach: Ioan 13: 1–2, 18–30

# Wythnos 28: Yr Oruwchystafell

Mae'n amlwg fod Iesu wedi penderfynu treulio ei noswaith olaf yn cael gwledd breifat yng nghwmni'r disgyblion. Roedd wedi gwneud trefniadau gyda ffrind iddo i roi benthyg ystafell, ystafell a ddisgrifiodd Iesu yn "oruwchystafell fawr wedi ei threfnu'n barod" (Marc 14: 15). Yn ôl y tri efengylydd cyntaf, dyma wledd y Pasg, y wledd oedd yn dilyn aberthu ŵyn y Pasg. Mae Iesu ei hun yn siarad am ei awydd i rannu'r wledd hon gyda'r disgyblion (Luc 22: 15). Yn ôl Ioan er hynny, mae Iesu'n marw ar y groes ddiwrnod ynghynt, ar yr union adeg yr oedd ŵyn y Pasg yn cael eu lladd. Mae nifer o ymdrechion wedi eu gwneud i geisio cysoni'r ddwy gronoleg. Mae'n debyg mai'r gorau y gellir ei ddweud yw bod y ddwy'n gywir gan eu bod yn adlewyrchu dealltwriaeth dau grŵp – y Phariseaid a'r Sadwceaid ar y naill law a'r Galileaid a'r Jwdeaid ar y llall. Cawn y fraint yr wythnos hon o wylio Iesu'n golchi traed ei ddisgyblion a sefydlu Swper yr Arglwydd. Cawn wrando hefyd ar ei ddysgeidiaeth am yr Ysbryd Glân a'i weddïau dros ei ddisgyblion.

**Dydd Sul:** Golchi Traed
**Dydd Llun:** Swper yr Arglwydd
**Dydd Mawrth:** Dau Ddyfodiad Crist
**Dydd Mercher:** Y Winwydden a'i Changhennau
**Dydd Iau:** Manteision Ymadawiad Iesu
**Dydd Gwener:** Gweinidogaeth Ysbryd y Gwirionedd
**Dydd Sadwrn:** Gweddi'r Arglwydd dros ei Eiddo

# Golchi Traed

*... dyma Iesu ... yn codi o'r swper ac yn rhoi ei wisg o'r neilltu, yn cymryd tywel ac yn ei glymu am ei ganol. Yna tywalltodd ddŵr i'r badell, a dechreuodd olchi traed y disgyblion, a'u sychu â'r tywel oedd am ei ganol.*

Ioan 13:4–5

Yn ystod y swper mae Iesu'n golchi traed ei ddisgyblion, gan ddweud wrthynt am ddilyn ei esiampl. Mae rhai Cristnogion wedi cymryd hyn yn llythrennol. Fe'i gwnaethpwyd gan babau a rhai o'r tadau cynnar; mae brenhinoedd a breninesau yn parhau i'w wneud ar y dydd Iau cyn dydd Gwener y Groglith. Mae rhai eglwysi Protestannaidd (er enghraifft y Menoniaid) yn ychwanegu golchi traed at wasanaeth y cymun. Mae eraill yn credu bod Iesu nid yn gymaint yn sefydlu seremoni, ond yn cyfeirio at ddigwyddiad diwylliannol cyffredin. O drawsblannu'r arfer hwn i'n diwylliant ni, mae Iesu'n dysgu y bydd ei bobl yn gwasanaethu ei gilydd os ydynt yn ei garu ef, ac ni fydd yr un gwasanaeth yn ormod i'w gyflawni.

Ond roedd golchi traed y disgyblion yn fwy nag esiampl o wasanaeth gostyngedig; roedd hefyd yn ddameg achubol. Clywn ar y cychwyn fod Pedr wedi gwrthod caniatáu i Iesu olchi ei draed. Os felly, meddai Iesu, ni allai Pedr gael unrhyw gymdeithas ag ef. Nawr mae Pedr yn gofyn i Iesu olchi ei ddwylo a'i ben hefyd. Ymateb Iesu yw, "Y mae'r sawl sydd wedi ymolchi drosto yn lân i gyd, ac nid oes arno angen golchi dim ond ei draed" (Ioan 13: 10).

Mae'n glir o hyn fod y golchi yn ddarlun o iachawdwriaeth, a bod hyn yn digwydd mewn dwy ran, golchi'r corff yn gyntaf a golchi'r traed yn gyson. Roedd yr arfer cymdeithasol y tu ôl i hyn yn un cyfarwydd. Cyn mynd allan i swper yn nhŷ ffrind byddai'r sawl a wahoddwyd yn ymolchi drosto. Yna o gerdded yn droednoeth neu mewn sandalau, byddai ei draed yn casglu pob math o faw eto. Felly wedi cyrraedd byddai gwas wedi ei benodi i olchi ei draed. Doedd dim angen golchi'r corff i gyd.

Felly wrth inni ddod am y tro cyntaf at Iesu Grist mewn edifeirwch a ffydd, mae gras yn golchi'r cyfan ohonom. Yn ddiwinyddol, y gair a ddefnyddir yw 'cyfiawnhad' (derbyn statws newydd) neu 'ailenedigaeth', ac mae'r ddau'n cael eu dramateiddio mewn bedydd, rhywbeth na ellir ei ailadrodd. Yna, oherwydd ein bod yn parhau i syrthio mewn pechod a holl fudreddi'r byd yn casglu arnom, ar ein calon a'n henaid a'n meddwl, nid ymolchi drosom sydd arnom ei angen bellach, ond maddeuant dyddiol; ac arwydd o hyn yw ein bod yn dod yn gyson i Swper yr Arglwydd. Mae Pedr yn gwneud dau gamgymeriad. Yn gyntaf, mae'n protestio yn erbyn yr angen i gael ei olchi o gwbl. Ac yn ail mae'n gofyn am gael ei olchi yn llwyr, er mai'r cwbl roedd ei angen arno oedd golchi ei draed. Rwy'n gweddïo y bydd Duw yn caniatáu inni fedru gweld y gwahaniaeth.

Darllen pellach: Ioan 13: 1–15

# Swper yr Arglwydd

*Oherwydd bob tro y byddwch yn bwyta'r bara hwn ac yn yfed y*
*cwpan hwn, yr ydych yn cyhoeddi marwolaeth yr Arglwydd, hyd nes y daw.*
1 Corinthiaid 11:26

Yn ystod y wledd yn yr Oruwchystafell mae Iesu yn cymryd bara, yn ei dorri ac yn ei roi i'w ddisgyblion gan ddweud, "Hwn yw fy nghorff, sy'n cael ei roi er eich mwyn chwi; gwnewch hyn er cof amdanaf" (Luc 22: 19). Yna wedi'r swper mae'n cymryd gwydraid o win ac yn estyn hwn i'w ddisgyblion hefyd gan ddweud, "Y cwpan hwn yw'r cyfamod newydd yn fy ngwaed i, sy'n cael ei dywallt er eich mwyn chwi" (Luc 22: 20). Mae'r geiriau hyn yn arbennig o arwyddocaol oherwydd maent yn dadlennu inni agwedd Iesu at ei farwolaeth. Mae tri gwirionedd yn cael eu nodi'n benodol.

Yn gyntaf mae marwolaeth Iesu yn gwbl ganolog. Yr hyn y mae'n ei wneud yw rhoi cyfarwyddiadau ynglŷn â gwasanaeth coffa. Roeddent i fwyta'r bara ac yfed y gwin er cof amdano. Ymhellach, byddai'r bara yn arwyddo nid yn gymaint ei gorff byw, ond y corff oedd wedi ei roi drostynt, a'r gwin, y gwaed oedd wedi ei dywallt drostynt. Mewn geiriau eraill, mae marwolaeth yn siarad yn glir drwy'r ddwy elfen. Mae Iesu am gael ei gofio oherwydd ei farwolaeth.

Yr ail wirionedd a ddysgwn o Swper yr Arglwydd yw'r gwirionedd am bwrpas marwolaeth Iesu. Yn ôl Mathew, mae'r cwpan yn dynodi "gwaed y cyfamod, a dywelltir dros lawer er maddeuant pechodau" (Mathew 26: 28). Dyma'r honiad rhyfeddol yn wir, fod tywallt gwaed Iesu yn golygu y byddai Duw yn sefydlu'r cyfamod newydd oedd wedi ei addo drwy Jeremeia (Jeremeia 31). Ac un o'i addewidion mwyaf bendigedig yw maddeuant pechodau.

Y trydydd gwirionedd a ddysgir yn Swper yr Arglwydd yw'r angen i bob un ohonom ni feddiannu'n bersonol rin a gwerth marwolaeth Iesu. Nid gwylio'r ddrama yn yr Oruwchystafell oedd y disgyblion, ond cymryd rhan ynddi. Mae Iesu nid yn unig yn torri'r bara, ond yn rhoi'r bara iddynt i'w fwyta. Felly hefyd, nid yw'n tywallt y gwin yn unig ond yn ei roi iddynt i'w yfed. Nid oedd yn ddigon i Iesu Grist farw; rhaid inni wneud bendith ei farwolaeth yn eiddo i ni. Mae'r bwyta a'r yfed yn parhau i fod yn ddameg weithredol o dderbyn Crist fel ein Gwaredwr croeshoeliedig a bwydo arno ef yn ein calonnau drwy ffydd.

Mae'n amlwg, wrth i Iesu sefydlu Swper yr Arglwydd, nad gwledd sentimental a fwriadwyd, ond yn hytrach ddrama sy'n gyfoethog yn ei harwyddocâd ysbrydol.

Darllen pellach: Jeremeia 31: 31–34

# Dau Ddyfodiad Crist

*Ac os af a pharatoi lle i chwi, fe ddof yn ôl, a'ch cymryd*
*chwi ataf fy hun ... Ni adawaf chwi'n amddifad; fe ddof yn ôl atoch chwi.*
Ioan 14:3, 18

Ar ddechrau Ioan 14, fel ar ddiwedd y bennod, mae Iesu'n dweud wrth ei ddisgyblion, "Peidiwch â gadael i ddim gynhyrfu'ch calon" (adn. 1, 27). Mae Iesu'n cyfeirio at ffurf ar glefyd y galon na all yr un arbenigwr mewn cardioleg ei wella. Mae Ioan yn cofnodi yn y bennod hon yr hyn y mae'r gwir ffisigwr yn ei esbonio fel achos y clefyd a moddion y clefyd. Tybiaf y gellid rhoi teitl ar y bennod hon, rhywbeth fel "Clefyd Ysbrydol y Galon: ei achosion a'r feddyginiaeth". Achos y clefyd yn hanes y disgyblion oedd bod Iesu ar fin eu gadael. Roedd rhagweld y digwyddiad hwn yn peri i'w calonnau gynhyrfu, a'r moddion yn ôl Iesu oedd ffydd yn ei ddyfodiad ef.

Dyfodiad terfynol Iesu Grist ar y diwrnod olaf yw testun y pedair adnod ar ddeg cyntaf yn y bennod, er y gellir eu cymhwyso i'n marwolaeth ni hefyd. Mae Iesu'n addo: (1) "fy mod yn mynd i baratoi lle i chwi" (adn. 2), fel bod marwolaeth i'r credinwyr yn debyg i fynd adref; (2) "fe ddof yn ôl" (adn. 3); (3) "a'ch cymryd chwi ataf fy hun" (adn. 3); a (4) "Myfi yw'r ffordd a'r gwirionedd a'r bywyd" (adn. 6). Mae hwn yn ddarlun prydferth wrth inni sylweddoli mai'r un y byddwn yn cyfarfod ag ef yn y diwedd yw'r un hefyd sydd wedi agor y ffordd, sydd yn barod i fod gyda ni ar y ffordd ac sydd, yn fwy na hynny, yn ffordd ei hunan.

Mae adnodau 15–26 er hynny yn cyfeirio at ddyfodiad Iesu wedi ei atgyfodiad. Nid yw'r ffaith fod Iesu yn mynd i ddod yn y dyfodol yn awgrymu y byddai'n eu gadael yn amddifad yn awr. I'r gwrthwyneb, byddai'n anfon ei Ysbryd Glân, neu byddai'n dod ei hun ym mherson yr Ysbryd Glân. Ond at bwy y byddai Iesu'n dod? Roedd am ddod at y rhai oedd yn ei garu, ac mae'r rhai sy'n ei garu yn profi hynny drwy eu hufudd-dod (adn. 21).

Yn y pum adnod olaf (adn. 27–31) mae Ioan yn dychwelyd at y brif thema, fod ymadawiad Iesu ar fin digwydd. Eto mae Iesu'n dweud wrth ei ddisgyblion am beidio â chaniatáu i hyn eu cynhyrfu. Yn hytrach mae'n cyhoeddi "Shalom", "Heddwch!" Fel hyn y cymhwysodd Matthew Henry yr adnod hon:

> Pan oedd Iesu ar fin gadael y byd, gwnaeth ei ewyllys. Mae'n cyflwyno ei enaid i Dduw, ei gorff i Joseff o Arimathea, ei ddillad i'r milwyr, ei fam i ofal Ioan. Ond beth am ei ddisgyblion? Beth am y rhain oedd wedi gadael y cyfan er ei fwyn? Nid oedd ganddo arian nac aur, ond mae'n ewyllysio iddynt hwy rywbeth sydd yn tra rhagori, ei dangnefedd.

Darllen pellach: Ioan 14: 1–31

# Y Winwydden a'i Changhennau

*Myfi yw'r winwydden; chwi yw'r canghennau. Y mae'r sawl sydd yn aros ynof fi, a minnau ynddo yntau, yn dwyn llawer o ffrwyth, oherwydd ar wahân i mi ni allwch wneud dim.*

Ioan 15:5

Yn yr alegori hon am y winllan a'i changhennau, mae'n sicr fod Iesu yn meddwl am Israel, y winwydden honno yr oedd Duw ei hun wedi ei phlannu yng Nghanaan. Yn hyn mae Iesu hefyd yn awgrymu'r parhad sydd rhwng Israel ac eglwys Dduw yn y Testament Newydd. Mae neges sylfaenol yr alegori yn amlwg: yn yr un modd ag y bwriadwyd gwinllan i gynhyrchu grawnwin, mae Duw wedi bwriadu i'w bobl fod yn ffrwythlon.

Mae'n ddiddorol sylwi bod llawer o Gristnogion yn tybied mai ystyr bod yn ffrwythlon yw llwyddiant wrth ennill pobl i Grist. Mae efengylu wrth gwrs yn rhan sylfaenol o'n galwad Gristnogol, ond o gymharu Ysgrythur ag Ysgrythur, gwelwn mai'r grawnwin yng ngwinllan Duw oedd cyfiawnder, ac yn y Testament Newydd ffrwyth yr Ysbryd yw tebygrwydd i Grist. Gweler Eseia 5; Galatiaid 5: 22–23; a Colosiaid 1: 10.

Beth felly yw'r gyfrinach wrth inni feddwl sut mae bod yn ffrwythlon? Yn gyntaf mae angen tocio'r winwydden. Mae Duw yn arddwr rhyfeddol. Mae'n tocio'r canghennau sy'n dwyn ffrwyth er mwyn iddynt ddwyn mwy o ffrwyth. Rhaid mai darlun o ddioddefaint yw hwn. Mae tocio'n broses boenus. Mae'r pren yn cael ei dorri nôl yn yr hydref fel arfer. I'r rhai nad ydynt yn gyfarwydd â'r gwaith mae'n siŵr bod hyn yn ymddangos yn greulon iawn. O bryd i'w gilydd ni adewir dim ond y bonyn a hwnnw'n noeth – ond wrth i'r gwanwyn a'r haf ddychwelyd, mae llawer o ffrwyth. Mae'n amlwg fod angen i'r gyllell sy'n tocio fod mewn dwylo diogel. Mae rhyw fath o ddioddefaint yn anhepgor i wir sancteiddrwydd.

Ail gyfrinach ffrwythlondeb yw'r angen i "aros" yn y winwydden. Yn ei hanfod, ystyr bod yn Gristion yw bod "yng Nghrist", hynny yw wedi ein huno'n organaidd â'r Arglwydd Iesu. Felly mae aros yng Nghrist yn golygu datblygu a diogelu perthynas sydd eisoes yn bod. Ymhellach, mae'n berthynas o'r ddwy ochr, oherwydd wrth inni aros yng Nghrist mae Crist hefyd yn aros ynom ni. Er mai ewyllys Iesu yw aros ynom ni, rhaid i ni ganiatáu hynny, gan roi iddo'n gynyddol yr hawl i fod yn Arglwydd ar ein bywyd. Rwyf am gloi drwy ddyfynnu'r Esgob J. C. Ryle: "Aros ynof i. Glyna wrthyf. Rhaid iti fyw bywyd o gymundeb agos gyda mi. Tyrd yn agosach. Bwrw dy holl feichiau arnaf. Caniatâ i mi gludo dy ofidiau. Paid â gollwng gafael am eiliad. Aros ynof."

Darllen pellach: Ioan 15: 1–8

# Manteision Ymadawiad Iesu

*Yr wyf fi'n dweud y gwir wrthych: y mae'n*
*fuddiol i chwi fy mod i'n mynd ymaith.*
Ioan 16:7

Sut yn y byd y mae'n bosibl siarad am fanteision i'r disgyblion wrth gyfeirio at ymadawiad Iesu? Roeddent wedi treulio tair blynedd ryfeddol yn ei gwmni. Yr ydym yn edrych yn eiddigeddus arnynt. Mae'n siŵr ein bod yn dymuno y byddem wedi cael yr un profiad â nhw. Byddai wedi bod yn felys anghyffredin i'w wylio yn bwydo'r newynog, yn iacháu'r cleifion, yn codi'r meirw. Beth yw ystyr geiriau Iesu?

I'r apostolion, mae'n amlwg fod dau anhawster. Yn gyntaf, tra oedd Iesu gyda hwy ar y ddaear, roedd ei bresenoldeb yn real iawn, iawn. Mae'n wir eu bod yn cael eu gwahanu oddi wrtho ar brydiau, er enghraifft wrth iddyn nhw fynd yn y cwch ac yntau'n gweddïo ar y mynydd. Ond roeddent hefyd yn gallu mwynhau ei gymdeithas. Meddyliwch felly petai heb fynd i ffwrdd. Gadewch imi ddiweddaru'r hyn a ddywedodd Henry Drummond, yr awdur Albanaidd o'r bedwaredd ganrif ar bymtheg: 'Meddyliwch petai Iesu yn parhau i fod yn Jerwsalem. Byddai pob llong ac awyren yn llawn o bererinion Cristnogol. A beth amdanoch chi? Gyda chryn anhawster, byddech yn glanio. Ond mae pob ffordd yn gwbl lawn. Rhyngoch chi a Jerwsalem, mae tyrfa ddirifedi o bobl. Rydych wedi dod i weld Iesu ond mae eich gobeithion o'i weld yn brin iawn.'

Er mwyn osgoi'r math hwn o rwystredigaeth mae Iesu'n mynd, gan ddanfon ei Ysbryd Glân yn ei le, oherwydd yr hyn y mae'r Ysbryd Glân wedi ei gyflawni yw peri bod presenoldeb Crist i'w brofi gan bob un ac ym mhob man.

Yr ail anfantais i'r disgyblion oedd hyn: tra oedd Iesu gyda nhw ar y ddaear, roedd ei bresenoldeb nid yn unig yn lleol ond hefyd yn allanol. Nid oedd modd iddo, er enghraifft, feddiannu eu personoliaeth nac ychwaith eu newid o'r tu mewn, gan gyrraedd at darddle eu meddyliau, eu bwriadau a'u dymuniadau.

Ond yn ddiweddarach, byddai'n medru gwneud hynny, meddai Iesu, "oherwydd gyda chwi y mae'n aros ac ynoch chwi y bydd" (14: 17). Yn yr ystyr hon mae'r Ysbryd Glân yn gwneud presenoldeb Iesu yn rhywbeth mewnol. Mae Iesu yn trigo ynom ni, yn ein calonnau drwy'r Ysbryd, ac yn ein trawsffurfio i fod yn debyg iddo. Mae felly o fantais anghyffredin inni fod Iesu wedi mynd i ffwrdd oherwydd yn ei le daeth yr Ysbryd Glân. Mae'r Ysbryd Glân wedi gwneud presenoldeb Iesu nid yn unig yn lleol ond yn fyd-eang, nid yn unig yn allanol ond yn fewnol. Trwy'r Ysbryd y mae Iesu ble bynnag y mae ei bobl, ac y mae Iesu yn byw ynom ni.

Darllen pellach: Ioan 16: 5–11

# Gweinidogaeth Ysbryd y Gwirionedd

*Y mae gennyf lawer eto i'w ddweud wrthych, ond ni allwch ddal y baich ar hyn o bryd. Ond pan ddaw ef, Ysbryd y Gwirionedd, fe'ch arwain chwi yn yr holl wirionedd.*

Ioan 16:12–13

Yn ganolig i ddysgeidiaeth Iesu yn yr Oruwchystafell mae dwy addewid sy'n cyfeirio at weinidogaeth Ysbryd y Gwirionedd. Yn gyntaf, byddai Ysbryd y Gwirionedd "yn dysgu popeth ichwi, ac yn dwyn ar gof ichwi y cwbl a ddywedais i wrthych" (14: 26). Er bod rhai Cristnogion sydd â chof gwallus wedi hawlio'r addewid hon o bryd i'w gilydd, y mae'r cyfeiriad hwn yn benodol at yr apostolion. Am dair blynedd bu Iesu yn eu dysgu. Ei gonsýrn yn awr yw y bydd y gwirionedd a ddysgodd yn cael ei ddiogelu. Roedd eisoes wedi gwneud y dysgu. Gwaith yr Ysbryd Glân fyddai atgoffa. Cyflawnwyd yr addewid hon wrth i'r efengylau gael eu hysgrifennu.

Yn ail, "fe'ch arwain chwi yn yr holl wirionedd" (16: 13). Mae'n amheus gen i a oes unrhyw destun Beiblaidd wedi dioddef cymaint o gamddehongli â'r testun hwn. Y cwestiwn sy'n ganolog yw pwy yw'r 'chi' yn yr addewid. Mae'r Eglwys Rufeinig yn tueddu i gymhwyso'r adnod i'r Pab ac i'r coleg o esgobion sy'n cael eu hystyried yn olynwyr yr apostolion. Mae'r Eglwys Ddwyreiniol yn tueddu i'w dehongli fel cyfeiriad at yr eglwys a'i thraddodiad byw. Mae diwinyddion rhyddfrydol yn hawlio 'chi' i hinsawdd barn arbenigwyr, tra bod y Pentecostaliaid yn mynnu bod y 'chi' yn cyfeirio at bob credadun sydd wedi ei lenwi â'r Ysbryd. Ond mae Cristnogion diwygiedig ac efengylaidd yn mynnu mai'r 'chi' yw'r apostolion oedd wedi ymgasglu o amgylch Iesu yn yr Oruwchystafell. Mae'r rhagenw 'chi' yn digwydd dair gwaith yn Ioan 16: 12–13: "Y mae gennyf lawer eto i'w ddweud wrthych, ond ni allwch ddal y baich ar hyn o bryd. Ond pan ddaw ef, Ysbryd y Gwirionedd, fe'ch arwain chwi yn yr holl wirionedd." O'r rhain mae'r ddau gyntaf yn sicr yn cyfeirio at yr apostolion, felly mae'n deg casglu bod y trydydd hefyd, oherwydd ni allwn newid pwy yw'r 'chi' yng nghanol brawddeg. Mae Iesu'n ystyried bod ei weinidogaeth o ddysgu yn anghyflawn. Roedd ganddo fwy i'w ddysgu i'r apostolion, ond ar hyn o bryd nid oedd yn bosibl iddynt ei dderbyn. Byddai'r Ysbryd Glân yn cyflawni'r hyn yr oedd Iesu wedi ei adael yn anghyflawn, gan arwain yr apostolion i'r holl wirionedd yr oedd am iddynt ei wybod, addewid sy'n cael ei chyflawni wrth ysgrifennu'r Actau, y Llythyrau a llyfr y Datguddiad.

Felly mae i'r Ysbryd Glân weinidogaeth o atgoffa ac o ychwanegu, ac mae'r ddau yn cael eu cyflawni wrth i'r Testament Newydd gael ei ysgrifennu.

Darllen pellach: Ioan 15: 26–27; 16: 12–15

# Gweddi'r Arglwydd dros ei Eiddo

*... cododd Iesu ei lygaid i'r nef a dywedodd:*
*"O Dad, y mae'r awr wedi dod."*
Ioan 17:1

Does dim amheuaeth nad Ioan 17 yw un o'r penodau harddaf yn y Beibl i gyd. Ysgrifennwyd cyfrolau i geisio ei hesbonio. Pregethodd Thomas Manton, a fu am gyfnod yn gaplan i Oliver Cromwell, bedwar deg a phump o bregethau ar y bennod hon. Pan gyhoeddwyd y pregethau hyn roeddent yn gyfrol o dros 450 o dudalennau. Sut mae cyflawni mewn 350 o eiriau esboniad digonol ar y geiriau cyfoethog hyn? Wedi gweddïo drosto'i hun, a gofyn i Dduw ei ogoneddu ar y groes, mae Iesu'n gweddïo dros ei bobl ei hun.

Yn gyntaf, mae Iesu'n gweddïo dros wirionedd yr eglwys, hynny yw y byddai'r Tad yn cadw ei bobl yn ei enw neu yn llythrennol yn ddiogel yn ei enw. Gweddi yw hon y bydd ei bobl yn ffyddlon i'r datguddiad yr oedd Iesu wedi ei roi iddynt.

Yn ail mae Iesu'n gweddïo dros sancteiddrwydd ei eglwys. Nid yw'n gweddïo y bydd ei bobl yn ymddieithrio o'r byd, ond yn hytrach y byddant wrth aros yn y byd yn cael eu cadw rhag yr un drwg (adn. 15).

Yn drydydd, mae Iesu'n gweddïo dros genhadaeth yr eglwys: "Fel yr anfonaist ti fi i'r byd, yr wyf fi'n eu hanfon hwy i'r byd" (adn. 18). Ymhellach, mae'n gwneud ei genhadaeth ef yn fodel i'n cenhadaeth ni. Mae Iesu wedi dod i'r byd ac yn hynny rydym ni i fynd i mewn i fyd pobl o'n cwmpas ni. Mae pob cenhadaeth Feiblaidd yn ymgnawdoliad yn yr ystyr yma.

Yn bedwerydd, mae Iesu'n gweddïo dros undod yr eglwys, ac i'r undod hwn mae dwy wedd. Yn gyntaf mae'n undod gyda'r apostolion (adn. 20–21). Rhaid bod pawb yn gyfuniad o'r "rhain" a "y rhai fydd yn credu". Mae hon yn weddi am gysondeb hanesyddol ym mhregethu yr apostolion a'r eglwys a fyddai'n dilyn. Ymhellach y mae'n weddi y bydd yr eglwys ym mhob oes yn apostolaidd, ac yn ffyddlon i ddysgeidiaeth y Testament Newydd. Yn ail y mae'n undod gyda'r Tad a'r Mab (adn. 21).

Dyma felly yr undod dwbl y mae Iesu'n ei geisio mewn gweddi. Mae'n undod gyda'r apostolion (y gwirionedd cyffredin) ac mae'n undod gyda'r Tad a'r Mab (bywyd cyffredin). Mae strwythurau'n bwysig. Ond pwysicach na'r rhain yw'r undod mewn gwirionedd a bywyd.

Darllen pellach: Ioan 17

# Wythnos 29: Dechrau'r Helbulon

Gorffennodd y Swper Olaf gydag emyn, Salmau 115–118 mae'n debyg, gan ddod â'r "Hallel" a gwledd y Pasg i ben.

Mae Iesu a'r Deuddeg (er heb Jwdas bellach) yn cerdded gyda'i gilydd i berllan a elwid Gethsemane ar Fynydd yr Olewydd, man oedd yn gyfarwydd iddynt oherwydd eu bod yn treulio'r nos yno yn fynych. Yma, dioddefodd Iesu'n enbyd yn ei ysbryd, digwyddiad sy'n allweddol inni geisio deall yr ing yr oedd ar fin ei ddioddef ar y groes. Mae dilyniant o ddigwyddiadau, y bradychu gan Jwdas, Pedr yn ei wadu, treialon Iesu gerbron y Sanhedrin, Herod a Pilat, sy'n cyrraedd penllanw gyda'r gwawdio a'r fflangellu gan y milwyr.

**Dydd Sul:** Yr Ing yn yr Ardd
**Dydd Llun:** Jwdas yn Bradychu
**Dydd Mawrth:** Pedr yn Gwadu
**Dydd Mercher:** Y Prawf gerbron y Sanhedrin
**Dydd Iau:** Y Prawf gerbron Pilat
**Dydd Gwener:** Gwamalrwydd Pilat
**Dydd Sadwrn:** Y Cyfrifoldeb am Farwolaeth Iesu

# Yr Ing yn yr Ardd

*Ac fe gymerodd gydag ef Pedr ac Iago ac Ioan, a dechreuodd deimlo arswyd a thrallod dwys, ac meddai wrthynt, "Y mae f'enaid yn drist iawn hyd at farw."*

Marc 14:33–34

Mae ing Iesu yn yr ardd yn rhoi esiampl fyw inni o'r paradocs oedd yn perthyn i'w berson. Ar y naill law cawn olwg ar ei ddyhead dynol am gwmni a chefnogaeth weddigar ei ffrindiau, ynghyd â'r sylweddoliad y medrai ei ewyllys fod yn wahanol i un ei Dad: "Ond gwneler dy ewyllys di, nid fy ewyllys i" (Luc 22: 42). Ar y llaw arall mae'n siarad â Duw mewn ffordd sy'n arwyddo'r berthynas unigryw ac agos a fodolai rhyngddynt: "Abba! Dad!" (Marc 14: 36).

Ond beth oedd achos ei ing? Yn y gwreiddiol, mae'r geiriau Groeg yn awgrymu 'arswyd' a 'thrallod' wrth i Iesu i ddweud wrth ei ddisgyblion, "Y mae f'enaid yn drist iawn hyd at farw" (adn. 33–34). Mae Luc, y meddyg, yn ychwanegu, "ac yr oedd ei chwys fel dafnau o waed yn diferu ar y ddaear" (Luc 22: 44). Mae Iesu'n cyfeirio at y dioddefaint oedd o'i flaen fel 'cwpan' yr oedd yn ei ofni'n ddirfawr. Ai dim ond ofn marwolaeth oedd yma? Wynebodd Socrates ar ei farwolaeth mewn cell yn Athen mewn ysbryd pur wahanol. Yfodd ei gwpanaid o gegid yn ôl Plato, 'heb gynhyrfu ... yn llawen a thawel.' Oedd Socrates yn ddewrach na Iesu? Mae pob tystiolaeth yn milwrio yn erbyn syniad o'r fath. Nid oedd dewrder moesol a chorfforol Iesu wedi gwegian o gwbl. Rhaid bod gwenwyn gwahanol yn ei gwpan ef. Roedd y cwpan yr oedd yn dyheu am gael ei osgoi wedi ei lenwi, nid â phoen corfforol croeshoeliad, nac ychwaith â phoen meddyliol cael ei adael gan ei ffrindiau, ond â'r arswyd ysbrydol o gario pechodau'r byd. Yn yr Hen Destament, arwydd o lid Duw oedd y cwpan. Ym mhroffwydoliaeth Eseia, disgrifir Jerwsalem wedi ei chwymp fel un oedd wedi "[yfed] o law'r ARGLWYDD gwpan ei lid" (Eseia 51: 17).

Cododd Iesu o'r ing yn yr ardd, yn benderfynol o wynebu'r groes. Er nad yw Ioan yn cynnwys adroddiad am Gethsemane, mae'n cynnwys ymadrodd na welir ar dudalennau'r efengylau eraill: "Onid wyf am yfed y cwpan y mae'r Tad wedi ei roi imi?" (Ioan 18: 11).

Darllen pellach: Marc 14: 32–42

# Jwdas yn Bradychu

*Yna daethant a rhoi eu dwylo ar Iesu a'i ddal.*
Mathew 26:50

Fe geisiwyd deall cymhellion Jwdas yr wythnos cyn y ddiwethaf. Heddiw cawn olwg ar y cynllwyn i fradychu Iesu yn dod i'r amlwg. Mae'r holl hanes yn arddangos y modd y mae bwriadau dwyfol a gweithredoedd dynol yn plethu yn rhagluniaeth Duw.

Wedi dod allan o'i brofiad o ing yn yr ardd, mae Iesu bellach yn gweld yn eglur nad oedd dim dewis arall ond y groes, ac mae'n ildio ei hun yn ei ewyllys. "Beth a ddywedaf? 'O Dad, gwared fi rhag yr awr hon'? Na, i'r diben hwn y deuthum i'r awr hon" (Ioan 12: 27). Mae'n barod ar gyfer yr olygfa nesaf yn y ddrama. Mae llu o filwyr arfog a anfonwyd gan y prif offeiriaid, ac yn cael eu harwain gan Jwdas, yn cyrraedd yr ardd, oherwydd roedd Jwdas yn gyfarwydd â'r lle. Roedd wedi cytuno ar arwydd o flaen llaw, sef y byddai'n cusanu Iesu. Unig brotest Iesu oedd ei fod yn ddieuog o arwain gwrthryfel, a'i fod wedi dysgu'n ddyddiol yng nghynteddau'r deml, lle y medrent ei arestio yn rhwydd.

Doedd dim awydd ar Pedr i ganiatáu'r arestio hyn. Fel yng Nghesarea Philipi, roedd yn ymwrthod â'r syniad o Feseia oedd yn mynd i ddioddef a marw. Nid siarad a wnaeth y tro hwn ond gweithredu. Estynnodd ei gleddyf, gan dorri clust Malchus, gwas yr Archoffeiriad. Gorchmynnodd Iesu iddo roi ei gleddyf yn ôl yn ei wain, gan ychwanegu, "A wyt yn tybio na allwn ddeisyf ar fy Nhad, ac na roddai i mi yn awr fwy na deuddeg lleng o angylion? Ond sut felly y cyflawnid yr Ysgrythurau sy'n dweud mai fel hyn y mae'n rhaid iddi ddigwydd?" (Mathew 26: 53–54).

Mae'n drawiadol iawn fel y mae Iesu yn ymddarostwng i awdurdod Ysgrythurau'r Hen Destament. Roedd rhaid iddo gael ei fradychu, ei wrthod, ei gondemnio, ac yn y diwedd ei ladd. Pam fod rhaid i hyn ddigwydd? Oherwydd bod yr Ysgrythur yn dweud hynny.

Darllen pellach: Mathew 26: 47–56

# Pedr yn Gwadu

*Cofiodd Pedr ymadrodd Iesu wrtho, fel y dywedodd, "Cyn i'r ceiliog*
*ganu ddwywaith, fe'm gwedi i deirgwaith." A thorrodd i wylo.*
Marc 14:72

Ar y ffordd i Gethsemane dywedodd Iesu y byddai Pedr yn ei wadu. Gwadodd Pedr hyd yn oed y posibilrwydd: "Petai'n rhaid imi farw gyda thi, ni'th wadaf byth" (adn. 31). Ond fe wnaeth yr union beth a fynnodd na fyddai byth yn ei wneud.

Mae'r pedwar efengylydd yn cofnodi'r gwadiad, er nad yw'n hawdd cysoni'r adroddiadau gwahanol. Mae'n ymddangos er hynny fod pob un o'r tair her, a phob un o'r tri gwadiad, wedi mynd yn raddol yn fwy difrifol. Mae'r cyfan yn digwydd ger ffald tŷ'r Archoffeiriad. Gellir eu crynhoi fel a ganlyn:

Yn gyntaf, mae gwasanaethferch anhysbys yn cyhuddo Pedr o fod wedi treulio amser yng nghwmni'r 'Nasaread hwnnw', ond mae Pedr yn mynnu nad oedd yn gwybod am beth roedd y ferch yn siarad.

Yn ail, mae merch arall yn annog rhai o'r cwmni i gadarnhau bod Pedr yn 'un ohonynt', ond mae Pedr yn gwadu hyn ar lw.

Yn olaf, mae criw o bobl oedd yn sefyll yno yn nesáu at Pedr, gan ei herio'n uniongyrchol, "Yr wyt yn wir yn un ohonynt, achos Galilead wyt ti" (adn. 70). Mae Pedr yn dechrau melltithio a rhegi, gan alw melltith ar Iesu hyd yn oed, yn ôl rhai esbonwyr. Gyda hyn, mae'r ceiliog yn canu, ac mae Iesu'n edrych yn syth i wyneb Pedr. Mae Pedr yn cofio ei eiriau ac yn wylo.

Nid ein lle ni yw gwneud yn fach o ddifrifoldeb y gwadu hyn. Ar y llaw arall ni ddylem wneud yn fach o fawredd y gras sy'n maddau a thrawsffurfio. Ymhen hir a hwyr cafodd Pedr ei adfer, ac fe ddaeth yn graig o arweinydd i'r Eglwys Fore.

Darllen pellach: Marc 14: 66–72

# Y Prawf gerbron y Sanhedrin

*Yr oedd y prif offeiriaid a'r holl Sanhedrin yn ceisio tystiolaeth yn
erbyn Iesu, i'w roi i farwolaeth, ond yn methu cael dim.*

Marc 14:55

Mae ysgolheigion yn parhau i drafod manylion y pedwar prawf a ddioddefodd Iesu – o flaen Annas, Caiaffas, Herod a Pilat. Mae'n ymddangos yn glir er hynny ei fod wedi ei ddwyn o Gethsemane yn syth i wrandawiad o flaen henuriaid yr Iddewon dan gadeiryddiaeth Annas, un oedd yn gyn-archoffeiriad, ac yn dad-yng-nghyfraith i Caiaffas. Roedd iddo'r enw o fod yn hen ddyn ariangar a oedd wedi dod yn gyfoethog drwy ymelwa ar y farchnad yn y deml. Holwyd Iesu am ei ddysgeidiaeth ac am ei ddilynwyr, ond gwrthododd ateb eu cwestiynau ar sail y ffaith fod ei weithredoedd yn fwy na hysbys i bawb.

Nesaf, mae'n debyg yn gynnar yn y bore, mae Iesu yn ymddangos gerbron y Sanhedrin, yr uchel lys oedd yn gyfrifol am faterion gwleidyddol, cyfreithiol a chrefyddol yn Jerwsalem. Pwrpas y cyfarfod oedd ffurfioli cyhuddiad y gellid ei gyflwyno i lys Rhufeinig dan arweinyddiaeth Pilat. Ni fyddai Pilat ag unrhyw ddiddordeb mewn troseddau 'crefyddol' yn erbyn y gyfraith Iddewig, dim ond mewn honiadau a fyddai'n peryglu diogelwch y cyhoedd. Oherwydd hyn mae Caiaffas, yr archoffeiriad oedd yn cadeirio'r Sanhedrin, yn herio Iesu yn uniongyrchol, gan ei holi ai ef oedd y Meseia. Wrth ymateb, mae Iesu nid yn unig yn cadarnhau hynny, ond yn mynd ymlaen i ddyfynnu Daniel 7 a Salm 110:1 fel Ysgrythurau oedd yn cael eu cyflawni ynddo ef, ac yn honni bod ganddo hawl i rannu gorsedd Duw. Does ryfedd fod Caiaffas wedi ei gyhuddo o gabledd, a dweud ei fod yn haeddu marw.

Mae'n anodd peidio â chymharu ymddygiad Pedr ac Iesu. Gwadodd Pedr yr Iesu, ond mae Iesu, wrth wrthod atebion cwestiynau ymylol, yn cadarnhau mai ef oedd y Meseia, a hynny o flaen y llys Iddewig uchaf yn y tir.

Darllen pellach: Marc 14: 53–65

# Y Prawf gerbron Pilat

*Aethant â Iesu oddi wrth Caiaffas i'r Praetoriwm ... daeth Pilat*
*allan atynt hwy, ac meddai, "Beth yw'r cyhuddiad yr ydych yn ei*
*ddwyn yn erbyn y dyn hwn?"*
Ioan 18:28–29

Yr oedd enwogrwydd byd-eang yn perthyn i lysoedd barn Rhufain. Yn unol â hyn, mae'r achos yn cael ei glywed o'r cychwyn yn ddiduedd. Mae Pilat yn gofyn i'r erlynwyr beth oedd y cyhuddiad yn erbyn y carcharor. Mae'r Iddewon yn ymateb drwy nodi tri chyhuddiad: "Cawsom y dyn hwn yn arwain ein cenedl ar gyfeiliorn, yn gwahardd talu trethi i Gesar, ac yn honni mai ef yw'r Meseia, sef y brenin" (Luc 23: 2). Er bod y ddau gyhuddiad cyntaf yn amwys, mae'r trydydd yn un o deyrnfradwriaeth glir. Mae Pilat yn dechrau amau. Nid oedd y carcharor yn edrych fel brenin. Pa fath o frenin oedd hwn? Ei rôl frenhinol, meddai Iesu, oedd dwyn tystiolaeth i'r gwirionedd.

Un o'r pethau trawiadol yng nghofnod yr efengylwyr yw'r ffaith i Pilat gyhoeddi droeon fod Iesu'n ddieuog. Wedi'r gwrandawiad rhagarweiniol mae'n dweud, "Nid wyf yn cael dim trosedd yn achos y dyn hwn" (adn. 4). Wedi i Iesu gael ei ddanfon yn ôl yn dilyn y prawf gerbron Herod, mae Pilat yn cyhoeddi, "yr wyf fi wedi holi'r dyn hwn yn eich gŵydd chwi, a heb gael ei fod yn euog o unrhyw un o'ch cyhuddiadau yn ei erbyn" (adn. 14–15). Pan fynnodd y dyrfa fod Iesu yn cael ei roi i farwolaeth, mae Pilat yn ymateb drwy ddweud, "Ni chefais unrhyw achos i'w ddedfrydu i farwolaeth" (adn. 22). Ar hyn, mae gwraig Pilat yn danfon neges i'w gŵr: "Paid â chael dim i'w wneud â'r dyn cyfiawn yna" (Mathew 27: 19). Y rheswm dros y neges oedd ei bod wedi cael breuddwyd am Iesu. Yn y diwedd, mae Pilat yn estyn cawg o ddŵr, gan olchi ei ddwylo o flaen y dyrfa a dweud, "Yr wyf fi'n ddieuog o waed y dyn hwn; chwi fydd yn gyfrifol" (Mathew 27: 24).

Ar bum achlysur gwahanol mae Pilat yn cyhoeddi bod Iesu'n ddieuog. Roedd hyn wrth gwrs yn gwbl fwriadol. Tra bod Cristnogaeth yn parhau'n *religio illicita* yn Ymerodraeth Rhufain roedd yn bwysig diogelu bod Iesu'n ddieuog. Gwnaeth yr efengylwyr hyn drwy ddyfynnu neb llai na Pilat, rhaglaw rhanbarth Rhufeinig Jwdea.

Darllen pellach: Ioan 18: 28–38

# Gwamalrwydd Pilat

*A chan ei fod yn awyddus i fodloni'r dyrfa, rhyddhaodd*
*Pilat Barabbas iddynt, a thraddododd Iesu, ar ôl ei*
*fflangellu, i'w groeshoelio.*

Marc 15:15

R oedd Pontiws Pilat, rhaglaw Jwdea yn weinyddwr abl, er yn ansensitif o bryd i'w gilydd i fanylion arferion a chrefydd yr Iddewon. Yn yr efengylau fe'i cawn yn cael ei rwygo rhwng cyfiawnder a hwylustod. Ar y naill law (fel y gwelwyd ddoe) roedd yn gwybod bod Iesu yn ddieuog, ac ailadroddodd hynny droeon. Ar y llaw arall nid oedd yn barod i wynebu canlyniadau mynd yn groes i'r dyrfa. Roedd am ryddhau Iesu a bodloni'r dyrfa, ond gwelodd nad oedd y ddau beth yn bosibl. Mae'n ddiddorol ei wylio yn gwingo, ac yn ceisio pedair ffordd i ddod o'i helbul.

Yn gyntaf, mae'n ceisio trosglwyddo'r cyfrifoldeb i rywun arall. O ddarganfod bod Iesu'n dod o Galilea, ac felly o ranbarth Herod, mae'n ei ddanfon ato ef am ddyfarniad. Ond ni chafodd Herod unrhyw achos i ddwyn cyhuddiad yn ei erbyn.

Yn ail, mae'n ceisio gwneud y peth iawn (rhyddhau Iesu) am y rheswm anghywir (arfer y Pasg), gan ei ryddhau fel gweithred o drugaredd yn hytrach na gweithred o gyfiawnder.

Yn drydydd, mae'n ceisio bodloni'r dyrfa drwy gyfaddawd, gan fflangellu Iesu yn hytrach na'i groeshoelio.

Yn olaf, mae'n ceisio perswadio'r dyrfa o'i unplygrwydd (drwy olchi ei ddwylo'n gyhoeddus), hyd yn oed wrth iddo wrth-ddweud hynny (drwy anfon Iesu i'r groes). Roedd y cwbl yn ddim mwy nag ymdrech i osgoi cyfrifoldeb drwy gyfaddawd.

Pam fod Pilat mor wan, mor llwfr yn foesol? Mae Ioan yn ateb bod yr Iddewon yn mynnu gweiddi arno: "Os wyt yn rhyddhau'r dyn hwn, nid wyt yn gyfaill i Gesar" (Ioan 19: 12). Dyna ddiwedd ar y mater. Roedd y sefyllfa'n glir iddo. Roedd rhaid dewis rhwng dau frenin. Er bythol warth iddo, gwnaeth y dewis anghywir. Dewisodd fod yn gyfaill i Gesar, ac yn elyn i reswm a chyfiawnder. Anfarwolwyd ei enw yn y cymal o'r credo sy'n nodi i Iesu "ddioddef o dan Pontiws Pilat".

Darllen pellach: Ioan 19: 4–16

# Y Cyfrifoldeb am Farwolaeth Iesu

*Cyn gynted ag y daeth hi'n ddydd, ymgynghorodd y prif offeiriaid â'r henuriaid a'r ysgrifenyddion a'r holl Sanhedrin; yna rhwymasant Iesu a mynd ag ef ymaith a'i drosglwyddo i Pilat.*

Marc 15:1

Pwy oedd yn gyfrifol am farwolaeth Iesu? Fe'n cyhuddir fel Cristnogion o fod yn wrth-semitaidd (o leiaf dyna'r honiad) oherwydd ein bod am roi'r bai ar yr Iddewon, yn arbennig yr arweinwyr. Ond mae'r cyfrifoldeb yn ehangach o lawer nag un grŵp o bobl. Mae'r efengylwyr yn egluro bod Jwdas, yr offeiriaid, Pilat, y dyrfa a'r milwyr wedi chwarae rhan allweddol yn y ddrama. Ymhellach, ym mhob achos, mae awgrym o gymhelliad. Cymhelliad Jwdas oedd trachwant, yr offeiriaid – eiddigedd, Pilat – ofn, y dyrfa – hysteria, a'r milwyr yn dilyn rhyw fath o ddyletswydd wyrgam. Rydym yn adnabod yr un cymysgedd o bechodau yn ein calonnau ninnau.

Defnyddir yr un ferf yn y Roeg ar gyfer pob rhan. Y gair yn y gwreiddiol yw *paradidōmi*, a all olygu trosglwyddo, rhoi i fyny, neu fradychu hyd yn oed. Felly mae Jwdas yn trosglwyddo Iesu i'r offeiriaid. Mae'r offeiriaid yn ei drosglwyddo i Pilat. Mae Pilat yn ei drosglwyddo i ewyllys y dyrfa, ac mae'r dyrfa yn ei roi i fyny i'w groeshoelio.

Ond dim ond ochr ddynol y stori yw hyn. Mae Iesu'n mynnu bod ei farwolaeth yn weithred yr oedd yn ei chyflawni'n wirfoddol, ac mae ef sy'n ei roi ei hunan: "Nid yw neb yn ei dwyn [h.y. einioes] oddi arnaf, ond myfi ohonof fy hun sy'n ei rhoi" (Ioan 10: 18). Mae'r ferf *paradidōmi* yn ailymddangos mewn adrannau eraill. Er enghraifft, " ... ei fyw trwy ffydd yr wyf, ffydd ym Mab Duw, yr hwn a'm carodd i ac a'i rhoes ei hun i farw trosof fi" (Galatiaid 2: 20).

Mae un persbectif arall i'w ystyried, sef gwaith Duw'r Tad wrth iddo roi ei Fab i farw. Darlunnir hyn gan Paul yn Rhufeiniaid 8: "Nid arbedodd Duw ei Fab ei hun, ond ei draddodi i farwolaeth trosom ni oll" (adn. 32).

Yn olaf, mae un adran lle mae'r dwyfol a'r dynol yn cael eu dwyn at ei gilydd. "Yr oedd hwn wedi ei draddodi trwy fwriad penodedig a rhagwybodaeth Duw, ac fe groeshoeliasoch chwi ef drwy law estroniaid, a'i ladd" (Actau 2: 23). Yma mae Pedr yn priodoli marwolaeth Iesu i bwrpas Duw ac i ddrygioni dynion. Does dim ymdrech yma i ddelio â'r paradocs. Mae'r ddau beth yn wir.

Darllen pellach: Actau 4: 27–28

# Wythnos 30: Y Diwedd

Rydym wedi treulio nifer o wythnosau yn dilyn gweinidogaeth gyhoeddus Iesu o'i fedydd i'r cyhuddiad yn ei erbyn ac wedi ystyried hefyd rai agweddau ar ei ddysgeidiaeth. Yr wythnos ddiwethaf buom yn gwylio wrth i'w dreialon a'i ddioddefaint gychwyn. Wedi ei fradychu gan Jwdas a'i wadu gan Pedr, mae'n wynebu llysoedd yr Iddewon a'r Rhufeiniaid. Yr wythnos hon, cyn inni wrando ar saith ymadrodd Iesu o'r groes, rhaid inni gael trosolwg o'i ddioddefaint a'i farwolaeth, gan gychwyn gyda hanes Barabbas a Simon o Cyrene ac yna mynd ymlaen i edrych ar groeshoeliad, marwolaeth a chladdedigaeth Iesu.

**Dydd Sul:** Barabbas
**Dydd Llun:** Simon o Cyrene
**Dydd Mawrth:** Y Croeshoeliad
**Dydd Mercher:** Y Deml Newydd
**Dydd Iau:** Dioddefaint y Crist
**Dydd Gwener:** Claddedigaeth Iesu
**Dydd Sadwrn:** Crist Marw?

# Barabbas

*Ar yr ŵyl yr oedd Pilat yn arfer rhyddhau iddynt
un carcharor y gofynnent amdano.*
Marc 15:6

Nid oes gennym unrhyw wybodaeth am Barabbas ac eithrio'r hyn a ysgrifennir yn yr efengylau. Ond mae'r pedair yn adrodd ei hanes. Wrth inni roi'r dystiolaeth wahanol at ei gilydd, mae'n ymddangos ei fod yn droseddwr difrifol ac yn garcharor gwleidyddol. Roedd wedi cymryd rhan mewn gwrthryfel yn y ddinas ac roedd yn euog o ddwyn ac o lofruddiaeth. Yn ein geiriau ni, roedd yn derfysgwr a oedd bellach yn disgwyl ei ddienyddiad.

Mae'r efengylwyr hefyd yn cyfeirio at yr arfer yn Jwdea o ganiatáu amnest i un carcharor a ddewisid gan y bobl. Gwelodd Pilat yn y traddodiad hwn ffordd o ddianc rhag anhawster personol. Awgrymodd i'r dyrfa y dylent ddewis Iesu. Ond i'r gwrthwyneb maen nhw'n dewis Barabbas yn ei le, ac yn chwalu cynlluniau Peilat.

Mae'n anodd credu'r syndod a fyddai yng nghalon ac ar feddwl Barabbas wrth i ddrws ei gell gael ei daflu yn agored ac yntau'n cael ei alw nid i'w ddienyddiad ond i'w ryddid. Rhaid ei fod wedi crwydro allan i haul diwrnod o wanwyn heb goelio'n iawn. Nid yn unig roedd y gŵr hwn wedi ei ryddhau ond ar ryw olwg roedd wedi ei brynu.

Efallai fod Barabbas fel ninnau yn ymwybodol fod ei sefyllfa'n un ryfeddol. Roedd yr un a oedd wedi rhoi golwg i'r deillion, yr un oedd wedi rhoi ei ddwylo ar blant, bellach i'w groeshoelio, tra oedd yr un oedd wedi llofruddio a dwyn yn cael ei ryddhau. Mae Pedr yn cyfeirio at y sefyllfa ryfeddol hon yn ei ail bregeth i'r dyrfa yn Jerwsalem. Roedd y bobl wedi lladd awdur bywyd, meddai, wrth ofyn am ryddhad i lofrudd (Actau 3: 14–15).

Mae Cristnogion yn gweld yn hanes Barabbas rywbeth mwy na pharadocs; rydym hefyd yn gweld dameg o'r ffordd rydym ni wedi ein prynu. Mewn ffordd rydym i gyd fel Barabbas. Fel Barabbas rydym yn haeddu marw. Ond fel Barabbas rydym wedi dianc rhag marwolaeth oherwydd bod Iesu wedi marw yn ein lle. Os aeth Barabbas i weld yr hyn a ddigwyddodd ar ben Calfaria, fel mae rhai yn awgrymu, efallai ei fod wedi dweud wrtho'i hunan, "Mae'n marw yn fy lle." Yn sicr gall pob un ohonom fynd i Galfaria a dweud yr union eiriau hynny.

Darllen pellach: Marc 15: 6–15

# Simon o Cyrene

*Wedi mynd ag ef ymaith gafaelsant yn Simon, brodor o*
*Cyrene, a oedd ar ei ffordd o'r wlad, a gosod y groes ar ei*
*gefn, iddo ei chario y tu ôl i Iesu.*
Luc 23:26

R haid bod Iesu wedi blino. Roedd wedi dioddef nifer o dreialon heb ddim cwsg, wedi dioddef ei fflangellu a'i watwar gan y dyrfa. Bellach, yn unol â thraddodiad Rhufain, roedd rhaid iddo gludo ei groes ei hun i fan y croeshoeliad. Mae'n debyg iddo faglu o dan y pwysau. Mae'n wir nad yw yr un o'r efengylwyr yn dweud hynny, ond dyna'r traddodiad Cristnogol. Tebyg mai dyma'r rheswm pam fod y gwylwyr wedi cymryd gafael yn Simon o Cyrene gan drosglwyddo baich y groes i'w ysgwyddau ef, a'i orfodi i'w chludo. Mae'r eglwys wedi anrhydeddu Simon am y weithred hon o gariad, er mai dan orfodaeth y gwnaeth, mae'n debyg.

Mae'n ymddangos bod Simon a'i deulu wedi dod i gredu. Mae Marc yn uniaethu'r gŵr yma â "thad Alexander a Rwffus" (Marc 15: 21), sy'n awgrymu eu bod yn bobl adnabyddus yn eglwys Rhufain erbyn i efengyl Marc gael ei chyhoeddi yno. Mae'n debyg bod un o arweinwyr yr eglwys yn Antioch, Simeon, wedi ei uniaethu â'r Simon hwn o Cyrene (gw. Actau 13: 1), a bod Paul wedi cyfarch Rwffus a'i fam wrth ysgrifennu at y Rhufeiniaid (Rhufeiniaid 16: 13). Mae'r cyfan yn awgrymu bod y Simon a gariodd groes Iesu yn ŵr o'r Affrig o'r rhanbarth rydym ni yn ei hadnabod fel Libya.

Mae'n ddiddorol ystyried perthynas tri o'r prif gymeriadau yn nrama'r dioddefaint â'r groes. Gallwn ddweud mai Jwdas achosodd y groes oherwydd mai ei weithred o fradychu a arweiniodd at y digwyddiad; bu i Barabbas osgoi'r groes ac ennill ei ryddid oherwydd dioddefaint Iesu; cariodd Simon y groes ar ran Iesu. Nid yw'r tri yn ddieithr i'r profiad Cristnogol heddiw. Fel Jwdas rydym wedi achosi'r farwolaeth. Fel Barabbas rydym wedi dianc rhag y groes drwy'r un a fu farw yn ein lle. Fel Simon gelwir arnom i godi'r groes bob dydd ac i ddilyn Crist.

Darllen pellach: Luc 9: 18–26

# Y Croeshoeliad

*Daethant ag ef i'r lle a elwir Golgotha ...*
*A chroeshoeliasant ef ...*
Marc 15:22, 24

**M**ae Cicero yn un o'i areithiau yn disgrifio croeshoeliad fel "y gosb fwyaf eithafol a difrifol". Mae'n ychwanegu ymhellach y dylid tynnu'r gair 'croes' o wyddor pob unigolyn a berthynai i'r ymerodraeth Rufeinig, nid yn unig o'i wefusau, ond o'i lygaid ac o'i glustiau. Nid yw'n syndod felly fod yr efengylwyr yn ymatal wrth ysgrifennu am y digwyddiad. Y cyfan y maent yn barod i'w ddweud, heb ychwanegu unrhyw fanylion disgrifiadol, yw bod Iesu wedi ei groeshoelio.

Er hynny, rydym yn gwybod o ffynonellau eraill fod y carcharor yn cael ei roi i orwedd ar ei gefn; fod ei ddwylo, ei arddwrn neu ei freichiau yn cael eu hoelio i'r *patibulum* (croes bren); ac yna fod y pren yn cael ei godi i sefyll yn unionsyth a'i ollwng i dwll wedi ei gloddio yn y ddaear.

Mae Pilat yn mynnu gosod "teitl" mewn Aramaeg, Lladin a Groeg uwchben yr Arglwydd Iesu oedd yn cyhoeddi "Iesu o Nasareth, Brenin yr Iddewon". Ymdrechodd yr arweinwyr Iddewig i berswadio Pilat i newid y geiriad i ddweud mai Iesu a honnodd ei fod yn Frenin yr Iddewon, ond gwrthododd.

Yn raddol mae'r dyrfa yn teneuo. Mae'r milwyr yn bargeinio am ddillad Iesu a'r gwragedd yn gwylio ac yn wylo. Cawn fod rhai o'r offeiriaid a'r cyfreithwyr wedi aros, ond aros i'w wawdio, "Fe achubodd eraill; ni all ei achub ei hun. Brenin Israel yn wir! Disgynned yn awr oddi ar y groes ac fe gredwn ynddo. Ymddiriedodd yn Nuw; boed i Dduw ei waredu yn awr ..." (Mathew 27: 42–43). Roedd rhan o'r hyn roeddynt yn ei ddweud yn llythrennol wir. Gallai Iesu fod wedi arfer ei rym dwyfol a dod oddi ar y groes, ond yr hyn na allai ei wneud oedd ei achub ef ei hun a'r bobl hyn yr un pryd. Er mwyn eu hachub roedd rhaid iddo aros ar y groes a marw.

Yn fuan iawn daeth yr ymadrodd "y groes" i gyfeirio nid yn gymaint at ffurf o ddienyddiad ond yn hytrach at efengyl iachawdwriaeth. Mae Paul yn medru ysgrifennu yn ddiweddarach, "... cadwer fi rhag ymffrostio mewn dim ond yng nghroes ein Harglwydd Iesu Grist ..." (Galatiaid 6: 14).

Darllen pellach: 1 Corinthiaid 1: 17–25

# Y Deml Newydd

*"Oho, ti sydd am fwrw'r deml i lawr a'i hadeiladu mewn*
*tridiau, disgyn oddi ar y groes ac achub dy hun."*
Marc 15:29–30

D yma enghraifft arall o'r math o wawd a luchiwyd at Iesu tra oedd yn dioddef
ar y groes. Mae'n ymwneud â'i ddysgeidiaeth am y deml ac yn haeddu ein
myfyrdod heddiw.

Rhaid cychwyn efo agwedd barchus Iesu tuag at y deml fel tŷ Dduw. Gwyddai ef,
wrth gwrs, hanes Israel. Roedd yn fwy na chyfarwydd â'r digwyddiadau, o'r tabernacl yn
yr anialwch i'r deml gyntaf a adeiladwyd gan Solomon, ac o'r ail deml a gychwynnwyd
wedi'r gaethglud ym Mabilon hyd at y deml oedd yn awr yn cael ei hadeiladu o dan law
Herod. Ymhob un o'r adeiladau hyn roedd cysegr mewnol, neu'r Cysegr Sancteiddiolaf,
lle gellid gweld gogoniant Duw, symbol o'i bresenoldeb. Roedd Duw yn trigo ymhlith
ei bobl a'r deml oedd ffocws eu bywyd ysbrydol.

Brawychwyd Iesu gan y ffordd yr oedd marsiandïwyr yn anharddu'r deml. Roedd
tŷ gweddi bellach wedi dod yn ogof i ladron. Mae Iesu yn gwneud mwy na glanhau'r
deml; mae'n rhagweld y dydd pan fyddai'r deml yn cael ei distrywio ac y byddai teml
newydd yn dod yn ei lle. "Dinistriwch y deml hon, ac mewn tridiau fe'i codaf hi" (Ioan
2:19). Mae'n amlwg fod ei wrandawyr wedi camddeall yn llwyr yr hyn roedd yn ei olygu.
Maent yn protestio bod y deml yn Jerwsalem wedi bod ar waith ers dros bedwar deg
chwech o flynyddoedd eisoes; sut oedd yn bosibl i Iesu ei hadeiladu mewn tri diwrnod?
Mae'r honiad yn absŵrd. Ond mae Ioan yn esbonio bod Iesu yn cyfeirio at ei gorff
atgyfodedig, yr hyn a fyddai'n dod yn deml newydd, yn ffocws y gymuned feseianaidd
newydd. Yn y dyfodol, hyd yn oed pan na cheid ond dau neu dri o ddisgyblion yn
cyfarfod yn ei enw, byddai ef yn eu plith (Mathew 18:20).

Nid anghofiodd ei gyfoedion eiriau Iesu ar yr achlysur hwn. Mae hyd yn oed y tystion
ffug yn atgoffa'r Sanhedrin o'r dywediad. Tra oedd Iesu ar y groes roedd yr offeiriaid
yn gwawdio ei broffwydoliaeth am deml newydd. Mae llythyrau'r Testament Newydd,
fodd bynnag, yn dadlennu'r broffwydoliaeth. Chwalwyd yr hen deml yn 70 OC, ond
bellach cymuned feseianaidd ac atgyfodedig Iesu yw'r deml newydd, y lle y mae Duw
yn trigo ynddo drwy ei Ysbryd (gw. 1 Corinthiaid 3:16).

Darllen pellach: Effesiaid 2:11–22

# Dioddefaint y Crist

*Meddai Iesu wrthynt, "... Onid oedd yn rhaid i'r Meseia
ddioddef y pethau hyn, a mynd i mewn i'w ogoniant?"*
Luc 24:25–26

P am fod Mathew yn benodol wedi rhoi cymaint o bwys ar ddioddefaint Iesu? Mae'n ddealladwy fod Mathew yn pwysleisio'r groes, oherwydd bu Iesu farw dros ein pechodau a'r groes yw calon yr efengyl. Ond pam rhoi pwyslais ar ei ddioddefaint?

Yn gyntaf, mae'r dioddefaint yn amlygu Iesu fel y gwir Feseia. Roedd wedi dysgu yn glir bod yn rhaid i Fab y Dyn ddioddef llawer o bethau a chael mynediad i ogoniant trwy ddioddefaint. Felly, gan mai'r hyn sydd yn benodol am efengyl Mathew yw'r darlun a geir o Iesu fel yr un sydd yn cyflawni'r Hen Destament, mae'n tynnu sylw at y dioddefaint hwn. A wadwyd Iesu gan ei ffrindiau? Roedd hyn yn gyflawniad o Salm 41: 9: "Y mae hyd yn oed fy nghyfaill agos, y bûm yn ymddiried ynddo, ac a fu'n bwyta wrth fy mwrdd, yn codi ei sawdl yn f'erbyn." A gafodd Iesu ei orthrymu a'i wrthod? Roedd hyn yn gyflawniad o Eseia 53: 3: "Roedd wedi ei ddirmygu a'i wrthod gan eraill, yn ŵr clwyfedig, cyfarwydd â dolur." A fu'n dawel o flaen ei erlynwyr? Roedd hyn yn gyflawniad o Eseia 53: 7: "... arweiniwyd ef fel oen i'r lladdfa, ac fel y bydd dafad yn ddistaw yn llaw'r cneifiwr, felly nid agorai yntau ei enau." A gafodd Iesu ei watwar, ei fflangellu, a phrofi pobl yn poeri yn ei wyneb? Roedd hyn yn gyflawniad o Eseia 50: 6: "Rhoddais fy nghefn i'r curwyr, a'm cernau i'r rhai a dynnai'r farf; ni chuddiais fy wyneb rhag gwaradwydd na phoer." Mae'r rhain i gyd, yn ôl Mathew, yn arwyddion o'r gwir Feseia, gwas dioddefus yr Arglwydd.

Yn ail, mae dioddefaint hefyd yn nodweddu'r gymuned Feseianaidd. Er enghraifft, mae'r wythfed gwynfyd a gofnodir gan Mathew yn cyhoeddi bod dioddefaint ac erledigaeth yn nodwedd hanfodol o ddilynwyr y Meseia. Mae hyn yn parhau i fod yn wir heddiw. Yn ôl Paul Marshall yn ei lyfr *Their Blood Cries Out*, mae rhwng 200 a 250 o filiynau o Gristnogion yn cael eu herlid am eu ffydd heddiw, ac mae tua 400 miliwn yn byw o dan amodau lle mae rhyddid Cristnogol yn cael ei gyfyngu yn arw. Felly mae dioddefaint nid yn unig yn nodwedd o'r Meseia ond o'i ddisgyblion hefyd.

Darllen pellach: 1 Pedr 2: 13–25

# Claddedigaeth Iesu

*... daeth Joseff o Arimathea ... ac wedi ei dynnu ef i lawr, a'i amdói
yn y lliain, gosododd ef mewn bedd oedd wedi ei naddu o'r graig ...*

Marc 15:43, 46

Yn ôl arfer yr Iddewon a'u cyfraith, ni chaniateid i gorff troseddwr oedd wedi ei ddienyddio aros yn yr awyr agored drwy'r nos. Rhaid iddo gael ei gladdu cyn i'r haul fachlud (Deuteronomium 21: 22–23). Dyma'r lle y cyfarfyddwn â Joseff o Arimathea.

Roedd Joseff yn aelod blaenllaw o'r Sanhedrin. Roedd hefyd wedi dod i gredu yn Iesu. Yn ei ddewrder mae'n mynd a gofyn i Pilat am gorff Iesu, oherwydd roedd troseddwyr o'r fath yn cael eu claddu fel arfer mewn bedd gyda llawer o rai eraill neu gadewid eu cyrff i'r cŵn a'r adar ysglyfaethus. Synnodd Pilat o glywed bod Iesu wedi marw yn barod ond mae'r canwriad yn ei sicrhau bod hynny'n wir. Felly claddodd Joseff a Nicodemus (yn ôl Ioan) gorff Iesu, gan ei roi i orwedd ar faen ym medd Joseff, tra oedd y merched yn gwylio.

Y rheswm cyntaf pam y daeth claddedigaeth Iesu yn rhan o'r efengyl yw bod ei gladdedigaeth yn tystio i realiti ei farwolaeth (1 Corinthiaid 15: 3–4). Nid llewygu mewn poen neu ymddangos yn farw wnaeth Iesu. Aeth y merched ddim i'r bedd anghywir. Ni allai neb fod wedi ymhél â'r corff. Na, os oedd y corff wedi diflannu, os oedd y bedd yn wag, y rheswm am hyn oedd atgyfodiad, hynny yw bod y corff wedi ei godi a'i newid. Doedd dim un esboniad arall yn bosibl.

Yn ail, mae'r gladdedigaeth yn rhan o'r efengyl oherwydd ei bod yn arwyddo natur gorfforol yr atgyfodiad. Nid yw'r person sydd wedi ei gyfodi, ac yn awr yn cael ei weld, neb llai na'r un a fu farw ac a gladdwyd. Felly mae'r atgyfodiad yn arwyddo nid drychiolaeth nac ychwaith adferiad corfforol, ond yn hytrach weithred wrthrychol oruwchnaturiol, lle torrir ar y broses arferol o ddatgymalu'r corff, a lle mae corff marwol Iesu yn cael ei godi a'i newid.

Darllen pellach: Marc 15: 42–47

# Crist Marw?

*Ond cyfododd Duw ef, gan ei ryddhau o wewyr angau,*
*oherwydd nid oedd dichon i angau ei ddal yn ei afael.*
Actau 2:24

**M**ae claddedigaeth Iesu yn rhan o'r efengyl, fel y gwelwyd ddoe, oherwydd y mae'n cadarnhau realiti ei farwolaeth a natur gorfforol ei atgyfodiad. Rhaid inni ddal y gwirioneddau hyn yn annwyl ac yn sicr. Ar yr un pryd, rhaid i ni fynnu bod y Crist yr ydym yn ei addoli bellach yn wahanol i'r un a fu farw ac a gladdwyd; ef yn hytrach yw'r Crist sydd wedi atgyfodi ac sydd yn fyw. Er hyn i gyd, mae rhai Cristnogion yn ymddangos fel petaent yn credu mewn Iesu sydd yn fwy marw na byw.

Fel eglureb, rwyf am gyfeirio at thesis a ddatblygwyd gan Dr John Mackay mewn llyfr enwog, *The Other Spanish Christ*. Treuliodd Mackay ugain mlynedd fel cenhadwr ym Mheriw ac yn ddiweddarach fe ddaeth yn llywydd Athrofa Ddiwinyddol Princeton. Yn ei lyfr mae'n ailadrodd stori ofnadwy am y Sbaenwyr hynny a orchfygodd lwythau brodorol America Ladin trwy rym ar ddechrau'r unfed ganrif ar bymtheg. Roedd y darlun o Iesu a gyflwynwyd gan Gatholigion o Sbaen yn ffigwr o dristwch mawr. Mae Mackay yn cyfeirio at un darlun yn benodol sydd yn disgrifio Iesu fel "Yr un sydd yn farw am byth ... nid yw'r Crist hwn ... ddim am godi eto."

Mae'n sicr yn arwyddocaol fod y diweddar Henry Nouwen wedi ymweld â Pheriw hanner can mlynedd ar ôl i Mackay fod yno. Mae'r ddau ddyn – y cenhadwr Presbyteraidd a'r Offeiriad Pabyddol – yn dod i'r un casgliad. Ysgrifennodd Nouwen yn ei ddyddiadur am Gatholigiaeth ym Mheriw:

> Ni welais arwydd o'r atgyfodiad mewn un man, ni welais unrhyw awgrym o'r gwirionedd fod Iesu wedi gorchfygu pechod a marwolaeth ac wedi codi yn fuddugoliaethus o'r bedd. Roedd y cyfan yn Wener y Groglith. Roedd y Pasg yn ddieithr ... Roedd y pwyslais ar gorff dioddefus Crist yn fy nharo fel camddarlun o'r newyddion da a oedd yn eu trawsnewid i fod yn stori ddigalon. Nid yw hyn yn rhyddhau pobl nac yn dod â dim llawenydd iddynt.[1]

Mae'n sicr bod John Mackay a Henry Nouwen yn iawn. Y newyddion da yw bod y Crist a groeshoeliwyd bellach wedi ei gyfodi. Halelwia!

Darllen pellach: Actau 2: 22–32

---

1. Henri Nouwen, *Graçias: a Latin American Journal* (Maryknoll, NY: Orbis, 1983), 105.

# Wythnos 31: Y Saith Ymadrodd o'r Groes

Yr wythnos ddiwethaf bu i ni ddilyn Iesu i'w groeshoeliad a'i gladdedigaeth gan wylio'r uchafbwynt drwy lygaid y rhai oedd yno. Yr wythnos hon rydym am geisio cael golwg ar yr hyn a ddigwyddodd trwy lygaid Iesu ei hun. Mae'n llefaru saith brawddeg fer ond arwyddocaol o'r groes, sydd gyda'i gilydd yn taflu tipyn o oleuni ar y digwyddiad. Nid oes yr un o'r efengylwyr yn eu cofnodi i gyd. Mae Mathew a Marc yn diogelu un, ac o'r chwech arall perthyn tri i Luc a thri i Ioan. Mae'r eglwys wedi trysori'r saith ymadrodd hyn o'r groes fel rhai sydd yn datgelu meddyliau Iesu. Does yr un ohonynt yn cael ei lefaru mewn chwerwedd nac yn gwynfanllyd. Fel y gwelwn, mae pob ymadrodd yn fynegiant o'i gariad mawr tuag atom, neu yn arwyddo'r gwaith ofnadwy o gario baich ein pechod, neu ei fuddugoliaeth derfynol.

**Dydd Sul:** Ei Weddi dros ei Ddienyddwyr
**Dydd Llun:** Iachawdwriaeth Troseddwr
**Dydd Mawrth:** Cymeradwyo ei Fam
**Dydd Mercher:** Cri'r Gwrthodedig
**Dydd Iau:** Ing ei Syched
**Dydd Gwener:** Ei Floedd o Fuddugoliaeth
**Dydd Sadwrn:** Ildio'n Derfynol

# Ei Weddi dros ei Ddienyddwyr

*Ac meddai Iesu, "O Dad, maddau iddynt, oherwydd ni*
*wyddant beth y maent yn ei wneud."*
Luc 23:34

**M**ae'r tri ymadrodd cyntaf o'r groes yn darlunio Iesu'r esiampl. Maent yn mynegi'r cariad a ddangosodd tuag atom. "Peidiwch ag wylo amdanaf fi," meddai yn gynharach (adn. 28). Ni wylodd drosto'i hunan chwaith. Nid yw'n aros mewn hunandosturi wrth ystyried ei boen a'i unigrwydd nac ychwaith wrth ystyried yr anghyfiawnder oedd yn cael ei weithredu yn ei achos. Yn wir, nid yw yn ei ystyried ei hun o gwbl, dim ond eraill. Doedd ganddo ddim i'w roi bellach; roedd hyd yn oed ei ddillad wedi eu cymryd oddi arno. Ond yr oedd yn parhau i fedru cynnig ei gariad. Mae'r groes yn ddarlun eglur o'r rhoi hunanaberthol hwn wrth i Iesu fynegi ei gariad at y dynion oedd yn ei groeshoelio, at y fam oedd wedi ei gario yn ei chroth ac at y lleidr edifeiriol oedd yn marw yn ei ymyl.

Ei ymadrodd cyntaf oedd ei weddi am faddeuant i'w ddienyddwyr. Meddyliwch pa mor rhyfeddol yw hyn. Roedd ei ddioddefaint emosiynol a chorfforol bron â bod yn annioddefol. Bellach roedd wedi colli ei ddillad, wedi ei roi i orwedd ar ei gefn gyda dwylo hagr y milwyr yn hoelio ei ddwylo i'r croesbren. Mae'n siŵr bellach y bydd yn meddwl amdano'i hunan? Bellach bydd yn cwyno fel Job gynt neu yn pledio ar i Dduw ei arddel. Onid nawr yw'r amser i arddangos hunandosturi? Na, nid yw yn meddwl ond am eraill. Gallai fod wedi llefain allan mewn poen, ond ei ymadrodd cyntaf yw gweddi dros ei elynion. Roedd y troseddwyr o'r naill ochr a'r llall iddo yn rhegi ac yn melltithio. Nid felly Iesu. Mae'n ymarfer yr hyn a bregethodd yn y Bregeth ar y Mynydd: "carwch eich gelynion, gwnewch ddaioni i'r rhai sy'n eich casáu, bendithiwch y rhai sy'n eich melltithio, gweddïwch dros y rhai sy'n eich cam-drin" (Luc 6: 27–28).

Dros bwy yr oedd Iesu yn gweddïo? Yn sicr roedd yn gweddïo dros yr arweinwyr Iddewig oedd wedi gwrthod y Meseia. Fel ateb i weddi Iesu cawsant ddeugain mlynedd cyn eu gwasgaru ac yn ystod y cyfnod hwn edifarhaodd miloedd o bobl a chredu yn Iesu. Roedd yn 70 OC cyn i farn derfynol Duw ar y genedl syrthio pan oresgynnwyd Jerwsalem a chwalu ei theml.

Darllen pellach: Mathew 18: 21–35

# Iachawdwriaeth Troseddwr

*Yn wir, rwy'n dweud wrthyt, heddiw byddi gyda mi ym Mharadwys.*
Luc 23:43

Mae'r pedwar efengylydd yn dweud wrthym fod y tair croes wedi eu codi ar Golgotha, ("y lle a elwir Y Benglog" [adn. 33]) y bore hwnnw. Mae'r pedwar hefyd yn ei gwneud yn eglur bod Iesu ar y groes yn y canol tra bod y ddau leidr ("troseddwyr" yn ôl Luc) wedi eu croeshoelio'r naill ochr a'r llall iddo.

Rydym yn clywed ar y cychwyn fod y ddau wedi ymuno yn y gri o gasineb a ddioddefodd Iesu (Mathew 27: 44). Ond dim ond un o'r ddau sy'n parhau i daflu ensyniadau a gwawd at Iesu gan ei herio i'w achub ei hunan ac i'w hachub nhw. Mae'r ail leidr yn ei geryddu gan ddweud, "Onid oes arnat ofn Duw, a thithau dan yr un ddedfryd? I ni, y mae hynny'n gyfiawn, oherwydd haeddiant ein gweithredoedd sy'n dod inni. Ond ni wnaeth hwn ddim o'i le" (Luc 23: 40–41). Yna, gan droi at Iesu, mae'r lleidr edifeiriol yn dweud, "Iesu, cofia fi pan ddoi i'th deyrnas" (adn. 42).

Mae'r gydnabyddiaeth hon o frenhiniaeth Iesu yn rhyfeddol yn wir. Does dim amheuaeth nad oedd y lleidr edifeiriol wedi clywed yr offeiriaid yn gwawdio honiad Iesu ei fod yn frenin Israel ac mae'n debyg ei fod wedi darllen yr arysgrif uwch ei ben, "Hwn yw Iesu o Nasareth, Brenin yr Iddewon". Roedd wedi gweld ymagwedd hunanfeddiannol Iesu. Beth bynnag, roedd wedi dod i gredu bod Iesu yn frenin. Roedd wedi clywed gweddi Iesu am faddeuant i'w ddienyddwyr, a dyna oedd ei angen ef yn awr, gan ei fod yn cyffesu ei fod yn cael ei gosbi yn gyfiawn.

I'r gri hon am gael ei gofio mae Iesu yn ateb, "Yn wir, rwy'n dweud wrthyt, heddiw byddi gyda mi ym Mharadwys" (adn. 43). Doedd dim edliw. Y cyfan a gawn yw'r rhyddid i edifarhau hyd yn oed ar yr unfed awr ar ddeg. Mae Iesu yn rhoi i'r crediniwr edifeiriol hwn y sicrwydd yr oedd yn dyheu amdano. Mae'n addo iddo nid yn unig fynediad i baradwys, ond hefyd gwmni presenoldeb Crist y diwrnod hwnnw. Ac mae'n rhoi hyder iddo trwy'r ymadrodd, "Yn wir, rwy'n dweud wrthyt." Dyma'r tro olaf iddo ddefnyddio'r fformiwla adnabyddus hon. Rwy'n dychmygu, yn ystod yr oriau hir o boen oedd i ddilyn, fod y lleidr a brofodd faddeuant wedi sefydlu ei galon a'i feddwl ar addewid sicr ac achubol Iesu.

Darllen pellach: Luc 23: 32–43

# Cymeradwyo ei Fam

*Pan welodd Iesu ei fam, felly, a'r disgybl yr oedd yn ei garu*
*yn sefyll yn ei hymyl, meddai wrth ei fam, "Wraig, dyma dy*
*fab di." Yna dywedodd wrth y disgybl, "Dyma dy fam di."*
Ioan 19: 26–27

Efallai fod Iesu wedi cau ei lygaid wrth ddioddef poenau cychwynnol y croeshoeliad. Efallai fod y llygaid wedi agor eto wrth i'r poen cychwynnol fynd heibio. Beth bynnag a ddigwyddodd, mae'n edrych i lawr o'r groes ac yn gweld grŵp bychan o wragedd ffyddlon ac yn eu plith Ioan yr apostol ("yr un yr oedd yn ei garu" [adn. 26]). Ac yna mae'n gweld ei fam. Yn naturiol, roedd hon yn arbennig iawn yn ei olwg. Mae'n wir nad oedd hi bob amser yn ei ddeall, ac ar dro roedd wedi gorfod dweud yn berffaith glir wrthi ei bod yn sefyll yn ffordd ewyllys ei Dad. Er hynny, hi oedd ei fam. Roedd wedi ei genhedlu yn ei chroth hi drwy weithgarwch goruwchnaturiol yr Ysbryd Glân. Hi oedd wedi ei eni, wedi ei osod mewn preseb, wedi gofalu amdano yn ystod ei blentyndod. Hi oedd wedi dysgu iddo y storïau Beiblaidd am y tadau, y brenhinoedd a'r proffwydi a chynllun a bwriad Duw. Roedd hefyd wedi gosod o'i flaen esiampl hardd o dduwioldeb.

Darllenwn, "yn ymyl croes Iesu yr oedd ei fam ef yn sefyll" (adn. 25). Mae'n anodd dychmygu dyfnder ei galar hi wrth wylio ei mab yn dioddef. Roedd proffwydoliaeth Simeon bellach wedi ei chyflawni wrth iddo ragweld y byddai cleddyf yn trywanu ei henaid (Luc 2: 35).

Eto nid yw Iesu yn meddwl am ei boen ond am ei phoen hi. Roedd yn benderfynol o arbed y wraig hon rhag gorfod gweld marwolaeth ei mab. Felly mae'n meddiannu'r hyn y mae ysgolheigion yn dweud wrthym oedd yn hawl i un oedd yn cael ei groeshoelio, hyd yn oed o'r groes, sef i wneud ewyllys. Gan ddefnyddio terminoleg cyfraith deuluol, mae'n gosod ei fam o dan amddiffyn a gofal Ioan, ac Ioan yr un modd o dan ei gofal hithau. Mae Ioan yn ei chymryd oddi yno ar unwaith i'w gartref yn Jerwsalem.

Wrth edrych yn ôl ar y tri ymadrodd cyntaf hyn o'r groes, rydym yn synnu at agwedd anhunanol Iesu. Doedd ganddo ddim gofal am ei anghenion ei hun. Er gwaethaf y poen a'r gwawd yr oedd yn eu dioddef, mae'n gweddïo am faddeuant dros ei elynion, mae'n addo paradwys i leidr edifeiriol, ac yn darparu ar gyfer mam oedd yn galaru. Dyma yw cariad, ac mae'r Ysgrythur yn dweud wrthym am "fyw mewn cariad, yn union fel y carodd Crist ni, a'i roi ei hun trosom" (Effesiaid 5: 2).

Darllen pellach: Ioan 19: 25–27

# Cri'r Gwrthodedig

*O ganol dydd, daeth tywyllwch dros yr holl wlad hyd dri*
*o'r gloch y prynhawn. A thua thri o'r gloch gwaeddodd*
*Iesu â llef uchel, "Eli, Eli, lema sabachthani", hynny yw,*
*"Fy Nuw, fy Nuw, pam yr wyt wedi fy ngadael?"*
Mathew 27: 45–46

O s yw'r tri ymadrodd cyntaf o'r groes yn darlunio Iesu fel ein hesiampl, mae'r pedwerydd (ac yn ddiweddarach y pumed) yn ei ddarlunio fel yr un sydd yn cario baich ein pechod. Croeshoeliwyd Iesu tua naw y bore ("y drydedd awr"), ac mae'r tri ymadrodd cyntaf o'r groes wedi eu llefaru yn agos i gychwyn y cyfnod hwn. Yna daw cyfnod o dawelwch. Tua chanol dydd ("y chweched awr"), a'r haul bellach ar ei anterth yn y ffurfafen, mae tywyllwch anesboniadwy yn ymestyn dros y tir. Mae'n amhosibl credu bod hwn yn ddigwyddiad naturiol oherwydd roedd Gŵyl y Pasg yn cael ei chadw ar gyfnod lleuad lawn. Na, roedd hon yn ffenomenon oruwchnaturiol wedi ei bwriadu gan Dduw i fod yn symbol o'r tywyllwch brawychus yr aeth enaid Iesu iddo. Mae'r tywyllwch yn parhau am dair awr, ac yn y cyfnod hwn does dim un gair yn dod o wefusau'r Gwaredwr. Mae'n dioddef baich ein pechod mewn tawelwch.

Yna yn sydyn, tua thri o'r gloch y prynhawn ("y nawfed awr"), mae'r tawelwch yn cael ei dorri gan eiriau Iesu a'r pedwar ymadrodd olaf o'r groes, gan gychwyn gyda "Fy Nuw, fy Nuw, pam yr wyt wedi fy ngadael?" Mae'r gri ofnadwy hon yn cael ei chofnodi gan Mathew a Marc ac yn yr Aramaeg wreiddiol – "Eli, Eli, lema sabachthani?" Roedd y bobl wrth ymyl y groes yn tybio ei fod yn galw ar Elias (adn. 47) ond nid oedd yr un Iddew mor anwybodus ag i wneud y camgymeriad hwnnw.

Mae pawb yn cytuno bod Iesu yn dyfynnu o Salm 22: 1. Ond pam dyfynnu'r adnod honno gan gyhoeddi ei fod wedi ei adael? Does ond dau esboniad syml. Naill ai bod Iesu wedi gwneud camgymeriad a'i fod heb ei adael neu roedd yn dweud y gwir ac roedd Duw wedi ei adael. Yn bersonol, rwyf yn gwrthod yr esboniad cyntaf. I mi mae'n anghredadwy bod Iesu, ar yr eiliad y mae'n ildio ei hunan i ewyllys Duw, ar yr un pryd yn camgymryd ymwneud Duw ag ef. Mae'r esboniad arall yn glir ac yn syml. Doedd Iesu ddim wedi camgymryd. Y sefyllfa ar y groes oedd bod Duw wedi ei adael, a bod y dieithrwch wedi ei achosi gan ein pechodau a haeddiant ein pechodau. Mae Iesu yn mynegi'r profiad ofnadwy o gael ei adael drwy ddyfynnu'r unig Ysgrythur oedd yn ei ragfynegi, gan fynnu bod yr Ysgrythur honno wedi ei chyflawni yn berffaith.

Darllen pellach: Galatiaid 3: 6–14

# Ing ei Syched

*Y mae arnaf syched.*
Ioan 19:28

Adeg ei groeshoelio fe gynigiwyd i Iesu ddiod o win oedd wedi ei gymysgu â bustl, ond o'i flasu mae'n gwrthod ei yfed (Mathew 27: 34). Efallai y gellir dehongli hyn fel mynegiant o awydd Iesu i fod yn gwbl hunanfeddiannol wrth ddioddef drosom ar y groes. Oriau yn ddiweddarach beth bynnag, wrth iddo ddod o'r tywyllwch hwnnw oedd yn cadarnhau bod Duw wedi ei adael, ac yntau bellach yn gwybod bod y diwedd ar fin dod, mae'n dweud, "Y mae arnaf syched." Fel ymateb mae rhai o'r bobl wrth ymyl y groes yn estyn iddo ychydig o win sur, diod y milwyr Rhufeinig, gan ei godi ar ddarn o isop at wefusau Iesu.

Dyma'r unig ymadrodd o'r groes sydd yn mynegi poen corfforol Iesu. Yn ôl Ioan llefarodd y geiriau er mwyn cyflawni'r Ysgrythur. Yn wir, mae'r digwyddiad yn cael ei broffwydo ddwywaith yn y Salmau. Dywed Salm 22: 15, "y mae fy ngheg yn sych fel cragen a'm tafod yn glynu wrth daflod fy ngenau", tra yn Salm 69: 21 darllenwn, "Rhoesant wenwyn yn fy mwyd, a gwneud imi yfed finegr at fy syched."

Byddai'n gamgymeriad er hynny i honni bod syched corfforol llythrennol yn effeithio ar arwyddocâd y pumed ymadrodd o'r groes. Mae'n sicr fod syched Iesu, fel y tywyllwch, yn llythrennol. Os oedd tywyllwch y tir yn symbol o'r tywyllwch y mae ein pechod wedi ei achosi i'r Arglwydd Iesu, ac os oedd marwolaeth ei gorff yn symbol o farwolaeth ysbrydol, yna mae'r syched hwn yn symbol o'r ing a brofodd wrth iddo gael ei wahanu oddi wrth Dduw. Tywyllwch, marwolaeth a syched. Nid yw'r rhain yn ddim mwy na'r hyn y mae'r Beibl yn cyfeirio ato fel uffern – y tywyllwch eithaf, yr ail farwolaeth a'r llyn o dân – y cyfan yn mynegi'r arswyd hwnnw o gael ein gwahanu oddi wrth Dduw. Dyma'r hyn a ddioddefodd ein Gwaredwr drosom ar y groes.

Mae syched yn symbol byw iawn oherwydd roedd Iesu ei hun yn gynharach wedi dweud, "Pwy bynnag sy'n sychedig, deued ataf fi ac yfed" (Ioan 7: 37). Ond mae'r un sy'n ateb ein syched bellach yn profi syched ar y groes a hwnnw yn syched ofnadwy. Mae'n hiraethu, fel y gŵr goludog yn y ddameg, am rywun fel Lasarus i roi blaen ei fys mewn dŵr ac oeri ei dafod. Y gwirionedd bendigedig yn hyn i gyd yw bod Iesu wedi sychedu ar y groes fel na fydd raid i ni fyth sychedu eto (Datguddiad 7: 16).

Darllen pellach: Luc 16: 19–31

# Ei Floedd o Fuddugoliaeth

*Yna, wedi iddo gymryd y gwin, dywedodd Iesu, "Gorffennwyd."*
Ioan 19:30

Yn y tri ymadrodd cyntaf o'r groes gwelsom esiampl Iesu, ac yn y pedwerydd a'r pumed gwelsom Iesu fel yr un sy'n cario ein pechodau. Wrth inni nesáu at y ddau ymadrodd olaf, mae'n dod i'r amlwg mai Iesu yw'r concwerwr, oherwydd y mae'r ymadroddion yn mynegi'r fuddugoliaeth y mae wedi ei hennill drosom ni.

Efallai y gellid honni bod y chweched ymadrodd ("Gorffennwyd") yn un o'r geiriau mwyaf arwyddocaol a lefarwyd erioed. Eisoes, wrth ragweld y groes, mae Iesu yn honni ei fod wedi cyflawni'r gwaith yr oedd wedi dod i'r byd i'w wneud (17: 4). Yn awr mae'n cyhoeddi hyn yn eglur. Nid cri wan un oedd yn marw yw'r gri hon. Yn hytrach, gwaedd a geir yma, yn ôl Mathew a Marc, â llais uchel (Mathew 27: 50) yn cyhoeddi buddugoliaeth lwyr.

Mae'r ferf yn y Groeg (*tetelestai*) yn yr amser perffaith, sydd yn arwyddo gweithred efo canlyniadau parhaol. Gellid ei gyfieithu, "Y mae wedi ei orffen ac yn parhau yn orffenedig am byth." Mae Crist wedi cyflawni'r hyn y mae'r llythyr at yr Hebreaid yn ei alw yn "un aberth dros bechodau am byth" (Hebreaid 10: 12) a'r hyn y mae Cranmer yn cyfeirio ato yn y Llyfr Gweddi Gyffredin fel "aberth llawn, perffaith a digonol dros bechod y byd i gyd". O ganlyniad, oherwydd bod Crist wedi gorffen y gwaith o gario ein pechodau, does dim yn aros i ni i'w gyflawni, nac i'w gyfrannu.

Er mwyn arddangos natur gyflawn yr hyn yr oedd Iesu wedi ei wneud, mae "llen y deml yn cael ei rhwygo yn ddwy o'r pen i'r gwaelod" (Mathew 27: 51). Yn y cyfan gwelwn mai llaw Duw sydd wedi gwneud y gwaith hwn. Roedd y llen wedi bod yno am ganrifoedd rhwng cynteddau allanol a mewnol y deml, yn symbol o'r ffaith na all pechaduriaid nesáu at Dduw. Doedd neb i fynd y tu hwnt i'r llen i bresenoldeb Duw ar wahân i'r archoffeiriad ar Ddydd yr Iawn. Bellach mae'r llen wedi ei rhwygo yn ddwy a'i gosod o'r neilltu. Does mo'i hangen mwyach. Mae'n siwr bod yr addolwyr yng nghynteddau'r deml wedi ymgasglu y prynhawn hwnnw ar gyfer yr aberthau a gweld mewn ffordd ddramatig anghyffredin fod aberth gwell wedi ei offrymu, a thrwy'r aberth hwn gallent nesáu at Dduw, i mewn i'w bresenoldeb.

Darllen pellach: Hebreaid 10: 11–14, 19–25

# Ildio'n Derfynol

*Llefodd Iesu â llef uchel, "O Dad, i'th ddwylo di yr wyf yn*
*cyflwyno fy ysbryd." A chan ddweud hyn bu farw.*
Luc 23:46

D oes yr un o'r efengylwyr yn dweud yn y testun gwreiddiol fod Iesu "wedi marw". Mae fel petai'r pedwar yn osgoi'r gair. Does dim awydd i roi'r argraff bod marwolaeth wedi hawlio Iesu a'i fod wedi gorfod ildio i awdurdod marwolaeth. Mae'r Ysgrythur yn glir nad oedd Iesu wedi wynebu marwolaeth fel ni, ond yn hytrach ei fod wedi ei meddiannu fel un oedd yn fuddugol.

Rhwng y pedwar efengylydd ceir pedwar ymadrodd gwahanol, a phob un yn pwysleisio bod Iesu wedi cymryd gafael yn yr hyn oedd yn digwydd yn hytrach na chaniatáu i'r hyn oedd yn digwydd gymryd gafael ynddo ef. Yn ôl Marc, "anadlodd ei anadl olaf" (Marc 15: 37); mae Mathew yn dweud ei fod "wedi ildio ei ysbryd" (Mathew 27: 50); mae Luc yn cofnodi'r geiriau, "O Dad, i'th ddwylo di yr wyf yn cyflwyno fy ysbryd" (Luc 23: 46). Mae ymadrodd Ioan yn un arbennig, yn benodol, "Gwyrodd ei ben, a rhoi i fyny ei ysbryd" (Ioan 19: 30). Y ferf unwaith eto yw *pardidōmi*, y ferf a ddefnyddiwyd yn hanes Barabbas, yr offeiriad, Pilat a'r milwyr a "ildiodd" Iesu. Bellach mae Ioan yn defnyddio'r ferf ar wefusau Iesu ei hun, yr un oedd yn ildio ei ysbryd i'r Tad a'i gorff i farwolaeth. Sylwch ei fod wedi plygu ei ben cyn ildio ei ysbryd. Nid ei fod wedi marw yn gyntaf ac yna bod ei ben wedi syrthio ymlaen ar ei frest. I'r gwrthwyneb. Roedd plygu ei ben yn arwyddo'r weithred olaf lle mae Iesu yn ildio i ewyllys ei Dad. Felly trwy air a gweithred (plygu ei ben a chyhoeddi ei fod yn ildio ei ysbryd) mae Iesu yn arwyddo bod ei farwolaeth yn weithred wirfoddol.

Gallai Iesu fod wedi dianc rhag marwolaeth hyd at yr eiliad olaf. Fel y dywedodd ef ei hun yn yr ardd, gallai fod wedi galw ar fwy na deuddeg lleng o angylion i'w achub. Byddai'n gwbl bosibl iddo fod wedi dod i lawr oddi ar y groes, yn union fel y dymunai ei watwarwyr. Ond ni wnaeth hyn. O'i ewyllys rydd a'i ddewis bwriadol, mae'n ildio ei hunan i farwolaeth. Iesu a benderfynodd yr amser, y lle a'r modd y byddai'n gwneud hyn.

Mae'r ddau ymadrodd olaf o'r groes ("gorffennwyd" ac "i'th ddwylo di yr wyf yn cyflwyno fy ysbryd") yn cyhoeddi Iesu yn goncwerwr pechod a marwolaeth. Rhaid inni ddod yn ostyngedig at y groes, yn haeddu dim ond barn, yn pledio dim ond trugaredd, a bydd Crist yn ein gwaredu ni o euogrwydd pechod ac o ofn marwolaeth.

Darllen pellach: Hebreaid 2: 14–18

# Wythnos 32: Ystyr y Groes

Rydym wedi edrych ar ddioddefaint a marwolaeth yr Arglwydd Iesu yn ystod yr wythnosau diwethaf ac wedi gwrando'n astud ar y saith ymadrodd o'r groes. Yr wythnos hon rydym am gloddio ychydig yn ddyfnach i ystyr ei farwolaeth. Nid yw hyn yn golygu y byddwn yn darganfod un esboniad ar bwrpas y farwolaeth hon. I'r gwrthwyneb, mae'r groes fel diemwnt sydd â llawer o wynebau. Eto, gobeithio y medrwn ddod trwy'r astudiaethau hyn i well dealltwriaeth o'r rheswm dros ei farwolaeth. Yn gyntaf, er hynny, mae angen inni sicrhau ein bod yn sylweddoli pa mor ganolog yw'r groes i neges y Testament Newydd ac o ganlyniad, i fywyd a thystiolaeth yr eglwys.

**Dydd Sul:** Y Groes yn y Canol
**Dydd Llun:** Esiampl Iesu
**Dydd Mawrth:** Iawn dros Bechod
**Dydd Mercher:** Datguddiad o Gariad
**Dydd Iau:** Buddugoliaeth trwy'r Groes
**Dydd Gwener:** Y Groes a Dioddefaint
**Dydd Sadwrn:** Y Groes a Chenhadaeth

# Y Groes yn y Canol

*Oherwydd dewisais beidio â gwybod dim yn eich plith ond*
*Iesu Grist, ac yntau wedi ei groeshoelio.*
1 Corinthiaid 2:2

Byddai unrhyw un sy'n archwilio Cristnogaeth am y tro cyntaf yn siŵr o gael ei daro gan farwolaeth Iesu, ac yn arbennig felly gan y penodau sy'n cael eu neilltuo i'r digwyddiad hwn yn yr efengylau.

Mae'n amlwg fod awduron yr efengylau wedi dysgu'r pwyslais gan Iesu ei hunan. Ar dri achlysur gwahanol mae Iesu'n rhagweld ei farwolaeth gan ddweud "bod yn rhaid i Fab y Dyn ddioddef llawer, a chael … ei ladd" (Marc 8: 31). Rhaid iddo ddigwydd, meddai Iesu, oherwydd yr oedd y digwyddiad wedi ei rag-weld yn Ysgrythurau'r Hen Destament. Mae Iesu hefyd yn cyfeirio at ei farwolaeth fel "yr awr" yr oedd wedi dod i'r byd ar ei chyfer. Ar y cychwyn, mae'n ailadrodd "nad oedd yr awr wedi dod" eto, ond erbyn y diwedd roedd yn medru dweud, "daeth yr awr".

Efallai mai'r peth mwyaf trawiadol yw bod Iesu wedi gwneud darpariaeth benodol am y ffordd yr oedd i gael ei gofio. Mae'n gorchymyn i'w ddisgyblion gymryd a thorri bara, i gofio am ei gorff a dorrwyd drostynt, ac i yfed gwin i gofio am y gwaed oedd yn cael ei dywallt drostynt. Mae marwolaeth yn siarad o'r ddwy elfen. Ni allai'r un symbolaeth fod yn fwy eglur. Sut oedd Iesu am gael ei gofio? Nid oherwydd ei esiampl na'i ddysgeidiaeth, nid oherwydd ei eiriau na'i weithredoedd, ac nid ychwaith oherwydd ei gorff byw na'i waed byw yn llifo drwy ei wythiennau, ond yn hytrach oherwydd bod ei gorff wedi ei roi, a'i waed wedi ei dywallt mewn marwolaeth.

Mae'r eglwys felly wedi bod yn iawn yn ei dewis o symbol dros Gristnogaeth. Gallai fod wedi dewis sawl opsiwn – er enghraifft, y preseb yn symbol o'r ymgnawdoliad; mainc y saer yn symbol o urddas gwaith corfforol; neu dywel yn symbol o wasanaeth; neu unrhyw un arall. Ond gwrthodwyd pob un, a rhoi blaenoriaeth i'r groes.

Roedd dewis y groes yn symbol Cristnogol yn fwy rhyfeddol fyth oherwydd yn niwylliant Rhufain a Groeg roedd y groes yn destun gwarth. Sut felly roedd hi'n bosibl i Paul ddweud ei fod ef yn gorfoleddu yn y groes? Dyma'r cwestiwn y gobeithiwn ei ateb yr wythnos hon.

Darllen pellach: 1 Corinthiaid 1: 17–25

# Esiampl Iesu

*Canys i hyn y'ch galwyd, oherwydd dioddefodd Crist*
*yntau er eich mwyn chwi, gan adael ichwi esiampl, ichwi*
*ganlyn yn ôl ei draed ef.*

1 Pedr 2:21

Wedi i Pedr gydnabod Iesu fel y Meseia, dechreuodd Iesu ddysgu'r disgyblion fod rhaid iddo ddioddef. Roedd Pedr yn anghytuno'n ffyrnig. "Na, Arglwydd," gwaeddodd, "ni fydd hyn byth yn digwydd i ti." Ond bellach, wrth iddo feddwl tua deng mlynedd ar hugain yn ddiweddarach am farwolaeth Iesu, digwyddiad oedd ar un adeg yn wrthun iddo, gwelai ei bod yn anhepgor.

Rhaid inni gofio cefndir hanesyddol llythyr Pedr. Roedd Cristnogaeth yn parhau i fod yn grefydd anghyfreithlon ac roedd yr ymerawdwr Nero yn wrthwynebus iawn i'r ffydd. Eisoes roedd achlysuron lle'r erlidiwyd y Cristnogion yn ffyrnig iawn. Roedd gan Pedr gonsýrn arbennig dros gaethweision Cristnogol mewn cartrefi heb arweinwyr Cristnogol. Rhaid iddynt ddioddef poenau anghyfiawn, meddai. Pam? Oherwydd bod hyn yn rhan o alwad y Cristion. Pam? Oherwydd bod Iesu, er ei fod yn ddibechod, wedi dioddef drosom ni heb ateb yn ôl gan adael esiampl i ni ddilyn yn ôl ei draed.

Mae'r gair Groeg am esiampl yn yr adnod hon yn unigryw yn y Testament Newydd. Mae'n disgrifio llyfr athro lle mae'r plant yn dilyn llythrennau wrth iddynt ddysgu ysgrifennu. Felly mae Pedr yn llythrennol yn gofyn inni gopïo esiampl yr Arglwydd Iesu a dilyn yn ôl ei draed. Mae hyn yn apêl o galon Pedr, oherwydd yr oedd wedi ymffrostio y byddai'n dilyn Iesu i'r carchar ac i farwolaeth, er na fu mewn gwirionedd yn ei ddilyn ond o bell. Wedi ei ailgomisiynu, roedd Pedr yn benderfynol o ddilyn ffordd y groes gan ddioddef poenau anghyfiawn yn amyneddgar.

Mae cwestiwn yn codi yn ein meddwl, er hynny. Os ydym yn barod i ddioddef erledigaeth anghyfiawn, ble mae ein brwydr dros gyfiawnder? A ydym i ganiatáu i ddrygioni sathru'r saint ac mewn rhyw ffordd ei annog i lwyddo? Na. Mae Pedr 2: 23 yn ateb ein cwestiwn. Mae'n dweud wrthym fod Iesu nid yn unig wedi llwyddo i beidio ag ymateb i'r erlid hwn, ond ei fod hefyd wedi "ei gyflwyno'i hun i'r Un sy'n barnu'n gyfiawn." Mewn geiriau eraill, y rheswm y mae'r saint yn cael eu galw i beidio ag ymateb yn dreisgar yw nid oherwydd bod drygioni i fod i ennill y dydd ond yn hytrach nad ein cyfrifoldeb ni yw cosbi drygioni. Cyfrifoldeb y barnwr cyfiawn yw hynny, nawr drwy lysoedd barn, ac yn y diwedd ar Ddydd y Farn. Felly nid yw cariad a chyfiawnder yn anghyson; maent yn plethu i'w gilydd yn naturiol fel y gwelwn yn esiampl Iesu.

Darllen pellach: 1 Pedr 2: 18–23

# Iawn dros Bechod

*Oherwydd dioddefodd Crist yntau un waith am byth dros bechodau,*
*y cyfiawn dros yr anghyfiawn, i'ch dwyn chwi at Dduw.*
1 Pedr 3:18

Dyma un o'r testunau mwyaf bendigedig yn y Testament Newydd am y groes. Mae'n dweud wrthym beth oedd y prif reswm fod Iesu wedi marw. Rydym eisoes wedi gweld bod ei farwolaeth yn ferthyrdod i'w fawredd ei hunan, a hefyd yn esiampl o sut mae'n dioddef yn amyneddgar. Bellach mae angen inni gloddio'n ddyfnach i ystyr a phwrpas y groes.

Yn gyntaf, mae Crist yn marw i ddod â ni at Dduw. Y tu ôl i'r honiad hwn mae'r ddealltwriaeth ein bod wedi ein gwahanu oddi wrth Dduw a bod angen ein cymodi. Mae pob ymwybyddiaeth o bellter ac o ddieithrwch sydd yn ein calon yn medru cael ei holrhain, yn y diwedd, i'r dieithrwch yn ein perthynas â Duw; y rheswm dros y dieithrwch yw ein pechod. Yn ôl y proffwyd Eseia, "eich camweddau chwi a ysgarodd rhyngoch a'ch Duw, a'ch pechodau chwi a barodd iddo guddio'i wyneb fel nad yw'n eich clywed" (Eseia 59: 2). Beth felly wnaeth Iesu i ddelio â'r sefyllfa?

Yn ail, bu farw Iesu dros ein pechodau, y cyfiawn dros yr anghyfiawn. I ddeall hyn, rhaid inni gofio bod pechod a marwolaeth wedi eu hoelio at ei gilydd, o gychwyn i ddiwedd y Beibl, fel trosedd a chosb am drosedd. "Y mae pechod yn talu cyflog, sef marwolaeth" (Rhufeiniaid 6: 23). Ni phechodd yr Arglwydd Iesu ac felly yn ei achos ef nid oedd angen iawn am bechod. Yn ôl yr apostol Pedr, bu farw "dros bechodau, y cyfiawn dros yr anghyfiawn" (1 Pedr 3: 18), y dieuog dros yr euog. Dyma sy'n cyfiawnhau ein hyder fod marwolaeth Iesu Grist yn farwolaeth yn ein lle ni. Mae'n sefyll yn y man lle y dylem ni fod yn sefyll. Rydym yn haeddu marw; bu ef farw yn ein lle. Ac oherwydd ei fod wedi cymryd ein lle, wedi cario baich ein pechod, wedi marw ein marwolaeth ni, gallwn gael maddeuant rhad.

Yn drydydd, bu farw Crist dros bechod unwaith ac am byth. Mae'r adferf *hapax* yn golygu nid "unwaith", ond "unwaith ac am byth". Mae'n mynegi pa mor derfynol yw gwaith Iesu Grist ar y groes. Oherwydd ei fod wedi talu'r ddyled yn llawn am ein pechodau, medrai weiddi o'r groes, "Gorffennwyd". Beth, felly, y mae angen i ni ei wneud? Dim! Ni allwn gyfrannu dim at yr hyn y mae Iesu Grist wedi ei wneud drosom. Y cyfan y medrwn ei wneud yw diolch iddo am yr hyn a wnaeth a gorffwys yn y gwaith gorffenedig hwn.

Darllen pellach: Hebreaid 9: 23–28

# Datguddiad o Gariad

*Ond prawf Duw o'r cariad sydd ganddo tuag atom ni yw bod Crist*
*wedi marw drosom pan oeddem yn dal yn bechaduriaid.*
Rhufeiniaid 5:8

Sut mae'n bosibl inni gredu yng nghariad Duw pan fo cymaint o dystiolaeth i wneud inni amau? Mae'r apostol Paul yn egluro yn Rhufeiniaid 5 ddau reswm penodol pam fod Cristnogion wedi eu sicrhau o gariad Duw tuag atynt. Y cyntaf yw bod "cariad Duw wedi ei dywallt yn ein calonnau trwy'r Ysbryd Glân y mae ef wedi ei roi i ni" (adn. 5). Yr ail reswm yw bod Duw yn profi'r "cariad sydd ganddo tuag atom ni ... trwy farw drosom pan oeddem yn dal yn bechaduriaid" (adn. 8). Sut felly mae'n bosibl i ni amau cariad Duw? Does dim amheuaeth nad ydym yn drysu yn aml gyda'r holl drasiedi sydd mewn bywydau o'n cwmpas. Ond mae Duw wedi profi ei gariad tuag atom ym marwolaeth ei Fab ac wedi tywallt ei gariad i mewn i ni wrth roi ei Ysbryd. Yn wrthrychol mewn hanes, ac yn oddrychol yn ein profiad, mae Duw wedi rhoi seiliau da i ni gredu yn ei gariad ef. Mae integreiddio gweinidogaeth hanesyddol Mab Duw (ar y groes) gyda gweinidogaeth gyfredol ei Ysbryd (yn ein calonnau) yn un o agweddau melysaf yr efengyl.

Yr hyn a wna'r Beibl yw nid datrys problem dioddefaint, ond rhoi persbectif iawn i ni i edrych ar y broblem. Pan fydd ein calon yn torri, gallwn ddringo i fryn a elwir Calfaria, ac o'r fan honno edrych ar anawsterau a thrasiedïau bywyd.

Yr hyn sy'n gwneud dioddefaint yn annioddefol yw nid yn gymaint y poen ond y teimlad nad yw Duw yn poeni. Mae rhai am ei ddarlunio fel un sydd yn eistedd mewn cadair freichiau yn y nefoedd yn gwbl ar wahân i ddioddefaint y byd. Y darlun hwn o Dduw sy'n cael ei chwalu'n llwyr gan y groes. Nid ei weld mewn cadair esmwyth mae'r Cristion, ond ei weld ar groes. Oherwydd y Duw sy'n caniatáu inni ddioddef yw'r Duw a ddioddefodd ei hun yn Iesu Grist ac sydd yn parhau i ddioddef gyda ni heddiw. Mae marc cwestiwn yn parhau i sefyll uwchben dioddefaint dynol, ond uwchben y marc hwnnw rydym ni am roi marc arall – y groes.

Darllen pellach: Rhufeiniaid 8: 28–39

# Buddugoliaeth trwy'r Groes

*Ond y maent hwy wedi ei orchfygu trwy waed yr Oen.*
Datguddiad 12:11

Mae'n amhosibl darllen y Testament Newydd heb gael eich taro gan yr awyrgylch o hyder a llawenydd sy'n treiddio drwyddo. Mae hyn yn sefyll allan o ystyried y math o grefydd ddifywyd sy'n cael ei chysylltu â Christnogaeth heddiw. Doedd dim ymwybyddiaeth o fethiant yn perthyn i fywydau'r Cristnogion cynnar. Buddugoliaeth a goruchafiaeth oedd eu geirfa fel dilynwyr cyntaf Iesu. Roeddent yn priodoli'r fuddugoliaeth i'r groes.

Ac eto byddai unrhyw un oedd yn edrych ar fywyd y Cristnogion cynnar, neu unrhyw un a welodd Iesu Grist wedi marw, yn synnu o glywed yr honiad fod yr un croeshoeliedig yn fuddugoliaethus. Edrychwch arno wedi ei hoelio ar groes, gyda phob rhyddid wedi ei ddwyn oddi arno, yn gwbl ddi-rym. Mae'r digwyddiad yn ymddangos fel methiant llwyr ar ran yr Arglwydd Iesu.

Ond mae'r Cristion am honni bod realiti yn dweud rhywbeth cwbl wahanol. Mae'r hyn sy'n ymddangos yn fethiant daioni ac yn oruchafiaeth drygioni mewn gwirionedd yn tystio i oruchafiaeth daioni ar ddrygioni. Wrth gael ei hoelio ar y groes, roedd Iesu yn hoelio drygioni unwaith am byth i farwolaeth. Y dioddefwr oedd y concwerwr, a'r groes yw'r orsedd o ba un y mae Iesu yn llywodraethu'r byd.

Mewn darluniau byw iawn mae'r apostol Paul yn disgrifio sut y mae pob grym a drygioni wedi amgylchynu Iesu gan gau amdano ar y groes, ond ei fod ef wedi eu diarfogi gan wneud sioe ohonynt wrth iddo ennill buddugoliaeth lwyr drwy'r groes (Colosiaid 2: 15). Ni chawn wybod manylion y frwydr hon. Ond rydym yn gwybod bod Iesu wedi gwrthod y demtasiwn i osgoi'r groes ac i geisio grym dynol. Ni wnaeth hwn unrhyw gyfaddawd gyda'r byd.

Mae'r thema o fuddugoliaeth trwy'r groes, thema a ddathlwyd gan y tadau Groegaidd a Lladin, yn un a gollwyd gan rai diwinyddion yn yr Oesoedd Canol. Adferwyd y pwyslais gan Martin Luther yn ystod y Diwygiad Protestannaidd. Dyma oedd thesis y diwinydd o Sweden, Gustav Aulen, yn ei lyfr dylanwadol *Christus Victor*. Roedd yn iawn i adfer y thema hon oedd yn mynd ar goll. Eto, rhaid inni fod yn ofalus nad ydym yn gwneud camgymeriad tebyg trwy bwysleisio buddugoliaeth ar draul themâu fel iawn a datguddiad.

Darllen pellach: Datguddiad 12: 1–12

# Y Groes a Dioddefaint

*Rwyf am ei adnabod ef ... a chymdeithas ei ddioddefiadau,*
*wrth gael fy nghydffurfio â'i farwolaeth ef.*
Philipiaid 3:10

Mae'n sicr mai'r ffaith o ddioddefaint sydd yn peri yr her fwyaf i'r ffydd Gristnogol. Mae pobl yn naturiol yn gofyn a ellir cymodi hyn â'r syniad o gyfiawnder a chariad Duw. Aeth Philip Yancey ymhellach yn nheitl ei lyfr *Where is God when it Hurts?* Meddai, "Os yw Duw yn rheoli ... pam fod y cyfan yn edrych mor annheg? A yw Duw yn mwynhau gweld ei bobl yn dioddef?"

Yn yr Ysgrythur cawn y sicrwydd fod ein Duw ni yn Dduw sydd yn dioddef ei hun ac ymhell o beidio â chydymdeimlo â ni. Rhaid inni ei weld yn wylo dros ddinas Jerwsalem ac yn marw ar y groes. Rwyf am ddyfynnu rhywbeth a ysgrifennais yn y llyfr *The Cross of Christ*:

> Ni allwn fy hunan gredu yn Nuw oni bai fod yna groes. Yr unig Dduw yr wyf i'n credu ynddo yw'r un y bu i'r athronydd Nietzsche ei wawdio drwy gyfeirio ato fel "Duw ar y groes". Yn y byd real, byd o boen, sut mae'n bosibl i addoli Duw sydd mor bell o'r poen hwnnw? Rwyf wedi mynd droeon i demlau Bwdhaidd mewn gwahanol wledydd yn Asia ac wedi sefyll yn barchus o flaen rhyw ddelw o'r Bwda, ei goesau wedi eu croesi, ei freichiau wedi eu plygu, ei lygaid ar gau, gyda rhyw fath o wên o amgylch ei geg, a golwg bell ar ei wyneb, ymhell o ddioddefaint a realiti bywyd. Ond bob tro bu rhaid imi droi i ffwrdd ar ôl ychydig. Ac yn lle hynny, yn fy nychymyg, rwyf wedi troi at y ffigwr unig hwnnw oedd yn cael ei boenydio ar groes, hoelion trwy ei ddwylo a'i draed, ei gefn wedi ei dorri gan y fflangell, ei ben yn gwaedu o ddrain ei goron, ei geg yn sych â'r syched ofnadwy hwnnw wrth iddo gael ei daflu i dywyllwch di-Dduw. Hwn yw'r Duw i mi! Mae'n gosod heibio'r hawl i beidio â dioddef poen. I'r gwrthwyneb, mae'n dod i mewn i fyd ein cnawd a'n gwaed, ein dagrau a'n marwolaeth. Mae'n dioddef drosom. Mae ein dioddefiadau yn llawer mwy dealladwy yng ngoleuni hyn.

Yn ôl yr awdur P. T. Forsyth, "croes Crist ... yw'r unig le y gall Duw ei gyfiawnhau ei hun mewn byd fel ein byd ni."

Darllen pellach: Hosea 11: 8–9

# Y Groes a Chenhadaeth

*Yn wir, yn wir, rwy'n dweud wrthych, os nad yw'r gronyn*
*gwenith yn syrthio i'r ddaear ac yn marw, y mae'n aros ar ei*
*ben ei hun; ond os yw'n marw, y mae'n dwyn llawer o ffrwyth.*
Ioan 12:24

Ymhlith y pererinion yn Jerwsalem yr oedd rhai Groegiaid. Mae'n debyg nad oedd athroniaeth Groeg na chrefydd Jwda wedi eu bodloni; yr oedd newyn yn parhau. Mae'r rhain yn dod at Philip (efallai oherwydd ei enw Groegaidd) gan ofyn iddo, "Syr, fe hoffem weld Iesu" (adn. 21). Mae ymateb Iesu i'w cwestiwn, er yn ateb anuniongyrchol, yn un clir o ran yr hyn y mae'n ei osod ger eu bron: "Y mae'r awr wedi dod," meddai, "i Fab y Dyn gael ei ogoneddu" (adn. 23). Mewn geiriau eraill, roedd y Groegiaid hyn wedi gofyn ar yr union amser cywir oherwydd yr oedd Iesu ar fin cael ei ogoneddu, hynny yw, ar fin cael ei ddatguddio yn ei holl ogoniant. Yr awr honno, fel y gwyddom o lefydd eraill, oedd awr ei farwolaeth.

Aeth Iesu ymlaen i ddatblygu darlun amaethyddol. Os yw hedyn yn aros yn sych, yn niogelwch cynnes y granar, ni fydd byth yn cynhyrchu dim. Rhaid iddo gael ei gladdu mewn tir sydd yn oer ac yn fedd pridd iddo. Yno, rhaid iddo farw. O'i fedd gaeafol daw egin y gwanwyn. Gellir crynhoi hyn yn syml yn y frawddeg: "Os yw'n dal ato'i hun, bydd yn aros ar ei ben ei hun; os bydd yn marw, bydd yn tyfu." Wrth ystyried yr egwyddor sylfaenol hon, croes Iesu Grist yw'r esiampl ryfeddaf mewn hanes. Petai wedi dal gafael mewn bywyd neu yn y byd, byddai'r byd wedi marw. Ond oherwydd ei fod wedi marw yn y tywyllwch eithaf, mae bywyd i'r byd.

Yn ei lyfr *The Resurrection of the Chinese Church*, ysgrifennodd Tony Lambert, "Y rheswm dros dwf yr eglwys yn Tsieina yw'r ffaith fod yr eglwys wedi ei chysylltu yn gyfan gwbl â chroes Iesu. Neges eglur eglwys Tsieina yw bod Duw yn defnyddio dioddefaint i arllwys diwygiad ac i adeiladu ei eglwys."

Cysylltiad arall rhwng y groes a chenhadaeth yw honiad Iesu, "A minnau, os caf fy nyrchafu oddi ar y ddaear, fe dynnaf bawb ataf fy hun" (adn. 32). Mae'n ymddangos bod ei addewid yn cyfuno'r llythrennol a'r darluniadol. Mae'r cyfeiriad sylfaenol, wrth gwrs, at y ffaith ei fod ar fin cael ei ddyrchafu ar groes (adn. 33), ac mae'r groes ei hun yn denu ein henaid. Ond mae Iesu hefyd yn cael ei ddyrchafu yn ddarluniadol wrth iddo gael ei gyhoeddi'n ffyddlon. Rydym yn llawenhau yn apêl fyd-eang y Crist croeshoeliedig, apêl sydd yn ddi-hid o wahaniaethau hil, iaith, dosbarth, oed ac yn y blaen.

Darllen pellach: Ioan 12: 20–33

# Wythnos 33: Ymddangos wedi'r Atgyfodiad

Mae'r "Arglwydd yn wir wedi ei gyfodi" (Luc 24: 34). Dyma ffydd y Pasg, ffydd sydd yn cyhoeddi realiti gwrthrychol, hanesyddol atgyfodiad Iesu. Efallai ei bod yn ddigon i wneud cyffes driphlyg. Yn gyntaf, roedd y bedd yn wag, a does dim un dewis, ac eithrio'r atgyfodiad, sy'n esbonio'n llawn y ffaith fod ei gorff wedi diflannu. Yn ail, gwelwyd yr Arglwydd, ac nid yw'r ymddangosiadau'n gyson â'r hyn a wyddom am allu dyn i weld ysbrydion. Yn drydydd, newidiwyd bywydau'r disgyblion. Dim ond yr atgyfodiad sy'n medru esbonio'r trawsnewidiad hwn o amheuaeth i ffydd, o fod yn llwfr i fod yn eofn, o alar i lawenydd.

Yr wythnos hon, rydym am edrych ar y chwe ymddangosiad a gofnodir yn yr efengylau. Mae'r amrywiaeth yn cadarnhau eu gwirionedd.

**Dydd Sul:** Mair Magdalen
**Dydd Llun:** Y Daith i Emaus
**Dydd Mawrth:** Yr Oruwchystafell
**Dydd Mercher:** Thomas yr Amheuwr
**Dydd Iau:** Ail-gomisiynu Pedr
**Dydd Gwener:** Y Comisiwn Mawr yn ôl Luc
**Dydd Sadwrn:** Crynodeb Paul o Ymddangosiadau'r Crist Atgyfodedig

# Mair Magdalen

*"Wraig," meddai Iesu wrthi, "pam yr wyt ti'n wylo? ...*
*Meddai [Iesu] wrthi, "Paid â glynu wrthyf."*
Ioan 20:15, 17

**M**ae'n rhagluniaeth ryfeddol mai gwraig oedd y person cyntaf a ddewisodd Duw i ddatguddio'r Arglwydd atgyfodedig iddi, ac mai'r wraig hon oedd y person cyntaf i gael ei chomisiynu i gyhoeddi'r efengyl a'r atgyfodiad i eraill. Onid yw hyn yn wirionedd bendigedig am wragedd mewn cyfnod lle nad oedd gwragedd yn cael eu cydnabod yn dystion dibynadwy? Y wraig arbennig hon oedd Mair Magdalen. Nid yw'r efengylau yn dweud llawer amdani. Rydym yn gwybod ei bod wedi aros wrth y groes hyd y diwedd, a'i bod wedi dilyn yr orymdaith i'r ardd i gladdu Iesu. Tua thri deg a chwech o oriau yn ddiweddarach, daeth hi a rhai o'r gwragedd eraill at y bedd a darganfod bod y corff wedi diflannu. Mae'n rhedeg yn ôl i ddweud wrth Pedr ac Ioan. Mae'r rhain yn eu tro yn rhedeg at y bedd, a hithau'n eu dilyn yn arafach. Erbyn iddi gyrraedd, roedd y ddau wedi mynd a hithau ar ei phen ei hun.

Mae Ioan yn awr yn rhoi dau ddarlun hyfryd inni. Yn y naill mae Mair yn wylo, yn arbennig oherwydd ei bod yn meddwl iddi golli'r unig ddyn oedd wedi ei thrin ag urddas, cariad a pharch. Roedd y goleuni wedi diflannu o'i bywyd. Ond doedd Iesu ddim wedi ei gadael fel roedd hi'n ei feddwl. I'r gwrthwyneb, roedd yno wrth ei hymyl, wedi atgyfodi, a hithau heb sylweddoli.

Yn yr ail ddarlun mae Mair yn glynu at Iesu. Mae Iesu'n gorfod dweud wrthi, "Paid â glynu wrthyf, oherwydd nid wyf eto wedi esgyn at y Tad" (adn. 17). Mae llawer yn gofyn pam fod Iesu wedi gwahodd yr apostolion i gyffwrdd ag ef er iddo wrthod caniatáu i Mair lynu wrtho. Mae'n amlwg mai'r ateb yw bod cyffwrdd a glynu yn ddwy weithred wahanol. Gwahoddwyd yr apostolion i gyffwrdd ag ef er mwyn eu sicrhau nad ysbryd oedd Iesu. Ar y llaw arall, y rheswm pam y gwaharddwyd Mair rhag glynu wrtho oedd oherwydd bod y weithred yn arwydd o'r math anghywir o berthynas. Tebyg mai'r cyfieithiad gorau fyddai, "Paid â glynu wrthyf ragor." Roedd rhaid iddi ddysgu nad oedd yn bosibl iddi adfer yr hen berthynas a fu'n gymaint bendith iddi. Wedi i Iesu esgyn, byddai perthynas newydd yn bosibl.

Wrth inni weld y darlun hwn o Fair yn wylo a Mair yn glynu, rydym yn gweld y ddau gamgymeriad a wnaeth. Roedd yn wylo oherwydd ei bod yn credu iddi golli Iesu yn llwyr. Roedd yn glynu wrtho oherwydd ei bod yn credu iddi ei gael yn ôl yn yr un ffordd ag yr oedd yn ei adnabod o'r blaen.

Darllen pellach: Ioan 20: 10–18

# Y Daith i Emaus

*Adroddasant hwythau yr hanes am eu taith, ac fel yr*
*oeddent wedi ei adnabod ef ar doriad y bara.*
Luc 24:35

Mae'r daith i Emaus, pentref tua saith milltir i'r gogledd orllewin o Jerwsalem, yn un o hanesion mwyaf darluniadol y Pasg. Digwyddodd ar brynhawn Dydd y Pasg. Caiff un disgybl ei adnabod fel Cleopas; mae'n ddigon posibl mai ei wraig oedd y llall. Wrth iddynt gerdded roeddent yn siarad am y digwyddiadau rhyfeddol yn Jerwsalem yn ddiweddar. Yn ystod eu sgwrs mae'r Iesu atgyfodedig yn ymuno â nhw.

Mae'n bwysig sylwi beth mae Luc yn ei ddweud wrthym am eu llygaid. Yn ôl adnod 16, ataliwyd eu llygaid rhag ei adnabod; erbyn adnod 31, mae eu llygaid wedi eu hagor ac mae'r ddau yn ei adnabod. Y cwestiwn yw, beth sy'n digwydd i wneud y gwahaniaeth? Sut mae'n bosibl i'n llygaid ninnau gael eu hagor fel llygaid y ddau hyn?

Yn gyntaf, gallwn adnabod Crist drwy'r Ysgrythurau. Mae Iesu yn eu ceryddu am fod yn araf i gredu'r proffwydi ac yna mae'n eu harwain trwy dri phrif raniad yr Hen Destament – y Gyfraith, y Proffwydi a'r Salmau (adn. 44), gan esbonio'r hyn y mae'r Ysgrythurau yn ei ddysgu am ddioddefaint a gogoniant y Meseia. Fel y dywedodd Iesu ychydig ynghynt, "tystiolaethu amdanaf fi y mae'r rhain [yr Ysgrythurau]" (Ioan 5: 39). Felly, mae angen inni edrych am Grist yn yr Ysgrythurau i gyd. Wrth inni wneud hynny, bydd ein calonnau yn llosgi ynom.

Yn ail, gallwn adnabod Crist drwy doriad y bara. Mae'n ddigon posibl bod y ddau yma wedi gweld y creithiau ar ei ddwylo ac wedi adnabod ei lais. Ond mae'n fwy na thebyg bod y pedair berf y mae Luc yn eu defnyddio yn canu cloch yn eu cof wrth iddo gymryd y bara, rhoi diolch, ei dorri, a'i roi iddynt. Dyna pryd yr agorwyd eu llygaid, a bellach roeddent yn ei adnabod. Eu tystiolaeth yn ddiweddarach oedd iddynt ei "adnabod ef ar doriad y bara" (Luc 24: 35). Mae llawer o Gristnogion wedi tystio i brofiad cyffelyb. Un esiampl yw mam John Wesley, Susanna. Wrth iddi wrando un diwrnod ar eiriau sefydlu Swper yr Arglwydd, cyffesodd, "Aeth y geiriau yn syth drwy fy nghalon, ac roeddwn bellach yn adnabod Duw er mwyn Iesu Grist fel yr un oedd wedi delio â 'mhechodau."

Dyna ni, felly, y ddwy elfen sylfaenol sy'n esbonio'r hyn a ddigwyddodd i Cleopas a'i gydymaith, a'r ffordd y daeth y ddau i adnabod yr Arglwydd atgyfodedig. Medrwn ninnau ei adnabod yr un ffordd heddiw – drwy'r Ysgrythurau a thrwy doriad y bara, drwy'r Gair a thrwy'r sacrament.

Darllen pellach: Luc 24: 13–35

# Yr Oruwchystafell

*A dyma Iesu'n dod ac yn sefyll yn eu canol, ac yn dweud wrthynt, "Tangnefedd i chwi!" … Fel y mae'r Tad wedi fy anfon i, yr wyf fi hefyd yn eich anfon chwi.*

Ioan 20:19, 21

Dyma fersiwn Ioan o'r Comisiwn Mawr. Amgylchynir y Comisiwn gan bedair brawddeg fer sy'n cael eu cyfeirio at y disgyblion. Yn gyntaf, mae Iesu'n rhoi sicrwydd iddynt o heddwch. Dyma fin nos y Dydd Pasg cyntaf ac roedd y disgyblion wedi dod at ei gilydd y tu ôl i ddrysau cloëdig, yn llawn ofn. Mae Iesu'n dod ac yn sefyll yn y canol, gan lefaru heddwch i'w meddyliau cythryblus ac i'w cydwybod. Wrth gwrs, *shalom* oedd y cyfarchiad arferol, ond mae mwy na'r arferol yma. Wedi hyn, mae'n dangos ei ddwylo a'i ochr gan gadarnhau ei air ag arwydd, fel yn Swper yr Arglwydd.

Yn ail, mae Iesu'n rhoi model i'w genhadaeth: "Fel y mae'r Tad wedi fy anfon i, yr wyf fi hefyd yn eich anfon chwi" (adn. 21). Roedd ymgnawdoliad Iesu yn rhan hanfodol o'i genhadaeth, digwyddiad sydd wedi ei ddisgrifio fel yr esiampl fwyaf rhyfeddol o uniaethu trawsddiwylliannol yn hanes y byd. Mae Iesu'n uniaethu'n llwyr gyda'i bobl ac yn gwneud hynny heb golli ei hunaniaeth ei hun, oherwydd wrth ddod fel un ohonom ni, nid yw'n peidio â bod yn ef ei hun. Bellach mae'n ein hanfon ni i'r byd fel roedd y Tad wedi ei anfon ef. Mae pob cenhadaeth go iawn yn genhadaeth ymgnawdoledig, hynny yw, mae'n golygu mynd i mewn i fyd pobl eraill.

Yn drydydd, mae Iesu'n rhoi'r addewid o'r Ysbryd Glân. Mae'n anadlu arnynt ac yn dweud, "Derbyniwch yr Ysbryd Glân" (adn. 22). Nid oedd y rhain i fynd allan ar eu pen eu hunain. Mae cenhadaeth heb yr Ysbryd Glân yn amhosibl. Ef yw'r un sy'n ein harfogi ac yn ein nerthu i efengylu. Mewn man arall mae Iesu'n dweud wrth ei ddisgyblion am ddisgwyl yr Ysbryd Glân. Mae'r ffaith iddo anadlu arnynt yn ddameg weithredol sy'n cadarnhau'r addewid.

Yn bedwerydd, mae Iesu yn rhoi iddynt efengyl iachawdwriaeth. "Os maddeuwch bechodau rhywun, y maent wedi eu maddau; os peidiwch â'u maddau, y maent heb eu maddau" (adn. 23). Mae'r frawddeg hon yn un sydd wedi esgor ar lawer o drafodaeth, ac ar yr adnod hon y mae'r Eglwys Gatholig Rufeinig wedi sylfaenu ei honiad fod gan offeiriad awdurdod i wrando ar gyffes ac i roi maddeuant. Ond y gwir amdani yw na fynnodd yr apostolion gyffes ar unrhyw achlysur, na rhoi maddeuant chwaith. Yn hytrach, yr hyn a wnaethant oedd pregethu efengyl iachawdwriaeth gydag awdurdod, gan addo maddeuant i'r rhai oedd yn credu, a rhybudd o farn i'r rhai oedd yn gwrthod.

Darllen pellach: Ioan 20: 19–23

# Thomas yr Amheuwr

*Gwyn eu byd y rhai a gredodd heb iddynt weld.*
Ioan 20:29

Yn fuan wedi cyhoeddi ei lyfr *The Satanic Verses*, dywedodd Salman Rushdie mewn cyfweliad, "I mi, mae amheuaeth yn gyflwr canolog i ddynoliaeth yn yr ugeinfed ganrif." Mae'n siŵr mai nawddsant y cyfnod hwn o amheuaeth yw Thomas yr apostol. Rhown iddo o gydymdeimlad yr enw "Thomas yr Amheuwr". Ystyriwn ei bererindod:

1. *Thomas, yr un nad oedd yno.* Fin nos Dydd y Pasg, am ba reswm bynnag, nid oedd Thomas yng nghwmni gweddill yr apostolion ac felly fe gollodd y fendith o weld yr Arglwydd atgyfodedig. Mae perygl mewn mynd i gwmni'r saint ac i oedfaon yn anghyson. Ond y Sul canlynol, roedd Thomas yn ôl yn ei le ac fe dderbyniodd y bendithion a gollodd ar y Sul cyntaf yn ystod yr ail Sul!

2. *Thomas yr amheuwr.* Pan ddywedodd y disgyblion eraill wrth Thomas eu bod wedi gweld yr Arglwydd, fe ddylai Thomas fod wedi eu credu. Yn wir, mae Iesu yn barnu Thomas am hyn gan gyhoeddi bendith ar y rhai sydd heb weld ac eto yn credu. Mae dwy brif ffordd y mae pobl yn eu defnyddio wrth ddod i gredu unrhyw beth. Daw'r gyntaf trwy ymchwiliad empeiraidd; daw'r ail trwy dderbyn tystiolaeth tystion dibynadwy. Felly, pan ddywedodd y lleill, "Yr ydym wedi gweld yr Arglwydd" (adn. 25), dylai Thomas fod wedi eu credu oherwydd yr oedd yn gwybod eu bod yn dystion gonest a sobr. Yn wir, petai pawb heddiw yn mynnu cyffwrdd â'r Arglwydd atgyfodedig, ni fyddai unrhyw gredinwyr. I'r gwrthwyneb, mae miliynau wedi dod i ffydd ar dystiolaeth y rhai sydd wedi gweld ac wedi cyffwrdd. Mae'r ffydd yn dibynnu ar hygrededd ei thyston.

3. *Thomas y crediniwr.* Nid yn unig mae Thomas yn dod i gredu, ond mae'n dod i addoli gan ddweud, "Fy Arglwydd a'm Duw!" (adn. 28). Mae traddodiad yn ychwanegu bod Thomas wedi mynd yn ddiweddarach i Parthia, Persia ac India fel cenhadwr. Mae Cristnogion India yn dweud wrthym ei fod wedi plannu eglwys yn Kerala a'i fod wedi ei ferthyru ym Madras.

Sail y ffydd Gristnogol yw tystiolaeth yr apostolion oedd yn llygad-dystion. Rydym yn credu yn Iesu Grist heddiw nid am ein bod ni wedi ei weld ond oherwydd eu bod hwy wedi ei weld. Dyna pam fod y Testament Newydd mor ganolog; mae'n cynnwys tystiolaeth yr apostolion. Mae'r Testament Newydd yn dweud wrthym ni heddiw yr hyn a ddywedodd yr apostolion cyntaf wrth Thomas: "Rydym wedi gweld yr Arglwydd."

Darllen pellach: Ioan 20: 24–29

# Ail-gomisiynu Pedr

*Aeth Pedr yn drist am ei fod wedi gofyn iddo y drydedd waith, "A wyt ti'n fy ngharu i?" Ac meddai wrtho, "Arglwydd, fe wyddost ti bob peth, ac rwyt ti'n gwybod fy mod yn dy garu di." Dywedodd Iesu wrtho, "Portha fy nefaid."*

Ioan 21:17

A yw'n bosibl i'r rhai sydd wedi gwrthgilio gael eu hadfer, ac i'r rhai sydd wedi gwadu Crist gael cyfle arall? Roedd y cwestiynau hyn yn rhai anodd iawn i'r eglwys fore yn ystod erlid cyson yn y drydedd a'r bedwaredd ganrif. Beth ddylid ei wneud gyda'r rhai oedd wedi gwrthgilio? Mae'r eglwys wedi tueddu i symud yn ormodol rhwng bod yn rhy oddefol (gan osgoi disgyblu unrhyw un) a bod yn rhy orthrymol (gan osgoi adfer hyd yn oed yr edifeiriol).

Mae'r ffordd y mae Iesu yn delio â Phedr, ac yntau wedi ei wadu, yn wers wrth inni ystyried sut mae adfer ac ail-gomisiynu. Yn gyntaf, mae'n amlwg fod Iesu wedi dewis yn ofalus y cyd-destun lle byddai'n adfer Pedr. Roedd eisoes wedi cyfarfod â Phedr yn Jerwsalem, ond mae'n dewis tirwedd adnabyddus Galilea fel y man priodol. Mae saith o'r apostolion, yn ôl y dystiolaeth, yn mynd i bysgota, gan ddisgwyl Iesu i gyfarfod â nhw yn ôl ei addewid. Rhaid bod tebygrwydd rhwng yr hyn a ddigwyddodd nesaf a'r hyn a ddigwyddodd yn gynharach ar lyn Galilea (y daith bysgota ofer, y gorchymyn i bysgota mewn lle arall, a'r ddalfa fawr) wedi cynorthwyo Ioan i adnabod Iesu ar lan y môr, ac i Pedr neidio i'r môr er mwyn nofio at y lan. Mae'n edrych fel gweithred fwriadol i ail-gomisiynu Pedr mewn cyd-destun cyfarwydd. Wedi brecwast ar y traeth, mae'r cyfweliad yr oedd Pedr yn ei ofni yn cychwyn. Roedd wedi gwadu deirgwaith. Tair gwaith y mae Iesu'n gofyn yr un cwestiwn iddo: "Wyt ti'n fy ngharu i?" Tair gwaith y mae Iesu'n ei ail-gomisiynu gan ddweud, "Portha fy nefaid." Mae rhai o'r esbonwyr hynaf yn tynnu sylw arbennig at y ddau air Groeg a geir yma am gariad. Ond gan nad ydym yn gwybod pa eiriau Aramaeg a ddefnyddiodd Iesu, mae i'r ddau air Groeg bwyslais gwahanol.

Ond y pwynt pwysig yw bod Iesu wedi gofyn i Pedr, " Wyt ti'n fy ngharu i?" Nid yw'n gofyn i Pedr am y gorffennol ond am y presennol, nid am eiriau neu weithredoedd ond am agwedd ei galon. Y flaenoriaeth bob amser yw cariad at Iesu Grist, oherwydd dim ond pechaduriaid sydd wedi profi maddeuant sy'n medru caru fel hyn. Yn dilyn pob cadarnhad o gariad, mae Iesu'n llefaru gair o ail-gomisiynu. Yr hyn sy'n amlwg yw bod gweithred Pedr, er mor ddifrifol oedd, heb ei rwystro rhag bod â rhan yng ngwaith Iesu. Mae Iesu nid yn unig yn adfer Pedr yn ffafr Duw, ond hefyd yn ei ail-gomisiynu yng ngwasanaeth Duw.

Darllen pellach: Ioan 21: 1–17

# Y Comisiwn Mawr yn ôl Luc

*Fel hyn y mae'n ysgrifenedig: fod y Meseia i ddioddef, ac i atgyfodi oddi wrth y meirw ar y trydydd dydd, a bod edifeirwch, yn foddion maddeuant pechodau, i'w gyhoeddi yn ei enw ef i'r holl genhedloedd, gan ddechrau yn Jerwsalem.*
Luc 24:46–47

Heddiw rydym am edrych ar fersiwn Luc o'r Comisiwn Mawr. Yn y fersiwn hwn mae'r Arglwydd atgyfodedig yn crynhoi'r efengyl mewn pum gwirionedd, ac mae'r pump ar ffurf ddwbl. Yn gyntaf, mae digwyddiad deublyg, hynny yw marwolaeth ac atgyfodiad y Meseia (adn. 46). Mae'r Newyddion Da yn cychwyn gyda hanes. Roedd yn ddigwyddiad cyn iddo fedru bod yn brofiad.

Yn ail, mae cyhoeddiad deublyg. Ar sail enw'r Crist croeshoeliedig ac atgyfodedig, mae maddeuant (cynnig yr efengyl) ac edifeirwch (her yr efengyl) yn cael eu cyhoeddi. Mae'n wir fod yr efengyl yn rhad, ond nid yw'r hyn sy'n rhad bob amser yn rhywbeth nad yw'n costio. Ni allwn droi at Grist heb ein bod ni ar yr un pryd yn troi i ffwrdd oddi wrth ddrygioni.

Yn drydydd, mae maes deublyg. Mae'r efengyl i'w chyhoeddi "i'r holl genhedloedd, gan ddechrau yn Jerwsalem" (adn. 47). Hynny yw, wrth agor drws yr efengyl i'r Cenhedloedd, nid yw Duw yn cau'r drws ar yr Iddewon. Rhaid inni fod yn ofalus i ymwrthod â'r ddysgeidiaeth honno sy'n mynnu nad oes angen i'r Iddewon gredu yn Iesu oherwydd bod ganddynt eu cyfamod eu hunain ag Abraham. Rhaid i bawb ddod at Grist!

Yn bedwerydd, mae cadarnhad deublyg o'r efengyl. Ar y naill law, mae tystiolaeth yr Hen Destament i'r Meseia (adn. 44, 46), ac ar y llaw arall, " Chwi [yr apostolion] yw'r tystion i'r pethau hyn" (adn. 48). Felly, mae i farwolaeth ac atgyfodiad Iesu dystiolaeth ddeublyg yn yr Hen Destament a'r Testament Newydd.

Yn bumed, mae cenhadaeth ddeublyg. Mae'r Comisiwn Mawr yn golygu danfon deublyg (adn. 49) – danfon yr Ysbryd Glân i fywyd y saint, a danfon y saint i mewn i'r byd. Mae'r ddau ynghlwm wrth ei gilydd oherwydd fod yr Ysbryd Glân yn Ysbryd cenhadol.

Mae'r Arglwydd felly yn rhoi inni ddarlun hardd, cytbwys a chynhwysfawr o'r efengyl. Rydym yn cael ein comisiynu i gyhoeddi edifeirwch a maddeuant ar sail yr un sydd wedi marw ac wedi atgyfodi i bob dyn (Iddewon a Chenhedloedd), yn ôl yr Ysgrythurau (yr Hen Destament a'r Newydd), yng ngrym yr Ysbryd a roddwyd i ni. Gadewch inni gadw'r pethau hyn gyda'i gilydd.

Darllen pellach: Luc 24: 44–49

# Crynodeb Paul o Ymddangosiadau'r Crist Atgyfodedig

*Oherwydd, yn y lle cyntaf, traddodais i chwi yr hyn a dderbyniais: i Grist farw dros ein pechodau ni, yn ôl yr Ysgrythurau; iddo gael ei gladdu, a'i gyfodi y trydydd dydd, yn ôl yr Ysgrythurau; ac iddo ymddangos.*

1 Corinthiaid 15:3–5

Mae Paul yma yn uniaethu'r efengyl a bregethwyd gan yr apostolion a'r efengyl a dderbyniwyd gan y Corinthiaid, yr efengyl yr oedd y bobl hyn wedi ei hamddiffyn, yr efengyl a oedd wedi eu hachub. Mae'r efengyl yn ymwneud â'r gwirioneddau am farwolaeth ac atgyfodiad Crist.

1. Mae'r gwirioneddau hyn yn wirioneddau *canolog*. Wrth gwrs, mae gwirioneddau eraill yn rhai pwysig, er enghraifft y gwirionedd am eni gwyryfol Iesu, ei fywyd dibechod, ei weithredoedd nerthol, ei esgyniad gogoneddus, ei deyrnasiad parhaol a'i ailddyfodiad, ond mae ei farwolaeth a'i atgyfodiad "o'r pwys mwyaf".

2. Mae'r gwirioneddau hyn yn wirioneddau *hanesyddol*. Nid storïau yw'r rhain, ond digwyddiadau y mae tystiolaeth hanesyddol iddynt, digwyddiadau y gellir eu nodi ar y calendr, fel y mae'r defnydd o'r ymadrodd "y trydydd dydd" yn ei awgrymu.

3. Mae'r gwirioneddau hyn yn wirioneddau *corfforol*, hynny yw, bu Crist farw ac er mwyn profi realiti corfforol ei farwolaeth, mae'n cael ei gladdu. Yna, mae'n atgyfodi ac i arddangos realiti corfforol ei atgyfodiad, cafodd ei weld, ac mae Paul yn rhestru'r ymddangosiadau i dri unigolyn a thri grŵp. Ymhellach, mae'r pedwar (ei farwolaeth, ei gladdu, ei atgyfodiad, a'i ymddangosiadau) yn gorfod bod yn gorfforol. Hynny yw, yr un oedd yr Iesu a atgyfodwyd ac a welwyd, â'r Iesu oedd wedi marw ac wedi ei gladdu. Mae rhai yn honni nad oedd Paul yn credu yn y bedd gwag. Ond os y corff a fu farw ac a gladdwyd oedd yr un corff a gafodd ei gyfodi a'i weld, yna rhaid bod y bedd yn wag. Nid darlun o fywyd ar ôl marwolaeth yw'r atgyfodiad. Corff atgyfodedig Iesu oedd y darn cyntaf o'r bydysawd hwn i gael ei brynu a'i achub, ac mae hyn yn ernes y bydd y cwbl yn cael ei drawsnewid ryw ddydd.

4. Mae'r gwirioneddau hyn yn wirioneddau *Beiblaidd* oherwydd mae'r ddau wedi cymryd lle "yn ôl yr Ysgrythurau", Ysgrythurau sy'n tystio i'r digwyddiadau trwy broffwydi'r Hen Destament ac apostolion y Testament Newydd. Roedd cyfarfod â'r Crist atgyfodedig yn gymhwyster hanfodol i fod yn apostol (9: 1, 15: 8).

5. Mae'r gwirioneddau hyn yn wirioneddau *diwinyddol* – yn ddigwyddiadau ag iddynt arwyddocâd mawr. Roeddem yn haeddu marw oherwydd ein pechodau ein hunain, ond mae Iesu yn marw ein marwolaeth yn ein lle. Ystyriwch pa fath gariad yw hyn! Marwolaeth ac atgyfodiad Crist (canolog, hanesyddol, corfforol, Beiblaidd a diwinyddol) yw hanfod yr efengyl. Os collir y sylfaen hon, mae holl wirionedd Cristnogaeth yn syrthio.

Darllen pellach: 1 Corinthiaid 15: 1–11

# Wythnos 34: Arwyddocâd yr Atgyfodiad

Yr hyn y mae rhaid ei ofyn nawr yw nid a ddigwyddodd yr atgyfodiad ond a oes gwahaniaeth a atgyfododd Iesu neu beidio. Os digwyddodd, roedd hynny bron dwy fil o flynyddoedd yn ôl. Sut all digwyddiad dros gyfnod mor hir fod mor arwyddocaol i ni heddiw? Pam fod Cristnogion yn gwneud cymaint o helynt am hyn? Onid yw'n amherthnasol?

Na, fy nadl yr wythnos hon yw bod yr atgyfodiad yn hanfodol i'n cyflwr fel pobl. Mae'n siarad â'n cyflwr ni mewn ffordd na ellir ei chymharu ag unrhyw ddigwyddiad arall mewn hanes. Dyma brif gonglfaen ein sicrwydd ar gyfer y gorffennol, y presennol a'r dyfodol.

Mae'n ddiddorol fod yr arweinwyr Iddewig yn y dyddiau cynnar yn poeni'n ddirfawr oherwydd bod yr apostolion yn dysgu'r bobl ac "yn cyhoeddi ynglŷn â Iesu yr atgyfodiad oddi wrth y meirw" (Actau 4: 2). Nid bod yr apostolion wedi newid eu meddyliau am yr efengyl a bellach ddim yn canolbwyntio ar y groes ond ar yr atgyfodiad: i'r gwrthwyneb, roedd y groes yn parhau'n ganolog i'r efengyl ond, wrth gwrs, roedd y groes bellach wedi ei chadarnhau gan yr atgyfodiad.

**Dydd Sul:** Gwyrdroi'r Ddedfryd
**Dydd Llun:** Sicrwydd o Faddeuant
**Dydd Mawrth:** Symbol o Rym
**Dydd Mercher:** Concro Angau
**Dydd Iau:** Atgyfodiad y Corff
**Dydd Gwener:** Ein Gobaith Bywiol
**Dydd Sadwrn:** Cenhadaeth Fyd-eang

# Gwyrdroi'r Ddedfryd

*Y mae Duw ein hynafiaid ni wedi cyfodi Iesu, yr hwn yr oeddech chwi wedi*
*ei lofruddio trwy ei grogi ar bren. Hwn a ddyrchafodd Duw at ei law dde*
*yn Bentywysog a Gwaredwr ... ac yr ydym ni'n dystion o'r pethau hyn ...*
Actau 5:30–32

**M**ae'n anodd inni ddychmygu pa mor ddigalon oedd y disgyblion o weld eu meistr yn cael ei groeshoelio. Roeddent wedi dod i gredu ynddo ef fel yr un yr oedd y genedl yn ei ddisgwyl i fod yn Feseia, ond ers ei arestio yn yr ardd, roedd pethau wedi mynd o ddrwg i waeth a'u ffydd wedi ei herydu'n raddol. Roedd yr arweinwyr Iddewig wedi cynllwynio ei wrthodiad er mwyn bodloni eu disgwyliadau cyfreithiol a meddyliol. Roeddent wedi ei drosglwyddo i gael ei brofi gan Pilat ac yn y diwedd plygodd hwnnw i ewyllys y bobl. Cafodd Iesu ei gondemnio i warth a phoen croeshoeliad.

Un ar ôl y llall, roedd y llysoedd wedi condemnio Iesu. Bob tro, roedd y ddedfryd wedi mynd yn ei erbyn, ac ar y groes ni chafwyd unrhyw newid arni. Codwyd ei gorff marw oddi ar y groes a'i gludo i fedd Joseff i'w gladdu. Y cam olaf oedd rhoi carreg anferth ar draws ceg y bedd a'i selio, a sicrhaodd Pilat fod gwarchodlu i ddiogelu'r bedd (Mathew 27: 65).

Dyna'r hanes: corff marw oedd wedi ei gladdu, bedd oedd wedi ei selio a'i warchod, gwragedd yn wylo ac yn gwylio wrth ymyl, a breuddwydion wedi eu chwalu. Yng ngeiriau'r disgyblion oedd ar eu ffordd i Emaus, "Ein gobaith ni oedd mai ef oedd yr un oedd yn mynd i brynu Israel i ryddid" (Luc 24: 21).

Roedd marwolaeth wedi mynd â Iesu y tu hwnt i unrhyw gymorth dynol. Dim ond gwyrth allai newid y sefyllfa bellach. Dim ond atgyfodiad. A thrwy'r atgyfodiad torrodd Duw i mewn i'r hanes. O ganlyniad, gwelwyd yr un patrwm yn datblygu ym mhregethu cynnar yr apostolion. Cawn hyd i'r patrwm yn y bregeth Gristnogol gyntaf a bregethwyd (Actau 2), yn yr ail (Actau 3), a'r drydedd (Actau 5), ym mhregeth Pedr gerbron Corneliws (Actau 10), ac ym mhregeth Paul yn Antiochia Pisidia (Actau 13): "Lladdasoch ef. Cododd Duw ef. Rydym ni'n dystion." Mae'n mynegi'r arwyddocâd sylfaenol sydd i'r atgyfodiad, hynny yw bod Iesu wedi ei gyfodi, fod Duw wedi torri i mewn ac wedi trawsnewid y ddedfryd a roddwyd arno gan bobl, ac wedi ei gyhoeddi yn Fab Duw ac yn Waredwr yn wir.

Darllen pellach: Actau 2: 22–36

# Sicrwydd o Faddeuant

*Ac os nad yw Crist wedi ei gyfodi, ofer yw eich ffydd, ac yn
eich pechodau yr ydych o hyd.*
1 Corinthiaid 15:17

Peth arall sy'n arwyddocaol am yr atgyfodiad yw ei fod yn rhoi inni'r sicrwydd o faddeuant Duw. Rydym wedi nodi eisoes fod maddeuant ar y naill law yn un o'n hanghenion dynol mwyaf sylfaenol, ac ar y llaw arall yn un o roddion gorau Duw trwy'r efengyl. Rwy'n cofio darllen cyhoeddiad gan arweinydd un o ysbytai meddwl mwyaf Lloegr: "Mi fyddwn yn medru anfon hanner fy nghleifion adre fory petai'r rhain yn cael sicrwydd o faddeuant." Mae gan bob un ohonom sgerbwd neu ddau mewn rhyw gwpwrdd – atgofion am bethau rydym wedi eu meddwl, wedi eu dweud neu wedi eu gwneud, pethau rydym bellach yn teimlo gwarth mawr amdanynt. Mae ein cydwybod yn ein plagio, yn ein condemnio, hyd yn oed yn creu arswyd.

Llefarodd Iesu eiriau o faddeuant droeon yn ystod ei weinidogaeth gyhoeddus, ac yn yr oruwchystafell cyfeiriodd at gwpan y cymun fel "gwaed y cyfamod, a dywelltir dros lawer er maddeuant pechodau" (Mathew 26: 28). Mae'n cysylltu ein maddeuant â'i farwolaeth.

Dyna'r hyn ddywedodd Iesu. Ond sut mae'n bosibl inni wybod bod hyn yn wir, a'i fod wedi sicrhau trwy ei farwolaeth yr hyn a addawodd? Sut mae bod yn siŵr bod Duw wedi derbyn ei farwolaeth yn ein lle yn aberth cyflawn, perffaith a digonol dros ein pechodau? Mae'n sicr na fyddem fyth yn gwybod petai Iesu wedi parhau'n farw. Heb yr atgyfodiad, byddai rhaid inni dderbyn bod ei farwolaeth wedi bod yn fethiant. Mae Paul yn gweld rhesymeg hyn yn glir. Canlyniad ofnadwy dim atgyfodiad, meddai, fyddai i'r apostolion ddwyn camdystiolaeth, na fyddai dim maddeuant i'r credinwyr, a bod y rhai sydd wedi marw yng Nghrist wedi eu difa am byth. Ond mewn gwirionedd, meddai Paul, mae Crist wedi ei godi o farw, a thrwy ei godi, mae Duw wedi'n sicrhau ni ei fod yn fodlon â'i farwolaeth dros bechod, nad yw wedi marw'n ofer, a bod y bobl hynny sy'n ymddiried ynddo yn derbyn maddeuant llawn a rhad. Mae'r atgyfodiad yn cadarnhau gwaith y groes.

Darllen pellach: 1 Corinthiaid 15: 12–20

# Symbol o Rym

*Bydded iddo ... eich dwyn i wybod ... beth yw aruthrol*
*fawredd y gallu sydd ganddo ... a gyflawnodd yng ngrym*
*ei nerth yng Nghrist pan gyfododd ef oddi wrth y meirw.*
Effesiaid 1:18-20

Mae'r atgyfodiad hefyd yn ein sicrhau ni o rym a nerth Duw. Mae angen inni adnabod grym Duw heddiw fel y mae angen adnabod ei faddeuant am ein gorffennol. A yw'n wir fod Duw yn gallu newid y natur ddynol gan wneud pobl annymunol yn ddymunol a phobl chwerw yn felys? A yw'n bosibl iddo gymryd pobl sydd yn farw i realiti ysbrydol gan eu gwneud yn fyw yng Nghrist? Ydi, mae'r cyfan yn bosibl. Mae'n abl i roi bywyd i'r rhai sy'n farw'n ysbrydol a'u trawsffurfio i fod yn debyg i Grist.

Ond sut mae cadarnhau'r honiadau hyn? Oherwydd yr atgyfodiad. Mae Paul yn gweddïo ar i lygad ein calon gael ei oleuo er mwyn inni fedru gwybod "beth yw aruthrol fawredd y gallu sydd ganddo o'n plaid ni sy'n credu" (adn. 19). Sut mae'n bosibl gwybod hyn? Yn ogystal â goleuni mewnol yr Ysbryd Glân, mae Duw wedi rhoi inni ddarlun allanol, cyhoeddus, gwrthrychol o hyn yn yr atgyfodiad. Mae'r grym sydd ar gael inni heddiw yr un â'r grym a ddefnyddiodd "yng Nghrist pan gyfododd ef oddi wrth y meirw" (adn. 20). Mae'r atgyfodiad felly yn cael ei ddarlunio fel y dystiolaeth egluraf mewn hanes o allu creadigol Duw.

Yr ydym, bob amser, mewn perygl o wneud yn fach o'r efengyl, neu wneud yn fach o'r hyn y mae Duw yn abl i'w wneud trosom, ac ynom. Rydym yn siarad am ddod yn Gristnogion yn nhermau troi dalen newydd a gwneud ychydig newidiadau i'n bywyd seciwlar. Ond na, mae dod a bod yn Gristion, yn ôl y Testament Newydd, yn ddigwyddiad sydd mor radical fel nad oes yr un iaith yn gallu gwneud cyfiawnder â'r profiad ond marwolaeth ac atgyfodiad – marwolaeth i'r hen fywyd o roi'r hunan yn y canol ac atgyfodiad i fywyd newydd o gariad. I grynhoi, mae'r Duw a gododd yr Arglwydd Iesu o farwolaeth gorfforol trwy rym goruwchnaturiol yn medru ein codi ninnau o farwolaeth ysbrydol. Rydym yn gwybod ei fod yn abl i'n codi ni oherwydd yr ydym yn gwybod ei fod wedi ei godi ef. Ein gweddi bellach ymhob agwedd o'n bywyd yw y bydd i bob un ohonom "ei adnabod ef, a grym ei atgyfodiad" (Philipiaid 3: 10).

Darllen pellach: Effesiaid 1: 15–23

# Concro Angau

*Oherwydd y mae ef [Iesu Grist] wedi dirymu marwolaeth,*
*a dod â bywyd ac anfarwoldeb i'r golau trwy'r Efengyl.*
2 Timotheus 1:10

Yr honiad mwyaf rhyfeddol o bob un mewn Cristnogaeth yw bod Iesu Grist wedi codi oddi wrth y meirw. Mae hyn yn ymestyn crediniaeth i'r eithaf. Mae pobl wedi ymdrechu gyda phob ymdrech bosibl i geisio gwadu marwolaeth. Ond dim ond yr Arglwydd Iesu Grist sydd wedi honni ei fod wedi ei choncro, hynny yw, ei fod wedi ei threchu yn ei brofiad ei hun, ac wedi tynnu'r grym allan o farwolaeth ym mywydau pobl eraill.

Yn ein dydd ni, o leiaf yn y Gorllewin, does neb braidd sy'n arddangos angst – ac yn arbennig ofn marwolaeth – mewn ffordd fwy dramatig na'r digrifwr Woody Allen. Mae'n arswydo wrth feddwl am farwolaeth. Mae braidd wedi dod yn obsesiwn iddo. Mae'n wir ei fod yn abl i wneud sawl jôc am y digwyddiad. "Nid fy mod yn ofni marw," meddai, "ond dwi ddim am fod yno pan mae'n digwydd."

Mae Iesu Grist ar y llaw arall yn cadw ei ddisgyblion rhag yr ofn hwn. Ystyriwch un o'i ddywediadau mwyaf sy'n cychwyn gyda'r ymadrodd "Myfi yw": "Myfi yw'r atgyfodiad a'r bywyd. Pwy bynnag sy'n credu ynof fi, er iddo farw, fe fydd byw; a phob un sy'n byw ac yn credu ynof fi, ni bydd marw byth" (Ioan 11: 25–26). Mae'r adnodau'n cynnwys dwy addewid benodol gan Iesu i'w ddisgyblion. Ni fydd y crediniwr sy'n byw fyth yn marw, oherwydd Crist yw ei fywyd, ac ni fydd marwolaeth iddo ef ond cam bychan iawn. Mae'r crediniwr sy'n marw, ar y llaw arall, am gael byw eto oherwydd Crist yw ei atgyfodiad. Felly, mae Crist yn fywyd i'r rhai sy'n byw ac yn atgyfodiad i'r rhai sy'n marw. Mae'n trawsffurfio bywyd a marwolaeth.

Dywedir am Henry Venn, ficer Anglicanaidd efengylaidd o'r ddeunawfed ganrif, fod ei lawenydd o wybod ei fod yn marw wedi ei gadw'n fyw am bythefnos! Mae'r math hwn o lawenydd eofn, wyneb yn wyneb â marwolaeth, yn bosibl yn unig oherwydd atgyfodiad Iesu Grist a'i goncwest ef dros farwolaeth.

Darllen pellach: Ioan 11: 17–44

# Atgyfodiad y Corff

*Bydd ef [yr Arglwydd Iesu Grist] yn gweddnewid ein corff*
*iselwael ni ac yn ei wneud yn unffurf â'i gorff gogoneddus ef.*
Philipiaid 3:20–21

**M**ae concwest yr Arglwydd Iesu dros farwolaeth yn arwyddo hefyd natur yr atgyfodiad. Yn gyntaf, mae'n bwysig nodi nad corff marw wedi cael rhyw fath o ail fywyd yw corff atgyfodedig Iesu. Nid yw'r Ysgrythur yn caniatáu inni gredu y bydd ein corff yn cael ei adfer mewn rhyw ffordd o'r union rannau sy'n eiddo iddo nawr. Mae Iesu'n llythrennol yn codi tri'n gorfforol yn ystod ei weinidogaeth, gan adfer bywyd i fab y weddw o Nain, i ferch Jairus, ac i Lasarus. Gellir deall yn rhwydd y cydymdeimlad a fynegodd C. S. Lewis yn achos Lasarus. "Mae cael dy ddwyn yn ôl yn fyw," meddai, "a gorfod marw unwaith eto braidd yn anodd." Nid felly atgyfodiad Iesu. Cafodd ef ei gyfodi i fywyd sy'n gwbl wahanol, bywyd lle nad oedd gan feidroldeb afael ynddo. Yr oedd yn byw "byth bythoedd" (Datguddiad 1: 18).

Yn ail, nid yw ein gobaith Cristnogol am atgyfodiad yn rhywbeth sy'n gyfyngedig i ddisgwyliad y bydd ein henaid yn goroesi. Dywedodd Iesu, "Myfi yw, myfi fy hun. Cyffyrddwch â mi a gwelwch, oherwydd nid oes gan ysbryd gnawd ac esgyrn fel y canfyddwch fod gennyf fi" (Luc 24: 39). Felly roedd yr Arglwydd atgyfodedig yn wahanol i ysbryd. Cafodd ei godi o farwolaeth ac ar y foment honno cafodd gorff newydd. Ond yn y cwbl mae parhad hefyd. Ar y naill law roedd perthynas amlwg rhwng y ddau gorff. Yr oedd ôl yr hoelion eto i'w gweld yn ei ddwylo a'i draed, roedd ôl y waywffon yn ei ochr, ac roedd Mair Magdalen hithau'n adnabod ei lais. Ar y llaw arall, mae'n amlwg fod ei gorff wedi mynd trwy ddillad ei gladdu, allan o fedd oedd wedi ei selio, a thrwy ddrysau oedd wedi eu cloi. Yr oedd i'r corff hwn rymoedd newydd na allwn ni ddychmygu eu natur.

Mae'r apostol Paul yn darlunio'r cyfuniad hwn trwy ei gymharu â pherthynas hedyn a blodyn. Mae'r parhad yn sicrhau bod pob hedyn yn cynhyrchu ei flodyn ei hun, ond mae gwirionedd arall hefyd, oherwydd o hedyn di-nod daw blodyn sydd yn hardd, a'i arogl a'i liw yn rhyfeddol. "Felly hefyd y bydd gyda golwg ar atgyfodiad y meirw" (1 Corinthiaid 15: 42). Felly, yr hyn rydym yn edrych ymlaen ato yw nid adferiad (lle codir ni heb ein newid) na goroesiad (lle cawn ein newid yn ysbrydion heb ein codi'n gorfforol) ond atgyfodiad lle cawn ein codi a'n newid, ein gweddnewid a'n gogoneddu ar unwaith.

Darllen pellach: 1 Corinthiaid 15: 35–38

# Ein Gobaith Bywiol

*O'i fawr drugaredd, fe barodd ef [Duw] ein geni ni o'r newydd i*
*obaith bywiol trwy atgyfodiad Iesu Grist oddi wrth y meirw.*
### 1 Pedr 1:3

**M**ae'r gobaith Cristnogol yn canolbwyntio nid yn unig ar ein dyfodol fel unigolion (atgyfodiad y corff) ond hefyd ar ddyfodol y bydysawd i gyd (adferiad y bydysawd). Mae'r addewid yma yn arbennig o berthnasol heddiw yng ngoleuni'r rhybuddion am gynhesu byd-eang a chwalfa amgylcheddol. At ei gilydd serch hynny, rydym fel Cristnogion yn siarad braidd gormod am nefoedd a rhy ychydig am nefoedd newydd a daear newydd. Ac eto, mae'r Ysgrythur yn gosod hyn ynghanol ei neges. Mae'n cychwyn gyda'r creu gwreiddiol, creu'r bydysawd, gan orffen yn y penodau olaf gyda chreu byd a bydysawd newydd. Rhwng y ddau, mae persbectif yr Alffa a'r Omega, y dechrau a'r diwedd, yn gysgod dros y cyfan.

Mae Duw yn mynegi hyn yn ei Air am y tro cyntaf yn Eseia 65: "Yr wyf fi'n creu nefoedd newydd a daear newydd" (adn. 17). Yna mae Iesu ei hun yn siarad am *palingenesia*, "yr enedigaeth newydd" yn llythrennol, neu yn ôl Mathew 19, "pan enir yr oes newydd" (adn. 28). Yng ngweddill y Testament Newydd mae'r tri phrif awdur apostolaidd (Paul, Pedr ac Ioan) yn cyfeirio at yr un thema. Mae Paul yn dweud y daw diwrnod pan fydd y greadigaeth i gyd yn cael ei rhyddhau o'i chaethiwed i boen a llygredd (Rhufeiniaid 8: 18–25). Mae Pedr yn proffwydo y bydd y nefoedd bresennol yn cael ei disodli gan nefoedd a daear newydd, cartref cyfiawnder a heddwch (2 Pedr 3: 7–13).

Yna mae Ioan yn ysgrifennu am yr un cyfnewidiad, ac ynghyd â hyn yn gweld y Jerwsalem Newydd yn dod i lawr o'r nefoedd oddi wrth Dduw (Datguddiad 21: 1–2). Yn yr un bennod mae'n dweud y bydd brenhinoedd y ddaear a'r Cenhedloedd yn dwyn eu gogoniant i mewn i'r ddinas, er na "chaiff dim halogedig, na neb sy'n ymddwyn yn ffiaidd neu'n gelwyddog, fynd i mewn iddi hi" (Datguddiad 21: 27). Rhaid inni fod yn ofalus yn ein dehongliad o'r adnodau hyn, ond mae'n ymddangos eu bod yn golygu na fydd diwylliant dynol yn cael ei ddistrywio'n gyfan gwbl, ond yn cael ei buro o bob drygioni ac yn cael ei ddiogelu i harddu'r Jerwsalem Newydd.

I grynhoi, fel yn achos y corff atgyfodedig, felly yn achos bydysawd newydd: nid yw'r hen yn cael ei chwalu'n llwyr ond fe fydd yn cael ei drawsnewid. Dyma ein gobaith bywiol ar sail atgyfodiad Iesu Grist oddi wrth y meirw.

Darllen pellach: Rhufeiniaid 8: 18–25

# Cenhadaeth Fyd-eang

*Daeth Iesu atynt a llefaru wrthynt: "Rhoddwyd i mi,"*
*meddai, "bob awdurdod yn y nef ac ar y ddaear. Ewch,*
*gan hynny, a gwnewch ddisgyblion o'r holl genhedloedd ..."*
Mathew 28:18–19

Mae'n bwysig sylwi bod y Comisiwn Mawr i fynd a gwneud disgyblion o'r holl genhedloedd yn deillio o'r atgyfodiad. Dim ond wedi iddo atgyfodi y medrai Iesu hawlio awdurdod dros bob peth, a dim ond ar ôl yr atgyfodiad y medrai weithredu ei awdurdod trwy anfon ei ddisgyblion i'r byd. Yr atgyfodiad a wnaeth y gwahaniaeth.

Dyma oedd thesis Johannes Blauw, ysgrifennydd Cyngor Cenhadol yr Iseldiroedd, yn ei lyfr *The Missionary Nature of the Church*. Mae'n nodi mai gweledigaeth proffwydi'r Hen Destament am y dyddiau diwethaf oedd pererindod y cenhedloedd i Jerwsalem, oherwydd byddai Mynydd Seion yn cael ei ddyrchafu goruwch pob mynydd, a byddai'r cenhedloedd yn llifo tuag ato fel afon.

Ond yn y Testament Newydd mae'r cyfeiriad yn cael ei newid. Yn lle ymwybyddiaeth genhadol fewngyrchol y proffwydi ceir gweithgarwch cenhadol allgyrchol. Yn ein geiriau ni, yn hytrach na gweld pobl yn llifo at yr eglwys, mae'r eglwys yn awr yn llifo at bobl. A beth oedd y trobwynt? Yr atgyfodiad. Byddai'r Crist atgyfodedig, yr un oedd yn hawlio awdurdod dros y bydysawd, yn medru gweithredu ei awdurdod trwy orchymyn i'w ddisgyblion i fynd. Yn ôl Blauw eto, "Mae cenhadaeth yn alwad ar sail arglwyddiaeth Crist."

Mae'r berthynas rhwng awdurdod Iesu a chomisiwn yr eglwys yn gwau drwy'r Ysgrythur i gyd. Er enghraifft, fe welwn hyn yn Daniel 7 lle ceir bod Mab y Dyn yn cael awdurdod fel bod pob cenedl yn ei addoli. Gwelwn yr un thema yn Philipiaid 2: 9–11. Yno dywedir bod Duw wedi tra-dyrchafu Iesu gan roi iddo enw sydd goruwch pob enw, awdurdod uwch pob awdurdod, fel bod pob glin yn plygu iddo a phob tafod yn ei gyffesu yn Arglwydd. Os yw Duw yn galw am i'r byd i gyd blygu i'r Arglwydd atgyfodedig, rhaid i ninnau alw am yr un peth.

Darllen pellach: Mathew 28: 16–20

# O'r Pentecost i'r Ailddyfodiad:

## Trosolwg o'r Actau, y Llythyrau a'r Datguddiad
## (Bywyd yn yr Ysbryd)

Mai i Awst

# Wythnos 35: Paratoi ar gyfer y Pentecost

Yr ydym wedi edrych ar yr Hen Destament ac wedi dilyn bywyd Israel. Yr ydym wedi edrych ar yr efengylau gan ddilyn bywyd Crist. Bellach rydym wedi cyrraedd trydedd ran y Beibl, yn benodol Llyfr yr Actau, y Llythyrau a'r Datguddiad, llyfrau fydd yn ein cynorthwyo i ddilyn bywyd yr eglwys.

Heb Lyfr yr Actau byddai'r Testament Newydd yn dipyn tlotach. Er bod gennym bedwar cofnod o fywyd Iesu, does gennym ond yr un cofnod hwn o fywyd yr eglwys fore. Felly mae i Lyfr yr Actau le canolog yn y Beibl. Ynddo mae Luc yn adrodd am esgyniad Iesu, am ddyfodiad yr Ysbryd, am weinidogaeth Steffan a Philip, ac am dröedigaeth ddramatig Saul a Corneliws. Yna mae Pedr yn cilio i'r cefndir ac mae arwr Luc – Paul – yn dod i ganol y llwyfan.

Ond mae Llyfr yr Actau yn darparu mwy na chofnod o ddigwyddiadau. Mae ei werth hefyd yn yr ysbrydoliaeth y mae'r llyfr yn ei dwyn inni. Roedd Calfin yn iawn i alw hwn yn drysor mawr.

**Dydd Sul:**  Dwy Gyfrol Luc
**Dydd Llun:**  Yr Addewid am yr Ysbryd
**Dydd Mawrth:**  Esgyniad Iesu
**Dydd Mercher:**  Disgwyl a Gweddïo
**Dydd Iau:**  Llenwi'r Bwlch a Adawyd gan Jwdas
**Dydd Gwener:**  Y Pentecost
**Dydd Sadwrn:**  Y Drindod

# Dwy Gyfrol Luc

*Ysgrifennais y llyfr cyntaf, Theoffilus, am yr holl bethau y dechreuodd Iesu eu gwneud a'u dysgu hyd y dydd y cymerwyd ef i fyny.*

Actau 1:1–2

Mae bron pawb yn credu mai "y gyfrol flaenorol" y cyfeirir ati ar ddechrau Llyfr yr Actau yw efengyl Luc. Yn wir, yr hyn y mae Luc wedi ei roi inni yw nid yn gymaint ddau lyfr ond dwy ran i un llyfr. Yn sicr mae'r rhagarweiniad i'w efengyl yn cyflwyno'r ddwy ran. Yno, fel rydym wedi gweld eisoes, mae Luc yn cyfeirio at ddigwyddiadau penodol, digwyddiadau yr oedd yr apostolion yn dystion iddynt, gan eu cyflwyno i'r genhedlaeth nesaf. Roedd Luc ei hun "wedi ymchwilio yn fanwl i bopeth o'r dechreuad" (Luc 1: 3), ac wedi penderfynu ei gofnodi. Fel meddyg addysgedig, mae'n ysgrifennu mewn Groeg da, a chan mai Paul oedd ei gydymaith, roedd yn llygad-dyst i lawer o'r digwyddiadau yn Llyfr yr Actau. Casgliad A. N. Sherwin-White, darllenydd yn hanes yr Hen Fyd ym Mhrifysgol Rhydychen, oedd hyn: "Ni ellir osgoi'r canlyniad bod hanesyddiaeth Llyfr yr Actau yn sicr a diogel iawn."[1]

Serch hynny, mae angen bod yn ofalus. Wrth astudio Llyfr yr Actau rhaid gwylio nad ydym yn delfrydu'r eglwys fore fel petai'n ddi-fai. Fel y gwelwn, roedd iddi feiau lawer.

Beth tybed y gellir galw'r llyfr hwn yr ydym am ei astudio dros y saith wythnos nesaf? Y teitl cyffredin yw "Llyfr yr Actau" ac fe gyfiawnheir hyn gan lawysgrif o'r bedwaredd ganrif. Ond nid yw'n gwbl briodol oherwydd nid yw'r teitl yn esbonio actau pwy sydd mewn golwg. Mae'r teitl "Actau'r Ysbryd Glân" yn gwneud pwynt dilys ond mae'n anwybyddu'r bobl roedd yr Ysbryd Glân yn gweithio drwyddynt. Y teitl traddodiadol ers yr ugeinfed ganrif yw "Actau'r Apostolion" ac yn sicr mae'r apostolion yn ganolog ar y llwyfan. Ond does yr un o'r teitlau yn gwneud cyfiawnder ag adnod gyntaf y llyfr sy'n priodoli'r gweithredoedd a'r geiriau i Iesu. Mae'n debyg mai'r teitl mwyaf cywir, er braidd yn feichus, fyddai rhywbeth tebyg i "Geiriau a Gweithredoedd Parhaol Iesu gan Ei Ysbryd trwy Ei Apostolion".

Darllen pellach: Luc 1: 1–4

---

1. A. N. Sherwin-White, *Roman Society and Roman Law in the New Testament* (Oxford: Oxford University Press, 1963), 25.

# Yr Addewid am yr Ysbryd

*Ond fe dderbyniwch nerth wedi i'r Ysbryd Glân ddod
arnoch, a byddwch yn dystion i mi ... hyd eithaf y ddaear.*

Actau 1:8

Yn ystod y deugain diwrnod rhwng Dydd y Pasg a Dydd yr Esgyniad, mae Iesu'n canolbwyntio ei ddysgeidiaeth ar ddau brif destun, teyrnas Dduw ac Ysbryd Duw. Roedd y ddau yn bethau yr oedd Iesu ei hun, ei Dad (yn yr Hen Destament), ac Ioan Fedyddiwr wedi eu haddo. Mae'n amlwg fod Iesu hefyd yn plethu'r ddau efo'i gilydd, fel y gwnaeth y proffwydi yn yr Hen Destament, gan gadarnhau mai rhodd yr Ysbryd fyddai un o fendithion pennaf teyrnas y Meseia. Ond mae'n amlwg fod dealltwriaeth yr apostolion o'r pethau hyn yn ddryslyd: daw hyn yn amlwg yn y cwestiwn a ofynnwyd i Iesu: "Arglwydd, ai dyma'r adeg yr wyt ti am adfer y deyrnas i Israel?" (adn. 6). Mae'r cwestiwn yn llawn camgymeriadau.

Yn gyntaf, wrth ofyn am adferiad y deyrnas, mae'n amlwg fod yr apostolion yn parhau i freuddwydio am ryddhad gwleidyddol o afael Rhufain. Yn ei ateb mae Iesu yn sôn am yr Ysbryd Glân fel yr un sy'n mynd i roi grym iddynt i ddwyn tystiolaeth. Teyrnas Dduw yw ei arglwyddiaeth ym mywydau pobl. Mae hyn yn cael ei ledaenu gan dystion, nid gan filwyr, trwy efengyl tangnefedd, nid cyhoeddiad o ryfel.

Yn ail, wrth ofyn am adferiad Israel, mae'n amlwg fod yr apostolion yn mynnu dal gafael mewn dyheadau cul a chenedlaethol. Roeddent yn gobeithio y byddai Iesu yn rhoi nôl i Israel eu hannibyniaeth genedlaethol, annibyniaeth yr oedd y Macabeaid wedi ei hadfer am gyfnod byr yn ystod yr ail ganrif CC. Yn ei ateb mae Iesu yn lledu eu gorwelion. Mae'n wir y byddai eu tystiolaeth yn cychwyn yn Jerwsalem ac yn parhau i gyffiniau Jwdea, ond byddai wedyn yn ymestyn "i eithafoedd y ddaear".

Yn drydydd, wrth ofyn i Iesu "ai dyma'r adeg" y byddai'n adfer y deyrnas i Israel, roeddent yn hy, gan eu bod yn gwybod yr ateb eisoes. Yn gyntaf, roedd Iesu wedi dweud wrthynt nad eu heiddo nhw oedd gwybod yr amseroedd a'r prydiau, pethau roedd y Tad wedi eu gosod dan ei awdurdod ei hun, ac yna roedd wedi dweud wrthynt yr hyn y medrent ei wybod, eu bod i fod yn dystion yng ngrym yr Ysbryd mewn cylchoedd oedd yn ehangu'n gyson. Yn wir, mae'r cyfnod hwn rhwng y Pentecost a'r Ailddyfodiad (pa mor hir neu fyr bynnag fydd hwnnw) i'w lenwi â chenhadaeth fyd-eang yr eglwys.

Darllen pellach: Actau 1: 1–8

# Esgyniad Iesu

*Wedi iddo ddweud hyn ... fe'i dyrchafwyd,*
*a chipiodd cwmwl ef o'u golwg.*
Actau 1:9

**M**ae llawer yn amau a oedd esgyniad Iesu yn ddigwyddiad llythrennol hanesyddol. Mae'r beirniaid yn mynnu ei fod yn perthyn i ddealltwriaeth cynwyddonol lle mae'r nefoedd yn cael ei hystyried fel lle "i fyny acw", ac o ganlyniad, roedd rhaid i Iesu "gael ei gymryd i fyny" er mwyn cyrraedd. Onid oes angen inni felly i ddadfythu'r esgyniad? Yna gallwn ddal gafael ar y gwirionedd fod Iesu wedi mynd at y Tad, ac ar yr un pryd ollwng y syniad cyntefig a ddisgrifiwyd.

Ond mae dau brif reswm pam y dylem wrthod yr ymdrech hon i wadu gwirionedd llythrennol yr esgyniad. Yn gyntaf, fel y nodwyd y Sul diwethaf, mae Luc yn dibynnu yn drwm ar dystiolaeth llygad-dystion. Mae'n gwneud hynny yma. Cymerwyd Iesu i fyny "o flaen eu llygaid" nes i gwmwl ei guddio "o'u golwg". Wrth iddynt "syllu tua'r nef", mae'r ddau angel yn siarad, ac ymhellach, ceir sôn eu bod wedi ei weld yn mynd i mewn i'r nefoedd (adn. 10). Ar bum achlysur yn yr hanes byr hwn mae Luc yn pwysleisio bod yr esgyniad wedi digwydd mewn ffordd oedd yn weladwy, ac mewn ffordd y gellir ei chadarnhau gan lygad-dystion.

Yn ail, roedd yr esgyniad gweladwy hwn yn dysgu gwirionedd a phwrpas penodol. Nid fod angen i Iesu gymryd rhyw daith i'r awyr: mae rhai hyd yn oed wedi bod mor wirion â disgrifio Iesu fel y gofodwr cyntaf! Yn hytrach, wrth iddo symud o'i stad ddaearol i'w stad nefol, medrai fod wedi diflannu fel ar achlysuron eraill, a mynd at y Tad yn gyfrinachol, heb i neb weld hynny. Y rheswm dros yr esgyniad cyhoeddus a gweladwy hwn yw er mwyn i'r disgyblion wybod ei fod wedi mynd unwaith ac am byth. Yn ystod y deugain diwrnod, roedd wedi parhau i ymddangos, i ddiflannu ac i ymddangos eto, ond bellach mae'r cyfnod hwn wedi dod i ben. Roedd ei fynd y tro hwn yn derfynol. Doedd dim angen aros a disgwyl ei ymddangosiad nesaf. Yn hytrach, roeddent i aros am rywun arall, yr Ysbryd Glân.

Mae'n rhyfedd eu bod yn edrych i fyny i'r awyr a hwythau wedi cael eu comisiynu i fynd i eithafoedd y ddaear. Y ddaear, nid yr awyr, oedd eu consýrn bellach. Eu galwad oedd i fod yn dystion, nid yn seryddwyr.

Darllen pellach: Actau 1: 9–12

# Disgwyl a Gweddïo

*Yr oedd y rhain oll yn dyfalbarhau yn unfryd mewn gweddi.*
Actau 1:14

Wedi i Iesu eu gadael, mae'r apostolion yn cerdded yn ôl i Jerwsalem "yn llawen iawn" (Luc 24: 52) ac yn disgwyl am ddeg diwrnod nes i'r Ysbryd Glân ddod. Mae Luc yn disgrifio sut y bu iddynt dreulio'r diwrnodau hynny cyn y Pentecost. Yn ei efengyl mae'n dweud wrthym eu bod wedi aros "yn y deml yn ddi-baid, yn bendithio Duw" (Luc 24: 53), ac yn ôl llyfr yr Actau, "yr oeddent yn uno gyda'i gilydd yn gyson mewn gweddi" yn yr ystafell lle'r oeddent yn aros. Mae hyn yn gyfuniad iach iawn i'r Cristion: mawl cyson yn y deml a gweddi gyson yn y cartref.

Pwy oedd y bobl hyn oedd yn cyfarfod i addoli ac i weddïo? Mae'n debyg eu bod tua chant ac ugain mewn nifer. Yn eu plith roedd yr un apostol ar ddeg, ac mae Luc yn eu rhestru gydag ychydig yn unig o amrywiaeth o'r rhestr a roddodd yn ei efengyl. Yn ychwanegol, mae'n nodi'r "gwragedd" (Actau 1: 14), ac mae'n debyg mai Mair Magdalen, Joanna, Susanna, ac eraill oedd wedi cefnogi Iesu a'r apostolion yn ariannol ac wedi darganfod bod y bedd yn wag, oedd y rhain. Ymhellach, mae'n gwneud pwynt arbennig o nodi bod "Mair, mam Iesu" (adn. 14) yn eu plith, yr un oedd â rôl unigryw yng ngenedigaeth Iesu. Disgrifiwyd y rôl hon yn benodol yn nwy bennod gyntaf ei efengyl. Cyfeirir yn olaf at "ei frodyr" yn adnod 14; tebyg eu bod hwy wedi dod i ffydd oherwydd yr ymddangosiadau dirgel o'r atgyfodiad a ganiataodd Iesu i Iago, brawd yr Arglwydd (1 Corinthiaid 15: 7).

Yr oedd y rhain i gyd (yr apostolion, y gwragedd, y fam, a brodyr Iesu), ynghyd â'r gweddill oedd yn rhifo'r cant ac ugain, "yn dyfalbarhau yn unfryd mewn gweddi". Yr oedd eu gweddïau yn eu huno ac yn diogelu parhad eu hyder. Does dim amheuaeth nad sail eu hundeb a'u dyfalbarhad oedd gorchymyn ac addewid Iesu. Roedd wedi addo anfon ei Ysbryd Glân, ac roedd wedi gorchymyn y dylent aros iddo ddod, a dim ond cychwyn tystiolaethu wedi hynny. O hyn rydym yn deall ac yn dysgu nad yw addewidion Duw yn golygu mai di-bwynt yw gweddi. I'r gwrthwyneb, addewidion Duw yw'r unig beth sy'n rhoi'r hawl inni weddïo ac yn rhoi'r hyder inni y bydd yn gwrando ac yn ateb ein gweddïau.

Darllen pellach: Actau 1: 12–14

# Llenwi'r Bwlch a Adawyd gan Jwdas

*Felly, o'r rhai a fu yn ein cwmni ni yr holl amser y bu'r*
*Arglwydd Iesu yn mynd i mewn ac allan yn ein plith ni ...*
*rhaid i un o'r rhain ddod yn dyst gyda ni o'i atgyfodiad ef.*

Actau 1:21–22

D im ond un digwyddiad arall sy'n cael ei gofnodi rhwng yr esgyniad a'r Pentecost, sef apwyntio apostol arall i gymryd lle Jwdas. Mae Pedr yn sefyll i fyny ymhlith y credinwyr ac yn dyfynnu o Salmau 69 a 109 fel sail Feiblaidd dros y weithred, yn arbennig felly Salm 109: 8, " Bydded ei ddyddiau'n ychydig, a chymered arall ei swydd." Mae'n ddiddorol nodi'r tri chymhwyster angenrheidiol ar gyfer y weinidogaeth apostolaidd (Actau 1: 25).

Yn gyntaf, yr oedd yn hanfodol fod yr apostolion wedi eu hapwyntio'n bersonol gan Iesu. Apwyntiwyd Mathias nid gan yr eglwys ond gan Grist, fel y gwnaed yn achos y Deuddeg (Luc 6: 13). Mae'n wir i ddweud bod y cant ac ugain wedi enwebu'r ddau ymgeisydd ac mai'r rhain yn ddiweddarach oedd i fwrw coelbren, ffurf o bleidleisio sy'n cael ei chadarnhau yn yr Hen Destament ond nas defnyddiwyd ar ôl y Pentecost. Yn hanfodol, er hynny, ceisiasant ewyllys Duw trwy weddi. Oherwydd er bod Iesu wedi mynd i'r nefoedd, roedd yn dal wrth law trwy weddi, ac ef sy'n "adnabod y galon". Felly, mae'r apostolion yn gweddïo, "Amlyga prun o'r ddau hyn a ddewisaist" (Actau 1: 24).

Yr ail gymhwyster oedd bod yr unigolyn wedi bod yn llygad-dyst i Iesu. Mae Marc ac Ioan yn ei gwneud yn glir pam fod Iesu wedi dewis y Deuddeg, sef yn ôl Marc "er mwyn iddynt fod gydag ef" (Marc 3: 14) ac y bydden nhw o ganlyniad yn medru tystio iddo (Ioan 15: 27). Mae Pedr hefyd yn dweud: "Felly, o'r rhai a fu yn ein cwmni ni yr holl amser y bu'r Arglwydd Iesu yn mynd i mewn ac allan yn ein plith ni, o fedydd Ioan hyd y dydd y cymerwyd ef i fyny oddi wrthym, rhaid i un o'r rhain ddod yn dyst gyda ni o'i atgyfodiad ef" (Actau 1: 21–22).

Y trydydd cymhwyster oedd bod rhaid i apostol fod wedi gweld Iesu ar ôl ei atgyfodiad, a dyna pam fod Paul yn gymwys (1 Corinthiaid 9: 1; 15: 8–9). Rhaid i'r un oedd i gymryd lle Jwdas fod yn un oedd wedi gweld yr Arglwydd atgyfodedig er mwyn iddo fedru tystio i hynny gyda'r apostolion eraill, tystio i'r atgyfodiad (Actau 1: 22).

Bellach mae'r llwyfan wedi ei osod ar gyfer dydd y Pentecost. Mae'r apostolion wedi derbyn comisiwn Iesu ac wedi gweld ei esgyniad. Mae'r tîm apostolaidd yn gyflawn ac yn barod i fod yn dystion iddo. Does ond un peth yn eisiau: nid yw'r Ysbryd wedi dod eto. Er bod y lle a adawyd yn wag gan Jwdas wedi ei lenwi gan Mathias, mae'r lle a adawyd yn wag gan Iesu eto i'w lenwi gan yr Ysbryd.

Darllen pellach: Actau 1: 15–26

# Y Pentecost

*Felly, wedi iddo [Iesu] gael ei ddyrchafu i ddeheulaw Duw,*
*a derbyn gan y Tad ei addewid am yr Ysbryd Glân, fe*
*dywalltodd y peth hwn yr ydych chwi yn ei weld a'i glywed.*
Actau 2:33

Roedd dydd y Pentecost yn ddydd llawn o ddigwyddiadau. Yn gyntaf, dyma weithred olaf gweinidogaeth achubol Iesu cyn y *Parousia* (yr ailddyfodiad) ac yn hynny, mae'r diwrnod yn unigryw fel diwrnod Nadolig, Gwener y Groglith, Dydd y Pasg a Dydd yr Esgyniad. Yn ail, mae'r diwrnod yn gychwyn ar gyfnod newydd o deyrnasiad yr Ysbryd. Yn drydydd, mae'n arfogi'r apostolion ar gyfer eu rôl arbennig o ddysgu. Yn bedwerydd, gellir ei ddeall fel y diwygiad cyntaf lle mae Duw yn ymweld â'i bobl mewn grym mawr.

Mae'r naratif yn Luc yn cychwyn gydag adroddiad o'r hyn ddigwyddodd. Mae Ysbryd Duw yn dod ar y disgyblion oedd yn disgwyl, ac mae tri arwydd goruwchnaturiol yn cyd-fynd â'r dyfodiad – sŵn fel gwynt yn rhuthro, rhywbeth oedd yn ymddangos fel tafodau o dân, a'r apostolion yn llefaru mewn ieithoedd eraill. Ond beth oedd y *glossolalia* yma yr oedd yr apostolion yn ei lefaru? Yn gyntaf, nid canlyniad meddwdod, fel yr oedd rhai am ei awgrymu, oedd hyn. Yn ail, nid gwyrth gwrando (fel y mae rhai wedi ei awgrymu) ydoedd. Mae'n wir fod "pob un ohonynt yn eu clywed hwy yn siarad yn ei iaith ei hun" (adn. 6), ond mae hwn yn ffenomen o wrando dim ond am ei fod ar y cychwyn yn ffenomen o lefaru. Yn drydydd, nid Luc sydd yn camgymryd gan dybied bod dryswch yr apostolion o dan ddylanwad yr Ysbryd fel iaith wahanol. Yn bedwerydd ac yn bositif, yn ôl Luc, yr oedd yn allu goruwchnaturiol i siarad iaith ddealladwy nad oeddent erioed wedi ei dysgu er mwyn cyhoeddi rhyfeddodau gwaith Duw.

Mae Luc am bwysleisio pa mor gosmopolitan oedd natur y dyrfa oedd wedi ymgasglu. Er bod y bobl hyn yn Iddewon oedd yn aros yn Jerwsalem, roeddent yn "bobl dduwiol o bob cenedl dan y nef" (adn. 5), hynny yw, o'r byd Groegaidd-Rufeinig oedd yn amgylchynu Môr y Canoldir. Wrth gwrs, nid oedd y cenhedloedd i gyd yn llythrennol yn bresennol, ond roeddent yn gynrychioliadol, oherwydd mae Luc yn benodol yn cynnwys hil Shem, Cham, a Jaffeth, ac yn rhoi inni yn ail bennod llyfr yr Actau "dabl o'r cenhedloedd" y gellir ei gymharu â'r un yn Genesis 10. Ers dyddiau'r tadau cynnar yn yr eglwys, mae esbonwyr wedi gweld bendithion y Pentecost fel Duw yn gweithredu yn fwriadol i adfer y felltith a gyhoeddwyd ym Mabel. Ym Mabel dryswyd yr ieithoedd dynol a chwalwyd y cenhedloedd; yn Jerwsalem, mae'r rhwystrau y mae iaith yn eu creu yn cael eu goresgyn yn oruwchnaturiol, yn arwydd y bydd y cenhedloedd yn awr yn cael eu casglu ynghyd yng Nghrist.

Darllen pellach: Actau 2: 1–13

# Y Drindod

*Ewch, gan hynny, a gwnewch ddisgyblion o'r holl genhedloedd,*
*gan eu bedyddio hwy yn enw'r Tad a'r Mab a'r Ysbryd Glân.*

Mathew 28:19

Ni ddathlwyd y Sul cyntaf ar ôl y Pentecost fel Sul y Drindod tan tua'r nawfed ganrif OC. Mae'n drefniant addas iawn ac mae Cranmer yn ei gadarnhau yn Llyfr Gweddi 1549. Rydym wedi dilyn calendr yr eglwys drwy'r Hen Destament (hanes Duw y Tad, y Creawdwr) ac o'r Nadolig i'r Pasg yn hanes Iesu gan gyrraedd uchafbwynt yn nyfodiad yr Ysbryd. Mewn ffordd mae hyn wedi bod yn ddatgeliad hanesyddol o'r Drindod.

Yn bersonol, rwyf wedi darganfod dros lawer o flynyddoedd fod cymorth mawr i'w gael o adrodd bob bore y litwrgi Drindodaidd hon, sy'n cychwyn gyda mawl ac yn gorffen mewn gweddi:

> Hollalluog a thragwyddol Dduw,
>
> Creawdwr a Chynhaliwr y bydysawd, fe'th addolaf.
>
> Arglwydd Iesu Grist,
>
> Gwaredwr ac Arglwydd y byd, fe'th addolaf.
>
> Ysbryd Glân,
>
> Yr Un sy'n sancteiddio pobl Dduw, fe'th addolaf.
>
> Gogoniant fo i'r Tad, ac i'r Mab, ac i'r Ysbryd Glân.
>
> Fel yr oedd yn y dechrau, y mae nawr, ac a fydd yn dragywydd, hyd ddiwedd byd.
>
> Amen.
>
> Dad nefol, gweddïaf heddiw
>
> Am gael byw yn dy bresenoldeb, gan dy blesio fwyfwy.
>
> Arglwydd Iesu Grist, gweddïaf heddiw
>
> Am gael codi fy nghroes, a'th ddilyn di.
>
> Ysbryd Glân, gweddïaf heddiw y bydd i'th ffrwyth aeddfedu yn fy mywyd – cariad, llawenydd,
>
> tangnefedd, goddefgarwch, caredigrwydd, daioni, ffyddlondeb,
>
> > addfwynder a hunanddisgyblaeth.
>
> Sanctaidd, Fendigaid a Gogoneddus Drindod, tri pherson ac un Duw,
>
> trugarha wrthyf.
>
> Amen.

Darllen pellach: Effesiaid 2: 18

# Wythnos 36: Y Bregeth Gristnogol Gyntaf

Mae Luc yn cofnodi yn llyfr yr Actau un deg a naw o areithiau Cristnogol, tua chwarter cynnwys ei lyfr. Does neb yn dychmygu bod yr areithiau hyn yn gofnod manwl o beth a ddywedwyd ar bob achlysur. Beth bynnag, maent yn llawer rhy fyr i fod yn gyflawn. Er enghraifft, ni fyddai pregeth Pedr ar Ddydd y Pentecost fel y mae hi wedi ei chofnodi gan Luc wedi cymryd mwy na thri munud i'w thraethu.

Mae ysgolheigion rhyddfrydol yn ystod y blynyddoedd diwethaf wedi mynd i'r eithaf arall a dadlau bod haneswyr fel Thucydides wedi creu areithiau a'u rhoi yng ngenau eu prif gymeriadau a bod Luc wedi dilyn yr un arfer.

Ond mae ysgolheigion ceidwadol wedi herio'r syniad hwn. Nid yw'n gwneud cyfiawnder â chydwybod hanesyddol Thucydides nac ychwaith â honiad Luc ei fod yn cofnodi'n fanwl yr hyn yr oedd wedi ei archwilio. Rydym am ymwrthod â'r ddau eithaf, ar y naill law dealltwriaeth lythrennol o hyd yr areithiau, ac ar y llaw arall amheuaeth fod y pregethau hyn wedi eu traddodi erioed. Mae'n well ystyried yr areithiau yn llyfr yr Actau yn grynodeb o'r hyn a ddywedwyd ar bob achlysur.

**Dydd Sul:** Dyfyniad Pedr o Joel
**Dydd Llun:** Bywyd a Gweinidogaeth Iesu
**Dydd Mawrth:** Marwolaeth Iesu
**Dydd Mercher:** Atgyfodiad Iesu
**Dydd Iau:** Gogoneddiad Iesu
**Dydd Gwener:** Iachawdwriaeth Iesu
**Dydd Sadwrn:** Yr Efengyl ar gyfer Heddiw

# Dyfyniad Pedr o Joel

*Eithr dyma'r hyn a ddywedwyd drwy'r proffwyd Joel: 'A hyn a
fydd yn y dyddiau olaf, medd Duw: tywalltaf o'm Hysbryd ar
bawb; a bydd eich meibion a'ch merched yn proffwydo.'*
Actau 2:16–17

Mae'r hyn a ddisgrifiodd Luc yn Actau 2: 1–13 yn cael ei esbonio nawr gan Pedr. Roedd y ffenomen ryfeddol hon o gredinwyr wedi eu llenwi â'r Ysbryd Glân yn cyhoeddi rhyfeddodau Duw mewn ieithoedd dieithr yn gyflawniad o broffwydoliaeth Joel y byddai Duw yn arllwys ei Ysbryd ar bob dyn.

Mae'r hyn a ddywedir gan Pedr yn debyg i'r hyn a welir yn Sgroliau'r Môr Marw. Yno defnyddir y gair *pesher*, hynny yw, dehongliad o ran o'r Hen Destament yng ngoleuni ei gyflawniad. Felly mae Pedr yn cyflwyno ei bregeth gyda'r geiriau "dyma'r hyn" (adn. 16). Mae'n fwriadol yn newid ymadrodd Joel "ar ôl hyn" (Joel 2: 28) i'r ymadrodd "y dyddiau diwethaf" er mwyn pwysleisio bod dyfodiad yr Ysbryd yn y dyddiau diwethaf wedi digwydd. Mae hefyd yn cymhwyso'r adran i Iesu ac yn yr ystyr honno "yr Arglwydd" sy'n dod â iachawdwriaeth yw nid Duw, ond Iesu, sy'n achub rhag pechod a barn bob un sy'n galw ar ei enw (adn. 21).

Cred ac argyhoeddiad unfrydol awduron y Testament Newydd oedd bod Iesu wedi sefydlu'r oes Feseianaidd neu gychwyn y dyddiau diwethaf, ac mai'r prawf terfynol ar hyn oedd tywalltiad yr Ysbryd. Dyma'r addewidion ar gyfer y dyddiau diwethaf yn yr Hen Destament. Gan fod hyn yn wir, rhaid i ni fod yn ofalus i beidio ailddyfynnu proffwydoliaeth Joel fel petaem yn parhau i ddisgwyl ei chyflawniad. Nid fel hyn yr oedd Pedr yn deall ac yn cymhwyso'r testun. Mae'r oes Feseianaidd, sy'n ymestyn rhwng dau ddyfodiad Crist, yn oes yr Ysbryd lle mae ei weinidogaeth yn helaeth. Mae'r ferf 'arllwys' yn awgrymu haelioni rhodd Duw wrth roi ei Ysbryd (nid rhyw wlith nac ychwaith gawod, ond tywalltiad), pa mor derfynol yw hyn (oherwydd mae'n amhosibl i'r hyn sydd wedi ei arllwys allan gael ei gasglu yn ôl eto), a'r ffaith ei fod yn ddigwyddiad i'r byd i gyd (wedi ei wasgaru ymhlith grwpiau gwahanol y ddynoliaeth beth bynnag fo eu hoed, statws neu hil).

"A byddant yn proffwydo": hynny yw, roedd y rhodd hon, rhodd yr Ysbryd, yn arwain at weinidogaeth fyd-eang (proffwydoliaeth). Mae'n amlwg nad cyfeiriad yw hwn at y rhodd o broffwydoliaeth sydd yn eiddo i rai yn unig. Yn hytrach, mae pob un o bobl Dduw yn broffwydi yn yr ystyr ein bod i gyd yn mwynhau adnabyddiaeth o Dduw trwy Grist a hynny ar sail gwaith yr Ysbryd Glân.

Darllen pellach: Actau 2: 14–21

# Bywyd a Gweinidogaeth Iesu

*Bobl Israel, clywch hyn: sôn yr wyf am Iesu o Nasareth, gŵr y mae
ei benodi gan Dduw wedi ei amlygu i chwi trwy wyrthiau.*

Actau 2:22

G welsom ddoe fod Pedr yn cymhwyso proffwydoliaeth Joel i'r Pentecost. Y
ffordd orau, er hynny, o ddeall y Pentecost yw nid trwy broffwydoliaethau'r
Hen Destament ond yn hytrach trwy'r cyflawniad sydd yn y Testament
Newydd; nid trwy Joel ond trwy Iesu.

Wrth i Pedr alw ar bobl Israel i wrando arno, ei eiriau cyntaf yn dilyn y dyfyniad o
Joel oedd "Iesu o Nasareth". Dylai hyn fod yn wir am bob efengylu. Ein prif gyfrifoldeb
yw cyfeirio pobl at Iesu. Ymhob cyhoeddiad o'r efengyl, mae'r efengylwr doeth yn
parhau i ddod â'r sgwrs yn ôl at berson a gwaith Iesu Grist. Fel yr oedd yr apostol
Paul i ysgrifennu yn ddiweddarach ar ddechrau'r llythyr at y Rhufeiniaid, mae efengyl
Duw am ei Fab. Yn ei lyfr *The Jesus of History*, ysgrifennodd T. R. Glover, "Mae Iesu yn
parhau i fod yn galon ac yn enaid y mudiad Cristnogol, yn rheoli dynion, yn meddiannu
dynion."

Wedi enwi enw Iesu, mae Pedr yn mynd rhagddo i ddweud ei hanes mewn chwe
rhan, ac mae'r gyntaf yn ymwneud â'i fywyd a'i weinidogaeth: yr oedd yn "ddyn wedi ei
benodi gan Dduw." Mae'r ymadrodd yn un trawiadol. Ni allwn honni bod Pedr eisoes
yn cadarnhau'r cyfuniad o'r dwyfol a'r dynol ym mherson Iesu. Er hynny, roedd yn
ymwybodol fod realiti dynol a dwyfol yn perthyn i Iesu.

Ymhellach, mae Pedr yn pwysleisio bod Duw wedi cymeradwyo'r Arglwydd Iesu trwy
blethu tri gair o'r Testament Newydd am y gwyrthiau yr oedd Duw wedi eu cyflawni
drwyddo, hynny yw gwyrthiau, rhyfeddodau, ac arwyddion. Mae'r gair cyntaf, gwyrthiau
(*dunameis*), yn arwyddo eu natur; roeddent yn arddangos grym Duw (*dunamis*). Mae'r
ail air, rhyfeddodau (*terata*), yn arwyddo eu canlyniadau; maent yn peri syndod i rai
oedd yn dystion iddynt. Ac mae'r trydydd gair, arwyddion (*sēmaia*), yn arwyddo'u
pwrpas; eu bwriad oedd ein cyfeirio at wirionedd honiadau'r Meseia.

Darllen pellach: Actau 10: 38–39

# Marwolaeth Iesu

*Yr oedd hwn wedi ei draddodi trwy fwriad penodedig a*
*rhagwybodaeth Duw, ac fe groeshoeliasoch chwi ef ... a'i ladd.*
Actau 2:23

Yn y bregeth Gristnogol gyntaf a bregethwyd erioed, y bregeth yr ydym yn myfyrio arni yr wythnos hon, mae Pedr yn symud yn syth o fywyd Iesu i'w farwolaeth. Mae'r gymhariaeth yn un glir oherwydd yr oedd "y dyn yma" yr oedd Duw wedi ei gymeradwyo trwy ei wyrthiau wedi wynebu marwolaeth. Eto yn fwy rhyfeddol, mae Pedr yn priodoli'r cyfrifoldeb am farwolaeth Iesu i'r bobl hyn. Ar y naill law roedd Iesu wedi "ei roi" iddynt, nid gan Jwdas (er bod yr un ferf yn cael ei defnyddio yn yr efengylau wrth gyfeirio at fradychiad Jwdas) ond yn hytrach "gan bwrpas a rhagwybodaeth Duw." Ar y llaw arall roeddent hwy, "drwy law estroniaid" (adn. 23) (y Rhufeiniaid mae'n debyg), wedi ei roi i farwolaeth trwy ei hoelio ar y groes. Felly, mae'r un digwyddiad, hynny yw marwolaeth Iesu ar y groes, yn cael ei briodoli yn gyntaf gan Pedr i bwrpas Duw ac i ddrygioni dynion.

Does dim athrawiaeth glir o'r iawn wedi ei mynegi eto; mae'n rhy gynnar i hynny. Ond ceir arwyddion clir fodd bynnag fod hyn wedi cychwyn ymddangos, a hynny mae'n debyg oherwydd dysgeidiaeth Iesu am ei farwolaeth. Roedd Iesu eisoes wedi dysgu hyn i'w ddisgyblion wedi ei atgyfodiad. Rhaid nodi yn gyntaf fod Pedr yn deall yn barod mai trwy farwolaeth Iesu, mewn rhyw ffordd, yr oedd pwrpas achubol Duw yn cael ei weithio allan.

Yn ail, roedd hefyd yn deall bod drygioni dynol a rhagluniaeth ddwyfol yn medru cydweithio. Mae Duw yn cyflawni ei bwrpas hyd yn oed trwy ddynion drygionus.

Ac yn drydydd, mae Pedr yn dweud am Iesu, "ac fe groeshoeliasoch chwi ef drwy law estroniaid, a'i ladd" (adn. 23). Er hynny, yn ei ail araith yn ddiweddarach, mae'n disgrifio marwolaeth Iesu nid fel rhywbeth a achoswyd trwy ei hoelio ar groes, ond "trwy ei grogi ar bren" (Actau 5: 30). Byddai hyn yn gyhoeddiad diwinyddol sylweddol, yn dweud bod Iesu yn ei farwolaeth yn sefyll yn ein lle ni ac yn dioddef melltith y gyfraith a dorrwyd. Mae Paul yn ysgrifennu yn ddiweddarach, "Prynodd Crist ryddid i ni oddi wrth felltith y Gyfraith [hynny yw o'r farn y mae'r gyfraith yn ei chyhoeddi ar y rhai sy'n ei thorri] pan ddaeth, er ein mwyn, yn wrthrych melltith" (Galatiaid 3: 13). Felly, mae Pedr a Paul yn gytûn yn gweld y groes fel pren, lle'r felltith.

Darllen pellach: Galatiaid 3: 10–14

# Atgyfodiad Iesu

*Yr Iesu hwn, fe gyfododd Duw ef, peth yr ydym ni oll yn dystion ohono.*
Actau 2:32

Wedi nodi bod Iesu wedi ei roi i farwolaeth gan ddynion, mae Pedr yn mynd ymlaen i ddweud bod Duw wedi ei gyfodi o'r meirw. Mae hefyd yn gwneud tri datganiad am atgyfodiad Iesu.

Yn gyntaf, roedd Duw wedi "ei ryddhau o wewyr angau" (adn. 24). Mae'r gair Groeg am boenau yn golygu "poenau geni", felly mae'r atgyfodiad yn cael ei ddarlunio fel aileni o farwolaeth i fywyd.

Yn ail, roedd yn amhosibl "oherwydd nid oedd dichon i angau ei ddal yn ei afael" (adn. 24). Mae Pedr yn cadarnhau'r amhosibilrwydd moesol hwn heb ei esbonio.

Yn drydydd, mae Pedr yn gweld yn Salm 16 ragfynegiad o atgyfodiad y Meseia. Ynddi mae'r salmydd yn mynegi ei hyder na fyddai yn cael ei adael i farwolaeth a llygredigaeth, ond yn hytrach y byddai'n gweld llwybr bywyd. Ond ni all y geiriau gyfeirio at Dafydd, gan fod Dafydd wedi marw ac wedi'i gladdu, ac roedd ei fedd yn parhau yn Jerwsalem. Felly, gan fod Dafydd yn broffwyd, a chan ei fod yn gwybod bod Duw wedi addo disgynnydd neilltuol i Dafydd i eistedd ar ei orsedd, dywedodd am atgyfodiad y Meseia (Actau 2: 30–31).

Efallai fod defnydd Pedr o'r Ysgrythur yn swnio'n rhyfedd i ni ond rhaid cofio bod pob un o Ysgrythurau'r Hen Destament yn dwyn tystiolaeth i Grist, yn arbennig i'w farwolaeth, i'w atgyfodiad, ac i'w genhadaeth fyd-eang. Dyna ei gymeriad a'i bwrpas. Roedd Iesu ei hun wedi dweud hyn cyn ac ar ôl ei atgyfodiad. O ganlyniad, roedd yn naturiol i'r disgyblion ddarllen yr Hen Destament yn Grist-ganolog ac i ddeall y cyfeiriadau at yr un a eneiniwyd gan Dduw a'r un a fyddai'n cael gorsedd Dafydd fel cyfeiriadau oedd yn cael eu cyflawni yn Iesu.

Wedi dyfynnu Salm 16 a'i chymhwyso i atgyfodiad Iesu, mae Pedr yn crynhoi, "yr ydym ni oll yn dystion ohono" (Actau 2: 32). Felly, mae tystiolaeth lafar yr apostolion a'r proffwydoliaethau a ysgrifennwyd gan y proffwydi yn dod at ei gilydd. Gellir dweud bod Ysgrythurau'r Hen Destament a'r Newydd yn dod at ei gilydd yn eu tystiolaeth i atgyfodiad Crist.

Darllen pellach: Actau 2: 24–32

# Gogoneddiad Iesu

*Felly gwybydded holl dŷ Israel yn sicr fod Duw wedi ei*
*wneud ef yn Arglwydd ac yn Feseia, yr Iesu hwn a*
*groeshoeliasoch chwi.*

**Actau 2:36**

Mae Pedr yn symud yn syth o atgyfodiad Iesu o farw, i'w ogoneddiad ar ddeheulaw Duw. O'r safle hwn o anrhydedd goruchel ac awdurdod, ac yntau wedi derbyn addewid y Tad, mae Iesu nawr yn arllwys yr Ysbryd.

Mae Pedr eto yn setlo'r ddadl hon trwy ddefnyddio dyfyniad priodol o'r Hen Destament. Fel y cymhwysodd Salm 16 i atgyfodiad y Meseia, mae nawr yn cymhwyso Salm 110 i esgyniad y Meseia:

> Dywedodd yr Arglwydd wrth fy Arglwydd i,
> "Eistedd ar fy neheulaw,
> nes imi osod dy elynion
> yn droedfainc i'th draed."

**Actau 2: 34–35**

Mae'r ffaith nad esgynnodd Dafydd i'r nefoedd yr un mor wir â'r ffaith na ddiogelwyd ei gorff gan atgyfodiad. Ac eto, mae'n disgrifio fel "fy Arglwydd" yr un yr oedd Duw wedi ei orchymyn i eistedd ar ei ddeheulaw. Roedd Iesu eisoes wedi cymhwyso'r adnod hon iddo'i hunan wrth ddysgu yng nghynteddau'r deml. Gofynnodd i'r arweinwyr Iddewig sut y medrai Dafydd alw'r Meseia yn "Arglwydd" tra oedd yr un pryd yn fab Dafydd (Marc 12: 35–37). Mae'n arwyddocaol fod yr apostol Paul ac awdur y llythyr at yr Hebreaid hefyd yn cymhwyso Salm 110 i Iesu ychydig yn ddiweddarach (1 Corinthiaid 15: 25; Hebreaid 1: 13).

Casgliad Pedr yw y dylai holl Israel fod yn sicr mai'r Iesu hwn, yr oeddent wedi ei wrthod a'i groeshoelio, oedd yr un yr oedd Duw wedi ei wneud "yn Arglwydd ac yn Feseia" (Actau 2: 36). Nid dweud mae Pedr fod Iesu wedi dod yn Arglwydd ac yn Feseia ar adeg ei esgyniad, oherwydd trwy gydol ei weinidogaeth gyhoeddus yr oedd (ac yn wir yr oedd yn honni ei fod) yn cyfuno'r ddau. Yn hytrach, roedd Duw nawr wedi ei ogoneddu i fod mewn gwirionedd ac mewn grym yr hyn ydoedd eisoes drwy hawl ddwyfol.

Darllen pellach: Actau 2: 33–36

# Iachawdwriaeth Iesu

*Edifarhewch, a bedyddier pob un ohonoch yn enw Iesu*
*Grist er maddeuant eich pechodau, ac fe dderbyniwch yr*
*Ysbryd Glân yn rhodd.*

Actau 2:38

Â'u cydwybod yn eu poeni, mae gwrandawyr Pedr yn gofyn beth sydd rhaid iddynt ei wneud. Ateb Pedr yn syml yw bod angen iddynt edifarhau yn llwyr gan newid eu meddyliau am Iesu, a chael eu bedyddio yn ei enw ef, ac yn hynny dderbyn darostyngiad bedydd (rhywbeth roedd yr Iddewon yn ei ystyried yn angenrheidiol i'r cenhedloedd yn unig) yn enw'r union berson yr oeddent o'r blaen wedi ei wrthod. Byddai hyn yn dystiolaeth eglur i'r byd o'u hedifeirwch a hefyd o'u ffydd, oherwydd y mae Pedr yn ddiweddarach yn eu galw yn gredinwyr.

Wedi hyn byddent yn derbyn dwy rodd o law Duw – maddeuant o'u pechodau (hyd yn oed y pechod o wrthod Crist Duw) a rhodd yr Ysbryd Glân i'w haileni, i breswylio ynddynt ac i'w trawsnewid. Doedd dim angen i'r bobl hyn gredu bod y rhodd a ddaeth ar Ddydd y Pentecost ar gyfer yr apostolion yn unig, nac ychwaith ar gyfer y cant ac ugain o ddisgyblion oedd wedi disgwyl am ddeg diwrnod i'r Ysbryd ddod, nac ychwaith i unrhyw grŵp penodol, nac i'r genhedlaeth honno'n unig. Nid yw Duw wedi rhoi unrhyw gyfyngiad ar ei gynnig na'i rodd. Yn wir i'r gwrthwyneb, roedd yr addewid, neu'r rhodd, neu fedydd yr Ysbryd (termau cyfnewidiol) ar gyfer y rhai oedd yn gwrando ar bregeth Pedr ac ar gyfer eu plant mewn cenedlaethau i ddod, yn wir ar gyfer pawb oedd ymhell i ffwrdd (yn Iddewon alltud, neu yn genhedloedd hyd yn oed), ac a dweud y gwir ar gyfer pawb yn ddiwahân, pwy bynnag yr oedd yr Arglwydd yn galw ato. Mae rhodd Duw mor helaeth â galwad Duw.

Yna daw apêl derfynol Pedr: "Dihangwch rhag y genhedlaeth wyrgam hon" (adn. 40). Nid oedd Pedr yn gofyn am dröedigaethau unigolyddol preifat yn unig ond am ymuniaethu cyhoeddus â chredinwyr eraill a dod yn aelodau o'r gymuned Feseianaidd.

Ar y diwedd nodir ymateb rhyfeddol y gynulleidfa i apêl Pedr. Mae tua thair mil o bobl yn derbyn ei neges ac yn cael eu bedyddio. Yn unol ag addewid Pedr, rhaid eu bod wedi derbyn maddeuant ac wedi derbyn yr Ysbryd, er y tro yma heb arwyddion goruwchnaturiol amlwg. O leiaf, nid yw Luc yn gwneud unrhyw gyfeiriad at wynt, tân nac ieithoedd.

Darllen pellach: Actau 2: 37–41

# Yr Efengyl ar gyfer Heddiw

*Oherwydd, yn y lle cyntaf, traddodais i chwi yr hyn a dderbyniais:*
*i Grist farw dros ein pechodau ni, yn ôl yr Ysgrythurau; iddo gael*
*ei gladdu, a'i gyfodi y trydydd dydd, yn ôl yr Ysgrythurau.*
1 Corinthiaid 15:3–4

Cefais fod mynegi neges yr apostolion yn y ffordd ganlynol yn gymorth i ffyddlondeb. Yn gyntaf, digwyddiadau'r efengyl. Er bod yr apostolion yn adrodd gyrfa gyflawn Iesu yn ei waith achubol gan gynnwys ei fywyd a'i weinidogaeth, ei ogoneddiad, a'i ailddyfodiad, maent yn canolbwyntio ar ei farwolaeth a'i atgyfodiad fel digwyddiadau hanesyddol a digwyddiadau achubol arwyddocaol.

Yn ail, y tystion i'r efengyl. Mae'r apostolion yn apelio at dystiolaeth ddeublyg i gadarnhau gweinidogaeth Iesu fel y gellir trwy air dau dyst sefydlu'r hyn y mae'r gyfraith yn gofyn amdano (Deuteronomium 19: 15). Y tyst cyntaf oedd Ysgrythurau'r Hen Destament a'r ail dyst oedd tystiolaeth yr apostolion eu hunain. "Ni yw'r tystion," oedd cytgan gyson Pedr. Felly, mae i'r un Crist dystiolaeth ddeublyg. Nid oes rhyddid gennym ni i bregethu Crist sydd yn perthyn i'n dychymyg nac ychwaith i roi'r ffocws ar ein profiad ni ein hunain ohono, oherwydd nid oeddem ni'n llygad-dystion i'r Iesu hanesyddol. Ein cyfrifoldeb yw siarad am Grist yr Hen Destament a'r Testament Newydd. Y prif dystion yw'r proffwydi a'r apostolion. Mae ein tystiolaeth ni bob amser yn eilradd i'w tystiolaeth hwy.

Yn drydydd, addewidion yr efengyl. Mae'r efengyl nid yn unig yn newyddion da am yr hyn a wnaeth Iesu trwy ei farwolaeth a'i atgyfodiad, ond hefyd am yr hyn y mae'n ei gynnig fel canlyniad, hynny yw, maddeuant ein pechodau (rhoi llechen lân gyda golwg ar y gorffennol), a rhodd yr Ysbryd (i'n gwneud yn bobl newydd). Gyda'i gilydd mae'r ddwy wedd yn esbonio ein hiachawdwriaeth a'n rhyddid ac mae'r ddwy yn cael eu cyhoeddi yn y bedydd.

Yn bedwerydd, amodau'r efengyl. Mae'r efengyl yn mynnu ein bod yn troi mewn ffordd radical o'n pechod at Grist. Yn fewnol mae hyn yn golygu edifeirwch a ffydd, ac yn allanol yn golygu bedydd. Wrth wneud y pethau hyn rydym yn newid ochr mewn rhyw ystyr, wrth inni gael ein symud i mewn i gymuned newydd Iesu. Dyma'r neges felly – dau ddigwyddiad (marwolaeth ac atgyfodiad Crist) yn cael eu cadarnhau gan ddau dyst (y proffwydi a'r apostolion). Ar sail hyn mae Duw yn gwneud dwy addewid (maddeuant a'r Ysbryd) ar ddwy amod (edifeirwch a ffydd, gyda bedydd). Mae rhyw gyflawnder yn yr efengyl Feiblaidd.

Darllen pellach: 1 Corinthiaid 15: 1–11

# Wythnos 37: Yr Eglwys yn Jerwsalem

Rwy'n tybio bod fy narllenwyr yn dod o eglwysi ac enwadau gwahanol, ond er hynny mae dau beth sy'n ein huno. Yn gyntaf, ein hymrwymiad i'r eglwys. O leiaf, rwy'n gobeithio bod y fath ymrwymiad yn bodoli. Gobeithio nad oes neb sy'n darllen y llyfr yma yn euog o'r anghysondeb rhyfedd hwnnw – Cristion nad yw mewn perthynas ag eglwys – oherwydd nid yw'r Testament Newydd yn gwybod dim am y fath greadur! Na, nid yn unig rydym yn bobl sydd wedi ymrwymo i Grist, rydym hefyd wedi ymrwymo i gorff Crist. Yn wir, ni allwn fod y naill heb y llall. Mae'r eglwys yn gorwedd ynghanol pwrpas Duw. Mae'r pwrpas hwn, a luniwyd yn nhragwyddoldeb y gorffennol, ac yn cael ei weithio allan mewn hanes, i'w berffeithio yn nhragwyddoldeb y dyfodol, yn golygu nad yw'r Arglwydd yn achub unigolion ar eu pen eu hunain i barhau yn eu hunigrwydd, ond yn hytrach yn galw pobl ato'i hun ac i adeiladu ei eglwys. Yn wir, mae Iesu Grist wedi marw drosom nid yn unig i'n prynu ni o bechod ond hefyd i buro iddo'i hun bobl sy'n frwdfrydig dros weithredoedd da (Titus 2: 14). Y rheswm pam yr ydym wedi ymrwymo i'r eglwys yw bod Duw wedi ymrwymo iddi.

Yn ail, mae gennym i gyd faich dros adnewyddiad yr eglwys. Mewn llawer rhan o'r byd mae'r eglwys yn tyfu'n gyflym, ond mae'r tyfiant hwn heb unrhyw ddyfnder yn aml. Mae llawer sy'n arwynebol ymhob man. Rhaid inni adfer y weledigaeth Feiblaidd o eglwys wedi ei hadnewyddu.

**Dydd Sul:** Gweledigaeth Duw ar gyfer ei Eglwys
**Dydd Llun:** Astudiaeth
**Dydd Mawrth:** Cymdeithas
**Dydd Mercher:** Rhannu
**Dydd Iau:** Addoli
**Dydd Gwener:** Efengylu
**Dydd Sadwrn:** Arwyddion Eglwys Fyw

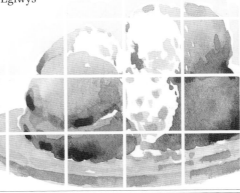

# Gweledigaeth Duw ar gyfer ei Eglwys

*Yr oeddent yn dyfalbarhau yn nysgeidiaeth yr apostolion
ac yn y gymdeithas, yn y torri bara ac yn y gweddïau.*
Actau 2:42

Beth yw gweledigaeth Duw ar gyfer ei eglwys? Mae Luc yn dweud wrthym. Wedi disgrifio'r hyn a ddigwyddodd ar Ddydd y Pentecost, ac esbonio hynny trwy bregeth Grist-ganolog Pedr, mae Luc yn mynd rhagddo i ddweud am effeithiau'r Pentecost gan roi inni ddarlun prydferth o'r eglwys oedd yn bodoli yn Jerwsalem, eglwys oedd wedi ei llenwi â'r Ysbryd Glân. Wrth gwrs nid dyma ddydd cyntaf bywyd yr eglwys. Mae'n amhriodol i gyfeirio at Ddydd y Pentecost fel pen blwydd yr eglwys. Mae'r eglwys, fel pobl Dduw, yn mynd yn ôl bedair mil o flynyddoedd o leiaf, at Abraham. Yr hyn a ddigwyddodd ar Ddydd y Pentecost oedd bod gweddill pobl Dduw wedi dod yn gorff Crist wedi ei lenwi â'r Ysbryd.

Beth, felly, yw'r pethau sy'n nodweddiadol o eglwys Dduw? Er mwyn ateb hyn, rhaid inni fynd yn ôl i'r cychwyn a chymryd golwg newydd ar yr eglwys Gristnogol gyntaf yn Jerwsalem. Ar yr un pryd, mae'n hanfodol inni sylweddoli bod tuedd inni ramanteiddio bywyd yr eglwys fore. Mae tuedd inni orbwysleisio ei rhinweddau. Rydym yn tueddu i siarad amdani fel pe na bai beiau yn perthyn iddi. O wneud hyn, rydym yn colli golwg ar y ffaith fod pobl oedd yn ei chael yn anodd dod ymlaen â'i gilydd, fod elfen o ragrith, fod hefyd anfoesoldeb, fod heresïau yn trwblu'r eglwys fore fel y maent yn trwblu'r eglwys heddiw.

Er hynny, mae un peth yn sicr. Er gwaethaf yr holl frychau ym mywyd yr eglwys fore, roedd iddi fywyd radical a dwfn oedd yn cael ei gyflyru gan yr Ysbryd Glân.

Felly, down yn ôl at y cwestiwn. Sut olwg oedd ar yr eglwys yn y ganrif gyntaf? Pa arwyddion oedd yno o bresenoldeb a grym yr Ysbryd Glân? Os medrwn ateb y cwestiynau hyn, byddwn ar y ffordd i ddarganfod arwyddion eglwys fyw yn yr unfed ganrif ar hugain.

Darllen pellach: Ioan 17: 6–26

# Astudiaeth

*Yr oeddent yn dyfalbarhau yn nysgeidiaeth yr apostolion.*
Actau 2:42

Mae Luc yn canolbwyntio ar bedair nodwedd o fywyd yr eglwys yn Jerwsalem. Mae'r gyntaf yn peri ychydig o syndod, ac mae'n debyg na fyddem wedi ei dewis yn naturiol. Mae eglwys fyw yn eglwys sydd yn dysgu. "Yr oeddent yn dyfalbarhau yn nysgeidiaeth yr apostolion." Dyma'r peth cyntaf y mae Luc yn ei ddweud wrthym. Fe allem ddweud i'r Ysbryd Glân agor ysgol yn Jerwsalem y diwrnod hwnnw. Yr athrawon oedd yr apostolion, rhai yr oedd Iesu wedi eu hapwyntio a'u hyfforddi. Ac yna roedd tair mil o ddisgyblion yn y dosbarth meithrin. Roedd yn sefyllfa ryfeddol.

Sylwn hefyd nad oedd y Cristnogion ifanc hyn yn mwynhau profiadau oedd yn eu harwain i esgeuluso eu deall, i gasáu diwinyddiaeth, neu i stopio meddwl. I'r gwrthwyneb, roeddent yn canolbwyntio ar dderbyn hyfforddiant. Nid wyf yn esgusodi fy hun am ddweud bod elfen yn yr eglwys heddiw lle y gwahoddir Cristnogion o dan ddylanwad yr Ysbryd i beidio â meddwl o gwbl. Pwy yw'r Ysbryd? Mae Iesu yn ei alw'n "Ysbryd y Gwirionedd"; lle bynnag mae'r Ysbryd ar waith, mae gwirionedd yn bwysig.

Sylwch hefyd nad oedd y credinwyr hyn yn tybio – oherwydd eu bod wedi derbyn yr Ysbryd Glân – mai ef oedd eu hunig athro ac nad oedd angen athrawon dynol. I'r gwrthwyneb, roeddent yn eistedd wrth draed yr apostolion. Roeddent yn awyddus i ddysgu'r cyfan oedd yn bosibl, ac yn gwybod bod Iesu wedi apwyntio athrawon ar eu cyfer. Felly, roeddent yn ildio i awdurdod yr apostolion, a chaiff hyn ei gadarnhau gan wyrthiau, oherwydd yn adnod 42 dywedir wrthym am ddysgeidiaeth yr apostolion, ac mae adnod 43 yn dweud bod yr apostolion wedi cyflawni llawer o arwyddion a rhyfeddodau. Yn yr un modd, rai blynyddoedd yn ddiweddarach, mae Paul yn cyfeirio at y gwyrthiau a gyflawnodd fel y pethau hynny oedd yn nodweddu apostol (2 Corinthiaid 12: 12).

Sut felly y gallwn ni ymroi i ddysgeidiaeth yr apostolion ac ildio i'w hawdurdod? Does dim apostolion fel y cyfryw yn yr eglwys heddiw. Mae eglwysi sydd ag esgobion, sydd â chenhadon, sydd ag arweinwyr eglwysig eraill, ac yn yr ystyr honno gellir galw eu gweinidogaeth yn apostolaidd. Ond does dim apostolion sydd â'r awdurdod oedd yn perthyn i Pedr, Ioan a Paul. Yr unig ffordd y medrwn ni ildio i awdurdod apostolion yw trwy ildio i'w dysgeidiaeth yn y Testament Newydd, oherwydd yno y daw'r ddysgeidiaeth i ni mewn ffurf benodol. Mae ffyddlondeb i ddysgeidiaeth yr apostolion yn arwydd o eglwys fyw.

Darllen pellach: 1 Timotheus 4: 1–13

# Cymdeithas

*Os rhodiwn yn y goleuni, fel y mae ef yn y goleuni, y mae*
*gennym gymundeb â'n gilydd.*
1 Ioan 1:7

**O**s yr arwydd cyntaf o eglwys fyw yw astudiaeth, yr ail arwydd yw cymdeithas, a heddiw ac yfory byddwn yn edrych ar y maes hwn. "Yr oeddent yn dyfalbarhau yn nysgeidiaeth yr apostolion ac yn y gymdeithas" (Actau 2: 42). Y gair yma yw'r gair Groeg cyfarwydd *koinōnia*, sy'n mynegi ein bywyd Cristnogol cymunedol, yr hyn yr ydym yn ei rannu fel credinwyr. Mae'n dwyn tystiolaeth i ddau wirionedd, sef yr hyn yr ydym yn ei rannu â'n gilydd, a'r hyn yr ydym yn ei rannu ag eraill.

Yn gyntaf, mae *koinōnia* yn mynegi'r hyn yr ydym yn ei rannu â'n gilydd, yn arbennig felly ras Duw. Ysgrifennodd Ioan, "Y mae ein cymundeb ni gyda'r Tad a chyda'i Fab ef, Iesu Grist" (1 Ioan 1: 3), ac mae'r apostol Paul yn ychwanegu "a chymdeithas yr Ysbryd Glân" (2 Corinthiaid 13: 14). Felly mae cymdeithas Gristnogol yn gymdeithas drindodaidd ac rydym yn cael rhannu ym mywyd y Tad, y Mab a'r Ysbryd Glân. Mae nifer o ffactorau yn ein gwahanu – hil, cenedl, diwylliant, oed – ond rydym yn gytûn fod inni yr un Tad nefol, yr un Gwaredwr ac Arglwydd, a'r un Ysbryd yn byw ynom. Ein rhan ynddo ef ac yn ei ras sydd yn ein gwneud ni'n gytûn.

Yn ail, mae *koinōnia* yn mynegi'r hyn yr ydym yn ei rannu allan. *Koinōnia* yw'r gair y mae Paul yn ei ddefnyddio i gyfeirio at y casgliad yr oedd yn ei drefnu ymhlith yr eglwysi Groegaidd er lles yr eglwysi tlawd yn Jwdea. Mae'r ansoddair *koinōnikos* yn golygu "hael".

Mae Luc yn canolbwyntio ar yr agwedd hon o'r gair:

> Yr oedd yr holl gredinwyr ynghyd yn dal pob peth yn gyffredin. Byddent yn gwerthu eu heiddo a'u meddiannau, a'u rhannu rhwng pawb yn ôl fel y byddai angen pob un.
>
> Actau 2: 44–45

Gobeithio bod yr adnodau hyn yn peri anhawster i chi. Rydym yn tueddu i neidio dros y rhain braidd yn rhy sydyn er mwyn osgoi'r her sydd ynddynt. Byddwn yn wynebu'r her honno yfory.

Darllen pellach: Actau 4: 32–35

# Rhannu

*Yr oedd yr holl gredinwyr ynghyd yn dal pob peth yn gyffredin [koinōnia].*
Actau 2:44

Yn ystod cyfnod yr eglwys fore, a hynny ychydig filltiroedd i'r dwyrain o Jerwsalem, roedd arweinwyr Esenaidd cymuned Qumran wedi ymrwymo i ddal popeth yn gyffredin, ac roedd aelodau'r gymuned fynachaidd yn cyflwyno'r cyfan o'u harian a'u heiddo wrth iddynt ddod yn aelodau.

Mae'n amlwg fod Iesu yn ein galw i elfen o dlodi gwirfoddol fel y gŵr ifanc cyfoethog, Sant Ffransis o Assisi a'i ddilynwyr, a'r Fam Teresa a'i chwiorydd. Mae'r rhain i gyd yn dwyn tystiolaeth i'r gwirionedd nad yw ein bywyd ni yn cael ei fesur yn ôl gwerth ein heiddo. Ond nid oedd pob un o ddilynwyr Iesu yn cael eu galw i hyn. Mae'r gwaharddiad ar eiddo preifat yn rhywbeth sy'n perthyn i athrawiaeth y Marcsydd, nid i'r Cristion. Yn ychwanegol, mae'n wir hyd yn oed yn Jerwsalem fod y gwerthu a'r rhoi yn elfennau gwirfoddol oherwydd rydym yn darllen yn adnod 46 eu bod yn "torri bara yn eu tai". Yn eu tai? Ond roeddwn i'n meddwl eu bod i gyd wedi gwerthu eu tai a'u celfi. Mae'n amlwg nad oedd hynny'n wir. A hanfod pechod Ananias a Saffeira, gweithred a gofnodir yn Actau 5, oedd nid eu bod heb werthu eu heiddo ond eu bod wedi ei werthu ac wedi cadw darn yn ôl tra'n rhoi'r argraff eu bod yn rhoi'r cyfan. Eu pechod oedd nid bod yn farus ond bod yn dwyllodrus. Roedd yr apostol Pedr yn glir yn ei eiriau i Ananias, "Onid yn dy feddiant di yr oedd yn aros? Ac wedi ei werthu, onid gennyt ti yr oedd yr hawl ar yr arian?" (Actau 5: 4). Mewn geiriau eraill, rhaid i bob Cristion wneud penderfyniad penodol o flaen Duw sut yr ydym am ddefnyddio ein heiddo.

Er gwaethaf hynny, ni ddylem osgoi her yr adran hon o'r Ysgrythur. Mae'n amlwg fod y Cristnogion cynnar hyn yn caru ei gilydd, ac nid yw hynny'n syndod gan mai ffrwyth cyntaf yr Ysbryd yw cariad. Yn benodol, roeddent yn gofalu am eu brodyr a'u chwiorydd oedd mewn tlodi mawr ac yn rhannu eu heiddo gyda nhw. Mae'r egwyddor hon o rannu gwirfoddol yn sefydlog o fewn yr eglwys. Dylai'r rhai hynny ohonom sy'n byw mewn amgylchiadau cyfforddus symleiddio ein ffordd o fyw nid oherwydd ein bod yn credu y bydd hyn yn datrys problemau economaidd y byd, ond oherwydd ein bod am sefyll gyda'r tlodion.

Mae'r eglwys sydd wedi ei llenwi â'r Ysbryd yn eglwys sydd wedi ei llenwi â haelioni. Mae haelioni bob amser yn nodweddiadol o bobl yr Arglwydd. Mae'n Duw ni yn hael; dylai ei bobl fod yn hael hefyd.

Darllen pellach: Actau 5: 1–11

# Addoli

*Yr oeddent yn dyfalbarhau ... yn y torri bara ac yn y gweddïau.*
Actau 2:42

Yr ydym wedi gweld bod eglwys fyw yn eglwys sy'n dysgu ac sy'n gofalu. Mae eglwys fyw hefyd yn eglwys sy'n addoli. Mae "torri'r bara" yn amlwg yn gyfeiriad at Swper yr Arglwydd, er gyda gwledd gymdeithas wedi ei hychwanegu, mae'n debyg, ac mae'r gair "gweddi" yn llythrennol yn golygu oedfaon gweddi neu gyfarfodydd gweddi. Yr hyn sy'n fy nharo i am addoliad yr eglwys fore yw y balans sy'n cael ei amlygu.

Yn gyntaf, roedd eu haddoliad yn ffurfiol ac yn anffurfiol, oherwydd roeddent yn addoli yn y deml ac yn eu tai (adn. 46). Sylwn fod y credinwyr cyntaf heb ymadael â'r eglwys sefydledig o'r cychwyn. Does dim amheuaeth nad oedd awydd mawr i ddiwygio'r eglwys yn ôl yr efengyl, oherwydd roeddent yn gwybod bod ei haberthau wedi eu cyflawni yn aberth Iesu Grist. Ond maent yn parhau i fynychu'r gwasanaethau gweddi traddodiadol, ac i'r rhain roedd elfen gref o ffurfioldeb. At y cyfarfodydd ffurfiol maen nhw'n ychwanegu cyfarfodydd tai anffurfiol ac yn y cyfarfodydd hyn y daeth addoliad Cristnogol penodol i'r golwg, yn arbennig gyda golwg ar y swper. Ni ddylem fynnu gwahaniaeth mawr rhwng y strwythurol a'r hyn nad oes strwythur yn perthyn iddo, rhwng y litwrgaidd a'r hyn sy'n dod "o'r frest". Roedd y ddau beth yn perthyn i'r eglwys fore. Dylai pob cynulleidfa o unrhyw faint dorri i fyny i grwpiau llai.

Yn ail, roedd addoliad yr eglwys fore yn dangos llawenydd a pharchedig ofn. Does dim amheuaeth am y llawenydd. Mae'r gair Groeg *agalliasis* yn adnod 46 yn disgrifio pobl oedd yn torri allan mewn gorfoledd. Ffrwyth yr Ysbryd yw gorfoledd ac, o bryd i'w gilydd, gorfoledd sydd y tu hwnt i'r hyn rydym wedi arfer ag ef o fewn ein traddodiad crefyddol. Pan fyddaf yn mynd i ambell oedfa, rwyf yn amau fy mod wedi mynd i angladd ar gam. Mae pawb wedi gwisgo mewn du. Does neb yn gwenu nac yn siarad. Mae'r emynau a'r caneuon yn cael eu chwarae fel petai malwoden yn arwain y gân ac mae'r holl awyrgylch yn ddigalon. Mae Cristnogaeth yn grefydd o lawenydd ac fe ddylai pob cyfarfod a gwasanaeth fod yn ddathliad o'r llawenydd hwn. Ar yr un pryd, nid oedd addoliad yr eglwys fore yn amharchus. Ac eto heddiw, mewn rhai oedfaon, mae elfen o'r arwynebol. Os yw'r gorfoledd yn arwydd o addoliad priodol, felly hefyd mae parch. "Yr oedd ofn ar bob enaid" (adn. 43). Roedd y Duw byw wedi ymweld â Jerwsalem, ac mae'r bobl yn plygu o'i flaen gyda'r cyfuniad o ryfeddod a gostyngeiddrwydd yr ydym ni'n ei alw'n addoliad.

Darllen pellach: Salm 95

# Efengylu

*Ac yr oedd yr Arglwydd yn ychwanegu beunydd at y*
*gynulleidfa y rhai oedd yn cael eu hachub.*
### Actau 2:47

Hyd yn hyn rydym wedi ystyried astudio, cymdeithas, ac addoli yn yr eglwys fore, oherwydd yn ôl Luc, roedd ffocws yr eglwys fore yn y gweithgareddau hyn. Ac eto, agweddau ar fywyd mewnol yr eglwys yw'r rhain; does dim awgrym yma o'u hymdrech i gyrraedd y byd.

Dyma un o beryglon pregethu testunol, hynny yw, gwneud i destun sefyll ar wahân i'w gyd-destun. Mae Actau 2: 42 yn destun poblogaidd iawn ymhlith pregethwyr. Rhaid bod miliynau o bregethau wedi eu cyfansoddi o gwmpas yr adnod fel petai'n rhoi darlun cyflawn o fywyd eglwys. Ond ar ei ben ei hun, wrth gwrs, nid yw'r darlun hwnnw'n gytbwys o bell ffordd. Mae adnod 42 yn rhoi'r argraff mai unig ddiddordeb yr eglwys fore oedd astudio wrth draed yr apostolion, gofalu am eu haelodau eu hunain, ac addoli Duw. Mewn geiriau eraill, roeddent yn byw mewn cilfach gyda diddordeb yn eu bywyd eu hunain yn unig, ac yn gwbl esgeulus o angen yr unig a'r colledig y tu allan.

Ond nid dyma'r gwir. Roedd y Cristnogion cynnar hefyd wedi ymrwymo i genhadaeth. Rhaid aros tan adnod 47 i ddysgu hyn. Mae adnod 47 yn ateb adnod 42 oherwydd mae'n dysgu tair gwers i ni am efengylu o fewn yr eglwys fore. Yn gyntaf, roedd yr Arglwydd Iesu yn gwneud hyn ei hunan. "Yr oedd yr Arglwydd yn ychwanegu beunydd at y gynulleidfa." Gwnaeth hyn drwy bregethu'r apostolion, drwy dystiolaeth ddyddiol aelodau'r eglwys a'u bywyd cyffredin o gariad, yn sicr. Ond Iesu a'i gwnaeth. Dim ond Iesu sy'n medru agor llygaid y dall, peri i'r byddar glywed, rhoi bywyd i'r marw a thrwy hynny ychwanegu at yr eglwys.

Yn ail, mae Iesu'n gwneud dau beth gyda'i gilydd. "Yr oedd yr Arglwydd yn ychwanegu ... at y gynulleidfa y rhai oedd yn cael eu hachub." Nid ychwanegu pobl at yr eglwys heb eu hachub, nac ychwaith eu hachub heb eu hychwanegu at yr eglwys. Mae iachawdwriaeth ac aelodaeth o'r eglwys yn parhau i gyd-fynd.

Yn drydydd, roedd yn gwneud y ddeubeth yn ddyddiol. Nid oedd y Cristnogion cynnar yn ystyried efengylu yn weithgarwch achlysurol. O ddydd i ddydd roedd pobl yn cael eu hychwanegu at yr eglwys. Rhaid i ninnau adfer y disgwyliad hwn heddiw.

Darllen pellach: 1 Thesaloniaid 1: 1–10

# Arwyddion Eglwys Fyw

*Yr oeddent yn cydfwyta mewn llawenydd a symledd calon,*
*dan foli Duw a chael ewyllys da'r holl bobl.*
Actau 2:46-47

Wrth edrych yn ôl dros y pedwar arwydd o eglwys fyw, y pethau hynny y mae Luc yn eu nodi yn benodol, mae'n amlwg bellach fod y pedair agwedd yn ymwneud â pherthynas o fewn y gymuned Gristnogol. Yn gyntaf, roedd y bobl mewn perthynas â'r apostolion. Roeddent wedi ymrwymo i ddysgeidiaeth yr apostolion, roeddent yn eistedd wrth draed yr apostolion ac yn ildio i'w hawdurdod. Mae eglwys fyw yn eglwys apostolaidd sydd wedi ymrwymo i gredu dysgeidiaeth yr apostolion ac ufuddhau iddi. Yn ail, yr oeddent mewn perthynas â'i gilydd. Roeddent wedi ymrwymo i'r gymdeithas. Roeddent yn caru ei gilydd. Mae eglwys fyw yn eglwys sy'n gofalu. Yn drydydd, roeddent mewn perthynas â Duw. Roeddent yn addoli Duw wrth dorri'r bara, yn y gweddïau, yn ffurfiol ac yn anffurfiol, mewn llawenydd a pharch. Mae eglwys fyw yn eglwys sy'n addoli. Yn bedwerydd, roeddent mewn perthynas â'r byd. Roeddent yn ymestyn allan mewn tystiolaeth ac mewn cenhadaeth. Mae eglwys fyw yn eglwys sy'n efengylu.

Ychydig flynyddoedd yn ôl ym mhrifddinas un o weriniaethau America Ladin, cefais fy nghyflwyno i grŵp o fyfyrwyr Cristnogol oedd wedi cefnu ar yr eglwys. Yr enw yr oeddent wedi ei fathu ar eu cyfer oedd Cristianos Descolgados, yn llythrennol, Cristnogion oedd wedi dod "oddi ar fachyn yr eglwys". Roeddent wedi ymweld â phob eglwys yn eu dinas heb ddod o hyd i'r hyn roeddent yn chwilio amdano. Beth oedd hynny? Er syndod i mi, heb wybod am ddarlun Luc, roeddent yn rhestru ei bedair nodwedd. Roeddent yn chwilio am eglwys lle:

1. roedd y Beibl yn cael ei ddysgu
2. roedd cymdeithas o gariad a gofal
3. roedd addoliad didwyll a gostyngedig
4. roedd ymestyn at y byd mewn cydymdeimlad.

Nid oes angen inni ddisgwyl i'r Ysbryd Glân ddod. Daeth ar Ddydd y Pentecost ac nid yw wedi gadael ei eglwys. Ond mae angen inni ddarostwng ein hunain o'i flaen gan geisio ei lawnder, ei gyfeiriad a'i rym. Dim ond wedyn y bydd ein heglwysi yn dod yn agos at ddelfryd hardd Luc o eglwys, yn apostolaidd ei dysgeidiaeth, yn gariadus ei chymdeithas, yn fyw ei haddoliad ac yn ymestyn allan mewn cenhadaeth barhaus.

Darllen pellach: Actau 2: 37–47

# Wythnos 38:
# Gwrthymosodiad Satan

Mae Luc wedi darlunio'n hardd iawn fywyd y gymuned Gristnogol gynnar yn Jerwsalem. Wedi ei chomisiynu gan Grist ac yn nerth yr Ysbryd, roedd yr eglwys ar fin hwylio ar ei mordaith genhadol, ond bron yn syth, chwythodd storm a oedd mewn perygl o'i llyncu.

Ffordd arall o fynegi hyn yw dweud, os yr Ysbryd Glân yw'r prif gymeriad yn yr hanes yn Actau 1 a 2, y prif gymeriad yn Actau 3 i 6 yw Satan. Er mai dim ond unwaith yr enwir ef (5: 3), gellir dirnad ei weithgarwch.

Tacteg y diafol oedd trais corfforol ac erledigaeth. Ymdrechodd i wasgu'r eglwys trwy ei rym. Yna mae'n troi at lygredd moesol gan wneud ymdrech i danseilio'r eglwys trwy dwyll Ananias a Saffeira. Yn drydydd, mae'n debyg mai ei dacteg fwyaf cyfrwys oedd ceisio troi'r disgyblion oddi wrth eu prif dasg o bregethu a gweddïo. Petai wedi llwyddo a'r apostolion wedi rhoi i fyny ar bregethu, tebyg mai eglwys ddi-ddysg fyddai wedi dod i fod, a honno yn agored i bob awel o ddysgeidiaeth wyrgam. Dyma dri arf y diafol – erledigaeth, llygredigaeth a gwrthdyniad. Nid yw wedi newid ei dactegau.

**Dydd Sul:** Iacháu Gŵr Cloff
**Dydd Llun:** Ail Bregeth Pedr
**Dydd Mawrth:** Erledigaeth
**Dydd Mercher:** Parhad yr Erledigaeth
**Dydd Iau:** Ananias a Saffeira
**Dydd Gwener:** Problem yn cael ei Datrys
**Dydd Sadwrn:** Egwyddor Hanfodol

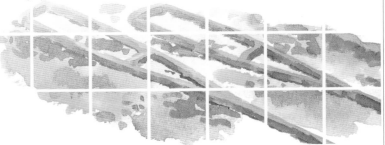

# Iacháu Gŵr Cloff

*... a'r ffydd sydd drwy Iesu a roddodd iddo'r llwyr wellhad*
*hwn yn eich gŵydd chwi i gyd.*
Actau 3:16

Yr hyn a arweiniodd at wrthwynebiad yr awdurdodau Iddewig oedd iachâd y gŵr cloff y tu allan i un o brif byrth y deml, ynghyd ag ail bregeth Pedr.

Roedd Pedr ac Ioan yn mynd i'r deml un prynhawn am dri o'r gloch, yr awr weddi. Cadwyd yr awr gan bob Iddew duwiol, pobl fel Daniel, ac yn ddiweddarach, Corneliws. Wrth i'r apostolion gyrraedd y deml, cludwyd yno ŵr cloff – un oedd wedi bod felly ers ei enedigaeth – gan ffrindiau a chymdogion er mwyn iddo fegera gan y rhai oedd yn dod i addoli. Dyma oedd ei le, yn ôl Luc, "yr un a elwid Y Porth Prydferth" (adn. 2). Mae'r rhan fwyaf o esbonwyr yn nodi mai Porth Nicanor, sef prif fynedfa'r deml o'r dwyrain, oedd hwn. Yn ôl Josephus roedd wedi ei wneud o bres Corinth, ac "yn rhagori ar y rhai oedd wedi eu gorchuddio ag arian ac aur yn unig". Roedd tua saith deg a phum troedfedd o uchder ac iddo ddau ddrws dwbl anferth.

Ond wrth droed y porth hardd hwn roedd gŵr cloff yn begera. Mae diddordeb meddygol Luc yn dod i'r amlwg wrth iddo roi cronicl o hanes clinigol y claf. Yr oedd felly o'i enedigaeth. Nid oedd wedi cerdded erioed. Bellach yr oedd dros ddeugain oed ac mor anabl fel bod rhaid ei gludo bob dydd er mwyn begera. Ond pan ddywedodd Pedr wrtho yn enw Iesu Grist o Nasareth am godi a cherdded, daeth gwyrth ryfeddol i'r golwg. Daeth ei draed a'i ffêr yn gryf – mor gryf fel ei fod yn medru neidio ar ei draed a chychwyn cerdded, rhywbeth nad oedd wedi ei wneud erioed o'r blaen. Nid yn unig hynny, ond yn awr roedd yn mynd gyda Pedr ac Ioan i mewn i'r deml yn cerdded, yn neidio ac yn moli Duw. Roedd yn gyflawniad rhyfeddol o'r broffwydoliaeth Feseianaidd: "Fe lama'r cloff fel hydd" (Eseia 35: 6).

Yn fuan, roedd tyrfa o'i gwmpas. Roeddent wedi ei weld "yn cerdded ac yn moli Duw" (Actau 3: 9). Roeddent yn ei adnabod fel y dyn oedd wedi bod yn olygfa gyfarwydd ers degawdau gan ei fod wedi eistedd yno bob dydd yn begera. "Llanwyd hwy â braw a syndod am yr hyn oedd wedi digwydd iddo" (adn. 10).

Darllen pellach: Actau 3: 1–10

# Ail Bregeth Pedr

*A phan welodd Pedr hyn, fe anerchodd y bobl: "Duw*
*Abraham a Duw Isaac a Duw Jacob, Duw ein tadau ni,*
*sydd wedi gogoneddu ei Was Iesu."*
Actau 3:12–13

A hwythau wedi rhyfeddu at iachâd y gŵr cloff, daeth tyrfa ynghyd i gyffiniau'r deml. Mae Pedr yn manteisio ar y sefyllfa ac yn dechrau pregethu. Fel y daeth y Pentecost yn destun i'w bregeth gyntaf, iachâd y gŵr cloff oedd testun ei ail bregeth. Roedd y ddwy yn weithredoedd mawrion o eiddo'r Crist atgyfodedig, ac yn arwyddion oedd yn ei gyhoeddi yn Arglwydd ac yn Waredwr. Roedd y ddau ddigwyddiad wedi synnu'r tyrfaoedd.

Mae Pedr yn cychwyn trwy roi'r clod i gyd i Iesu. Mae'n mynd rhagddo i ddweud yn eofn fod y bobl hyn wedi ei ladd, ond bod Duw wedi ei arddel (trwy ei godi).

Mae'n debyg mai'r peth rhyfeddaf am bregeth Pedr yw ei bod yn gwbl Grist-ganolog. Mae'n cyfeirio sylw'r dyrfa oddi wrth y gŵr cloff a'r apostolion eu hunain at y Crist atgyfodedig. Wrth ddwyn tystiolaeth i Iesu, mae'n rhoi iddo deitlau arwyddocaol gan gychwyn gyda " Iesu Grist o Nasareth" (adn. 6), ac yna "ei Was [gwas Duw]" (adn. 13), "yr Un sanctaidd a chyfiawn" (adn. 14), "Awdur bywyd" (adn. 15), a "phroffwyd, fel fi [Moses]" (adn. 22). Yna mae Pedr yn galw ar y dyrfa i edifarhau er mwyn etifeddu bendithion edifeirwch – yn arbennig felly maddeuant ac adferiad nes i Grist ddod i gyflawni popeth. Roedd yr addewidion Crist-ganolog hyn wedi eu darlunio ar ffurf cysgodion yn yr Hen Destament ac mae Pedr yn cyfeirio at rai. Mae'n ddiddorol ei fod yn ystyried bod proffwydoliaethau amrywiol yn dwyn tystiolaeth unedig i'r Iesu.

Roedd y dystiolaeth gynhwysfawr hon i Iesu – yr un oedd wedi ei wrthod gan ddynion ond wedi ei gyfiawnhau gan Dduw, yr un oedd yn cyflawni pob proffwydoliaeth yn yr Hen Destament, yr un oedd yn mynnu edifeirwch ac yn addo bendith, yr un sy'n awdur a rhoddwr bywyd, yn gorfforol i'r gŵr cloff ac yn ysbrydol i bawb sy'n credu – yn peri dicter a gwrthwynebiad ymhlith yr awdurdodau. Mae'n amhosibl i'r diafol oddef dyrchafu'r Arglwydd Iesu Grist. O ganlyniad, mae'n cynhyrfu'r Sanhedrin i erlid yr apostolion.

Darllen pellach: Actau 3: 11–26

# Erledigaeth

*Cymerasant [Yr awdurdodau] afael arnynt a'u*
*rhoi mewn dalfa hyd drannoeth.*
Actau 4:3

Mae Luc am ei gwneud yn eglur fod yr erledigaeth ar yr apostolion wedi ei chymell gan y Sadwceaid. Dyma'r dosbarth rheolaethol o bobl gyfoethog, oedd â nifer o resymau dros wrthwynebu dysgeidiaeth yr apostolion. Gan nad oedd y rhain yn disgwyl Meseia, roeddent yn flin gyda'r apostolion am eu tystiolaeth i Iesu. Gan eu bod hefyd yn gwrthod y goruwchnaturiol, roeddent "yn flin am eu bod hwy'n dysgu'r bobl ac yn cyhoeddi ynglŷn â Iesu yr atgyfodiad oddi wrth y meirw" (adn. 2). Oherwydd eu bod mewn clymblaid gyda'r Rhufeiniaid, roeddent yn gofidio am ddylanwad y mudiad Cristnogol ac yn benderfynol o'i atal. Roeddent yn ystyried yr apostolion yn bobl oedd yn cynhyrfu eraill, ac yn hereticiaid.

Arestiwyd a charcharwyd Pedr ac Ioan, a'r bore canlynol cludwyd hwy i sefyll gerbron y Sanhedrin; yno roedd Annas a Caiaffas, dau a fu'n amlwg yn ystod prawf a chondemniad Iesu. Tybed a oedd hanes yn mynd i gael ei ailadrodd? Mae'r gwrandawiad yn cychwyn gyda chwestiwn i'r ddau garcharor: "Trwy ba nerth neu drwy ba enw y gwnaethoch chwi hyn?" (adn. 7). Mae Pedr yn ateb heb unrhyw oedi mai trwy enw Iesu o Nasareth, yr un yr oeddent hwy wedi ei ladd a Duw wedi ei atgyfodi. Mae'n symud o iachâd i iachawdwriaeth, gan gyhoeddi mai Iesu oedd yr un a'r unig Waredwr (adn. 12).

Mae'r llys yn gwahardd Pedr ac Ioan rhag pregethu na dysgu "yn ei enw", enw yr oedd y llys yn gwrthod ei ddefnyddio (adn. 17). Ond mae'r apostolion yn mynnu na allant beidio â siarad am yr hyn yr oeddent wedi ei weld a'i glywed. Mae'r llys yn cyhoeddi bygythion pellach ac yna'n eu rhyddhau.

Ar hyn mae'r apostolion yn dychwelyd at eu pobl eu hunain, yn adrodd am y cyfan a ddigwyddodd, ac yn troi i weddi. Wedi bod yn hyderus mewn tystiolaeth, roeddent yn awr yn hyderus mewn gweddi. Cyn iddynt weddïo o gwbl, maent yn llenwi eu meddyliau â'r Duw oedd yn wrthrych eu gweddïau. Maent yn ei alw yn *Despotēs*, "yr Arglwydd sofran", gan eu hatgoffa'u hunain mai ef yw Duw y greadigaeth, datguddiad a hanes. Yn awr, gyda'u gweledigaeth o Dduw yn eglur, maent yn darostwng eu hunain o'i flaen ac yn barod i weddïo, nid am eu diogelwch, ond yn hytrach am ras i bregethu'r Efengyl "â phob hyder" (adn. 29), gan ofyn i Dduw gadarnhau ei Air ag arwyddion a rhyfeddodau.

Darllen pellach: Actau 4: 23–31

# Parhad yr Erledigaeth

*Aethant hwythau ymaith o ŵydd y Sanhedrin, yn*
*llawen am iddynt gael eu cyfrif yn deilwng i*
*dderbyn amarch er mwyn yr Enw.*

Actau 5:41

O herwydd methiant yr ymosodiad cyntaf ar yr apostolion, mae'r awdurdodau'n penderfynu bod rhaid gweithredu ymhellach. Y tro hwn maen nhw'n arestio'r rhan fwyaf os nad pob un o'r apostolion, ac yn eu rhoi mewn carchar cyhoeddus. Ond yn ystod y nos mae angel yn eu hachub ac yn dweud wrthynt am bregethu'r efengyl yng nghyffiniau'r deml, a dyna a wnaethant. Rhaid amddiffyn yr apostolion, oherwydd eu consŷrn oedd dyrchafu Iesu Grist, yr un yr oedd Duw wedi ei godi a'i ogoneddu. Roedd y Cyngor wedi'u gwylltio gan y dystiolaeth agored hon i Iesu ac yn awyddus i ladd yr apostolion.

Ond mae un Pharisead uchel ei barch, Gamaliel, yn torri ar draws y ddadl. Gan ddefnyddio hanes dau wrthryfelwr (er na ellir cadarnhau'r manylion hanesyddol), mae'n cynghori'r Cyngor i adael llonydd i'r apostolion, oherwydd, os oedd eu gweithgarwch yn rhywbeth dynol, byddai'n methu. Ond os ar y llaw arall ei fod yn dod o Dduw, ni ellid ei atal. Yn hytrach gallai'r Cyngor ei gael ei hun yn ymladd yn erbyn Duw. Ond ni ellir dweud bod Gamaliel yn mynegi egwyddor ddigyfnewid, oherwydd yn y tymor byr mae drygioni yn aml yn fuddugoliaethus a daioni yn methu.

Mae'r Cyngor yn derbyn cyngor Gamaliel ac yn fflangellu'r apostolion, yn ailadrodd y gorchymyn i beidio â siarad yn enw Iesu, ac yna'n eu rhyddhau. Mae ymateb yr apostolion yn ennyn edmygedd mawr. A hwythau newydd eu fflangellu ac yn gwaedu mae'n siŵr, maen nhw'n mynd o'r Sanhedrin mewn llawenydd am eu bod wedi cael cyfle i ddioddef er mwyn yr Enw (adn. 41). Mae Luc bellach wedi cwblhau ei adroddiad o hanes yr erledigaeth gyntaf. Yn yr achos cyntaf, mae'r Cyngor yn cyhoeddi gwaharddiad a rhybudd, a arweiniodd yn hanes yr apostolion at weddi am hyder wrth bregethu. Yn yr ail, mae'r Cyngor yn ailadrodd eu gwaharddiad ac yn fflangellu'r apostolion, a arweiniodd yr apostolion i ganmol Duw am yr anrhydedd o ddioddef amarch er mwyn Crist.

Nid yw'r diafol wedi rhoi i fyny ei ymdrech i chwalu'r eglwys trwy rym. Heddiw mae'r eglwys mewn nifer o wledydd yn cael ei herlid. Ond does dim angen inni boeni am ei dyfodol. Ysgrifennodd un o dadau'r eglwys, Tertullian, "Lladdwch ni, condemniwch ni, medrwch hyd yn oed ein traddodi i'r llwch ... Wrth i chi ein torri i lawr, yr ydym yn tyfu mwy; yr had yw gwaed Cristnogion."

Darllen pellach: Ioan 12: 20–26

# Ananias a Saffeira

*"Tra oedd yn aros heb ei werthu, onid yn dy feddiant di yr oedd yn aros? Ac wedi ei werthu, onid gennyt ti yr oedd yr hawl ar yr arian? Sut y rhoddaist le yn dy feddwl i'r fath weithred? Nid wrth ddynion y dywedaist gelwydd, ond wrth Dduw."*

Actau 5:4

Mae hanes twyll a marwolaeth Ananias a Saffeira yn bwysig, yn rhannol oherwydd ei fod yn darlunio gonestrwydd Luc fel hanesydd (nid yw yn cuddio'r hanes diflas hwn), ac yn rhannol oherwydd ei fod yn taflu goleuni ar fywyd mewnol yr eglwys fore (yn sicr nid oedd yn rhamant ac yn gyfiawnder i gyd). Mae nifer o esbonwyr wedi awgrymu cyferbyniad rhwng Ananias ac Achan – yr Achan oedd yn euog o ladrata arian a dillad wedi chwalfa Jericho. Dyma sylw F. F. Bruce: "Mae hanes Ananias i Lyfr yr Actau yn debyg i'r hyn yw hanes Achan i Lyfr Josua. Yn y ddau hanesyn, mae gweithred o dwyll yn torri ar draws ymgais fuddugoliaethus pobl Dduw."

Mae'n debyg fod Ananias a Saffeira wedi cynllwynio i dwyllo'r eglwys. Yr hyn mae Luc yn canolbwyntio arno yw eu rhagrith. Mae'r rhain yn dod â rhan o elw gwerthiant eu heiddo at yr apostolion, ond yn rhoi'r argraff eu bod yn dod â'r cyfan. Roeddent am gael eu canmol am eu haelioni heb orfod dioddef unrhyw anghyfleustra ar gyfrif hynny. Felly mae'r ddau yn dweud celwydd. Mae Pedr yn gweld y tu hwnt i'w rhagrith weithgarwch cyfrwys y diafol. Felly mae'n herio Ananias: "Sut y bu i Satan lenwi dy galon i ddweud celwydd wrth yr Ysbryd Glân, a chadw'n ôl beth o'r tâl am y tir?" (adn. 3–4). Mae Ananias yn syrthio'n farw dan farn Duw, ac felly hefyd Saffeira, tua thair awr yn ddiweddarach.

Mae o leiaf ddwy wers bwysig i'w dysgu o'r hanes trist hwn. Yn gyntaf, gwelwn ddifrifoldeb eu pechod. Mae Luc yn cofnodi yn ei efengyl fel roedd Iesu yn condemnio rhagrith. Oni bai fod rhagrith Ananias a Saffeira wedi cael ei amlygu a'i gosbi'n gyhoeddus, byddai'r ddelfryd o gymdeithas agored yn yr eglwys wedi ei chwalu o'r cychwyn.

Yn ail, rydym yn dysgu'r angen am ddisgyblaeth eglwysig. Mae'r eglwys wedi tueddu i symud yn y maes hwn o un eithaf i'r llall, o ddisgyblu aelodau am y troseddau mwyaf ymylol, i beidio â disgyblu o gwbl, hyd yn oed am y troseddau mwyaf difrifol. Mae'n rheol dda i'r eglwys i sicrhau bod pechodau cuddiedig yn cael sylw yn guddiedig, pechodau preifat yn breifat, a dim ond pechodau cyhoeddus yn gyhoeddus.

Darllen pellach: Actau 5: 1–11

# Problem yn cael ei Datrys

*Dewiswch, gyfeillion, saith o ddynion o'ch plith ac iddynt
air da, yn llawn o'r Ysbryd ac o ddoethineb, ac fe'u
gosodwn hwy ar hyn o orchwyl. Fe barhawn ni yn ddyfal
yn y gweddïo ac yng ngwasanaeth y Gair.*
Actau 6:3–4

Mae'n debyg mai'r ymosodiad hwn gan y diafol yw'r un mwyaf clyfar. Gan ei fod wedi methu goddiweddyd yr eglwys trwy erledigaeth neu lygredigaeth, mae bellach yn gwneud ymdrech i dynnu llygaid yr apostolion oddi wrth eu prif waith. Petai'n medru llenwi amser yr apostolion â gweinyddu cymdeithasol (sydd, er yn hanfodol, heb fod yn alwad iddyn nhw), byddent yn siŵr o esgeuluso'r cyfrifoldeb roedd Duw wedi ei roi arnynt i bregethu ac i weddïo, gan adael yr eglwys ifanc heb amddiffyniad digonol rhag gau athrawiaeth.

Yr oedd cwyn wedi torri allan rhwng dau grŵp, yr *Hellenistai* (yr Iddewon Groegaidd) a'r *Hebraioi* (yr Iddewon Hebrëig). Yn benodol, roedd yr *Hellenistai* yn cwyno yn erbyn yr *Hebraioi* fod eu gweddwon yn cael eu hesgeuluso wrth rannu'r bwyd yn ddyddiol. Gwelodd yr apostolion fod mwy yma na thensiwn diwylliannol. Roedd y gweinyddu mewn perygl o fynd â'u holl amser a'u rhwystro rhag y gwaith yr oedd Crist wedi ei ymddiried iddyn nhw, hynny yw i bregethu ac i ddysgu, ynghyd â gweddi.

Felly mae'r Deuddeg yn galw cyfarfod eglwysig ac yn rhannu'r anhawster gyda'r disgyblion. Ni fyddai'n iawn, meddai'r apostolion, iddyn nhw esgeuluso gweinidogaeth y Gair er mwyn gweini ar fyrddau. Cwestiwn o alwad oedd hwn. Maent yn cynnig bod aelodau'r eglwys yn dewis saith o ddynion o'u plith ac iddynt air da, yn llawn o'r Ysbryd ac o ddoethineb, pobl y medrai'r apostolion ddirprwyo'r gofal am y gweddwon iddynt. Yna medren nhw (yr apostolion) roi'r flaenoriaeth i bregethu a gweddi. Mae'n siŵr bod dirprwyo'r gwaith cymdeithasol hwn i'r Saith yn rhan o seiliau galw diaconiaid, er nad ydynt yn cael eu galw wrth yr enw hwnnw yn yr adran hon.

Mae'r eglwys yn cytuno â chynllun yr apostolion ac yn ei weithredu trwy ddewis saith o ddynion, pob un ag enw Groegaidd, pob un yn grediniwr oedd wedi ei lenwi â'r Ysbryd, gan gynnwys Steffan a Philip. Cyflwynir y rhain i'r apostolion ac yn eu tro mae'r apostolion yn gweddïo drostynt, ac yn eu comisiynu a'u hawdurdodi i ymarfer eu gweinidogaeth trwy arddodi dwylo arnynt. Deliwyd â'r broblem.

Darllen pellach: Actau 6: 1–6

# Egwyddor Hanfodol

*A dyma'i roddion: rhai i fod yn apostolion, rhai yn broffwydi, rhai*
*yn efengylwyr, rhai yn fugeiliaid ac yn athrawon, i gymhwyso'r*
*saint i waith gweinidogaeth, i adeiladu corff Crist.*
Effesiaid 4:11–12

**M**ae egwyddor hanfodol yn cael ei ddarlunio yn apwyntiad y Saith. Er bod Duw yn galw pob un o'i bobl i weinidogaeth, mae'n galw pobl wahanol i weinidogaeth wahanol, ac ni ddylai'r rhai sy'n cael eu galw i weinidogaeth y Gair a gweddi caniatáu i bethau eraill eu denu oddi wrth eu blaenoriaethau. Mae'n siŵr mai o fwriad y gelwir gwaith y Deuddeg a gwaith y Saith yn *diakonia*, hynny yw "gweinidogaeth" neu "wasanaeth". Mae'r Deuddeg yn cael eu galw i weinidogaeth y Gair (Actau 6: 4) neu weinidogaeth fugeiliol, tra bod y Saith yn cael eu galw i weini ar fyrddau (adn. 2) neu waith cymdeithasol. Mae'r ddau grŵp yn ymwneud â gweinidogaeth Gristnogol. Mae angen pobl ysbrydol i gyflawni'r gwaith hwn a gall y ddau fath o weinidogaeth fod yn amser llawn. Yr unig wahaniaeth rhyngddynt yw ffurf y weinidogaeth a'r ffaith fod angen doniau a galwad gwahanol. Rydym yn gwneud cam mawr â'r eglwys trwy gyfeirio at weinidogaeth fugeiliol fel "y weinidogaeth". Mae defnyddio'r fannod yn awgrymu ein bod yn credu mai dim ond un math o weinidogaeth sydd. Ond mae'r gair *diakonia* yn cyfeirio yn y bôn at wasanaeth; nid yw'n air manwl, a rhaid wrth ansoddair disgrifiadol i gyd-fynd ag ef – bugeiliol, cymdeithasol, gwleidyddol, meddygol, addysgiadol, a llu o rai eraill. Mae angen inni adfer y weledigaeth o'r amrywiaeth mewn gweinidogaeth y mae Duw yn galw ei bobl i'w chyflawni.

Yn benodol, mae'n hanfodol fod bugeiliaid a phobl yn yr eglwys leol yn dysgu'r wers hon er mwyn iechyd a thwf yr eglwys. Nid oedd yr apostolion yn rhy brysur i weinidogaeth, ond roeddent yn cyflawni'r weinidogaeth anghywir. Felly hefyd nifer o arweinwyr heddiw. Yn hytrach na chanolbwyntio ar weinidogaeth y Gair, goddiweddwyd nhw gan weinyddiaeth. O bryd i'w gilydd, bai'r arweinydd yw hyn (mae'n awyddus i gadw rheolaeth ar bopeth) ac ambell waith mae'n fai ar y bobl (mae'r rheiny yn awyddus iddo wneud popeth). Beth bynnag fo'r achos, mae'r canlyniadau'n drychinebus. Mae safon y pregethu a'r dysgu yn disgyn ac nid yw'r lleygwyr yn medru ymarfer y doniau y mae Duw wedi eu rhoi iddynt. Fel canlyniad uniongyrchol i weithred yr apostolion, "yr oedd Gair Duw'n mynd ar gynnydd. Yr oedd nifer y disgyblion yn Jerwsalem yn lluosogi'n ddirfawr" (Actau 6: 7). Wrth gwrs, mae lledaeniad y Gair a thwf yr eglwys yn mynd law yn llaw.

Darllen pellach: gweler chwe chrynodeb Luc o dwf: Actau 6: 7; 9: 31; 12: 24; 16: 5; 19: 20; 28: 30–31

# Wythnos 39: Sylfeini Cenhadaeth Fyd-eang

Wedi dyfodiad yr Ysbryd a gwrthymosodiad y diafol (methiant y mae Luc wedi ei ddathlu [Actau 6: 7]), mae'r eglwys bron yn barod i gychwyn ar ei gweinidogaeth genhadol fyd-eang. Hyd yn hyn mae'r genhadaeth wedi ei chyfyngu i Iddewon ac wedi canolbwyntio ar Jerwsalem. Yn awr beth bynnag, mae'r Ysbryd Glân ar fin anfon ei bobl allan i ganol y byd a'r apostol Paul (arwr Luc) oedd yr offeryn a ddewisodd Duw i arloesi'r datblygiad hwn. Ond yn gyntaf, yn y chwe phennod nesaf o lyfr yr Actau, mae Luc yn esbonio sut y gosodwyd sylfeini'r genhadaeth i'r cenhedloedd gan ddynion rhyfeddol iawn (Steffan y merthyr a Philip yr efengylwr), gan ddilyn hyn trwy adrodd am ddwy dröedigaeth ryfeddol (Saul y Pharisead, a Chorneliws y canwriad). Rhoddodd y pedwar dyn yma, pob un yn ei ffordd ei hun, ynghyd â'r apostol Pedr (yr un a ddefnyddiodd Duw i sicrhau tröedigaeth Corneliws), gyfraniad anhepgor i ledaeniad yr efengyl a'r eglwys.

**Dydd Sul:** Tystiolaeth Steffan
**Dydd Llun:** Merthyrdod Steffan
**Dydd Mawrth:** Philip yn Samaria
**Dydd Mercher:** Philip a'r Eunuch o Ethiopia
**Dydd Iau:** Tröedigaeth Saul – ei Achos
**Dydd Gwener:** Tröedigaeth Saul – ei Effaith
**Dydd Sadwrn:** Tröedigaeth Corneliws

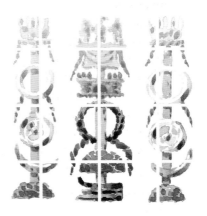

# Tystiolaeth Steffan

*Ond daeth ... rhai o bobl ... a dadlau â Steffan, ond ni allent
wrthsefyll y ddoethineb a'r Ysbryd yr oedd yn llefaru drwyddo.*
Actau 6:9–10

Yr oedd Steffan yn un o'r Saith, ac mae Luc yn ei ddisgrifio fel un oedd yn llawn o'r Ysbryd, doethineb, gras, ffydd a grym. Er hynny, mae'n esgor ar wrthwynebiad o du'r Iddewon. Mae'n cael ei gyhuddo o lefaru geiriau "cableddus yn erbyn Moses ac yn erbyn Duw" (adn. 11). Pan gafodd ei ddwyn gerbron y Sanhedrin, y cyhuddiad oedd bod Steffan "byth a hefyd yn llefaru pethau yn erbyn y lle sanctaidd hwn a'r Gyfraith" (adn. 13). Roedd hyn, wrth gwrs, yn gyhuddiad difrifol gan fod y deml a'r gyfraith yn cael eu hystyried yn drysorau mwyaf sanctaidd a gwerthfawr yr Iddewon.

Mae rhai esbonwyr wedi beirniadu araith Steffan o flaen y Cyngor fel un ddiflas ac amherthnasol, ac o bryd i'w gilydd yn anodd ei deall. Ond mae hyn yn feirniadaeth arwynebol iawn. Yn benodol, mae Steffan yn dadlau nad oedd cewri'r Hen Destament erioed wedi dychmygu y gellid caethiwo Duw mewn adeiladau o waith dynion. Mae'n nodi pedwar prif gyfnod yn hanes y byd, ac er mwyn profi ei bwynt, bedwar cymeriad. Yn gyntaf, mae Duw'n ymddangos i Abraham a hynny ym Mesopotamia. Yn ail, roedd Duw gyda Joseff mewn carchar yn yr Aifft. Yn drydydd, roedd Duw gyda Moses yn nhri chyfnod ei fywyd. Yn bedwerydd, er bod Dafydd a Solomon wedi adeiladu'r deml, roedd y ddau yn gwybod yn dda nad oedd y Goruchaf yn trigo mewn adeiladau. Felly, y llinyn sy'n rhedeg trwy araith Steffan yw bod Duw yn Dduw ar daith. Ni ellir ei gaethiwo i un lle. Mae bob amser yn symud gan alw ei bobl allan i anturiaethau newydd a'u canlyn wrth iddynt fynd.

Gyda golwg ar y gyfraith (ail destun Steffan), mae'n troi'r byrddau ar y rhai oedd yn ei erlid. Nid ei waith ef oedd amharchu cyfraith Duw. Yn hytrach, y bobl oedd yn gwneud hynny. Maent yn rhai "gwargaled a dienwaededig o galon a chlust" (7: 51), fel eu tadau. Maent yn gwrthwynebu'r Ysbryd Glân ac yn gwrthod Meseia Duw.

Darllen pellach: Actau 6: 8–15

# Merthyrdod Steffan

*Ac wrth iddynt ei labyddio, yr oedd Steffan yn galw, "Arglwydd Iesu, derbyn fy ysbryd." Yna penliniodd, a gwaeddodd â llais uchel, "Arglwydd, paid â dal y pechod hwn yn eu herbyn." Ac wedi dweud hynny, fe hunodd.*
Actau 7:59–60

R oedd marwolaeth Steffan yn llawn o Grist. Yn dilyn ei araith mae Luc yn cofnodi tair brawddeg arall o'i eiddo. Yn gyntaf, mae'n dweud, " Edrychwch, 'rwy'n gweld y nefoedd yn agored, a Mab y Dyn yn sefyll ar ddeheulaw Duw" (adn. 56). Efallai bod Iesu wedi sefyll i groesawu ei ferthyr cyntaf. Mae'r Cyngor yn anfodlon gwrando ar Steffan yn gogoneddu Iesu, ac yn ymosod arno a'i lusgo allan o'r ddinas i'w labyddio. Yn awr, mae'n llefaru ei ail frawddeg: "Arglwydd Iesu, derbyn fy ysbryd" (adn. 59). Roedd ei weddi yn debyg iawn i'r weddi o enau Iesu cyn iddo farw, "O Dad, i'th ddwylo di yr wyf yn cyflwyno fy ysbryd" (Luc 23: 46). Yn drydydd, pan syrthiodd Steffan ar ei liniau, llefodd allan, "Arglwydd, paid â dal y pechod hwn yn eu herbyn" (Actau 7: 60). Mae adlais yma o eiriau cyntaf Iesu ar y groes, y geiriau y mae Luc yn eu cofnodi.

A dweud y gwir, mae nifer o bethau sy'n debyg rhwng marwolaeth Iesu a marwolaeth Steffan. Yn y ddau achos mae camdystion yn cael eu dwyn gerbron, a'r cyhuddiad oedd cabledd. Yn y ddau achos hefyd, mae'r ddau yn gweddïo am faddeuant dros y rhai oedd yn eu llofruddio a hefyd yn gweddïo am i'w hysbryd gael eu derbyn. Mae Luc yn cloi'r hanes gyda'r geiriau "fe hunodd" (adn. 60), sydd yn ôl F. F. Bruce "yn ddisgrifiad annisgwyl o brydferth a heddychlon o farwolaeth mor echrydus."

Yr hyn sydd o ddiddordeb am Steffan i'r rhan fwyaf o bobl yw mai ef oedd y merthyr cyntaf. Nid dyma brif ddiddordeb Luc, ond yn hytrach y ffordd y mae merthyrdod Steffan yn effeithio ar ddatblygiad byd-eang y genhadaeth Gristnogol. Roedd dysgeidiaeth Duw yn yr Hen Destament wedi dangos eisoes ei fod wedi ei glymu i'w bobl ac nid i adeiladau. Roedd Iesu yr un modd yn barod i fynd gyda'i bobl i ble bynnag yr oeddent yn cael eu harwain. Mae'r sicrwydd hwn yn hanfodol i genhadaeth. Mae Duw wedi ymrwymo i'w eglwys (gan addo na fydd byth yn ei gadael) ac wedi ymrwymo i'w Air (gan addo na fydd byth yn mynd heibio). Pobl, nid adeiladau, yw eglwys Dduw, a'r Ysgrythur, nid traddodiad, yw Gair Duw. Os yw'r hanfodion hyn yn cael eu diogelu, gellir gollwng gafael yn yr adeiladau a'r traddodiadau. Nid oes gennym unrhyw hawl i ganiatáu i'r rhain garcharu'r Duw byw, nac ychwaith i amharu ar ei genhadaeth yn y byd.

Darllen pellach: Actau 7: 54–60

# Philip yn Samaria

*Aeth Philip i lawr i'r ddinas yn Samaria, a dechreuodd
gyhoeddi'r Meseia iddynt.*
Actau 8:5

**M**ae'n anodd i ni ddirnad pa mor eofn oedd Philip wrth efengylu yn Samaria, oherwydd roedd yr elyniaeth oedd yn bodoli rhwng yr Iddewon a'r Samariaid wedi para am tua mil o flynyddoedd. Ond roedd Iesu eisoes wedi dweud wrth ei ddilynwyr am gynnwys Samaria o fewn cylch eu tystiolaeth (1: 8). I'r perwyl hwn mae Philip yn pregethu Crist mewn dinas o eiddo'r Samariaid ac mae llawer yn dod i gredu ac yn cael eu bedyddio. Ond pan glywodd yr apostolion yn Jerwsalem fod Samaria wedi derbyn Gair Duw, maent yn anfon dau o'u nifer (Pedr ac Ioan) i archwilio. Wedi cyrraedd, maent yn darganfod bod y Samariaid wedi derbyn yr efengyl a'r bedydd heb dderbyn yr Ysbryd Glân. Mae'r apostolion yn gweddïo ac yn arddodi dwylo arnynt ac mae'r rhain yn derbyn yr Ysbryd. A oedd Luc yn deall profiad rhanedig y Samariaid fel rhywbeth cyffredin neu fel rhywbeth anghyffredin? Cynigir atebion o'r ddwy ochr. Yn ôl rhai Cristnogion, mae dod at Grist yn brofiad deublyg, naill ai bedydd a derbyniad yn aelod o'r eglwys, neu ailenedigaeth ac yna bedydd, gyda'r Ysbryd yn ail brofiad dilynol.

Ond yn ôl Cristnogion eraill, mae dod at Grist yn broses sydd yn golygu un cam yn unig, sy'n cynnwys edifeirwch a ffydd, genedigaeth newydd, bedydd a rhodd yr Ysbryd. Os yw hyn yn wir, yna mae profiad deublyg y Samariaid yn anghyffredin. Dysgeidiaeth arferol yr apostolion oedd bod pob crediniwr yn derbyn yr Ysbryd wrth iddynt gredu (Actau 2: 38, Rhufeiniaid 8: 9), ac nid oedd yn arfer ganddynt i anfon apostolion i werthuso gwaith efengylwyr.

Pam felly gwneud hynny y tro hwn? Pam na roddwyd yr Ysbryd i'r Samariaid wrth iddynt gredu? Mae'n debyg mai'r esboniad mwyaf naturiol yn achos y Samariaid oedd mai hwn oedd y tro cyntaf i efengylu ddigwydd y tu allan i Jerwsalem ac o'r tu fewn i Samaria. Dyma bwysigrwydd y digwyddiad yn amlygiad Luc o'r hanes. Roedd yn eiliad dyngedfennol. A fyddai'r gwahanu hirhoedlog a fu rhwng yr Iddewon a'r Samariaid yn parhau o fewn y gymuned Gristnogol? Onid yw'n rhesymol i awgrymu, er mwyn osgoi'r fath alanas, fod Duw yn fwriadol wedi dal ei Ysbryd yn ôl nes i'r apostolion gadarnhau polisi Philip? Roedd gweithred yr apostolion yn effeithiol: llwyddwyd i osgoi rhaniad rhwng y Samariaid a'r Iddewon o fewn yr eglwys.

Darllen pellach: Actau 8: 14–17

# Philip a'r Eunuch o Ethiopia

*Yna agorodd Philip ei enau, a chan ddechrau o'r rhan hon
o'r Ysgrythur traethodd y newydd da am Iesu iddo.*
Actau 8:35

Mae'r hanes hwn mor gyfarwydd fel nad oes angen manylu'n ormodol. Digon yw dweud bod Philip, ar ôl ei ymweliad â Samaria, wedi derbyn comisiwn newydd i fynd y tro hwn i lawr ar hyd ffordd yr anialwch, ffordd a oedd yn arwain tua'r Aifft. Yn rhagluniaethol, cyfarfu â swyddog cyhoeddus o Ethiopia – un oedd yn amlwg yn Iddew – yn dychwelyd yn ei gerbyd o un o wyliau blynyddol Jerwsalem, ac yn agored ar ei lin roedd sgrôl y proffwyd Eseia. Gan ddechrau yn Eseia 53 mae Philip yn adrodd wrtho'r newyddion da am Iesu, ac yn unol â'i gais, yn bedyddio'r Ethiopiad.

Mae Luc yn fwriadol wedi dwyn dwy esiampl o weinidogaeth efengylaidd Philip at ei gilydd. Mae'r tebygrwydd rhyngddynt yn amlwg, ond y gwahaniaethau sydd am fynd â'n sylw yn awr, yn benodol, y bobl a efengylwyd, a sut yr aed ati. O ystyried y bobl, roeddent yn wahanol o ran hil, swydd, a chrefydd. Roedd y Samariaid yn genedl gymysg, yn rhannol yn Iddewig, ac yn rhannol yn perthyn i'r cenhedloedd, tra mae'n ymddangos bod yr Ethiopiad yn dod o gyfandir Affrig, ond er hynny, yn Iddew naill ai trwy ei enedigaeth neu trwy dröedigaeth. O ran safle cymdeithasol, mae'n debyg fod y Samariaid yn ddinasyddion cyffredin, tra bod yr Ethiopiad yn swyddog cyhoeddus yn cael ei gyflogi gan y goron. Mae hyn yn dod â ni at grefydd. Roedd y Samariaid yn parchu Moses ond yn gwrthod y proffwydi, tra oedd yr Ethiopiad ar y llaw arall yn darllen un o'r union broffwydi yr oedd y Samariaid yn eu gwrthod. Er y gwahaniaethau yn eu cefndir diwylliannol, eu cefndir cymdeithasol, a'u diddordebau crefyddol, mae Philip yn cyflwyno iddynt yr un Newyddion Da am Iesu.

Yn ail, beth am y dull a ddefnyddiodd Philip i efengylu? Yn achos y Samariaid, mae'n debyg bod hwn yn esiampl gynnar o efengylu i gynulleidfa fawr, oherwydd mae'r Gair yn dweud bod tyrfa wedi clywed ei neges, wedi gweld ei arwyddion, talu sylw iddo, credu, a chael eu bedyddio (adn. 6, 12). Roedd ei sgwrs gyda'r Ethiopiad, er hynny, yn enghraifft o "efengylu personol", oherwydd dyma un dyn yn eistedd wrth ymyl dyn arall i siarad allan o'r Ysgrythurau, yn breifat ac yn amyneddgar, gan gyflwyno Iesu iddo. Mae'n ddiddorol fod yr un efengylwr yn medru defnyddio'r ddwy dechneg, sef datganiad cyhoeddus a thystiolaeth bersonol. Er ei fod yn gallu newid ei dechneg, ni newidiodd Philip ei neges.

Darllen pellach: Actau 8: 26–40

# Tröedigaeth Saul – ei Achos

*Syrthiodd ar lawr, a chlywodd lais yn dweud wrtho, "Saul,*
*Saul, pam yr wyt yn fy erlid i?"*
Actau 9:4

Ayw tröedigaeth Saul i fod yn fodel ar gyfer tröedigaeth Gristnogol heddiw? Rwyf am awgrymu mai ydyw yw'r ateb, ond dim ond os byddwn yn gwahaniaethu rhwng yr hyn a ddigwyddodd yn allanol a'r hyn a ddigwyddodd yn fewnol. Nid oes angen inni gael ein dallu gan fellten ddwyfol, ond mae angen inni gwrdd â Iesu yn bersonol ac ildio iddo.

Yr hyn sy'n amlwg yn yr hanes yw gras y Duw sy'n Benarglwydd. Nid yw Saul "yn dewis Iesu" (i ddefnyddio ymadrodd cyfarwydd), Crist a'i dewisodd ef a chymryd gafael ynddo. Mae'r dystiolaeth dros hyn yn ddiamheuol. Mae Luc yn cychwyn trwy gyfeirio at Saul oedd "yn dal i chwythu bygythion angheuol" (adn. 1), gan ei ddarlunio fel anifail gwyllt. Nid oedd arno ddim awydd i ystyried geiriau Crist; roedd ei feddwl wedi ei wenwyno gan ei ragfarn. Ond o fewn ychydig ddyddiau, byddai wedi profi tröedigaeth ac wedi ei fedyddio'n Gristion! Eto, mae angen nodi dau beth.

Yn gyntaf, nid yw gras Duw yn nhröedigaeth Saul yn rhywbeth sydyn. Mae'n iawn i ddweud, "yn sydyn fflachiodd o'i amgylch oleuni o'r nef" (adn. 3) ond nid yw hyn yn golygu mai dyma'r tro cyntaf i Grist siarad gyda Saul. Tebyg mai uchafbwynt proses oedd hyn. Mae Iesu'n dweud wrtho, "Y mae'n galed iti wingo yn erbyn y symbylau" (26: 14), gan gymharu Saul â bustach penstiff, ac yntau (Iesu) i ffermwr sydd yn defnyddio swmbwl i'w dorri i mewn. Beth yw'r symbylau hyn? Byddent yn cynnwys ei gydwybod, yr adroddiadau cyson fod Iesu wedi codi oddi wrth y meirw, tystiolaeth Steffan, ac uwchlaw popeth, ei amheuon ei hun. Yn ôl Carl Jung, "Mae eithafiaeth i'w darganfod mewn unigolion sy'n ceisio cuddio amheuon personol."

Yn ail, nid oedd gras Duw yn orfodol yn achos tröedigaeth Saul. Nid yw'r Crist a ymddangosodd iddo yn ei droi yn robot neu yn ei orfodi i weithredu fel petai wedi ei swyno. I'r gwrthwyneb, mae Iesu'n gofyn i Saul, "Pam yr wyt yn fy erlid i?" (22: 7). Mae Saul yn ei ateb gyda dau gwestiwn, " Pwy wyt ti, Arglwydd?" a "Beth a wnaf, Arglwydd?" (adn. 8, 10). Mae ei ymateb yn rhesymegol, yn gydwybodol ac yn arwydd o ryddid. Felly, achos tröedigaeth Saul oedd sofraniaeth gras Duw, ond mae'r gras sofran hwn yn raddol ac yn addfwyn. Nid yw gras dwyfol yn sathru ar bersonoliaeth dyn.

Darllen pellach: Actau 9: 1–9

# Tröedigaeth Saul – ei Effaith

*Ac meddai'r Arglwydd wrtho [Ananias], "Cod, a dos i'r*
*stryd a elwir Y Stryd Union, a gofyn yn nhŷ Jwdas am*
*ddyn o Darsus o'r enw Saul; cei hyd iddo yno, yn gweddïo."*

### Actau 9:11

**M**ae'n rhyfeddol i weld y trawsffurfio a fu yn hanes Saul, yn arbennig felly ei berthynas ag eraill. Yn gyntaf, mae ganddo barch newydd tuag at Dduw a gwelir hyn yn ei weddïau. Wrth gwrs, fel Pharisead, roedd wedi gweddïo droeon o'r blaen, neu o leiaf wedi adrodd gweddïau yn gyhoeddus ac yn gyfrinachol. Bellach, mae'n profi mynediad newydd at Dduw trwy Grist ac ymwybyddiaeth newydd o dadolaeth Duw wrth i'r Ysbryd Glân ddwyn tystiolaeth yn ei ysbryd ei fod yn blentyn Duw. Yn ôl R. G. H. Lenski, yr esboniwr Lutheraidd, "Newidiwyd y llew ffyrnig yn oen addfwyn."

Yn ail, roedd ganddo berthynas newydd â'r eglwys. Pan ymwelodd Ananias â Saul i arddodi dwylo arno, cyfeiriodd ato fel y "Brawd Saul" neu "Saul, fy mrawd". Mae'r geiriau hyn bob amser yn cyffwrdd fy nghalon. Rhaid eu bod wedi taro Saul gydag effaith anghyffredin. A oedd prif elyn yr eglwys am gael ei dderbyn yn frawd? Oedd! Fe gododd ac fe'i bedyddiwyd i mewn i'r gymuned Gristnogol. Tua thair blynedd yn ddiweddarach yn Jerwsalem, roedd y disgyblion hefyd yn amheus o'i dröedigaeth. Barnabas gyflwynodd Saul i'r apostolion. Diolch i Dduw am Ananias yn Namascus a Barnabas yn Jerwsalem. Oni bai am y croeso a roddwyd ganddynt i Saul, byddai holl hanes yr eglwys wedi bod yn wahanol.

Yn drydydd, roedd gan Paul gyfrifoldeb newydd i'r byd. Eisoes, ar y ffordd i Damascus, roedd Iesu wedi dweud wrtho ei fod wedi ei apwyntio i ddwyn tystiolaeth i'r hyn a welodd ac a glywodd. Mae Ananias yn cadarnhau ei gomisiynu fel apostol i'r cenhedloedd. Mae hefyd yn ei rybuddio y byddai'n dioddef. Yn wir, bu rhaid diogelu bod Saul yn medru dianc o Ddamascus ac yn ddiweddarach o Jerwsalem. Felly mae hanes tröedigaeth Saul, sy'n dechrau wrth iddo adael Damascus gydag awdurdod yr archoffeiriaid i arestio Cristnogion, yn gorffen gyda Paul yn gadael Jerwsalem fel troseddwr ei hun.

Mae llawer o bobl sy'n debyg i Saul yn y byd heddiw, pobl sydd wedi derbyn doniau anghyffredin o ran gallu a chymeriad, pobl sy'n benstiff, hyd yn oed yn wyllt yn gwrthod Crist. Rhaid inni wrth y disgwyliad sanctaidd y gall Duw dorri i mewn i fywydau pobl fel hyn gan drawsffurfio eu perthynas â Duw a'u perthynas â'r eglwys. Beth am fawrhau gras Duw?

Darllen pellach: Actau 9: 19–30

# Tröedigaeth Corneliws

*Felly rhoddodd Duw i'r Cenhedloedd hefyd yr
edifeirwch a rydd fywyd.*
Actau 11:18

**M**ae'n anodd i ni ddirnad y pellter oedd yn y dyddiau hynny rhwng Iddewon a Chenhedloedd. Ni fyddai unrhyw Iddew uniongred yn mynd i dŷ Cenedl-ddyn, heb sôn am eistedd i lawr wrth y bwrdd gydag ef. Gwelwyd yn Actau 8 sut y bu i Dduw atal y rhaniad rhwng yr Iddewon a'r Samariaid yn yr eglwys; yn awr rydym am weld sut y mae Duw yn atal rhannu rhwng yr Iddewon a Chenedl-ddynion.

Adroddir yr hanes ddwywaith yn llyfr yr Actau – yn gyntaf gan Luc ym mhennod 10 ac wedyn gan Pedr ar ddechrau pennod 11. Rydym am ddilyn yr ail adroddiad. Dywedwyd yn dda mai prif destun Actau 10 ac 11 yw nid tröedigaeth Corneliws yn gymaint â thröedigaeth Pedr (o'i ragfarn hiliol). Mae Pedr yn dweud wrth eglwys Jerwsalem beth a ddigwyddodd. Dim ond oherwydd pedwar digwyddiad sy'n datguddio ewyllys Duw y mae Pedr yn cael ei berswadio i beidio â galw unrhyw un yn aflan (10: 28).

Y digwyddiad cyntaf oedd y weledigaeth ddwyfol o'r "hwyl fawr" yn cael ei gollwng i lawr o'r nefoedd. Ynddi roedd anifeiliaid glân ac aflan, pob math o ymlusgiaid ac adar, a llais Duw yn dweud wrth Pedr am ladd a bwyta. Yr ail oedd y gorchymyn dwyfol i fynd gyda'r tri dyn a oedd wedi dod o dŷ Corneliws, heb gwestiynu, er eu bod yn Genedl-ddynion. Y trydydd digwyddiad oedd y paratoad dwyfol, hynny yw, bod angel wedi dweud wrth Corneliws am nôl Pedr. Roedd Duw yn gweithio ar y ddau ben, yn Corneliws ac yn Pedr, yn trefnu'n fwriadol iddynt gyfarfod ac yn rhoi iddynt ill dau, ar ddiwrnodau olynol, weledigaeth arbennig, annibynnol a chymwys. Y pedwerydd digwyddiad oedd y gweithredu dwyfol. Tra oedd Pedr yn siarad, dsgynnodd yr Ysbryd Glân ar ei wrandawyr oedd yn Genedl-ddynion. Yn aml, disgrifir y digwyddiad fel Pentecost y Cenedl-ddynion, yn cyfateb i'r Pentecost Iddewig oedd wedi cymryd lle yn Jerwsalem.

Mae'r pedwar datguddiad hyn wedi'u cyfeirio at hiliaeth a rhagfarn Pedr. Gyda'i gilydd, maent yn dangos yn ddigwestiwn fod Duw yn croesawu Cenedl-ddynion i mewn i'w deulu a hynny yn gyfartal ag Iddewon oedd yn dod i gredu. Daethpwyd i'r casgliad cywir yn syth, oherwydd fod Duw wedi'r rhoi'r un rhodd o'i Ysbryd i'r Cenedl-ddynion ac i'r Iddewon, roedd rhaid i'r eglwys roi'r un croeso iddyn nhw. Os oedd Duw wedi eu bedyddio nhw â'r Ysbryd, nid oedd yr eglwys i wadu iddynt fedydd dŵr. "Nid yw Duw yn dangos ffafriaeth" (10: 34).

Darllen pellach: Actau 11: 1–18

# Wythnos 40: Teithiau Cenhadol Paul

"Felly rhoddodd Duw i'r Cenhedloedd hefyd yr edifeirwch a rydd fywyd" (Actau 11: 18). Roedd y cyhoeddiad hwn gan arweinwyr Iddewig cenhadol yr eglwys yn Jerwsalem yn un a newidiodd hanes. Sicrhaodd Duw na fyddai dadl mwyach, a hynny trwy dywallt ei Ysbryd Glân ar deulu o Genedl-ddynion. Cynnwys y Cenedl-ddynion yw prif thema Luc yng ngweddill llyfr yr Actau, a chyda pennod 13 byddwn yn croniclo teithiau cenhadol rhyfeddol Paul. Cyn hynny rhaid rhoi i'r darllenydd ddau ddarlun sy'n ffurfio'r symudiad o dröedigaeth y Cenedl-ddyn cyntaf (trwy Pedr) i'r efengylu cyson o'r Cenedl-ddynion (trwy weinidogaeth Paul). Yn y darlun cyntaf, ceir ymlediad yr eglwys i'r gogledd a'r olygfa yn Antiochia. Yn yr ail (12: 1–25) darlunnir gwrthwynebiad y Brenin Herod Agripa I i'r eglwys, a'r olygfa yn Jerwsalem. Dyma'r hanes olaf am Pedr cyn i'w rôl fel arweinydd gael ei gymryd gan Paul a chyn i Jerwsalem fynd o'r golwg ac i Rufain ddod yn nod.

**Dydd Sul:** Ymlediad a Gwrthwynebiad
**Dydd Llun:** Taith Genhadol Gyntaf Paul
**Dydd Mawrth:** Cyngor Jerwsalem
**Dydd Mercher:** Y Genhadaeth ym Macedonia
**Dydd Iau:** Paul yn Athen
**Dydd Gwener:** Paul yng Nghorinth
**Dydd Sadwrn:** Paul yn Effesus

# Ymlediad a Gwrthwynebiad

*A dechreusant hwy, wedi iddynt ddod i Antiochia, lefaru wrth y*
*Groegiaid hefyd, gan gyhoeddi'r newydd da am yr Arglwydd Iesu.*
Actau 11:20

Mae Luc yn adrodd bod rhai efengylwyr wedi mynd i ogledd-orllewin yr arfordir, gan gyrraedd Phoenicia, Cyprus ac Antiochia. Roeddent yn pregethu i "neb ond Iddewon" (adn. 19). Ond bu i'r rhai a ddaeth i Antiochia "lefaru wrth y Groegiaid hefyd" (adn. 20). Nid yw'n glir a oedd y bobl hyn yn Roegiaid paganaidd, yn Iddewon oedd yn siarad Groeg, neu yn gymysgedd. Yn sicr roedd Antiochia yn lle priodol ar gyfer yr eglwys gydwladol gyntaf ac yn fan cychwyn i'r genhadaeth Gristnogol fyd-eang, oherwydd yr oedd yn ddinas anferth.

Daeth y newyddion am y datblygiad hwn i glyw'r arweinwyr yn Jerwsalem. Fel yr anfonwyd Pedr ac Ioan i archwilio'r sefyllfa yn Samaria, maent yn anfon Barnabas i Antiochia. Mae'n gweld tystiolaeth o ras Duw yn y bywydau a newidiwyd, ac mae'n annog y dychweledigion i aros yn ffyddlon i'r Arglwydd. Mae hefyd yn mynd i Tarsus i ddod â Saul i Antiochia i ddysgu'r nifer cynyddol o gredinwyr.

Ond nid oedd y twf hwn heb ei rwystrau. Yn dilyn ymlediad daeth gwrthwynebiad. Dyma lle rydym yn cyfarfod â'r Brenin Herod Agripa I, mab Herod Fawr. Gorchmynnodd hwn dorri pen yr apostol Iago a charcharu'r apostol Pedr. Roedd yn argyfwng difrifol. Ond ymroes yr aelodau i weddi a rhyddhawyd Pedr yn wyrthiol. Y bore canlynol, ar yr union ddydd yr oedd Pedr i sefyll ei brawf a mwy na thebyg i gael ei ddienyddio, doedd dim sôn amdano. Dryswyd cynlluniau Herod.

Mae Luc yn mynd rhagddo i adrodd am ddymchweliad terfynol Herod. Roedd pobl Tyrus a Sidon, fu'n cweryla gyda'r brenin, wedi ceisio gwrandawiad yn ei lys. Ar y dydd penodol hwn, mae'n herio'r dyrfa a waeddodd yn ôl, "Llais Duw ydyw, nid llais dyn!" (12: 22). Yn syth, gan ei fod wedi dwyn yr anrhydedd oedd yn eiddo i Dduw, cafodd ei daro'n farw.

Mae Luc yn awr yn ychwanegu adnod sy'n crynhoi'r sefyllfa: "Yr oedd Gair yr Arglwydd yn cynyddu ac yn mynd ar led" (adn. 24). Mae gallu Luc yn amlwg. Mae'r bennod yn agor gyda marwolaeth Iago, Pedr yn y carchar, a Herod yn fuddugoliaethus. Mae'n cau gyda Herod wedi marw, Pedr yn rhydd a Gair Duw yn fuddugoliaethus. Felly, gwelwn rym Duw a'i allu i oresgyn cynlluniau dyn a sefydlu ei gynlluniau ei hun yn eu lle.

Darllen pellach: Actau 12: 1–5

# Taith Genhadol Gyntaf Paul

*Dywedodd yr Ysbryd Glân, "Neilltuwch yn awr i mi
Barnabas a Saul, i'r gwaith yr wyf wedi eu galw iddo."*
Actau 13:2

Comisiynwyd Barnabas a Saul gyda Ioan Marc fel cenhadon gan arweinwyr yr eglwys yn Antiochia. Wrth iddynt deithio drwy'r rhanbarth, mae Luc yn cofnodi rhywbeth am bob ymweliad. Yn Cyprus (cartref Barnabas) daeth yr arweinydd ei hunan i gredu. Yn Perga, mae Ioan Marc yn eu gadael ac yn mynd adref. Wedi cyrraedd Pisidia Antiochia, gwelwn o'r llythyr at y Galatiaid fod Paul yn dioddef o anhwylder difrifol, efallai malaria, afiechyd oedd wedi amharu ar ei olwg. Eto yn y fan hon, mae Paul a Barnabas yn cymryd y cam i droi at y Cenhedloedd.

Mae'r cenhadon yn awr yn teithio tua chan milltir i'r de-ddwyrain i Iconium, lle roedd niferoedd mawr o Iddewon a Chenedl-ddynion yn credu. Yn Lystra, yn dilyn iacháu'r gŵr cloff, mae'r dyrfa ofergoelus yn ceisio eu haddoli nhw, ond mae Paul yn eu hannog i droi o'u heilunaddoliaeth at y Duw byw sy'n Arglwydd y creu. Mae'r dyrfa'n troi yn erbyn Paul gan ei labyddio a'i lusgo allan o'r ddinas gan feddwl ei fod wedi marw. Roeddent yn addoli un foment, a'r foment nesaf yn llabyddio! Felly y mae anwadalwch tyrfa. Ond cafodd Paul ei adfer, a'r bore canlynol mae'n dechrau cerdded y chwe deg milltir i Derbe, lle daeth nifer fawr eto i gredu. Mae Paul a Barnabas yn mynd yn ôl ar hyd eu llwybr gan ail-ymweld â'r eglwysi yr oeddent wedi eu plannu, a hefyd annog y disgyblion ifanc. Wedi dod yn ôl i Antiochia yn Syria, maen nhw'n casglu'r eglwys at ei gilydd gan "adrodd gymaint yr oedd Duw wedi ei wneud gyda hwy" (14: 27).

Beth oedd polisi cenhadol Paul? Yn ei lyfr enwog *Missionary Methods: St Paul's or Ours?*, dywed Roland Allen: "Does dim all newid na chelu'r ffaith fod Paul, ar ei ymweliad cyntaf, wedi gadael ar ei ôl eglwysi cyflawn." Beth felly oedd seiliau'r polisi hwn? Roedd tair sail. Yn gyntaf, mae Paul yn annog y credinwyr newydd "i lynu wrth y ffydd" (adn. 22). Hynny yw, mae rhai gwirioneddau sydd yn ganolog ac mae Paul yn cyfeirio at y rhain fel "y ffydd" yr oedd wedi ei dysgu iddyn nhw. Yn ail, mae Paul a Barnabas yn ethol "henuriaid ym mhob eglwys" (adn. 23). Yn drydydd, mae Paul a Barnabas yn eu cyflwyno i'r Arglwydd, yn y sicrwydd ei fod yn abl i ddiogelu ei bobl ei hun. Felly, roedd gan yr eglwysi hyn apostolion i'w dysgu, bugeiliaid i'w bugeilio, a'r Ysbryd Glân i'w harwain a'u diogelu. Gyda'r ddarpariaeth driphlyg hon, gellid yn ddiogel eu gadael.

Darllen pellach: Actau 14: 21–28

# Cyngor Jerwsalem

*Ond cododd rhai credinwyr ... a dweud, "Y mae'n rhaid enwaedu*
*arnynt, a gorchymyn iddynt gadw Cyfraith Moses." Ymgynullodd*
*yr apostolion a'r henuriaid i ystyried y mater yma.*
Actau 15:5–6

Credwyd y byddai credinwyr o blith y Cenedl-ddynion yn cael eu cynnwys o fewn Israel drwy enwaediad. Bellach roedd rhywbeth newydd yn digwydd, rhywbeth oedd yn ofid mawr i nifer. Yr oedd credinwyr yn cael eu croesawu i mewn i gymdeithas trwy fedydd heb enwaediad. Rhaid inni fod yn glir ynglŷn â'r pwynt hwn. Yr oedd grŵp o bobl a elwid yr "Iddeweiddwyr" neu "blaid yr enwaediad" wedi cyrraedd Antiochia gan hawlio awdurdod yr apostolion a mynnu nad oedd iachawdwriaeth os nad oedd pobl yn derbyn enwaediad. Mewn geiriau eraill, nid oedd ffydd yn Iesu yn ddigon; rhaid ychwanegu enwaediad at ffydd. Rhaid iddynt adael i Moses orffen yr hyn yr oedd Iesu wedi ei gychwyn trwy adael i'r gyfraith ychwanegu at yr efengyl. Roedd Paul yn llawn dicter am fod hyn yn gwrth-ddweud yr efengyl. A oedd y Cenedl-ddynion a oedd wedi dod i gredu yn rhyw fath ar sect o fewn Iddewiaeth neu yn aelodau cyflawn o deulu amlhiliol? Felly cynullwyd Cyngor yn Jerwsalem gyda Iago, brawd yr Arglwydd yn cadeirio. Yn gyntaf, mae Pedr yn atgoffa'r Cyngor sut y profodd Corneliws a'i deulu dröedigaeth dan ei weinidogaeth a hefyd sut y bu iddynt dderbyn yr Ysbryd, a hynny yn ddiwahaniaeth. Nesaf, mae'r Cyngor yn gwrando'n barchus ar Paul a Barnabas a'r ddau yn rhoi adroddiad o'u teithiau cenhadol. Yn drydydd, mae Iago yn dyfynnu o waith y proffwyd Amos. Drwy'r cyfuniad hwn o dystiolaeth y proffwydi a phrofiad yr apostolion, cafodd ei berswadio. Ei benderfyniad oedd na ddylent ei gwneud yn anodd i Genedl-ddynion oedd yn troi at Dduw, ond yn hytrach ofyn iddynt barchu cydwybod yr Iddewon trwy ymatal rhag pedwar gweithgarwch penodol.

Mae dadl a yw'r pedwar gweithgarwch yn foesol neu yn ddiwylliannol. Os moesol, eilunaddoliaeth, llofruddiaeth, ac anfoesoldeb oeddent, gan hepgor y pedwerydd (cig anifeiliaid a grogwyd) fel y mae'r testun gorllewinol yn ei wneud. Ond mae'r rhain yn bechodau mor ddifrifol fel na fyddai'n angenrheidiol cyhoeddi gorchymyn penodol i'w gwahardd. Yn yr achos hwn felly, mae'n rhaid bod y gweithredoedd dan sylw yn rhai diwylliannol – bwyta bwyd oedd wedi ei aberthu i eilunod, yfed gwaed, bwyta bwyd nad oedd yn cael ei ganiatáu i Iddewon, a phriodi heb ystyried y gwaharddiadau yn Lefiticus 17 ac 18. Mae tri o'r rhain yn berthynol i fwydydd ac yn medru rhwystro cymdeithas o amgylch y bwrdd rhwng Iddewon a Chenedl-ddynion. Gallwn ddweud felly fod Cyngor Jerwsalem wedi sicrhau buddugoliaeth ddwbl – buddugoliaeth y gwirionedd trwy gadarnhau efengyl gras, a buddugoliaeth cariad trwy ddiogelu'r gymdeithas mewn cyfaddawd oedd yn sensitif i deimladau'r Iddewon.

Darllen pellach: Actau 15: 19–29

# Y Genhadaeth ym Macedonia

*Ymddangosodd gweledigaeth i Paul un noson – gŵr o
Facedonia yn sefyll ac yn ymbil arno a dweud, "Tyrd
drosodd i Facedonia, a chymorth ni."*

Actau 16:9

Ypeth mwyaf nodedig am ail daith genhadol Paul yw bod had da'r efengyl wedi
ei blannu ar dir Ewrop am y tro cyntaf. Mae Luc yn adrodd am weledigaeth
neu freuddwyd a gafodd Paul lle mae gŵr o Facedonia yn sefyll ac yn pledio am
gymorth. Mae rhai yn tybied mai Luc ei hun oedd y gŵr hwn, un yr oedd Paul newydd
gyfarfod ag ef ac un y mae ei bresenoldeb yn cael ei gadarnhau gan y gyntaf o'r adrannau
sy'n defnyddio'r ymadrodd "ni".

Yn ystod y genhadaeth yn Philipi mae Luc yn adrodd am dair tröedigaeth ddiddorol.
Roedd Lydia yn wraig fusnes lwyddiannus iawn o Thyatira, ac yno y bu'r eglwys yn cyfarfod
yn ddiweddarach. Mae'r ail dröedigaeth yn ymwneud â gwasanaethferch anhysbys oedd
yn gwneud arian i'w meistri trwy ragweld y dyfodol. Mae'r drydedd yn adrodd am geidwad
carchar Rhufeinig a ofynnodd beth oedd rhaid iddo ei wneud i fod yn gadwedig. Byddai'n
anodd dychmygu tri pherson mwy gwahanol o ran hil, cymdeithas a seicoleg; roeddent
fydoedd ar wahân. Ac eto mae'r tri yn un yng Nghrist, er bod anogaethau Paul am undeb
yn ei lythyr at y Philipiaid efallai'n awgrymu fod tensiynau hefyd.

O Philipi aeth y cenhadon i'r de i Thesalonica, prifddinas rhanbarth Macedonia. Am dri
Saboth yn olynol mae Paul yn ymresymu gyda'r bobl ar sail yr Ysgrythurau, gan esbonio a
phrofi bod rhaid i'r Meseia ddioddef ac atgyfodi o'r meirw. Mae'n mynd ymlaen i gyhoeddi
Iesu, gan adrodd hanes ei eni, ei fywyd, ei farwolaeth, a'i atgyfodiad. Yna mae'n rhoi'r ddau
at ei gilydd, gan uniaethu Iesu hanes â Christ yr Ysgrythurau trwy ddweud, "Hwn yw'r
Meseia – Iesu, yr hwn yr wyf fi'n ei gyhoeddi i chwi" (17: 3). Dechreuwyd ymgyrch yn ei
erbyn gan rai o'r Iddewon oedd heb gredu, a bu'n rhaid i'r cenhadon ddianc o'r ddinas yn
ystod y nos. Maen nhw'n teithio i Berea ac mae Luc yn dweud wrthym yn syth fod pobl
Berea yn meddu ar feddwl mwy agored na'r Thesaloniaid a bod y rhain wedi archwilio'r
Ysgrythurau'n ddyddiol er mwyn cadarnhau'r hyn yr oedd Paul yn ei ddysgu.

Un o'r nodweddion diddorol am bobl Thesalonica a Berea yw eu hagwedd at yr
Ysgrythurau. Yn Thesalonica er enghraifft, mae Paul yn rhesymu, yn esbonio, yn profi,
yn cyhoeddi ac yn perswadio, tra yn Berea, mae'r Iddewon eu hunain yn astudio'r
Ysgrythurau'n ddyfal. Fel y dywed Bengel, "Nodwedd o wir grefydd yw ei bod yn goddef
ei harchwilio'n fanwl."

Darllen pellach: Actau 17: 1–4; 10–11

# Paul yn Athen

*Tra bu Paul yn eu disgwyl [Silas a Timotheus] yn Athen,*
*cythruddid ei ysbryd ynddo wrth weld y ddinas yn llawn eilunod.*
Actau 17:16

M ae rhywbeth yn swynol am Paul yn Athen, yr apostol Cristnogol ar ei ben ei hun ynghanol gogoniant a mawredd Groeg. Wrth iddo gerdded trwy'r ddinas, "cythryblwyd" ei ysbryd gan yr eilunaddoliaeth a welodd. Dyma'r union ferf a ddefnyddir yn y Deg a Thrigain am ymateb Duw i eilunaddoliaeth. Roedd eilunaddoliaeth Athen wedi cynhyrfu Paul i'r graddau ei fod yn eiddigeddus dros enw Duw. Mae'n ymresymu yn y synagog ac yn y farchnad gyda'r rhai oedd yno. Yna mae grŵp o athronwyr Epicwraidd a Stoicaidd yn cychwyn dadlau ag ef. Ni allwn lai nag edmygu'r ffordd y mae Paul yn medru rhannu'r efengyl gyda phobl wahanol. Ar sail ei sgwrs gyda'r athronwyr, mae'n cael gwahoddiad i gyfarch Cyngor byd-enwog dinas Athen, yr Areopagus.

Mae Paul yn cymryd yn destun yr allor a ddarganfyddodd ar ei daith "i dduw nad adwaenir". Mae'n honni cyhoeddi iddynt dduw yr oeddent yn ei addoli mewn anwybodaeth. Yna mae'n ei ddarlunio fel Creawdwr y bydysawd, Arglwydd y nefoedd a'r ddaear; Cynhaliwr bywyd a'r un nad oes angen ei gynnal; Llywodraethwr y cenhedloedd yn pennu eu hamseroedd a'u llefydd; Tad i'r ddynoliaeth a ninnau'n hiliogaeth iddo (fel y dywedodd yr athronydd Stoicaidd, Aratus); a Barnwr y byd oedd wedi edrych heibio i anwybodaeth y gorffennol ond a oedd yn awr yn gorchymyn i bawb ymhob man i edifarhau, wedi iddo benodi Barnwr a'i atgyfodi ef o'r meirw. Mae rhai yn gwawdio ac eraill yn credu.

Mae pregeth Paul yn gynhwysol anghyffredin. Mae'n cyhoeddi Duw yn ei gyflawnder, fel Creawdwr, fel Cynhaliwr, fel Rheolwr, fel Tad ac fel Barnwr. Mae'r cyfan yn rhan o'r efengyl, neu o leiaf yn rhan o'r rhagarweiniad i dderbyn yr efengyl. Mae llawer yn gwrthod yr efengyl heddiw nid oherwydd eu bod yn ei gweld yn gelwydd, ond oherwydd eu bod yn ei gweld yn ymylol. Maent yn edrych am fydolwg cyflawn sy'n gwneud synnwyr o'u holl brofiadau. Rydym yn dysgu gan Paul na allwn bregethu efengyl Iesu heb yr athrawiaeth am Dduw; na allwn bregethu'r groes heb yr athrawiaeth am y creu; na allwn bregethu iachawdwriaeth heb yr athrawiaeth am farn. Mae ein byd heddiw yn galw am efengyl lawn yr Ysgrythurau, yr hyn yr oedd Paul yn Effesus yn ddiweddarach yn cyfeirio ato fel "holl arfaeth Duw" (20: 27).

Darllen pellach: Actau 17: 22–31

# Paul yng Nghorinth

*Wedi hynny fe ymadawodd ag Athen, a dod i Gorinth.*
Actau 18:1

M ae'n ymddangos bod Paul yn fwriadol wedi symud o ganol un ddinas strategol i'r nesaf. Mae Luc felly yn ei ddilyn trwy Athen, Corinth ac Effesus, tair dinas o bwys yn y byd Groeg-Rufeinig.

"Wedi hynny [ei araith Areopagus a'i chanlyniad], fe ymadawodd [Paul] ag Athen, a dod i Gorinth" (adn. 1). Yn ddiweddarach ysgrifennodd Paul am y daith hon, "Oherwydd dewisais beidio â gwybod dim yn eich plith ond Iesu Grist, ac yntau wedi ei groeshoelio. Mewn gwendid ac ofn a chryndod mawr y bûm i yn eich plith" (1 Corinthiaid 2: 2–3). Mae rhai esbonwyr yn egluro penderfyniad Paul yn y geiriau hyn. Roedd ei bregeth i'r athronwyr wedi methu, gan ei bod yn rhy uchel-ael ac wedi canolbwyntio'n ormodol ar y creu yn hytrach na'r groes. Felly, ar y ffordd i Gorinth mae'n edifarhau ac yn penderfynu pregethu'r groes yn unig. Ond nid yw Luc yn rhoi unrhyw awgrym ei fod yn meddwl fod pregeth Paul wedi methu. I'r gwrthwyneb, mae'n ei gofnodi fel model o'r ffordd yr oedd Paul yn pregethu i bobl oedd yn feddyliol ddeallus. Ond pregethodd y groes oherwydd fe bregethodd yr atgyfodiad, ac ni allwn bregethu'r naill heb y llall. Ymhellach, fe ddaeth rhai i gredu ac ni newidiodd Paul ei dactegau wedi cyrraedd Corinth.

Na, mae'r rheswm dros ofid a phenderfyniad Paul yn wahanol. Mae'n sicr fod balchder ac anfoesoldeb pobl Corinth yn ofid iddo, oherwydd mae'r groes yn gwrthdaro yn erbyn y naill a'r llall. Roedd y Corinthiaid yn falch o'u dinas (ei chyfoeth, ei diwylliant, ei chwaraeon) ac yn falch o'r ffaith fod y ddinas yn brifddinas rhanbarth Achaia, ac yn fwy pwysig hyd yn oed nag Athen. Ond mae'r groes yn tanseilio pob balchder dynol. Cysylltwyd Corinth â phob math o anfoesoldeb, oherwydd ystyr y gair *korinthiazai* yw ymarfer anfoesoldeb. Ar gopa gwastad yr Acrocorinth y tu ôl i'r ddinas roedd teml Aphrodite (Gwener), duwies cariad, a byddai mil o'u caethweision benywaidd yn crwydro strydoedd y ddinas yn ystod y nos fel puteiniaid. Ond mae efengyl y Crist croeshoeliedig yn galw'r Corinthiaid i edifeirwch a sancteiddrwydd. Yn y ffordd hon mae croes Crist – yn ei galwad am ddarostyngiad personol a hunanymwadiad – yn amlwg yn faen tramgwydd i'r balch ac i bechaduriaid Corinth. Dyma achos gwendid Paul, ei ofn a'i ddychryn.

Darllen pellach: 1 Corinthiaid 2: 1–5

# Paul yn Effesus

*Parhaodd hyn ... nes i holl drigolion Asia, yn Iddewon a
Groegiaid, glywed gair yr Arglwydd.*
Actau 19:10

M ae patrwm gweinidogaeth efengylaidd Paul yn Effesus yn debyg i'r patrwm yng Nghorinth. Mae'n cychwyn yn y synagog, ond wedi i'r efengyl gael ei gwrthod yno, mae'n symud allan i'r stryd.

O edrych yn ôl, gallwn ddysgu o daith Paul i Corinth ac i Effesus rai gwersi pwysig am ble, sut, a phryd y dylid efengylu mewn dinas.

Yn gyntaf, rydym yn nodi'r llefydd seciwlar a ddewisodd Paul – yng Nghorinth, cartref Titius Justus, ac yn Effesus, neuadd ddarlithio Tyrannus. Mae'n wir fod angen i bobl grefyddol gael eu hefengylu heddiw mewn adeiladau crefyddol (gellir uniaethu'r eglwys â'r synagog), ond mae'r un mor wir ein bod i gyrraedd y byd seciwlar mewn adeiladau seciwlar, er enghraifft trwy efengylu yn y cartref, trwy ddarlithio neu trwy ddarlith efengylaidd.

Yn ail, ystyriwch y cyflwyniad rhesymegol. Mae Luc yn defnyddio dwy ferf bedair gwaith yr un, y naill yn golygu dadlau (*dialegomai*), a'r ail, perswadio (*peithō*). Cwynodd yr Iddewon i Gallio: "Y mae hwn yn annog pobl i addoli Duw yn groes i'r Gyfraith" (18: 13). Yn y synagog ac yn y ddarlithfa mae Paul yn cyfuno dadl a pherswâd fel bod ei weinidogaeth yn ddifrifol, yn rhesymegol ac yn perswadio pobl. Wrth gwrs, nid yw dadleuon fyth yn cymryd lle gwaith yr Ysbryd Glân, ond nid yw ymddiried yn yr Ysbryd Glân chwaith i fod yn esgus dros ddadleuon gwan. Mae Ysbryd y gwirionedd yn dwyn pobl i ffydd yn Iesu, nid er gwaetha'r dystiolaeth ond oherwydd y dystiolaeth, wrth iddo agor eu meddyliau i'w chlywed.

Yn drydydd, sylwch ar y cyfnodau maith a dreuliodd Paul – dwy flynedd yng Nghorinth a thair blynedd yn Effesus. Roedd y defnydd o neuadd Tyrannus yn rhyfeddol. Mae'r testun yn nodi ei fod wedi darlithio'n ddyddiol am ddwy flynedd. Mae'r testun Bezaidd yn ychwanegu "o'r bumed awr i'r degfed", hynny yw, o un ar ddeg yn y bore hyd bedwar o'r gloch yn y prynhawn. A chymryd bod Paul yn cadw un dydd mewn saith ar gyfer gorffwys ac addoli, byddai darlithio yn ddyddiol am bum awr a hynny chwe diwrnod bob wythnos am dair blynedd yn dod i 3,120 o oriau o ddadlau dros yr efengyl! Does ryfedd fod Luc yn nodi i "holl drigolion Asia, yn Iddewon a Groegiaid, glywed gair yr Arglwydd" (19: 10).

Darllen pellach: Actau 19: 8–10

# Wythnos 41: Y Daith Hir i Rufain

Bellach mae Luc yn mynd rhagddo i adrodd am ymadawiad Paul ag Effesus, a'i daith o le i le nes cyrraedd Jerwsalem (Actau 21: 17). Mae'n wir fod Luc wedi datgelu inni'r gyfrinach ei bod hi'n fwriad gan Paul i ymweld â Rhufain ar ôl bod yn Jerwsalem (19: 21). Er hynny, Jerwsalem oedd yn rheoli ei weledigaeth ar hyn o bryd. Yn wir, mae'n ymddangos bod Luc yn awyddus i gyferbynnu taith Iesu i Jerwsalem (sy'n flaenllaw yn ei lyfr cyntaf) a thaith Paul i Jerwsalem (sy'n flaenllaw yn yr ail). Wrth gwrs roedd cenhadaeth Iesu'n unigryw. Eto mae'r cyffelybrwydd rhwng y ddwy daith yn rhy agos i fod yn gyd-ddigwyddiad. Fel Iesu, mae Paul yn teithio i Jerwsalem gyda chriw o'i ddisgyblion, a'r rhain yn dioddef gwrthwynebiad yr Iddewon oedd yn cynllwynio ei farwolaeth.

Fel Iesu, mae tri amgylchiad lle mae Paul yn clywed am y dioddefiadau oedd yn ei ddisgwyl, gan gynnwys ei draddodi i'r Cenedl-ddynion. Fel Iesu, mae Paul yn mynegi ei barodrwydd i roi ei fywyd, gan ildio i ewyllys Duw yn y cwbl. Fel Iesu, roedd Paul yn benderfynol o gwblhau ei weinidogaeth, heb oddef i neb ddod rhyngddo a hynny. Nid oes angen gorbwysleisio'r manylion, ond mae Luc yn sicr y dylai ei ddarllenwyr weld yn Paul un oedd yn dilyn ôl troed ei feistr.

**Dydd Sul:** Paul yn Cyfarch Henuriaid Effesus
**Dydd Llun:** Paul yn Jerwsalem
**Dydd Mawrth:** Paul y Carcharor
**Dydd Mercher:** Paul y Diffynnydd
**Dydd Iau:** Paul y Tyst
**Dydd Gwener:** Rhufain – o'r Diwedd!
**Dydd Sadwrn:** Rhagluniaeth Duw

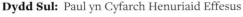
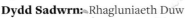

# Paul yn Cyfarch Henuriaid Effesus

*Gofalwch amdanoch eich hunain ac am yr holl braidd, y gosododd*
*yr Ysbryd Glân chwi yn arolygwyr drosto, i fugeilio eglwys Dduw,*
*yr hon a enillodd ef â gwaed ei briod un.*
Actau 20:28

Ar ei ffordd i Jerwsalem arhosodd Paul a'i gymdeithion ym mhorthladd Miletus, gan ddanfon gair at henuriaid Effesus i ddod i gyfarfod â nhw yno. Wrth eu cyfarch, mae'n datblygu'r darlun o fugail, defaid a bleiddiaid.

Yn gyntaf, mae'n esbonio esiampl y bugail, yn benodol ei esiampl ef. Roedd trylwyredd anghyffredin yn perthyn i'w weinidogaeth. Bu'n drylwyr wrth ddysgu (holl gyngor Duw), yn ehangder ei apêl (holl boblogaeth Effesus), ac yn ei ddulliau (yn gyhoeddus yn neuadd Tyrannus, ac yn breifat o dŷ i dŷ). Roedd wedi rhannu pob gwirionedd, gyda phob dyn, drwy bob dull. Gallai honni bod yn ddieuog o waed unrhyw un.

Yn ail, mae Paul yn disgrifio ymosodiad y bleiddiaid (athrawon gau). Mae bleiddiaid yn medru hela ar eu pen eu hunain neu fel cnud, a does gan ddefaid mo'r gallu i'w hamddiffyn eu hunain. Mae'r apostol yn rhybuddio'r bugeiliaid i fod yn wyliadwrus. Mae tasg ddeublyg yn perthyn i fugeiliaid: maent i fwydo'r praidd ac ymlid y bleiddiaid, i ddysgu'r gwirionedd a gwrthweithio celwydd. Mae'r pwyslais hwn yn amhoblogaidd iawn heddiw. Dywedir y dylem ddysgu gydag agwedd bositif yn hytrach nag agwedd negyddol. Ond mae'r rhai sy'n mynnu hyn mewn anghytundeb â'r Arglwydd Iesu a'i apostolion, oedd yn gwrthwynebu'r gau eu hunain, ac yn ein hannog ni i wneud yr un modd.

Yn drydydd, mae Paul yn pwysleisio gwerth y defaid (y bobl). Y nhw yw eglwys Duw'r Tad, wedi eu prynu â gwaed Iesu, a'r Ysbryd Glân sy'n gosod goruchwylwyr arnyn nhw. Dylai'r gwirionedd trindodaidd hwn gael effaith sylweddol ar ein gweinidogaeth. Nid yw defaid yn lân a didrafferth, ac maen nhw'n agored i bob math o bla ac ymosodiad. Nid wyf am gymhwyso'r gyffelybiaeth yn ormodol! Ond mae rhai aelodau yn medru bod yn brawf sylweddol ar eu bugeiliaid (ac i'r gwrthwyneb!). Sut mae dyfalbarhau wrth eu gwasanaethu a gofalu amdanyn nhw? Ateb: trwy gofio pa mor werthfawr yw pob un, oherwydd mae tri pherson y Drindod â rhan yn eu gofal.

Darllen pellach: Actau 20: 17–38

# Paul yn Jerwsalem

*Wedi inni gyrraedd Jerwsalem, cawsom groeso llawen gan
y credinwyr. A thrannoeth, aeth Paul gyda ni at Iago, ac yr
oedd yr henuriaid i gyd yno.*
Actau 21:17–18

**W**edi i Paul a'i gyd-deithwyr gyrraedd Jerwsalem maent yn mynd i weld Iago. Roedd Iago yn parhau i fod yn arweinydd y gymuned Iddewig Gristnogol fyd-eang, a oedd bellach yn cael eu rhifo mewn miloedd. Wrth ddarlunio Paul ac Iago wyneb yn wyneb, y naill fel y llall gydag eraill yn sefyll o'u hochr, mae Luc yn cyflwyno sefyllfa ddramatig, gyda phosibilrwydd cryf o densiwn a risg. Roedd y ddau yn cynrychioli dau fath o Gristnogaeth, Cristnogaeth Iddewig a Christnogaeth wedi ei chanoli ar Genedl-ddynion. Roedd y ddau fath wedi tyfu'n rhyfeddol o dan law Duw ers i Paul ac Iago gyfarfod ddiwethaf. Gallai'r cyfarfod fod yn boenus. Ond roedd y ddau ag awydd i sicrhau cymod. Sylwch ar Iago yn gyntaf. Wrth i Paul roi adroddiad manwl o'r hyn yr oedd Duw wedi ei gyflawni ymhlith y Cenedl-ddynion drwy ei weinidogaeth, doedd dim awgrym o anfodlonrwydd. Mae'r ddau yn canmol Duw ynghyd.

Roedd Paul hefyd yn awyddus i fod yn gymodlon, a daw hyn yn amlwg mewn dwy ffordd. Yn gyntaf (er nad yw Luc yn nodi hyn tan Actau 24: 17) cyflwynir y casgliad ymhlith yr eglwysi Groegaidd i'r eglwys Iddewig. Efallai fod Paul eisoes wedi cyflwyno'r rhodd yn breifat. Roedd yn gweld y rhodd nid yn unig fel cydnabyddiaeth o angen ac arwydd o gariad, ond fel arwydd clir o ymrwymiad Iddewon a Chenedl-ddynion i Gorff Crist. Mae Luc, er hynny, yn canolbwyntio ar yr ail amlygiad o ysbryd cymodlon Paul, yn benodol ei agwedd bositif i gynnig Iago. Oherwydd y nifer mawr o Iddewon Cristnogol yn Jerwsalem, pobl oedd yn meddu sêl at y gyfraith, roedd yn bwysig tawelu'r sibrydion oedd ar led fod Paul yn annog Cristnogion Iddewig i droi cefn ar Moses ac i gyhoeddi fod enwaediad ac ufudd-dod i'r gyfraith yn ddianghenraid (roedd Cyngor Jerwsalem wedi cytuno eisoes ar yr hyn y dylid ei ddysgu i Genedl-ddynion oedd yn dod yn Gristnogion). Mae Iago yn awgrymu y dylai Paul ymgymryd â rhai defodau, nid fel arwydd o rwymedigaeth, ond fel cyfaddawd o barch at deimladau'r Cristnogion Iddewig. Mae Paul yn gwneud hyn ar ei union.

Ni allwn lai na diolch i Dduw am ysbryd hael Iago a Paul. Yr oedd cytundeb eisoes yn athrawiaethol (fod iachawdwriaeth trwy ras yng Nghrist drwy ffydd), ac yn foesol (rhaid i Gristnogion fod yn ufudd i'r gyfraith foesol); roedd y mater hwn yn ymwneud â diwylliant, seremoni a thraddodiad.

Darllen pellach: Actau 21: 17–26

# Paul y Carcharor

*Cymerasant afael yn Paul, a'i lusgo allan o'r deml, a chaewyd y drysau ar unwaith.*
Actau 21:30

Hyd yn hyn mae Luc yn darlunio Paul yn ymgyrchu ac yn efengylu ym mhob rhan o Asia Leiaf a Groeg. Bellach mae'r ymgyrch yn amddiffynnol. Yn dilyn ei dair taith genhadol, mae Luc yn awr am gyfeirio at y pum prawf – gerbron torf Iddewig, y Sanhedrin, Ffelix, Ffestus a'r Brenin Agripa II. Mae'r hanes yn mynd â bron i ddau gant o adnodau yn ein Beiblau. Un o'r prif themâu oedd y berthynas rhwng Iddewon a Chenedl-ddynion. Bellach, ym mhenodau 21–23, mae'n darlunio'r ymateb i'r efengyl yn y ddwy gymuned. Mae dwy thema – gwrthwynebiad Iddewig a chyfiawnder Rhufeinig – yn cael eu plethu drwy'r adnodau, gyda'r apostol Cristnogol yn y canol yn dioddef ar gyfrif y naill ac yn elwa ar gyfrif y llall.

Nid oes awgrym o wrth-Semitiaeth yn hyn i gyd gan fod Luc yn gwneud ymdrech i'w gyfyngu ei hun i ffeithiau. Mae'n cofnodi penderfyniad yr Iddewon i gael gwared â Paul. Mae'r ymadrodd "a chaewyd y drysau ar unwaith" (21: 30) yn yr hanes am ymosodiad y dyrfa ar Paul yn fwy na ffaith foel. Roedd cau'r drysau yn arwydd fod yr Iddewon yn gwrthod yr efengyl yn derfynol, ac roedd hyn yn amlwg yn cyfiawnhau penderfyniad Paul i droi at y Cenedl-ddynion.

Ail thema Luc, ac un sy'n gysylltiedig â'r gyntaf, yw cyfiawnder Rhufain. Mae'r awdurdodau Rhufeinig yn cael eu cyflwyno fel cyfeillion i'r efengyl, yn hytrach na gelynion. Mae Luc eisoes wedi dangos sut y gwnaeth yr ynadon yn Philipi ymddiheuro i Paul a Silas am eu cam-drin, sut y gwnaeth Galio wrthod gwrando ar ffug gyhuddiadau'r Iddewon yng Nghorinth, a sut y gwnaeth clerc y dref yn Effesus gyhoeddi bod yr arweinwyr Cristnogol yn ddieuog, gan chwalu'r dyrfa. Bellach, a hwythau yn Jerwsalem, ac o ddarganfod bod Paul yn ddinesydd Rhufeinig, mae Clawdius Lysias, yr arweinydd milwrol, yn ei arbed rhag cael ei labyddio ddwywaith, yn ogystal â'i arbed rhag cael ei groesholi trwy boenydio, a'i amddiffyn rhag cynllwyn ar ei fywyd.

Roedd amddiffyniad cyfundrefn gyfreithiol Rhufain yn fwy amlwg fyth yn y llysoedd. Safodd Paul ei brawf ger eu bron ac aeth y dyfarniad o'i blaid. Roedd yr un peth yn wir yn y 'llysoedd Rhufeinig' yn hanes Iesu. Ar dri achlysur yn hanes Iesu, ac ar dri achlysur yn hanes Paul, cyhoeddwyd bod yr amddiffynnydd yn ddieuog mewn llys barn. Drwy hyn, sefydlwyd cyfreithlondeb y ffydd Gristnogol o'r cychwyn.

Darllen pellach: Actau 22: 22–29

# Paul y Diffynnydd

*Nid wyf fi wedi troseddu o gwbl, nac yn erbyn Cyfraith yr*
*Iddewon, nac yn erbyn y deml, nac yn erbyn Cesar.*
Actau 25:8

**M**ae Luc yn ein galluogi i ddilyn Paul drwy dri llys – o flaen y ddau brocuradur Ffelix a Ffestus ac yna y Brenin Agripa II. Mae'n ei ddarlunio'n ddeublyg, yn gyntaf yn negyddol fel diffynnydd ac yna'n ail yn bositif fel tyst. O flaen Ffelix mae'n gwadu'r cyhuddiad o fod yn annog sectyddiaeth a gwneud ymdrech i halogi'r deml. Mae'n pwysleisio'r dilyniant rhwng Ysgrythurau'r Hen Destament a'r efengyl. Roedd yn gwasanaethu Duw'r Tadau â chydwybod glir. Roedd yn credu'r cyfan a ysgrifennwyd yn y Gyfraith a'r Proffwydi. Coleddai hyder diwyro yng nghyflawniad addewid Duw am ei Feseia. Nid gwrthgiliad ond cyflawniad oedd y ffordd i grynhoi ei agwedd at Moses.

Gerbron Ffestus, olynydd Ffelix, mae Paul yn ymwrthod â'r cyhuddiad o annog gwrthryfel. Nid oedd yn gyfrifol am darfu ar unrhyw heddwch. Yr oedd mor argyhoeddedig yn y mater fel ei fod yn bwriadu gwneud apêl i Gesar ei hun er mwyn diogelu ei enw da. Medrai ddatgan, "Nid wyf fi wedi troseddu o gwbl, nac yn erbyn Cyfraith yr Iddewon, nac yn erbyn y deml, nac yn erbyn Cesar." Nid anarchiaeth, ond teyrngarwch yw'r gair sy'n disgrifio ei agwedd at Gesar.

Ni chyflwynwyd unrhyw gyhuddiad newydd pan ddaeth gerbron Agripa a'i frenhines Bernice. Yr hyn a gawn yw ymdrech Paul i ymateb i'r cwestiwn na ofynnwyd – pam fod yr Iddewon mor eiddgar i gael gwared â'r dyn hwn? Yn rhannol oherwydd ei weinidogaeth i'r Cenedl-ddynion, ond roedd wedi llwyr ymrwymo i'r gwaith hwn mewn ufudd-dod i weledigaeth a llais Iesu.

Mae ei amddiffyniad yn llwyddiannus dair gwaith. Ni allai Ffelix, Ffestus nac Agripa ei gael yn euog. I'r gwrthwyneb, mae'r tri yn ei gyhoeddi'n ddieuog o'r cyhuddiadau yn ei erbyn. Er hynny nid oedd Paul yn fodlon ar hyn. Aeth ymhellach. Mae'n cyhoeddi yn y llys ei deyrngarwch triphlyg – i Moses a'r Proffwydi, i Gesar, ac uwchlaw pob dim, i Iesu, yr un a gyfarfu ag ef ar y ffordd i Ddamascus. Dyma'i hunan-amddiffyniad. Roedd yn Iddew teyrngar, yn Rhufeiniwr teyrngar ac yn Gristion teyrngar.

Darllen pellach: Actau 25: 1–12

# Paul y Tyst

*Oherwydd i hyn yr wyf wedi ymddangos i ti, sef i'th
benodi di yn was imi, ac yn dyst o'r hyn yr wyt wedi ei
weld, ac a weli eto, ohonof fi.*

Actau 26:16

Yr oedd yn fwriad gan Luc i ddarlunio'r achosion llys nid yn unig er mwyn sicrhau amddiffyniad teilwng o'r efengyl, ond fel cyfle i efengyl hefyd. Yn ystod y ddwy flynedd yn y carchar, blynyddoedd oedd wedi torri ar draws ei ymgyrchoedd cenhadol, rhaid bod elfen o rwystredigaeth wedi meddiannu Paul. Ond pan ddeuai'r cyfleoedd i dystio, gafaelodd ynddynt gyda hyder a dewrder. Y prif esiamplau a gyflwynir gan Luc yw'r cyfweliad preifat gyda Ffelix a'r cyfarfod cyhoeddus o flaen Agripa.

Disgrifiwyd Ffelix yn un o'r swyddogion gwaethaf oedd gan y Rhufeiniaid, ac roedd yn enwog am ei greulondeb a'i drachwant. Doedd ganddo ddim math o ganllawiau moesol. Ac eto nid oedd Paul yn ei ofni! Gan ei fod wedi siarad am gyfiawnder, hunanddisgyblaeth a barn i ddod (24: 25), mae'n rhesymol i gredu ei fod wedi herio'r procuradur am ei bechodau. Mae hefyd yn siarad ag ef am ffydd yn Iesu.

Yn ei ymddangosiad o flaen Agripa does dim awgrym fod Paul wedi ei lethu gan y sioe a'r grym oedd yn perthyn i'r achlysur, nac ychwaith gan y bobl bwysig oedd yn y llys y diwrnod hwnnw. "Edrychwch ar y gynulleidfa sydd wedi ymgasglu i wrando ar Paul" oedd sylw Chrysostom. Ni wnaeth unrhyw ymdrech i geisio swyno ei wrandawyr; ei ddyhead oedd tröedigaeth y brenin, nid ei ffafr. Mae Luc yn nodi bod Paul wedi ailadrodd elfennau'r ffydd deirgwaith (26: 18, 20, 23). Wrth iddo ailadrodd yr efengyl yn y llys, roedd yn fwriadol yn ei phregethu i'r llys. Tra bod Ffestus yn ei gyhuddo o fod yn wallgof, gwyddai Paul mai "geiriau gwirionedd a synnwyr yr wyf yn eu llefaru" (adn. 25).

Diolch i Dduw am hyder Paul! Nid oedd brenhinoedd, breninesau, rhaglawiaid na phrocuraduron yn gwanhau ei dystiolaeth. Rhybuddiodd Iesu y byddai ei bobl yn cael eu dwyn gerbron "brenhinoedd a llywodraethwyr o achos fy enw i", ac ar yr achlysuron hynny byddai'n rhoi iddynt "huodledd, a doethineb" (Luc 21: 12, 15). Yr oedd Iesu wedi hysbysu Ananias hefyd (a thebyg fod hwnnw wedi trosglwyddo'r neges) am Paul mai "llestr dewis i mi yw hwn, i ddwyn fy enw gerbron y Cenhedloedd a'u brenhinoedd, a cherbron plant Israel" (Actau 9: 15). Cyflawnwyd y geiriau, ac ni fethodd Paul yn ei waith.

Darllen pellach: Actau 26: 13–23

# Rhufain – o'r diwedd!

*Daethom i Rufain.*
Actau 28:14

**M**ae nifer wedi tynnu sylw at fanylder a chyfoeth darluniadol Luc wrth iddynt ddarllen drwy Actau 27. Y rheswm am hyn oedd bod Luc yn gydymaith i Paul ar ei daith o Gesarea i Rufain, a medrai ysgrifennu drwy gyfeirio at ei ddyddiadur dyddiol. Un sydd wedi cadarnhau manylder yr adroddiad yw'r morwr o'r Alban, James Smith, gŵr sydd wedi hwylio ers deng mlynedd ar hugain, ac sy'n gyfarwydd â phatrymau tywydd Môr y Canoldir, patrymau yr oedd i adrodd amdanynt yn ei lyfr *The Voyage and Shipwreck of Saint Paul*. Roedd y dyddiau cynnar, yn hwylio o amgylch glannau dwyreiniol y Môr, yn ddigon digynnwrf. Ond methwyd darganfod lle diogel i lanio yn Creta er mwyn angori yno dros y gaeaf, hwyliwyd drwy'r Môr agored nes i gorwynt eu dal, ac am bedwar diwrnod ar ddeg roedd y cwch yn crwydro'n ddiamcan. Glaniwyd ar ynys Melita. Cafodd y llongwyr gysgod yno am dri mis y gaeaf, cyn iddynt hwylio eto am yr Eidal. Clywodd rhai Cristnogion eu bod ar eu ffordd, a dyma'r rhain yn eu tro yn cerdded tua deng milltir ar hugain i groesawu Paul.

Wedi iddo gyrraedd Rhufain, caniatawyd i Paul fyw mewn tŷ yr oedd wedi ei logi, er ei fod dan warchodaeth milwr. Gwahoddodd nifer o'r arweinwyr Iddewig i gyfarfod ag ef, gan ei sicrhau nad oedd wedi gwneud dim yn erbyn eu cyfraith, a bod y Rhufeinwyr yn awyddus i'w ryddhau. Atebodd yr arweinwyr nad oeddent wedi clywed dim yn cael ei ddweud yn ei erbyn, a'u bod yn awyddus i glywed mwy am ei gredoau. Ar y diwrnod penodedig, dyma'r rhain yn dod i'w gyfarfod, a chyhoeddodd Deyrnas Dduw a dysgu am yr Arglwydd Iesu Grist, gan ddadlau bod yr Iesu hanesyddol yn un â'r Crist Beiblaidd. Rhannwyd ei gynulleidfa, ond oherwydd caledwch calon yr Iddewon, trodd Paul am y pedwerydd tro at y Cenhedloedd, gan ychwanegu, "fe wrandawant hwy" (adn. 28). Daeth y rhain at Paul am ddwy flynedd, a gwrando arno.

Mae geiriau olaf y llyfr yn ymadroddion adferol sy'n awgrymu "gyda hyder" a "heb rwystr". Mae'r geiriau'n disgrifio'r rhyddid a gafodd yr efengyl, heb unrhyw rwystr o'r tu mewn nac o'r tu allan. Cyfeiriant at ddrws oedd yn llydan agored, drws y mae rhaid i ninnau nawr fynd drwyddo.

Darllen pellach: Actau 28: 17–31

# Rhagluniaeth Duw

*Pryd bynnag y byddaf ar fy ffordd i Sbaen, yr wyf yn
gobeithio ymweld â chwi wrth fynd trwodd, a chael fy
hebrwng gennych ar fy nhaith yno.*
Rhufeiniaid 15:24

Beth yw pwysigrwydd Actau 27 a 28? Ateb: mae'n ymwneud â rhagluniaeth Duw. Mae'n darlunio'r gwirionedd, "Nid yw doethineb na deall na chyngor yn ddim o flaen yr ARGLWYDD" (Diarhebion 21: 30). Mae'n bosibl gweld gweithgarwch rhagluniaethol Duw mewn dwy ffordd yn y penodau hyn, yn gyntaf yn y ffordd y dygir Paul i Rufain, ac yn ail yn y ffordd y caiff ei ddwyn yno yn garcharor. Roedd yn gyfuniad annisgwyl o amgylchiadau.

Yn gyntaf mae Luc yn awyddus inni ryfeddu gydag ef am y ffordd y mae Paul yn cyrraedd Rhufain yn ddiogel. Dywedodd Iesu wrtho yn Jerwsalem, "Cod dy galon! Oherwydd fel y tystiolaethaist amdanaf fi yn Jerwsalem, felly y mae'n rhaid iti dystiolaethu yn Rhufain hefyd" (Actau 23: 11). Wedi dweud hyn, roedd yn ymddangos bod pob amgylchiad yn milwrio yn erbyn Paul. Cafodd ei arestio, ei garcharu, ei fygwth â dienyddiad, roedd bron â boddi ym Môr y Canoldir, bron â'i ladd gan filwyr a'i wenwyno gan neidr. Y tu cefn i'r cwbl yr oedd pwerau dieflig ar waith (yn cael eu darlunio gan y tonnau), i geisio atal Paul rhag cyrraedd y lle roedd Duw wedi ei gynllunio a'i addo ar ei gyfer. Ond mae Duw yn dod ar draws pwrpas y diafol. Mae'r olygfa'n gynhyrfus. A fyddai Paul yn cyrraedd? Byddai! Ond mae'n cyrraedd fel carcharor. Sut oedd hyn yn cyd-fynd â phwrpas Duw? Roedd Duw wedi addo y byddai Paul yn cael tystio yn Rhufain gerbron Cesar (Actau 27: 24), ond ni allai hyn ddigwydd heb i Paul gyrraedd Rhufain fel carcharor yn barod i sefyll ei brawf.

Mae ffordd arall sy'n peri bod carchariad Paul wedi sicrhau ei dystiolaeth. O ganlyniad i'w garchariad mae gennym dri llythyr – at y Philipiaid, yr Effesiaid a'r Colosiaid. Nid fy mod yn awgrymu bod arno angen amser yn y carchar i gwblhau ei waith ysgrifennu! Ond yn rhagluniaeth Duw mae rhywbeth arbennig am y llythyron hyn. Ceir darlun anghyffredin ynddynt o sofraniaeth ddigwestiwn ac arglwyddiaeth ddiwrthwynebiad Iesu Grist. Rhoddir i waith Iesu arwyddocâd drwy'r bydysawd, oherwydd drwy Grist y mae Duw wedi creu a phrynu popeth. Yn ychwanegol, gan ei fod wedi darostwng ei hun i fod yn ufudd hyd yn oed i'r groes, dyrchafwyd ef goruwch popeth a phawb, a rhoddwyd popeth dan ei draed. Trwy ei brofiad o fod yn gaeth, addaswyd persbectif Paul, ymestynnwyd ei orwelion, eglurwyd ei weledigaeth a chyfoethogwyd ei dystiolaeth.

Darllen pellach: Colosiaid 1: 15–18

# Wythnos 42: Y Llythyrau at y Galatiaid a'r Thesaloniaid

Am y saith wythnos nesaf, byddwn yn adolygu'r ugain llythyr sydd yn y Testament Newydd, ac yna am y pedair wythnos olaf, byddwn yn ceisio mynd i'r afael â phrif themâu Llyfr y Datguddiad.

Bydd ein hastudiaethau o reidrwydd yn annigonol ar sawl cyfrif, gan na fyddwn yn medru rhoi mwy na diwrnod neu ddau i ambell lythyr pwysig. Eto, gall fod o gymorth i geisio cael trosolwg o'r llythyrau, a thrwy hynny o'r bywyd yn yr Ysbryd a ddarlunnir ynddyn nhw.

Rydym am ddechrau gyda'r Llythyr at y Galatiaid a hynny gan fy mod yn credu mai dyma lythyr cyntaf Paul, wedi ei gyfeirio at bedair o eglwysi a sefydlwyd yn ystod ei daith genhadol gyntaf. Y rheswm pennaf am hyn yw nad yw'r llythyr yn cyfeirio o gwbl at Gyngor Jerwsalem a'r cyhoeddiad o'r fan honno, er y byddai'r cyhoeddiad yn berthnasol iawn i'r helynt oedd wedi dod i'r golwg yn eglwysi Galatia. Rhaid felly fod y llythyr wedi ei ysgrifennu cyn y Cyngor neu hyd yn oed wrth i Paul deithio yno. Gellir casglu yn rhwydd ddicter Paul at yr Iddeweiddwyr oedd yn tanseilio ei awdurdod apostolaidd ac yn llygru efengyl gras.

Mae'r Llythyrau at y Thesaloniaid ar y llaw arall wedi eu hysgrifennu yn dilyn ei ymweliad â Thesalonica yn ystod ei ail daith genhadol. Gan ei fod wedi gorfod dianc o'r dref yn ystod y nos a heb ddychwelyd, roedd ei elynion wedi cychwyn ymgyrch oedd yn tanseilio ei hygrededd fel person ac fel Cristion. Mae'n amlwg o'r llythyr cyntaf beth bynnag, fod Paul yn ei amddiffyn ei hun yn wyneb y rhai oedd yn ei gyhuddo.

**Dydd Sul:** Dim Efengyl Arall
**Dydd Llun:** Rhyddid Gwirioneddol
**Dydd Mawrth:** Ffrwyth yr Ysbryd
**Dydd Mercher:** Gorfoleddu mewn Crist Croeshoeliedig
**Dydd Iau:** Efengylu drwy'r Eglwys Leol
**Dydd Gwener:** Trosiadau o Weinidogaeth
**Dydd Sadwrn:** Datguddio'r Gogoniant

# Dim Efengyl Arall

*Yr wyf yn synnu eich bod yn cefnu mor fuan ar yr hwn
a'ch galwodd chwi trwy ras Crist, ac yn troi at efengyl
wahanol. Nid ei bod yn efengyl arall mewn gwirionedd ...*
Galatiaid 1:6–7

Wedi dychwelyd o'r pedair dinas yng Ngalatia lle y cyflwynwyd yr efengyl yn ystod y daith genhadol gyntaf, mae Paul a Barnabas yn adrodd i'r eglwys yn Antiochia yn Syria sut yr oedd Duw wedi "agor drws ffydd i'r Cenhedloedd" (Actau 14: 27). Arhoswyd am gryn amser gyda'r Cristnogion yn Antiochia.

Mae Luc yn sôn bod rhywrai yn ystod y cyfnod hwn wedi dod "lawr o Jwdea a dysgu'r credinwyr: "Os nad enwaedir arnoch yn ôl defod Moses, ni ellir eich achub" (Actau 15: 1). Rhaid bod y digwyddiad hwn yr un a ddisgrifir yn Galatiaid 2: 12 lle cyfeirir i "rywrai ddod yno oddi wrth Iago" (hynny yw yn honni eu bod yn dod oddi wrth Iago, er ei fod yntau yn ei dro wedi honni yn ddiweddarach nad oedd ganddynt y fath awdurdod [Actau 15: 24]). Mae'n hawdd dychmygu'r drafodaeth ffyrnig a achoswyd gan yr ymweliad. Iddeweiddwyr oedd y rhain, yn tanseilio'r efengyl. Roedden nhw am fynnu nad oedd ffydd yn Iesu yn ddigon i Gristnogion o blith y Cenhedloedd; roedd yn rhaid iddynt gadw cyfraith Moses hefyd, hynny yw, gadael i Moses gwblhau'r hyn yr oedd Iesu wedi ei ddechrau. Yr oedd hyd yn oed Pedr wedi ei berswadio gan eu dadleuon, ac felly (fel y dywed wrth y Galatiaid) roedd yn rhaid i Paul ei herio yn gyhoeddus, gan fod gwirionedd yr efengyl yn y fantol (Galatiaid 2: 11–16). Ond byrhoedlog fu safiad Pedr. Erbyn y Cyngor yn Jerwsalem roedd wedi ailfeddiannu ei hyder yn nigonolrwydd yr efengyl.

Yn y cyfamser roedd rhai o'r Iddeweiddwyr hyn wedi cyrraedd dinasoedd Galatia, gan ddysgu eu neges wyrgam. Er syndod mawr i Paul roedden nhw'n cael mesur o lwyddiant. Mor ddifrifol oedd y sefyllfa nes iddo eu cystwyo fel pobl oedd wedi ymadael â'r ffydd, gan alw barn ddwyfol ar unrhyw un (angel neu ddyn, gan gynnwys ef ei hun) oedd yn llygru'r efengyl o fod yn Newyddion Da am ras (ffafr rad ac anhaeddiannol Duw) i fod yn grefydd o gyfiawnder drwy weithredoedd. Mae'n mynd ymhellach: os yw'n bosibl ennill iachawdwriaeth trwy ufudd-dod i'r gyfraith, yna "bu Crist farw yn ddiachos" (adn. 21). Hynny yw, os medrwn ddod i ben ein hunain ac ennill ein hiachawdwriaeth ein hunain, rydym yn cyhoeddi bod y groes yn ddianghenraid. Mae'n cychwyn ac yn diweddu'r llythyr drwy gyfeirio at rad ras (1: 3; 6: 18). Newyddion da am rad ras Duw yw'r efengyl, a does dim efengyl arall.

Darllen pellach: Galatiaid 1: 6–9

# Rhyddid Gwirioneddol

*I ryddid y rhyddhaodd Crist ni. Safwch yn gadarn, felly, a
pheidiwch â phlygu eto i iau caethiwed.*
Galatiaid 5:1

Darlunnir Iesu Grist yn y Testament Newydd fel y gwir ryddhäwr, a'r bywyd Cristnogol fel bywyd o ryddid. Dywedodd Iesu wrth rai Iddewon oedd yn credu, "Os arhoswch chwi yn fy ngair i, yr ydych mewn gwirionedd yn ddisgyblion i mi. Cewch wybod y gwirionedd, a bydd y gwirionedd yn eich rhyddhau" (Ioan 8: 31–32). Ond beth yw rhyddid Cristnogol? Mae ei darddiad yn y rhyddid o gaethiwed ofnadwy sy'n dod yn sgil yr angen i ennill ein rhyddid trwy gadw'r gyfraith. Yma ceir rhyddid o euogrwydd ac o gydwybod euog, ceir y llawenydd rhyfeddol sy'n deillio o adnabyddiaeth o faddeuant, o gael ein derbyn, o gael mynediad i gwmni Duw, y cyfan yn tystio i brofiad o drugaredd heb haeddiant. Ond, nid yw'r rhyddid hwn yn rhyddid o bob gwaharddiad ac atalfa.

Yn gyntaf, nid yw'n rhyddid i foddhau ein natur hunan-ganolog. "Fe'ch galwyd chwi, gyfeillion, i ryddid, ond yn unig peidiwch ag arfer eich rhyddid yn gyfle i'r cnawd" (Galatiaid 5: 13). Nid yw ein rhyddid yng Nghrist felly i'w ddefnyddio fel esgus i borthi chwant. Os byddwn fyw yn yr Ysbryd, ni fyddwn yn bodloni chwantau ein natur bechadurus (adn. 16).

Yn ail, nid yw ein rhyddid yn rhyddid i gymryd mantais ar gymydog. I'r gwrthwyneb, "trwy gariad byddwch yn weision i'ch gilydd" (adn. 13). Mae gwrthgyferbyniad grymus yn y geiriau hyn. Yn hytrach na rhoi rhyddid inni i anwybyddu, esgeuluso neu amharchu ein cymydog, mae gorchymyn i garu, a thrwy ein cariad i wasanaethu. Ar un olwg mae ein rhyddid yn ffurf ar gaethwasanaeth – nid caethwasanaeth i'n natur bechadurus ond i'n cymydog. Rydym yn rhydd yn ein perthynas â Duw ond yn gaeth yn ein perthynas â chymydog.

Yn drydydd, nid yw rhyddid Cristnogol yn rhyddid i anwybyddu'r gyfraith, oherwydd "y mae'r holl Gyfraith wedi ei mynegi'n gyflawn mewn un gair, sef yn y gorchymyn, "Câr dy gymydog fel ti dy hun" " (adn. 16). Nid yw'r apostol yn awgrymu y gallwn, wrth inni garu ein cymydog, anghofio'r gyfraith, ond trwy garu yr ydym yn cyflawni'r gyfraith.

Nid yw gwir ryddid yn gyfle i borthi ein natur bechadurus ond i'w rheoli, nid yw'n rhyddid sy'n rhoi cyfle i fanteisio ar gymydog ond i'w wasanaethu, ac nid yw'n rhyddid i anwybyddu'r gyfraith ond i'w chyflawni.

Darllen pellach: Galatiaid 5: 1–15

# Ffrwyth yr Ysbryd

*Ond ffrwyth yr Ysbryd yw cariad, llawenydd, tangnefedd,*
*goddefgarwch, caredigrwydd, daioni, ffyddlondeb,*
*addfwynder, hunanddisgyblaeth.*
Galatiaid 5:22

**M**ae'r Ysbryd Glân nid yn unig yn sanctaidd o ran ei natur a'i gymeriad, ond yn gweithio hefyd i sancteiddio ei bobl. Yn gyntaf, mae dau wrthwynebydd: y cnawd, neu'r natur syrthiedig a etifeddwyd gennym, a'r Ysbryd, neu'r Ysbryd Glân sy'n byw ynom. Ymhellach, mae i'r gwrthwynebwyr hyn ddymuniadau gwahanol. Mae ein personoliaeth Gristnogol felly yn faes y gad i ddau rym gwahanol.

Yn ail, mae'r ddau wrthwynebydd yn arwain at ddwy ffordd o fyw. Mae gweithredoedd ein natur bechadurus yn amlwg ac yn anhardd. Mae Paul yn nodi pymtheg ohonynt, ac nid yw'n honni bod y rhestr yn gyflawn. Gellir eu rhannu i bedwar categori, sef rhyw, crefydd, cymdeithas a diod. Ond mae ffordd arall o fyw, ffordd sy'n brydferth. Cariad, llawenydd a heddwch sy'n nodweddu ein perthynas â Duw; amynedd, caredigrwydd a daioni yn nodweddu ein perthynas ag eraill; a ffyddlondeb, addfwynder a hunanreolaeth yn nodweddu ein rheolaeth arnom ni ein hunain. Maen nhw'n debyg i bortread o Iesu, a dyma ffrwyth yr Ysbryd, gan eu bod fel y ffrwyth i dyfu'n naturiol ac yn raddol.

Yn drydydd, mae dwy agwedd wrthgyferbyniol. Hynny yw, rydym i ymwrthod â'n natur bechadurus gan ildio i'r Ysbryd Glân. A dweud y gwir, mae'r rhai hynny sy'n perthyn i Iesu eisoes wedi croeshoelio eu natur bechadurus gyda'i nwydau a'i chwantau (adn. 24). Rydym wedi mynd â'r natur hon a'i hoelio ar y groes. Bellach, rhaid dysgu ei gadael yno. Rhaid ildio i'r Ysbryd Glân, gan gydgerdded gydag ef. Mae'r agweddau gwrthwynebus hyn i fod yn bendant, yn gyflawn ac yn barhaol. Nid ydym i ddychwelyd byth a beunydd at le'r croeshoeliad. Felly y dylai fod yn ein hagwedd at yr Ysbryd Glân. Rydym i feithrin ein bywyd yn yr Ysbryd drwy ddefnydd doeth o'r Sul, drwy ein disgyblaeth ddyddiol mewn gweddi a darllen y Gair, drwy ein haddoliad cyson gyda'r saint, drwy fynychu Swper yr Arglwydd yn rheolaidd, a thrwy ein gwasanaeth Cristnogol cyson. Mae'r rhain i gyd yn foddion y mae Duw yn eu rhoi i ni, yn sianelau i ras Duw lifo i'n bywyd, yn gyfrinach i lwyddiant yn yr ymdrech am sancteiddrwydd.

Darllen pellach: Galatiaid 5: 16–26

# Gorfoleddu mewn Crist Croeshoeliedig

*... darluniwyd ar goedd o flaen eich llygaid,*
*Iesu Grist wedi'i groeshoelio ...*
Galatiaid 3:1

D isgrifiodd Paul ei weinidogaeth yn ninasoedd Galatia yn nhermau gorfoleddu yn y Crist croeshoeliedig. Nid oedd y Galatiaid wedi gweld Iesu'n marw. Nid oedd Paul chwaith. Ond trwy bregethu am y groes roedd wedi dod â'r gorffennol i'r presennol, gan wneud digwyddiad hanesyddol yn ddigwyddiad cyfoes. O ganlyniad i hyn, gallai'r Galatiaid weld y groes yn eu dychymyg, deall bod Iesu wedi marw dros eu pechodau, plygu wrth y groes mewn gostyngeiddrwydd a derbyn o law Iesu y rhodd o fywyd tragwyddol, a hynny am ddim, yn gwbl anhaeddiannol.

Ond, fel y byddai Paul yn ei ddweud yn ddiweddarach yn 1 Corinthiaid, roedd y ffaith ei fod yn pregethu'r groes yn graig rwystr i falchder dynol, gan fod y groes yn mynnu na allwn sicrhau iachawdwriaeth trwy unrhyw ymdrech bersonol. Yn wir, ni allwn gyfrannu mewn unrhyw ffordd at ein hiachawdwriaeth. Rhodd, a rhodd yn unig yw'r iachawdwriaeth hon. Yng ngeiriau'r Archesgob William Temple, "Yr unig beth sy'n eiddo i mi y medraf ei gyfrannu i fy mhrynedigaeth yw'r pechod y mae angen i mi gael fy mhrynu oddi wrtho."

Yn hyn mae Paul yn ei gymharu ei hun â'r athrawon gau, yr Iddeweiddwyr. Roedd y rhain yn pregethu'r enwaediad (ffordd apostolaidd o ddweud hunanachubiaeth drwy ufudd-dod i'r gyfraith) a thrwy hynny yn osgoi erledigaeth oherwydd croes Crist (6: 12). Roedd ef ar y llaw arall yn pregethu Crist croeshoeliedig (iachawdwriaeth drwy Grist yn unig) ac o ganlyniad yn cael ei erlid yn barhaus (5: 11).

Mae'r un dewis yn wynebu pawb sydd am gyfathrebu'r efengyl heddiw. Byddwn naill ai yn gwenieithu, gan adrodd yr hyn y mae pobl yn dymuno ei glywed (am eu gallu i achub eu hunain) – gweinidogaeth sy'n ymdebygu i'r gorchwyl o roi mwythau i gath nes bod honno yn canu grwndi yn hapus – neu rydym yn dweud y gwir wrth bobl, gwirionedd sy'n annerbyniol iddyn nhw (am bechod, euogrwydd, barn a'r groes) ac ennyn eu gwrthwynebiad. Mewn geiriau eraill, byddwn naill ai'n anffyddlon a phoblogaidd neu'n barod i fod yn amhoblogaidd yn ein penderfyniad i fod yn ffyddlon. Mae'n amheus gennyf a yw'n bosibl i fod yn ffyddlon ac yn boblogaidd ar yr un pryd. Gwelodd Paul yr angen i ddewis. Rhaid i ninnau hefyd.

Darllen pellach: Galatiaid 5: 11; 6: 11–18

# Efengylu drwy'r Eglwys Leol

*Daeth atoch yr Efengyl ... gan ichwi dderbyn y gair... oddi
wrthych chwi yr atseiniodd gair yr Arglwydd ...*
1 Thesaloniaid 1:5–6, 8

Cychwynnodd Paul ei lythyr cyntaf at y Thesaloniaid drwy eu hatgoffa o'i ymweliad. Mae'n defnyddio disgrifiad triphlyg i ddisgrifio'r gwaith. Yn gyntaf, "daeth atoch yr Efengyl" (adn. 5). Daeth mewn geiriau (gan fod iddi gynnwys penodol). Ond nid geiriau yn unig chwaith, gan fod angen i eiriau a lefarwyd mewn gwendid dynol gael eu cadarnhau â nerth dwyfol. Daeth yr efengyl atynt hefyd gydag argyhoeddiad dwfn. Os grym yw'r disgrifiad o ddylanwad gwrthrychol y pregethu, argyhoeddiad yw'r gair sy'n disgrifio cyflwr goddrychol y pregethwr. Ymhellach, roedd gwirionedd y Gair, yr argyhoeddiad oedd ymhlyg yn ei gyhoeddi a grym ei ddylanwad i gyd, yn ganlyniad i waith yr Ysbryd Glân. Mae gwirionedd, argyhoeddiad a grym yn parhau yn elfennau sylfaenol mewn pregethu Cristnogol.

Yn ail, bu iddynt "dderbyn y gair" (adn. 6). Gwelwyd dioddefaint real iawn, gan fod y gwir efengyl bob amser yn ennyn gwrthwynebiad, ond mae llawenydd gwirioneddol hefyd wrth i'r efengyl gael ei derbyn. Mae'r Ysbryd Glân, a roddodd rym i'r pregethwr, yn rhoi llawenydd hefyd i'r rhai sy'n derbyn. Roedd yn gweithio ar ddau ben y broses o gyfathrebu'r efengyl. Fel canlyniad, daeth y credinwyr yn efelychwyr o Iesu a'i apostolion, ac yn esiampl i gredinwyr oherwydd bod eu bywydau wedi eu trawsffurfio.

Yn drydydd, "oddi wrthych chwi yr atseiniodd gair yr Arglwydd" (adn. 8). Gall y ferf yn y gwreiddiol olygu gwneud sŵn, canu (fel canu cloch), neu drwst. Credai Chrysostom fod Paul yn cyffelybu pregethu'r efengyl i sain trymped uchel. Beth bynnag am hynny, roedd yr efengyl a gyhoeddwyd gan y Thesaloniaid yn gwneud sŵn sylweddol oedd yn atseinio dros fryniau a thrwy ddyffrynnoedd gwlad Groeg.

Mae dau beth sy'n mynnu sylw ym mhennod gyntaf 1 Thesaloniaid. Yn gyntaf, rhaid i'r eglwys sy'n derbyn yr efengyl drosglwyddo'r efengyl. Does dim yn fwy clodwiw na'r patrwm "daeth atoch yr Efengyl"– " gan ichwi dderbyn y gair"– "oddi wrthych chwi yr atseiniodd gair yr Arglwydd". Tebyg mai dyma gynllun syml y nefoedd i sicrhau bod yr efengyl yn mynd ar led drwy'r byd i gyd. Yn ail, rhaid i'r eglwys sy'n rhannu'r efengyl ymgorffori'r efengyl. Roedd y newyddion am fywydau wedi eu trawsffurfio yn mynd ar led, ac roedd y cenhadon bron â theimlo'n ddi-waith!

Darllen pellach: 1 Thesaloniaid 1: 1–10

# Trosiadau o Weinidogaeth

*Yr ydych chwi'n dystion, a Duw yn dyst hefyd, mor sanctaidd a chyfiawn a di-fai y bu ein hymddygiad tuag atoch chwi sy'n credu.*
1 Thesaloniaid 2:10

O herwydd fod Paul wedi gorfod dianc liw nos o Thesalonica ac wedi methu dychwelyd, cododd elfen o feirniadaeth ymhlith y trigolion, ac roedd rhaid i Paul ei amddiffyn ei hun. Mae'n gwneud hyn trwy gyfres o drosiadau.

Mae'n cychwyn drwy ysgrifennu am ffyddlondeb stiward: "fel y cawsom ein profi'n gymeradwy gan Dduw i gael ymddiried yr Efengyl inni, yr ydym yn llefaru fel rhai sy'n boddhau, nid meidrolion ond Duw, yr hwn sy'n profi ein calonnau" (adn. 4). Er nad yw'r gair stiward yn ymddangos yn y testun, mae'r darlun o stiwardiaeth yn eglur gan fod Duw wedi ymddiried yr efengyl i ofal Paul.

Yn ail, "Ond buom yn addfwyn yn eich plith, fel mamaeth yn meithrin ei phlant ei hun" (adn. 7). Ie, ac nid yn addfwyn yn unig, ond yn gariadus ac yn aberthol. Mae'n wych o beth fod Paul, gŵr oedd yn wydn ei feddwl a'i gymeriad, yn cyfeirio at ei weinidogaeth yma yn y termau benywaidd hyn.

Yn drydydd, "fe wyddoch inni fod i bob un ohonoch fel tad i'w blant" (adn. 11). Tebyg fod yr apostol yn meddwl am rôl y tad fel addysgwr sy'n dysgu trwy air ac esiampl.

Yn bedwerydd, mae Paul yn nodi hyfdra cyhoeddwr neu gennad. Cyhoeddi (*keryssõ*) yw'r gair a ddefnyddir yn gyffredin yn y Testament Newydd wrth gyfeirio at bregethu. Yn ôl Paul yr oedd wedi "[p]regethu Efengyl Duw i chwi" (adn. 9).

Ceir yma felly ffyddlondeb stiward, addfwynder mam, anogaeth tad a hyfdra cyhoeddwr. Wrth ystyried y pedwar trosiad hyn o weinidogaeth rydym yn dysgu am ddau o brif gyfrifoldebau'r rhai a elwir i weinidogaeth fugeiliol. Yn gyntaf, mae gennym gyfrifoldeb at Air Duw, fel stiwardiaid i'w amddiffyn ac fel cyhoeddwyr i'w ddatgan. Yn ail, mae gennym gyfrifoldeb at bobl Dduw, fel eu mam a'u tad i'w caru a'u hannog. Gellid dweud mai'r elfennau hanfodol mewn arweinwyr bugeiliol yw gwirionedd a chariad mewn cyfuniad priodol. Sut mae hyn yn bosibl? Dim ond trwy bresenoldeb mewnol yr Ysbryd Glân, gan mai ef yw Ysbryd y gwirionedd, a ffrwyth cyntaf yr Ysbryd yw cariad.

Darllen pellach: 1 Thesaloniaid 2: 1–13

# Datguddio'r Gogoniant

*I'r diben hwn hefyd yr ydym bob amser yn gweddïo*
*drosoch chwi ... fel y bydd enw ein Harglwydd Iesu yn cael*
*ei ogoneddu ynoch chwi, a chwithau ynddo yntau.*
2 Thesaloniaid 1:11–12

Mae'r ddau lythyr at y Thesaloniaid yn enwog am y cyfeiriadau mynych sydd ynddynt at ailddyfodiad, neu ddychweliad gweladwy, personol a gogoneddus Iesu Grist. A dweud y gwir mae cyfeiriad ato ym mhob un o'r wyth bennod sydd yn y llythyrau. Yr hyn sy'n arbennig o drawiadol yw'r cyfeiriad mynych ym mhennod gyntaf yr Ail Lythyr at ogoniant Crist.

Yn gyntaf, datguddir Iesu yn ei ogoniant (adn. 7). Mae'n wir fod y gair gogoniant yn absennol o'r adnod, ond mae'r goblygiad yn amlwg. Nid digwyddiad di-nod fydd yr ailddyfodiad, ond un fydd yn peri rhyfeddod gogoneddus drwy'r nef a'r ddaear.

Yn ail, gogoneddir yr Arglwydd Iesu yn ei bobl (adn. 10). Nid gweithred wrthrychol yn unig fydd yr ailddyfodiad (rhywbeth y bydd pawb yn ei weld), ond bydd yn digwydd yn ei bobl (byddwn yn ei rannu). Bydd y ddau ogoneddiad (ei ogoneddiad ef a'r eiddom ni) yn digwydd ar yr un pryd, er nad yw pwyslais yr apostol ar ogoneddiad y rhai cadwedig yn gymaint ag ar ogoneddiad y Gwaredwr yn y rhai cadwedig.

Yn drydydd, bydd y bobl sydd wedi gwrthod Iesu'n fwriadol yn cael eu hatal o'r gogoniant (adn. 8–9). Fe ddisgrifir tynged ofnadwy'r rhain fel eu dinistr a'u gwaharddiad. Y drasiedi a awgrymir yma yw bod pobl sydd wedi eu creu gan Dduw, fel Duw, er mwyn Duw, yn gorfod treulio tragwyddoldeb wedi eu gwahardd o'i gwmni. Ni fydd adferiad yn bosibl. Yn hytrach na disgleirio â gogoniant Crist, bydd eu golau yn cael ei ddiffodd yn y tywyllwch eithaf. Dyma felly y dewis ofnadwy sy'n cael ei gyflwyno gan yr apostol. Gallwch feddiannu neu golli eich rhan yng ngogoniant Crist.

Yn bedwerydd, yn y cyfamser, rhaid i Iesu Grist gychwyn cael ei ogoneddu ynom ni (adn. 12). Nid yw gogoneddiad Iesu a'n gogoneddiad ni yn drawsffurfiad sy'n cael ei gadw'n gyfan gwbl ar gyfer y dydd olaf. Mae'r broses yn cychwyn nawr. Yn wir, rhaid iddi gychwyn nawr er mwyn iddi gyrraedd ei chyflawniad pan ddaw'r Crist. Gwaith y dydd hwnnw fydd nid gwrth-droi'r prosesau sy'n digwydd nawr, ond eu cadarnhau a'u cyflawni.

Darllen pellach: 2 Thesaloniaid 1: 1–12

# Wythnos 43: Llythyr Paul at y Rhufeiniaid

Mae Llythyr Paul at y Rhufeiniaid, er yn llythyr mewn gwirionedd, yn fath o faniffesto Cristnogol sy'n cyhoeddi'r rhyddid sy'n dod trwy Iesu Grist. Dyma'r datganiad mwyaf cyflawn a gogoneddus o'r efengyl yn y Testament Newydd. Mae'n cyhoeddi rhyddid rhag digofaint Duw sy'n cael ei ddatguddio yn erbyn pob math o annuwioldeb, rhyddid o'r "ddaeargell dywyll yr ydym wedi ei chreu i ni ein hunain trwy ein ego" (Malcolm Muggeridge), rhyddid o wrthdaro ethnig, rhyddid o farwolaeth ac ofn marwolaeth, rhyddid o boen a dirywiad ym mydysawd adbrynedig y dyfodol, a rhyddid i fyw mewn cariad tuag at Dduw a'n cymydog.

Cafodd y llythyr hwn ddylanwad aruthrol ar yr eglwys, yn arbennig yn ystod cyfnod y Diwygiad Protestannaidd. Yn ôl Luther, "dyma brif ran y Testament Newydd, a'r ... efengyl ar ei phuraf." Ychwanegodd Calfin "fod i ni ddrws agored i'r drysorfa fwyaf yn yr Ysgrythur" os ydym yn deall y llythyr. Ac yna mae William Tyndale, tad y Beibl Saesneg, yn ei ddisgrifio fel "y rhan fwyaf rhagorol a blaengar o'r Testament Newydd ... sy'n oleuni ac yn ffordd i mewn i'r Ysgrythurau i gyd."

Yn bennaf oll mae'n cynnwys ymrwymiad Paul ei hunan i'r efengyl. Yn y bennod gyntaf (adn. 14–16) mae'n ysgrifennu: "Yr wyf dan rwymedigaeth iddynt oll. A dyma'r rheswm fy mod i mor eiddgar ... Nid oes arnaf gywilydd o'r Efengyl." Hyderaf y bydd i ni hefyd brofi'r un brwdfrydedd!

**Dydd Sul:**  Pechod ac Euogrwydd Cyffredinol
**Dydd Llun:**  Arddangos y Dwyfol yn y Groes
**Dydd Mawrth:**  Yn Farw i Bechod, yn Fyw yng Nghrist
**Dydd Mercher:**  Cariad Cyson Duw
**Dydd Iau:**  Cynllun Duw ar gyfer yr Iddewon a'r Cenedl-ddynion
**Dydd Gwener:**  Trawsnewid Perthynas
**Dydd Sadwrn:**  Y Gwan a'r Cryf

# Pechod ac Euogrwydd Cyffredinol

*Oherwydd, "gerbron Duw ni chyfiawnheir neb meidrol"*
*trwy gadw gofynion cyfraith. Yr hyn a geir trwy'r*
*Gyfraith yw ymwybyddiaeth o bechod.*
Rhufeiniaid 3:20

Does dim yn cadw pobl draw oddi wrth yr Arglwydd Iesu yn fwy na'u hanallu i weld eu hangen amdano neu eu hanfodlonrwydd i gydnabod yr angen hwnnw. Dyma'r egwyddor syml ond amhoblogaidd sy'n gorwedd y tu ôl i Rhufeiniaid 1: 18–3: 20. Mae Paul yn dangos bod pechod ac euogrwydd y ddynoliaeth yn gyffredinol, ac mae'n gwneud hynny trwy rannu'r hil ddynol i nifer o grwpiau gwahanol ac yna eu cyhuddo fesul un. Mae'n dangos bod pob grŵp wedi methu byw i fyny i'r wybodaeth sy'n eu meddiant. Yn wir, maen nhw'n fwriadol wedi celu'r wybodaeth, a hyd yn oed ei gwrth-ddweud. Oherwydd hynny, maen nhw'n euog a heb esgus. Ni all neb hawlio di-euogrwydd, oherwydd ni all neb hawlio anwybodaeth.

Yn gyntaf, mae Paul yn disgrifio cyflwr y Cenedl-ddynion yn eu heilunaddoliaeth, eu hanfoesoldeb a'u hymddygiad gwrthgymdeithasol (1: 18–32).

Yn ail, mae'n cyfeirio at y rhai oedd yn moesoli'n feirniadol (p'un ai Cenedl-ddynion neu Iddewon), sydd eu hunain yn honni safonau moesol uchel gan eu cymhwyso i bawb arall ar wahân iddyn nhw eu hunain (2: 1–16).

Yn drydydd, mae'n troi at Iddewon hunanhyderus oedd yn ymfalchïo yn eu gwybodaeth o gyfraith Duw ond heb fod yn ufudd iddi (2: 17–3: 8).

Yn bedwerydd, mae'n cynnwys yr holl ddynoliaeth gan ddod i'r casgliad ein bod i gyd yn euog a heb esgus o flaen Duw (3: 9–20).

Mae'r apostol wedi bod yn symud yn gyson at y pwynt hwn, sef mai "dyna daw ar bob ceg" ac fel y bo'r "byd i gyd wedi ei osod dan farn Duw" (adn. 19).

Sut felly ddylen ni ymateb i'r modd y mae Paul yn dadlennu ein pechod a'n heuogrwydd? Nid trwy newid y pwnc a siarad am yr angen am hunan-barch, nid trwy roi'r bai ar ein genynnau, ar ein magwraeth, neu'n diwylliant ychwaith, ond yn hytrach trwy dderbyn y diagnosis dwyfol o'n cyflwr a derbyn ein cyfrifoldeb amdano. Dim ond wedyn y byddwn ni'n barod ar gyfer yr "Ond yn awr" (Rhufeiniaid 3: 21) lle mae Paul yn cychwyn esbonio sut mae Duw wedi ymyrryd trwy Grist a'i groes, er mwyn ein hiachawdwriaeth.

Darllen pellach: Rhufeiniaid 3: 9–31

# Arddangos y Dwyfol yn y Groes

Llun

*Gwnaeth Duw hyn i ddangos ei gyfiawnder ... Ond prawf*
*Duw o'r cariad sydd ganddo tuag atom ni yw bod Crist*
*wedi marw drosom.*
Rhufeiniaid 3:25; 5:8

Ymae'r holl ddynoliaeth – o bob cenedl a phob statws, yr anfoesol a'r rhai sydd yn moesoli, Iddewon a Chenedl-ddynion – yn euog ac yn bechadurus, heb esgus, a heb air i'w hamddiffyn eu hunain o flaen Duw. Dyna'r cyflwr ofnadwy y bu inni ei ystyried ddoe. Doedd dim arwydd o oleuni, dim arwydd o obaith, dim arwydd o achubiaeth. "Ond yn awr," medd Paul yn sydyn, mae Duw wedi ymyrryd. Ar ôl nos hir a thywyll, mae dydd newydd wedi gwawrio; mae'n ddatguddiad newydd a ffocws y datguddiad yw Crist a'i groes. Mae Rhufeiniaid 3: 21–26 yn baragraff tynn iawn, yn baragraff y mae Charles Cranfield wedi ei alw yn "ganol a chalon" y rhan hon o'r llythyr, tra bod Leon Morris yn mynd ymhellach trwy ddweud mai'r paragraff hwn yw "efallai'r paragraff mwyaf pwysig a ysgrifennwyd erioed". Yma ceir termau rhyfeddol fel iawn, prynedigaeth a chyfiawnhad.

Yr wyf am ganolbwyntio ar yr hyn sydd gan Paul i'w ddweud am Dduw yn arddangos ei gyfiawnder a'i gariad. Mae'r apostol yn tynnu gwrthgyferbyniad clir rhwng y gorffennol a'r presennol, rhwng pechodau a gyflawnwyd yn y gorffennol (y rhai y mae Duw yn ei amynedd wedi eu gadael heb eu cosbi) a'r presennol lle mae Duw wedi gweithredu i ddangos ei gyfiawnder. Mae'n wrthgyferbyniad rhwng amynedd y dwyfol oedd wedi gohirio'r gosb, a'r farn ddwyfol oedd wedi hawlio'r gosb yng Nghrist ac yn ei groes.

Ond yn ôl Rhufeiniaid 5: 8, roedd datguddiad arall ar y groes: " Ond prawf Duw o'r cariad sydd ganddo tuag atom ni yw bod Crist wedi marw drosom pan oeddem yn dal yn bechaduriaid." Er mwyn deall hyn, rhaid inni gofio mai hanfod caru yw rhoi, a bod mesur cariad yn deillio i raddau o'r gost i'r rhoddwr ac yn rhannol hefyd o haeddiant neu ddiffyg haeddiant yr un sy'n derbyn y cariad. Yn ôl y safonau hyn mae cariad Crist yn gwbl unigryw. Wrth i Dduw anfon ei Fab i farw dros bechaduriaid, roedd yn rhoi popeth, yn ei roi ei hunan, ac yn ei roi ei hunan dros y rhai hynny nad oeddent yn haeddu dim o'i law ond barn.

Ni allwn ddeall y groes os nad ydym wedi ei gweld yn arddangosiad dwbl o gyfiawnder Duw a chariad Duw.

Darllen pellach: Rhufeiniaid 5: 1–11

# Yn Farw i Bechod, yn Fyw yng Nghrist

*Beth, ynteu, sydd i'w ddweud? A ydym i barhau mewn*
*pechod, er mwyn i ras amlhau?*
Rhufeiniaid 6:1

Ddwywaith yn Rhufeiniaid 6 (adn. 1, 15) rydym yn clywed beirniad dychmygol yn gofyn yr un cwestiwn i Paul: A yw Paul yn golygu trwy ei ddysgeidiaeth fod rhyddid i ni barhau i bechu er mwyn i ras Duw barhau i faddau? Ddwywaith mae'r apostol yn ateb, "Ddim o gwbl!" Mae Cristnogion sy'n gofyn cwestiynau fel hyn yn dangos nad ydyn nhw wedi deall ystyr eu bedydd (adn. 1–14), nac ychwaith eu tröedigaeth (adn. 15–23).

A oedden nhw'n sylweddoli bod eu bedydd yn arwyddo uniad gyda Christ yn ei farwolaeth, bod y farwolaeth hon yn farwolaeth i bechod (yn cyfarfod â'i haeddiant ac yn talu'r gosb), a'u bod hefyd wedi rhannu yn ei atgyfodiad? Trwy eu hundeb â Christ, roeddent bellach yn farw i bechod ond yn fyw i Dduw. Sut felly y mae'n bosibl iddyn nhw barhau i fyw yn yr hyn yr oedden nhw wedi marw iddo? Felly hefyd gyda'u tröedigaeth. Onid oedd y bobl hyn wedi penderfynu cyflwyno eu hunain i Dduw fel ei gaethweision? Sut felly oedd hi'n bosibl iddyn nhw ildio eto i fod yn gaethweision pechod? Mae'n bedydd a'n tröedigaeth wedi cau'r drws ar yr hen fywyd ac wedi agor y drws i fywyd newydd. Nid yw'n amhosibl i ni fynd yn ein hôl, ond mae bron yn anghredadwy y byddem yn barod i wneud hynny. Nid annog pechod y mae gras ond ei wahardd.

Ond nid yw'n ddigon i ni gytuno â'r ymadrodd "Ddim o gwbl!" Rhaid inni fynd ymhellach gan gadarnhau'r rheswm negyddol hwn gyda chydnabyddiaeth o'r hyn ydym ar gyfrif ein tröedigaeth (yn fewnol) a'n bedydd (yn allanol). Rydym yn un â Christ (adn. 1–14), rydym yn gaethweision i Dduw (adn. 15–23). Sut felly y medrwn barhau mewn pechod yn fwriadol a chymryd mantais ar ras? Mae'r syniad yn gwbl annerbyniol ac yn wrthddywediad eithafol. Rhaid inni barhau i atgoffa'n hunain o'r hyn ydym. Rhaid inni ddysgu siarad â ni'n hunain gan ofyn cwestiynau i ni'n hunain: "Wyt ti'n gwybod pwy wyt ti? Onid wyt ti'n sylweddoli dy fod di wedi dy uno â Christ ac yn gaethwas i Dduw?" Mae angen inni barhau i bwyso arnom ein hunain â'r math o gwestiynau lle byddwn yn ateb, "Ydw, rwy'n gwybod pwy ydw i, rwy'n berson newydd yng Nghrist; a thrwy ras Duw, rwy'n bwriadu byw felly."

Darllen pellach: Rhufeiniaid 6: 1–23

# Cariad Cyson Duw

*Yr wyf yn gwbl sicr na all nac angau nac einioes, nac*
*angylion na thywysogaethau ... nac uchelderau na*
*dyfnderau, na dim arall a grewyd, ein gwahanu ni oddi*
*wrth gariad Duw yng Nghrist Iesu ein Harglwydd.*
Rhufeiniaid 8:38–39

Does dim amheuaeth nad yw Rhufeiniaid 8 yn un o'r penodau mwyaf adnabyddus yn y Beibl, yn arbennig y deuddeg adnod olaf. Mae'r apostol yn codi i uchelderau rhyfeddol yma. Wedi disgrifio'r breintiau pennaf sy'n eiddo i gredinwyr sydd wedi eu cyfiawnhau – heddwch gyda Duw, undeb gyda Christ, rhyddid o'r gyfraith, a bywyd yn yr Ysbryd – mae meddwl ysbrydol Paul yn awr yn cael ei gyfeirio i gymryd golwg dros holl gynllun a phwrpas Duw o dragwyddoldeb i dragwyddoldeb.

Mae'n cychwyn gyda phum argyhoeddiad sicr (adn. 28) – bod Duw ar waith yn ein bywydau, ei fod yn gweithio er daioni i bobl, a'i fod yn gwneud hyn ymhob peth i'r rhai sydd yn ei garu ac i'r rhai sydd wedi cael eu galw yn ôl ei bwrpas. Rydym yn gwybod y pum peth hyn, meddai Paul, er nad ydym bob amser yn eu deall. Yna, mae pum cadarnhad diymwad (adn. 29–30) sy'n ymhelaethu ar yr hyn y mae Paul yn ei olygu trwy sôn am "bwrpas" Duw. Maen nhw'n cyfeirio at bobl Dduw, rhai yr oedd Duw wedi eu rhagwybod (ystyr hyn yw ei fod wedi gosod ei gariad arnynt), pobl y mae wedi eu rhagluniaethu i gael eu ffurfio i fod yn debyg i'w Fab, pobl y mae wedi eu galw iddo'i hun trwy'r efengyl, rhai y mae wedi eu cyfiawnhau, ac yn olaf, rhai y mae am eu gogoneddu. Wedi dweud hyn, mae'n ddiddorol fod Paul, oherwydd ei sicrwydd, yn cyfeirio at ein gogoneddiad yn yr amser gorffennol er mai digwyddiad yn y dyfodol fydd. Felly mae Paul yn symud o gam i gam. Yn olaf, mae'n dod i bum cwestiwn na ellir eu hateb.

Cwestiwn 1: Os yw Duw trosom, pwy sydd yn ein herbyn? (adn. 31). Cwestiwn 2: Nid arbedodd Duw ei Fab ei hun, ond ei draddodi i farwolaeth trosom ni oll. Ac os rhoddodd ei Fab, sut y gall beidio â rhoi pob peth i ni gydag ef? (adn. 32). Cwestiwn 3: Pwy sydd i ddwyn cyhuddiad yn erbyn etholedigion Duw? Duw yw'r un sy'n dyfarnu'n gyfiawn (adn. 33). Cwestiwn 4: Pwy sydd yn ein collfarnu? Crist Iesu yw'r un a fu farw, yn hytrach a gyfodwyd, yr un hefyd sydd ar ddeheulaw Duw, yr un sydd yn ymbil trosom (adn. 34). Cwestiwn 5: Pwy a'n gwahana ni oddi wrth gariad Crist? Ai gorthrymder, neu ing, neu erlid, neu newyn, neu noethni, neu berygl, neu gleddyf? (adn. 35).

Felly, dyma ni'n wynebu pum argyhoeddiad am ragluniaeth Duw, pum cadarnhad am ei bwrpas, a phum cwestiwn am ei gariad, sydd gyda'i gilydd yn rhoi pymtheg sail i'n hyder amdano ef. Mae angen y rhain yn ddifrifol heddiw oherwydd mae'n ymddangos nad oes dim yn ein byd ni sydd bellach yn sefydlog ac yn sicr.

Darllen pellach: Rhufeiniaid 8: 28–39

# Cynllun Duw ar gyfer yr Iddewon a'r Cenedl-ddynion

*Yr wyf yn gofyn, felly, a yw eu llithriad yn gwymp*
*terfynol? Nac ydyw, ddim o gwbl!*
Rhufeiniaid 11:11

Trwy gydol rhan gyntaf ei lythyr, nid yw Paul wedi anghofio'r cymysgedd ethnig oedd yn yr eglwys yn Rhufain, nac ychwaith y tensiynau oedd yn mynnu dod i'r wyneb rhwng y Cristnogion o gefndir Iddewig oedd yn y lleiafrif, a'r Cristnogion o blith y Cenedl-ddynion oedd yn y mwyafrif. Bellach daeth yn amser iddo ddelio â'r anhawster diwinyddol hwn. Sut allwn ddeall bod y genedl Iddewig yn gyfan gwbl wedi gwrthod ei Meseia? Roedd i'r rhain fanteision unigryw, manteision yr oeddent wedi eu derbyn o law Duw. Sut oedd hi'n bosibl i'r rhain aros gyda'u rhagfarnau?

Mae Paul yn rhoi ateb dwbl i'r cwestiynau hyn. I gychwyn, roedd anghrediniaeth yr Iddewon i'w chyfrif i bwrpas Duw yn ei etholedigaeth. Ond yr un pryd gellir ei phriodoli i anufudd-dod bwriadol yr Iddewon eu hunain. Yn benodol, baglodd y genedl dros y graig rwystr, hynny yw Crist a'i groes. Mae'r tensiwn hwn rhwng etholedigaeth ddwyfol a gwrthryfel dynol yn wrthgyferbyniad na all ein meddyliau dynol ni ei blymio. Ond rhaid inni gyhoeddi'r ddau wirionedd er na allwn eu cysoni.

Yn Rhufeiniaid 11 mae Paul yn edrych i'r dyfodol ac yn cyhoeddi nad yw cwymp Israel yn gwymp lwyr oherwydd y mae rhai o fewn y genedl sy'n dal i gredu, ac nad yw ei chwymp yn derfynol ychwaith gan nad yw Duw wedi gwrthod ei bobl a byddant yn cael eu hadfer (adn. 1–11). Mae'n mynd ymlaen i ddatblygu alegori pren yr olewydden a dysgu inni ddwy wers. Mae'r gyntaf yn rhybudd i'r Cenedl-ddynion (cangen o olewydden wyllt oedd wedi cael ei himpio i mewn) nad oedden nhw i ragdybio nac i ymffrostio (adn. 17–22). Mae'r ail yn addewid i Israel (y canghennau naturiol) y byddant yn cael eu himpio yn ôl unwaith yn rhagor os na fyddant yn mynnu parhau yn eu hanghrediniaeth (adn. 23–24). Mae gweledigaeth Paul am y dyfodol (rhywbeth y mae'n ei alw'n "ddirgelwch" [adn. 25] neu'n ddatguddiad) yn golygu bod y nifer cyflawn o Iddewon a Chenedl-ddynion i'w casglu i mewn (adn. 12, 25). Yn wir, bydd Duw yn trugarhau wrthynt i gyd (adn. 32), nid pawb yn ddieithriad, ond pawb yn ddiwahân. Does ryfedd fod y weledigaeth hon yn peri bod Paul yn torri allan i ganmol Duw am ddyfnder a chyfoeth ei drysorau a'i ddoethineb (adn. 33–36).

Darllen pellach: Rhufeiniaid 11: 25–36

# Trawsnewid Perthynas

*A pheidiwch â chydymffurfio â'r byd hwn, ond bydded
ichwi gael eich trawsffurfio trwy adnewyddu eich meddwl.*
Rhufeiniaid 12:2

**M**ae Paul yn awr yn gwneud apêl huawdl i'w ddarllenwyr. Mae'n seilio'r apêl ar drugareddau Duw y bu'n eu hesbonio, gan alw ar bobl i gysegru eu cyrff ac i drawsnewid eu meddyliau. Mae'n gosod o'n blaen y dewis clir sydd wedi wynebu pobl Dduw ar draws y canrifoedd, naill ai i gydymffurfio i batrwm y byd hwn neu i gael eu trawsnewid wrth i'w meddyliau gael eu trawsnewid i ddirnad "ei ewyllys ... dda a derbyniol a pherffaith" (adn. 2). Mae'r dewis yn glir, naill ai ffasiwn y byd neu ewyllys yr Arglwydd.

Yn y penodau sy'n dilyn, daw'n glir fod ewyllys dda Duw yn ymwneud â'n perthynas â phobl eraill, rhywbeth sy'n cael ei newid yn rhyfeddol gan yr efengyl. Mae Paul yn delio ag wyth o'r rhain. Er enghraifft, rydym i sicrhau golwg iawn arnom ein hunain ac i ymarfer ein doniau er lles corff Crist. Ond mae'n siŵr mai'r sialens fwyaf yw'r alwad i garu ein gelynion (adn. 17–21). Gan adleisio dysgeidiaeth Iesu, mae Paul yn ysgrifennu nad ydym i dalu drwg am ddrwg ond i fod yn ofalus i wneud yr hyn sy'n dda. Nid ydym i geisio dial ond yn hytrach i adael cosbi drygioni i Dduw.

Mae'n bwysig cadw gyda'i gilydd y ddau destun sydd yn cyfeirio at ddicllonedd Duw. Yn ôl Rhufeiniaid 12: 19, nid ein lle ni yw dial ond yn hytrach rhoi "ei gyfle i'r digofaint dwyfol". Yn ôl Rhufeiniaid 13: 4, yr un sydd â'r awdurdod yw "Gwas Duw ... dialydd i ddwyn digofaint dwyfol ar ddrwgweithredwyr." Ein cyfrifoldeb ni fel unigolion yw caru a gwasanaethu'n gelynion. Does dim lle inni gymryd y gyfraith i'n dwylo ein hunain a chosbi drwgweithredwyr. Cyfrifoldeb Duw yw cosbi drygioni ac yn ein dyddiau ni y mae Duw yn gwneud hynny drwy'r llysoedd barn.

Darllen pellach: Rhufeiniaid 12: 14–13: 5

# Y Gwan a'r Cryf

*Derbyniwch i'ch plith unrhyw un sy'n wan ei ffydd, ond
nid er mwyn codi dadleuon.*
Rhufeiniaid 14:1

**M**ae'n perthynas â'r gwan yn un y mae Paul yn ymdrin â hi yn helaeth (14: 1–15: 13). Mae'n amlwg mai pobl sy'n wan eu ffydd neu eu hargyhoeddiad yw'r bobl hyn, yn hytrach na rhai sy'n wan eu cymeriad. Felly, os ydym yn ceisio darlunio brawd neu chwaer wan, rhaid inni ddychmygu nid Cristion sy'n cael ei oddiweddyd yn rhwydd gan demtasiwn ond Cristion sy'n sensitif iawn ac yn llawn amhendantrwydd a phetruster.

Yr hyn y mae ei angen ar y gwan yw nid yn gymaint nerth gyda golwg ar hunanddisgyblaeth ond rhyddid gyda golwg ar gydwybod. Rhaid bod y gwan yn Rhufain i'w cael yn bennaf ymhlith y Cristnogion Iddewig, pobl oedd yn dal i gredu bod angen iddynt dalu sylw i reolau a chyfreithiau bwyd, gwyliau a chyfnodau ympryd y calendr Iddewig. Roedd Paul ei hun yn un o'r rhai cryf ac yn gallu uniaethu â'u safbwynt. Mae ei gydwybod addysgiedig yn ei sicrhau bod bwydydd a dyddiau yn faterion eilradd. Ar yr un pryd, mae'n gwrthod tramgwyddo yn ormodol gydwybod sensitif y gwan. Ei anogaeth yn gyffredinol i'r eglwys yw derbyn y gwan fel y mae Duw wedi gwneud (14: 1, 3) a derbyn ein gilydd fel y mae Crist wedi gwneud (15: 7). Nid yw'r cryf i gondemnio'r gwan, nac i'w niweidio trwy geisio eu perswadio i weithredu yn erbyn eu cydwybod.

Nodwedd fwyaf arwyddocaol dysgeidiaeth Paul yma yw ei fod yn seilio'r cwbl ar ei Gristoleg, yn benodol ar farwolaeth, atgyfodiad ac ailddyfodiad Iesu. Mae'r gwan yn frodyr a chwiorydd y mae Crist wedi marw drostyn nhw. Mae Crist wedi codi i fod yn Arglwydd i'r bobl hyn a does dim rhyddid i ni i amharu ar fywyd ei weision. Y mae hefyd yn dod i fod yn farnwr, felly does dim angen i ni i fod yn farnwyr ein hunain. Fe ddylem hefyd ddilyn esiampl Crist, a wrthododd ei blesio ei hunan ond a ddaeth fel gwas, yn was yn wir i Iddewon a Chenedl-ddynion. Mae Paul yn gadael i'w ddarllenwyr weledigaeth brydferth o'r gwan a'r cryf, credinwyr Iddewig a chredinwyr o blith y Cenedl-ddynion, pobl sydd wedi eu clymu â'i gilydd â'r fath ysbryd o undod fel eu bod "yn unfryd ac yn unllais" yn gogoneddu Duw (15: 6).

Darllen pellach: Rhufeiniaid 15: 1–13

# Wythnos 44: Y Ddau Lythyr i Corinth

Mae'n anodd ail-greu ymweliadau a llythyrau Paul i Corinth, llythyron ac ymweliadau a ddiogelodd ei berthynas gydag aelodau'r eglwys yno. Mae'n glir er hynny fod rhwymau cryf o gariad yn eu huno. Roedd yn naturiol iddo gyfeirio at y rhain "fel plant annwyl i mi" (1 Corinthiaid 4: 14), oherwydd er bod iddyn nhw "ddeng mil o hyfforddwyr" (adn. 15) i'w disgyblu, nid oedd ganddynt lawer o dadau i'w caru, tra bod Paul wedi dod yn dad iddynt trwy'r efengyl (gweler adn. 14–21).

Mae'n ddiddorol i gymharu'r llythyr at y Rhufeiniaid a'r ddau lythyr at y Corinthiaid. Mae'r llythyr at y Rhufeiniaid wedi ei osod allan yn drefnus, yn dadlennu'r efengyl yn ofalus, tra bod y ddau lythyr at y Corinthiaid yn ddogfennau mwy ad hoc sy'n ymateb i anghenion gweladwy y Corinthiaid ac yn ateb rhai o'u cwestiynau. Dichon bod oddeutu ugain o bynciau gwahanol yn cael eu trin yn 1 a 2 Corinthiaid – pynciau diwinyddol, moesol, bugeiliol a phersonol. Er eu bod yn cyfeirio at broblemau real yng Nghorinth yn y ganrif gyntaf, mae cyfarwyddyd Paul yn anghyffredin o berthnasol i anghenion yr eglwys mewn sawl diwylliant heddiw.

**Dydd Sul:**   Grym trwy Wendid
**Dydd Llun:**   Y Drafodaeth am Fwyd a Aberthwyd i Eilunod
**Dydd Mawrth:**   Ysbryd Undod
**Dydd Mercher:**   Cynlluniau Teithio Paul
**Dydd Iau:**   Agweddau Goruwchnaturiol Efengylu
**Dydd Gwener:**   Newyddion Da'r Cymod
**Dydd Sadwrn:**   Gras a Rhoi

# Grym trwy Wendid

*Ond y mae'r trysor hwn gennym mewn llestri pridd, i ddangos*
*mai eiddo Duw yw'r gallu tra rhagorol, ac nid eiddom ni.*
2 Corinthiaid 4:7

Un o'r themâu sy'n dod i'r amlwg yn fynych yn y llythyrau at y Corinthiaid yw'r thema o rym trwy wendid; mae wyth enghraifft benodol yn y ddau lythyr.

Wrth gwrs, mae'r awydd am rym wedi bod yn nodweddiadol o hanes y ddynoliaeth o'r diwrnod hwnnw pryd y bu i Adda ac Efa gael cynnig grym o'i gyfnewid am eu hufudd-dod. Hyd heddiw mae ein hymdrech am arian, am enwogrwydd, am ddylanwad, i gyd yn cuddio'r awydd am rym. Gwelwn mewn gwleidyddiaeth a bywyd cyhoeddus, mewn busnes a diwydiant, yn y swyddi proffesiynol a'r cyfryngau, a hyd yn oed yn yr eglwys a mudiadau rhyngeglwysig, yr un grym ar waith. Grym! Mae hwn yn achosi mwy o feddwdod na diod, mae'n ein meddiannu yn fwy na chyffuriau. Yn ôl yr Arglwydd Acton, gwleidydd o'r bedwaredd ganrif ar bymtheg, "Y mae grym yn tueddu at halogi; mae grym absoliwt yn halogi'n absoliwt." Aelod o'r eglwys Babyddol oedd yr Arglwydd Acton, ac yn 1870, gwrthwynebodd yn ffyrnig benderfyniad Cyngor Cyntaf y Fatican i briodoli anffaeledigrwydd i'r pab. Yr oedd yn gweld hyn fel grym yn halogi'r eglwys.

Mae'r Beibl yn cynnwys rhybuddion clir am y defnydd a'r camddefnydd o rym. Mae Paul yn pwysleisio ei thema o rym trwy wendid, ac o rym dwyfol trwy wendid dynol. Mae'r ddwy bennod gyntaf yn 1 Corinthiaid yn rhoi tair esiampl glir o'r un egwyddor.

Rydym yn gweld hyn yn gyntaf yn yr efengyl ei hunan, oherwydd gwendid y groes yw grym achubol Duw (1 Corinthiaid 1: 17–25). Yn ail, rydym yn gweld grym trwy wendid yn y Corinthiaid oedd wedi dod yn Gristnogion, oherwydd yr oedd Duw wedi dewis y gwan er mwyn cywilyddio'r cryf (1 Corinthiaid 1: 26–31). Yn drydydd, mae grym trwy wendid yn cael ei arddangos yn Paul yr efengylwr, gan iddo ddod i Gorinth "mewn gwendid ac ofn a chryndod mawr" ond hefyd gydag "amlygiad sicr o'r Ysbryd a'i nerth" (1 Corinthiaid 2: 1–5).

Felly mae'r efengyl, y credinwyr a'r efengylwr (neu wrthrychau'r efengyl a'r efengylwr) i gyd yn arddangos yr un egwyddor, fod grym Duw yn gweithio orau mewn gwendid dynol. Mae Duw wedi dewis offeryn gwan (Paul) i ddod â neges wan (y groes) i bobl wan (y bobl oedd yn cael eu hanwybyddu'n gymdeithasol). Ond trwy'r gwendid triphlyg hwn mae grym Duw wedi cael ei arddangos ac yn parhau felly.

Darllen pellach: 1 Corinthiaid 1: 18–2: 5

# Y Drafodaeth am Fwyd a Aberthwyd i Eilunod

*Ynglŷn â bwyd sydd wedi ei aberthu i eilunod, y mae'n wir, fel y dywedwch, "fod gennym i gyd wybodaeth." Y mae "gwybodaeth" yn peri i rywun ymchwyddo, ond y mae cariad yn adeiladu.*

1 Corinthiaid 8:1

**M**ae'r testun heddiw yn mynd â ni i ganol trafodaeth oedd wedi ysgwyd yr eglwys yn y ganrif gyntaf. A oedd dilynwyr Iesu yn cael rhyddid i fwyta cig oedd wedi ei ddefnyddio mewn arferion aberthol paganaidd cyn cael ei werthu yn siop y cigydd? Neu a oedd bwyta'r math hwn o gig yn gyfystyr ag eilunaddoliaeth?

Roedd y ddwy blaid yn y drafodaeth (pobl y bu i ni gyfarfod â nhw ddydd Sadwrn diwethaf) yn cynnwys y gwan a'r cryf. Ar y naill law roedd y rhai oedd â chydwybod gref wedi eu haddysgu yn dda yn ddiwinyddol. Roedden nhw'n gwybod nad oedd y fath beth ag eilun yn bod. Felly nid oedd ganddyn nhw unrhyw anhawster i fwyta'r bwyd ac wrth gwrs, roedden nhw'n iawn. Ond doedd gan y rhain fawr o barch at y gwan. Roedden nhw'n gwthio'u ffordd trwy gydwybod eraill. Yn eu hachos nhw, roedd rhaid i'r wybodaeth gael ei thymheru â chariad. Ar y llaw arall, roedd y rhai â chydwybod wan fwy na thebyg yn bobl oedd newydd brofi tröedigaeth o eilunaddoliaeth, ac roedden nhw'n poeni am bopeth yn eu hymdrech i wasanaethu Duw yn ffyddlon. Ni fynnen nhw hyd yn oed gyffwrdd â'r cig hwn. Roedden nhw'n iawn yn eu penderfyniad i gael dim i'w wneud ag eilunod. Ond roedd eu diwinyddiaeth yn wan. Yn eu hachos nhw roedd angen i'w cariad tuag at Dduw gael ei gryfhau â gwybodaeth ddiogel. Yn achos y cryf roedd rhaid wrth fwy o addfwynder, ac yn achos y gwan fwy o ddealltwriaeth.

Yr ymadrodd allweddol yn y bennod yw bod "gwybodaeth yn peri i rywun ymchwyddo, ond y mae cariad yn adeiladu" (adn. 1). Mae gwybodaeth yn dod â rhyddid (adn. 4–8). Rydym yn gwybod nad oes ond un Duw, ac mae ein monotheistiaeth yn dod â ni i le o ryddid cydwybod a gweithgarwch. Ond mae rhai nad ydynt eto wedi cael y wybodaeth hon ac maent heb brofi rhyddid. Felly, mae cariad yn cyfyngu ar ryddid (adn. 9–13). Os gwêl rhywun sydd â chydwybod wan un ohonoch chi (person o wybodaeth) yn bwyta yn nheml eilunod, efallai y bydd yn cael ei arfogi i ddilyn eich esiampl a thrwy hynny glwyfo'i gydwybod.

Mae dau wirionedd sy'n sefyll allan yn y drafodaeth oesol hon. Yn gyntaf, rhaid parchu cydwybod. Nid ydynt yn anffaeledig. Rhaid iddyn nhw gael eu haddysgu ond nid eu tramgwyddo. Nid ein lle ni yw tramgwyddo cydwybod eraill. Yn ail, mae cariad yn cyfyngu ar ryddid. Mae'n cydwybod ni, sydd wedi ei dysgu gan Air Duw, yn rhoi i ni ryddid rhyfeddol mewn gweithredoedd. Eto, nid yw hyn yn caniatáu i ni fynnu ein rhyddid ar draul eraill. Mae gwybodaeth yn rhoi rhyddid, ond mae cariad yn ei gyfyngu.

Darllen pellach: 1 Corinthiaid 8: 1–13

# Ysbryd Undod

*Oherwydd fel y mae'r corff yn un ... fel hyn y mae Crist*
*hefyd. Oherwydd mewn un Ysbryd y cawsom i gyd ein*
*bedyddio i un corff, boed yn Iddewon neu yn Roegiaid, yn*
*gaethweision neu yn rhyddion, a rhoddwyd i bawb*
*ohonom un Ysbryd i'w yfed.*
1 Corinthiaid 12:12–13

Rydym yn gwybod o 1 Corinthiaid 1 fod yr eglwys yng Nghorinth wedi ei rhwygo gan wahanol garfanau, ac yn erbyn y cefndir hwn y mae deall y testun heddiw. Mae Paul yn pwysleisio nad oes ond un Ysbryd Glân ac mai hwn yw Ysbryd undod. Saith neu wyth o weithiau yn rhan gyntaf pennod 12 gelwir yr Ysbryd Glân "yr un Ysbryd" neu "yr un a'r unrhyw Ysbryd". Mae Paul yn cadarnhau hyn trwy dri datganiad cryf.

Yn gyntaf, mae pob crediniwr wedi ei oleuo gan yr un a'r unrhyw Ysbryd i ddweud "Iesu yw'r Arglwydd" (adn. 1–3). Hyd yn oed heddiw, mae hwn yn brawf da i'w gymhwyso i unrhyw berson neu fudiad. Gwaith sylfaenol yr Ysbryd Glân yw gogoneddu Iesu Grist. Ni ddylem fyth wahanu ail a thrydydd person y Drindod.

Yn ail, mae pob crediniwr wedi ei gyfoethogi gan yr un a'r unrhyw Ysbryd â doniau gwahanol (adn. 4–11). Mae pum rhestr o ddoniau ysbrydol yn y Testament Newydd. O'u cyfrif gyda'i gilydd mae o leiaf un ar hugain ohonynt, gyda rhai yn weddol gyffredin, fel doniau gweinyddol, neu weithredoedd o drugaredd, a rhoi arian. Eu pwrpas yw "er lles pawb" (adn. 7), a gellir mesur eu pwysigrwydd yn ôl y graddau y maent yn adeiladu'r eglwys.

Yn drydydd, mae pob crediniwr wedi ei fedyddio â'r un a'r unrhyw Ysbryd i mewn i gorff Crist (adn. 12–13). Rydym yn gwybod bod Cristnogion Pentecostal a charismataidd yn ystyried bedydd yr Ysbryd yn ail brofiad sy'n dilyn eu tröedigaeth a'u genedigaeth newydd, a bod rhai Cristnogion wedi derbyn hyn. Ond mae ein testun heddiw yn ymddangos fel petai'n gwrth-ddweud y ddysgeidiaeth hon. Oherwydd yma, yn ôl yr apostol Paul, rydym i gyd wedi ein bedyddio â'r un Ysbryd ac wedi yfed o'r un Ysbryd. Mae rhodd yr Ysbryd, sy'n cael ei ddarlunio nawr fel bedydd a nawr fel diod, yn fraint i bob crediniwr. "Pwy bynnag sydd heb Ysbryd Crist, nid eiddo Crist ydyw" (Rhufeiniaid 8: 9).

Darllen pellach: 1 Corinthiaid 12: 1–13

# Cynlluniau Teithio Paul

*Rwy'n gobeithio cael aros gyda chwi am beth amser, os*
*bydd yr Arglwydd yn caniatáu. Ond rwyf am aros yn*
*Effesus tan y Pentecost.*
1 Corinthiaid 16:7–8

Mae Paul yn Effesus, prifddinas Asia, ond mae'n bwriadu teithio trwy Facedonia i Gorinth, a thrwy hynny yn gobeithio casglu arian i fynd i Jerwsalem. Mae'r siwrnai hon tua thri chant ar ddeg o filltiroedd o fynd yn syth, a thipyn pellach o fynd ar y môr.

Sylwch fod yr apostol yn gwneud ei gynlluniau mewn dwy ffordd benodol. Ar y naill law roedd pob un yn ddarostyngedig i ewyllys a phwrpas Duw. Mae'n defnyddio'r ymadrodd "os bydd yr Arglwydd yn caniatáu"; ac nid ychwanegiad artiffisial o eiriau megis "os Duw a'i myn" sydd yma ond ymddarostyngiad Paul i gynlluniau'r Arglwydd Iesu Grist ar gyfer ei fywyd. Ar y llaw arall, wrth wneud ei gynlluniau mae Paul yn defnyddio synnwyr cyffredin gan gymryd i ystyriaeth bob amgylchiad perthnasol. Er enghraifft, roedd yn dymuno mynd i Jerwsalem oherwydd arwyddocâd symbolaidd y rhodd yr oedd am ei chludo yno. Ar ei ffordd roedd am dreulio amser priodol (y gaeaf) yng Nghorinth, gan geisio dod â heddwch i eglwys oedd wedi'i rhannu a hefyd aros nes byddai stormydd y gaeaf yn mynd heibio ac yn caniatáu siwrnai ddiogel ar y môr eto. Ar ei ffordd i Gorinth roedd yn bwriadu mynd trwy Facedonia ac ymweld â Philipi, Thesalonica a Berea. Yn y cyfamser roedd yn awyddus i aros yn Effesus tan y Pentecost (tua mis Mehefin), yn rhannol oherwydd bod "drws llydan wedi ei agor imi, un addawol" (adn. 9) (yn neuadd Tyrannus) ac yn rhannol oherwydd bod llawer yn ei wrthwynebu. Felly roedd i bob rhan o'i siwrnai ei rhesymau. Byddai'n treulio'r gwanwyn yn Effesus, yr haf ym Macedonia, a'r hydref a'r gaeaf yng Nghorinth, a hwylio am Jerwsalem yn y gwanwyn. Mae'n rhyfeddol fod Paul wedi ymwneud â'i gynlluniau teithio trwy gyfuno ewyllys dwyfol a synnwyr cyffredin.

Y wers a ddysgwn o 1 Corinthiaid 16 yw bod ein holl fywyd yn eiddo i Dduw ac nad oes dim yn ein bywyd y tu allan i gylch ei ddiddordeb. Mae deuoliaeth, neu wahanu'r cysegredig a'r seciwlar, wedi bod yn dueddiad trychinebus trwy holl hanes yr eglwys. Nid oedd yr apostol Paul yn euog o hyn. Yn 1 Corinthiaid 15, mae'n delio â gwirioneddau rhyfeddol am yr atgyfodiad, tra bo pennod 16 yn delio â materion beunyddiol. Roedd yn byw yn y ddau fyd gyda'i gilydd.

Darllen pellach: 1 Corinthiaid 16: 1–9

# Agweddau Goruwchnaturiol Efengylu

*Oherwydd y Duw a ddywedodd, "Llewyrched goleuni o'r tywyllwch", a lewyrchodd yn ein calonnau i roi i ni oleuni'r wybodaeth am ogoniant Duw yn wyneb Iesu Grist.*
2 Corinthiaid 4:6

Ymae penodau 3 a 4 o'r ail lythyr at y Corinthiaid yn benodau rhagorol ar y weinidogaeth fugeiliol. Yn y penodau hyn mae Paul yn cyflwyno agweddau goruwchnaturiol ei efengylu. Mae "duw'r oes bresennol [y diafol]", meddai Paul, wedi dallu meddyliau'r anghredinwyr (adn. 4). Wyneb yn wyneb â'r dallineb hwn rydym yn gwbl ddiymadferth. Nid ein braint ni yw agor llygaid y dall. Mae gorchudd dros eu meddyliau sy'n peri na allant weld goleuni efengyl Crist.

Dim ond Duw'r Creawdwr sy'n abl i agor llygaid y mae'r diafol wedi eu dallu. Felly, mae Paul yn mynd â ni yn ôl i gychwyn llyfr Genesis i'n hatgoffa o'r tywyllwch oedd yn bodoli cyn i lais Duw gyhoeddi, "Bydded goleuni". Fel yn achos y greadigaeth mae Duw yn cyhoeddi "Bydded goleuni", felly yn achos y greadigaeth newydd mae Duw wedi llewyrchu i mewn i'n calonnau. Y mae ailenedigaeth yn gymaint o weithred ddwyfol greadigol ag oedd y weithred greadigol wreiddiol.

Yma felly mae dau dduw sydd mewn brwydr dros fywyd ac angau – ar y naill law, "duw'r oes bresennol" (adn. 4) ac ar y llaw arall, "Duw a Thad ein Harglwydd Iesu Grist" (1: 3). Ymhellach, y mae gweithredoedd nodweddiadol y naill a'r llall yn amlwg. Mae'r diafol yn dallu meddyliau'r anghredinwyr, ond mae Duw yn tywynnu i mewn i galonnau sydd wedi eu tywyllu (adn. 6). Yn y frwydr oruwchnaturiol rhaid inni ofyn, Beth sydd gennym ni i'w gyfrannu? Os y diafol sy'n dallu a Duw sy'n tywynnu, oni fyddai'n briodol i ni symud yn ôl o faes y gad a rhoi rhyddid i'r ddwy ochr i ymladd? A dweud y gwir, mae hwn yn ganlyniad y mae rhai Cristnogion wedi dod iddo. Ond nid dyma ganlyniad Paul. Edrychwch ar adnod 5, adnod yr wyf hyd yn hyn wedi ei hosgoi. Os rhown y tair adnod gyda'i gilydd, rydym yn darganfod bod y diafol yn dallu (adn. 4), Duw yn tywynnu (adn. 5), a ni yn pregethu Crist Iesu yn Arglwydd (adn. 5). Hynny yw, mae efengylu (cyhoeddi efengyl Crist) ymhell o fod yn ddianghenraid, yn wir mae'n gwbl angenrheidiol. Os yw Duw yn achub pobl o dywyllwch trwy oleuni'r efengyl, mae rhaid i ni gyhoeddi'r efengyl honno! Pregethu'r efengyl yn ffyddlon yw moddion Duw i oresgyn tywysog y tywyllwch ac i ddisgleirio i mewn i galonnau pobl.

Darllen pellach: 2 Corinthiaid 4: 1–6

# Newyddion Da'r Cymod

*Ond gwaith Duw yw'r cyfan – Duw, yr hwn sydd wedi ein cymodi
ni ag ef ei hun trwy Grist a rhoi i ni weinidogaeth y cymod.*

### 2 Corinthiaid 5:18

**M**ae pedwar darlun am yr iawn yn y Testament Newydd (y syniad o iawn, o brynedigaeth, o gyfiawnhad ac o gymod). Mae'n debyg mai'r syniad o gymod yw'r un mwyaf poblogaidd gan ei fod yn bersonol. O'r pedair adran yn y Testament Newydd sydd yn delio'n bennaf â'r cymod, hon yn 2 Corinthiaid 5 sydd fwyaf llawn a thrawiadol. Mae'n darlunio tri chymeriad yn y ddrama.

Yn gyntaf, Duw yw awdur y cymod. "Ond gwaith Duw yw'r cyfan" (adn. 18). Mae wyth prif ferf yn y paragraff hwn, a Duw yw goddrych pob un ohonynt. O'i gymhelliad ei hun y sylfaenwyd y cymod. Felly, ni fydd esboniad o'r iawn yn Feiblaidd os yw'n tynnu'r cymhelliad oddi ar Dduw ac yn ei roi i Grist neu yn wir i ni.

Yn ail, Crist yw cyfrwng y cymod. Mae "Duw'r awdur, Crist y cyfrwng" yn grynodeb boddhâol. Mae adnodau 18 ac 19 yn siarad am y Duw sy'n ein cymodi ni yn a thrwy Grist. Yn ôl P. T. Forsyth, "Yr oedd Duw yng Nghrist yn cymodi, yn gwneud hynny'n benodol, yn gorffen y gwaith. Nid rhyw waith rhagarweiniol oedd hwn ... ond gwaith gorffenedig ym marwolaeth Crist." Sut ddigwyddodd hyn? Yn negyddol, mae Duw yn gwrthod cyfrif ein pechod yn ein herbyn (adn. 19); yn bositif, mae'n gwneud y Crist dibechod yn bechod yn ein lle (adn. 21) er mwyn i ni yng Nghrist fod yn gyfiawnder Duw. Mae Richard Hooker yn mynegi'r gwirionedd fel hyn: "Gallwch ei gyfrif yn ffolineb neu'n wiriondeb. Ein doethineb a'n cysur ni ydyw; nid ydym am gael unrhyw wybodaeth yn y byd ond hyn, fod dyn wedi pechu a bod Duw ei hun wedi dioddef; fod Duw wedi ei wneud ei hun yn bechod dynion a bod dynion wedi cael eu gwneud yn gyfiawnder Duw."

Yn drydydd, ni yw llysgenhadon y cymod. Mae gweinidogaeth a neges y cymod nawr wedi eu hymddiried i ni. O ganlyniad, wrth inni ymbil ar bobl i gael eu cymodi â Duw, Duw ei hun sy'n gwneud yr apêl trwom ni. Ein gwaith cyntaf yw esbonio'r hyn mae Duw wedi ei gyflawni ar y groes ac yna cyhoeddi'r apêl. Mae'n rheol ddiogel na ddylid gwneud apêl heb esboniad a dim esboniad heb apêl.

Darllen pellach: 2 Corinthiaid 5: 11–21

# Gras a Rhoi

*Oherwydd yr ydych yn gwybod am ras ein Harglwydd Iesu Grist,*
*fel y bu iddo, ac yntau'n gyfoethog, ddod yn dlawd drosoch chwi,*
*er mwyn i chwi ddod yn gyfoethog trwy ei dlodi ef.*
2 Corinthiad 8:9

Gellir disgrifio gras yn nhermau haelioni, ac fe roddodd yr Arglwydd Iesu Grist inni yn ei enedigaeth a'i farwolaeth esiampl ryfeddol o hyn. Ystyriwch y pedwar cam yma. Yn gyntaf, roedd yn gyfoethog, yn bod yn dragwyddol ynghanol trysorau'r nefoedd, yn rhannu ei fodolaeth gyda'i Dad ac yn rhannu rheolaeth y Tad dros y bydysawd a grewyd, wedi ei wahanu oddi wrth bechod, poen a marwolaeth.

Yn ail, fe ddaeth yn dlawd. Nid yn unig "fe'i gwacaodd ei hun", ac fe "ddarostyngodd ei hun" (Philipiaid 2: 7–8), ond, yn ôl Handley Moule, "gallwn hyd yn oed feiddio dweud ei fod wedi troi i fegera." Mae'n gosod o'r neilltu ei ardderchowgrwydd brenhinol ac yn dod yn was. Roedd yn ufudd hyd angau, hyd yn oed angau ar y groes.

Yn drydydd, mae'n gwneud hyn oherwydd pechaduriaid tlawd fel ni, ein tlodi i'w weld yn y ffaith ein bod wedi gosod heibio baradwys a cholli ein cymdeithas gyda Duw.

Yn bedwerydd, fe ddaeth yn dlawd er mwyn ein gwneud ni'n gyfoethog – yn gyfoethog gydag "anchwiliadwy olud Crist" (Effesiaid 3: 8), hynny yw, iachawdwriaeth yn ei chyflawnder.

Felly, mae'r Crist cyfoethog yn dod yn dlawd er mwyn i ni yn ein tlodi ddod yn gyfoethog gyda'i gyfoeth ef. Mae Crist yn ei dlodi ei hunan er mwyn ein cyfoethogi ni. Mae'n ddatganiad hyfryd o'r efengyl. Ond yr hyn sy'n rhyfeddol am y testun yw ei gyd-destun sydd i'w weld yn 2 Corinthiad 8 a 9, lle mae Paul yn ceisio perswadio'r eglwysi Groegaidd i gynorthwyo i ateb yr angen yn eglwys Jwdea. Er ei fod yn defnyddio amryw o ddadleuon yn y penodau hyn, ei brif ddadl yw croes Crist. Oherwydd bod Crist wedi ei roi ei hunan i'r eithaf drosom ni, fe ddylem ninnau hefyd ddysgu rhoi. Mae rhoi Cristnogol cywir yn rhywbeth aberthol, yn symbolaidd ac yn ddigymell. Roedd hyn yn arbennig o bwysig i'r apostol. Nid casgliad er mwyn symud arian o Roeg i Jwdea, ac o'r cyfoethog i'r tlawd, oedd y casgliad hwn, ond rhodd gan yr eglwysi Cenhedlig i'r eglwys Iddewig. Gwelodd Paul hyn yn gyfle ardderchog i hybu cydsefyll yng nghorff Crist rhwng y Cenedl-ddynion a'r Iddewon. Mae'n rhoddion ninnau yn symbol o'r gefnogaeth a roddwn i'r achosion sy'n eu derbyn.

Darllen pellach: 2 Corinthiad 8: 1–9

# Wythnos 45: Y Tri Llythyr o'r Carchar

Wedi cyrraedd Rhufain, cadwyd yr apostol Paul yn garcharor yn ei gartref ei hun, wedi ei rwymo i filwr Rhufeinig, a hynny am tua dwy flynedd (60–62 OC). Mae'n cyfeirio at ei hun fel un yn "garcharor er mwyn yr Arglwydd" (Effesiaid 4: 1) ac "er mwyn Crist yr wyf yng ngharchar" (Philipiaid 1: 13).

Wrth inni edrych ar ragluniaeth Duw tua thair wythnos yn ôl, bu inni ystyried y modd y cadwyd Paul yn garcharor fel hyn. Wedi iddo gael ei ryddhau o ganol ei weithgarwch prysur fel cennad ac yntau bellach yn methu efengylu mewn mwy o ddinasoedd nac ychwaith yn medru ymweld ag eglwysi, efallai fod gan Paul fwy o amser i fyfyrio. O ganlyniad cafwyd tri llythyr o'r carchar (mae'r llythyr byr at Philemon yn gwneud pedwerydd), ac mae i bob un o'r rhain gynnwys Cristolegol rhyfeddol. Yn y llythyr at y Philipiaid mae Iesu'n cael ei ddarlunio fel yr un a ddarostyngodd ei hun ond a ddyrchafwyd i'r uchelderau. Yn y llythyr at yr Effesiaid, gwelwn bob peth wedi ei osod o dan ei draed. Ac yna yn y llythyr at y Colosiaid, ef yw'r un sy'n ben ar y bydysawd ac ar yr eglwys.

**Dydd Sul:** Byw Bywyd Teilwng o'r Efengyl
**Dydd Llun:** Crist yw Cristnogaeth
**Dydd Mawrth:** Adnabod Nerth Duw
**Dydd Mercher:** Cymdeithas Newydd Duw
**Dydd Iau:** Myfyrdod ar Briodas
**Dydd Gwener:** Nod Aeddfedrwydd
**Dydd Sadwrn:** Yr Ydym wedi ein Huno â Christ

# Byw Bywyd Teilwng o'r Efengyl

*Yn anad dim, bydded eich buchedd yn deilwng o Efengyl Crist.*
Philipiaid 1:27

**M**ae dyfodol Paul yn ansicr iawn bellach ac yntau'n garcharor. Roedd yn gwybod efallai fod marwolaeth wrth ymyl. Ond beth bynnag oedd yn mynd i ddigwydd, p'un ai y byddai fyw neu farw, roedd ei gonsýrn pennaf nid drosto'i hun ond dros yr efengyl a'r hyn a ddigwyddai i'r efengyl wedi iddo ef ymadael. Felly, mae'n estyn gwahoddiad i'r Philipiaid sydd wedi ei grynhoi i bump prif bwynt (adn. 27–30).

Yn gyntaf, mae galwad i fyw bywyd sy'n deilwng o'r efengyl. Rhaid i'n hymarweddiad fod yn cyd-fynd â'n galwad. Does dim deuoliaeth i fod rhwng yr hyn a ddywedwn a'r hyn ydym, ond yn hytrach gysondeb sylfaenol.

Yn ail, mae Paul yn galw arnom i sefyll yn gadarn yn yr efengyl. Mae cadernid yn bwysig ym mhob rhan o fywyd. Rydym yn sôn am lywodraeth gadarn, economi gadarn, adeilad cadarn. Mae Luc yn dweud wrthym fod yr apostolion wedi ail-ymweld â'r trefi lle buont yn efengylu, gan gadarnhau'r credinwyr. Er hynny, mae cadernid mewn athrawiaeth a moesoldeb yn beth prin iawn heddiw.

Yn drydydd, mae galwad i ddadlau o blaid ffydd yr efengyl. Disgrifiad sydd yma o gyfuniad o efengylu ac amddiffyniad o'r efengyl. Nid yn unig mae pobl yr Arglwydd yn cyhoeddi'r efengyl ond mae'r bobl hyn hefyd yn amddiffyn yr efengyl ac yn dadlau dros ei gwirionedd.

Yn bedwerydd, rydym i weithio gyda'n gilydd er mwyn yr efengyl. Mae'r alwad hon i undeb yn un sy'n cael ei phwysleisio yn y llythyr at y Philipiaid. Mae Paul yn annog y Cristnogion sydd yn Philipi i "sefyll yn gadarn, yn un o ran ysbryd, gan gydymdrechu yn unfryd dros ffydd yr Efengyl" (adn. 27).

Nid yw'r apostol wrth gwrs yn mynnu undeb am unrhyw bris, megis cyfaddawdu gwirioneddau sylfaenol yr efengyl er mwyn ymgyrraedd at yr undeb hwnnw, ond yn hytrach undeb yn hanfodion yr efengyl.

Yn bumed, mae Paul yn ein galw i ddioddef dros yr efengyl, "Oherwydd rhoddwyd i chwi y fraint, nid yn unig o gredu yng Nghrist ond hefyd o ddioddef drosto" (adn. 29). Mae'n drawiadol iawn bod ffydd a dioddefaint yn ddwy fraint sy'n cael eu rhoi i bobl yr Arglwydd. Roedd y Philipiaid eisoes wedi gweld Paul yn dioddef yn gorfforol yn eu tref a byddai galw arnynt hwythau hefyd i ddioddef. Yn ôl Dietrich Bonhoeffer, "Dioddefaint yw bathodyn y gwir Gristion."

Darllen pellach: Philipiaid 1: 27–30

# Crist yw Cristnogaeth

*Ond beth bynnag oedd yn ennill i mi, yr wyf yn awr yn ei
ystyried yn golled oherwydd Crist. A mwy na hynny hyd
yn oed, yr wyf yn dal i gyfrif pob peth yn golled, ar bwys
rhagoriaeth y profiad o adnabod Crist Iesu fy Arglwydd,
yr un y collais bob peth o'i herwydd.*

Philipiaid 3:7-8

Mae'n rhyfeddol sylweddoli bod llawer o bobl yn credu mai hanfod Cristnogaeth yw credu rhyw gredoau neu fyw bywyd o ryw fath neu'i gilydd neu fynd i'r eglwys, ac wrth gwrs, mae'r cwbl i gyd yn bwysig ond yn colli golwg ar yr hyn sy'n ganolog – Iesu Grist. Mae angen i'r bobl hyn ddarllen llythyr Paul at y Philipiaid gan sylwi'n arbennig ar 1: 21, "Oherwydd, i mi, Crist yw byw."

Mae'r apostol yn ymhelaethu ar hyn ym mhennod 3. Yn ei feddwl y mae'n awgrymu'r manteision a'r colledion sy'n dod i'n rhan o ymrwymo i'r Iesu. Ar y naill law, mae'n rhoi popeth y medr feddwl amdano y gellid ei ystyried yn fantais – ei gefndir, ei deulu, ei addysg, ei ddiwylliant Hebraeg, ei sêl grefyddol, a'i gyfiawnder cyfreithiol. Yn y golofn arall, does ond un gair – Crist. Yna mae'n cyfrif y ddwy ochr ac yn dod i'r casgliad, "yr wyf yn dal i gyfrif pob peth yn golled, ar bwys rhagoriaeth y profiad o adnabod Crist Iesu fy Arglwydd" (adn. 8). "Adnabod Crist" yw'r hawl i berthynas bersonol â Christ sy'n cael ei hailadrodd droeon yn y Testament Newydd.

Mae'r apostol yn mynd yn ei flaen, "yr un y collais bob peth o'i herwydd. Yr wyf yn cyfrif y cwbl yn ysbwriel, er mwyn imi ennill Crist" (adn. 8), ac yma mae Iesu'n cael ei gymharu i drysor y gellir ei "ennill".

Mae Paul hefyd yn ysgrifennu am ein "cael ynddo ef, heb ddim cyfiawnder o'm heiddo fy hun sy'n tarddu o'r Gyfraith, ond hwnnw sydd trwy ffydd yng Nghrist, y cyfiawnder sydd o Dduw ar sail ffydd" (adn. 9). Rhaid inni geisio deall manylion y frawddeg hon. Mae Duw yn gyfiawn. Mae'n sefyll i reswm felly, os ydym am gael mynediad i'w bresenoldeb, rhaid i ni fod yn gyfiawn hefyd. Does ond dwy ffordd bosibl o wneud hyn. Ar y naill law medrwn ymdrechu i sefydlu ein cyfiawnder ein hunain trwy ufudd-dod i'r gyfraith, ond mae hyn yn amhosibl. Ar y llaw arall, medrwn dderbyn cyfiawnder fel rhodd gan y Crist a fu farw drosom os credwn ynddo.

Felly, gyda golwg ar ein hiachawdwriaeth, rydym yn gorfoleddu yng Nghrist Iesu heb roi dim ymddiriedaeth ynom ni ein hunain. Crist yw Cristnogaeth – ei adnabod ef, ei ennill, ac ymddiried ynddo.

Darllen pellach: Philipiaid 3: 3–11

# Adnabod Nerth Duw

*Bydded iddo oleuo llygaid eich deall, a'ch dwyn i wybod ...*
*beth yw aruthrol fawredd y gallu sydd ganddo o'n plaid ni*
*sy'n credu, y grymuster hwnnw a gyflawnodd yng ngrym*
*ei nerth yng Nghrist pan gyfododd ef oddi wrth y meirw.*

Effesiaid 1:18-20

Mae Effesiaid 1 wedi ei rhannu yn ddwy ran. Yn y rhan gyntaf mae Paul yn bendithio Duw am ein bendithio ni yng Nghrist. Yn yr ail ran mae'n gweddïo y bydd Duw yn agor ein llygaid i weld cyflawnder y fendith honno. Mae'n bwysig iawn cadw mawl a gweddi gyda'i gilydd. Mae rhai Cristnogion yn gwneud fawr ddim ond gweddïo am fendithion newydd, heb sylweddoli a mawrygu Duw am y bendithion y maen nhw eisoes wedi eu derbyn. Mae eraill yn pwysleisio'r bendithion ysbrydol sy'n eiddo iddyn nhw yng Nghrist heb unrhyw fath o awydd am fwy. Mae'r ddau safbwynt yn anysgrythurol.

Gweddi Paul yn ei hanfod yw y byddai'r Effesiaid hyn yn cael gwybod (yn eu deall ac yn eu profiad) obaith galwad Duw, gogoniant ei etifeddiaeth, a hefyd fawredd ei allu. Ar fawredd, nerth a gallu Duw y mae'r apostol yn canolbwyntio. Mae mor sicr fod gallu Duw yn ddigonol fel ei fod yn pentyrru geiriau, gan ysgrifennu gydag egni am nerth y gallu hwn. Ac mae'n gweddïo y bydd i'r Effesiaid adnabod mawredd anfesuradwy ei rym. Sut mae hyn yn bosibl? Oherwydd y mae wedi ei ddarlunio a'i ddatguddio yn atgyfodiad Iesu, yn ei esgyniad ac yn ei ogoneddiad. Mae'r grym rhyfeddol hwn y mae Duw wedi ei weithredu yn achos Crist yn awr yn eiddo i ni.

Mae gweddi Paul wedi ei llunio er mwyn gofyn i'r Arglwydd ganiatáu i'w ddarllenwyr adnabyddiaeth lawn o alwad, etifeddiaeth a grym Duw, yn arbennig yr olaf. Ond sut oedd Paul yn disgwyl gweld y weddi hon yn cael ei hateb? Yn gyntaf, trwy waith yr Ysbryd Glân yn goleuo, "yr Ysbryd sy'n rhoi doethineb a datguddiad" (adn. 17) yn ein hadnabyddiaeth o Grist. Yn ail, wrth inni fyfyrio ar y datguddiad gwrthrychol o rym Duw yn atgyfodiad ac esgyniad Iesu. Unwaith eto, rydym yn sylwi ar y cyfuniad iach sydd yn niwinyddiaeth Paul o'r gwrthrychol a'r goddrychol, o ddatguddiad a goleuni, o hanes a phrofiad, o Grist a'r Ysbryd Glân.

Darllen pellach: Effesiaid 1: 15–23

# Cymdeithas Newydd Duw

*I wneud heddwch, creodd [Duw] o'r ddau un*
*ddynoliaeth newydd ynddo ef ei hun.*
Effesiaid 2:15

**M**ae'n amhosibl astudio'r llythyr at yr Effesiaid a choleddu'r syniad o efengyl breifat. Gellir galw'r llythyr yn "efengyl yr eglwys". Mae'n gosod allan bwrpas Duw i greu trwy Iesu Grist gymdeithas newydd.

Yn gyntaf, er hynny, yn Effesiaid 2 mae Paul yn disgrifio'r byd cenhedlig yn ei ddieithrwch dwbl – oddi wrth Dduw ("yn feirw yn eich camweddau a'ch pechodau" [adn. 1]), ac oddi wrth bobl Israel ("yn ddieithriaid i ddinasyddiaeth Israel" [adn. 12]). Yn ail ran Effesiaid 2, mae'r apostol yn canolbwyntio ar gyflwr truenus y Cenedl-ddynion. Mae bron yn amhosibl i ni ddeall, heb sôn am deimlo, yr agwedd meddwl oedd gan Iddewon tuag at Genedl-ddynion. Nid oedd yn beth anghyffredin i'w galw yn "gŵn"; roeddent yn "bell i ffwrdd", yn bell oddi wrth Dduw ac oddi wrth ei bobl.

Mae "canolfur y gwahaniaeth" yn adnod 14 yn symbol eglur o'r pellter hwn. Roedd yn nodwedd amlwg o'r deml ragorol a adeiladwyd yn Jerwsalem gan Herod Fawr. Roedd y deml wedi ei hamgylchynu gan dri chyntedd i offeiriaid a lleygwyr Israel. Y tu hwnt i'r rhain ac ar lefel is, roedd Cyntedd y Cenhedloedd. Rhwng y cynteddau mewnol ac allanol yr oedd y canolfur, wal garreg tua metr a hanner o uchder. Roedd yn bosibl i'r Cenhedloedd edrych i fyny a gweld y deml ond yn gwbl amhosibl iddynt fynd i mewn iddi. Ceid rhybuddion cyson ar y wal yn gwahardd mynediad, gyda rhybudd y byddai hyn yn sicr o arwain at farwolaeth.

Thema ardderchog Effesiaid 2 yw bod Iesu Grist trwy ei groes wedi cael gwared o'r canolfur hwn (er nad oedd y wal i'w chwalu tan tua deugain mlynedd yn ddiweddarach) a'i fod wedi creu un ddynoliaeth. Nodwedd sylfaenol y ddynoliaeth hon yw nid gwahanu ond cymodi, nid rhaniad ond undod a heddwch.

Mae'n weledigaeth brydferth, ond y gwir yw bod realiti yn dweud stori wahanol, yn dal i adrodd am rwystrau, hil, cenedl, llwyth a rhyw. Ond sut feiddiwn ni godi muriau yn yr unig gymuned lle mae Crist ei hun wedi eu chwalu?

Darllen pellach: Effesiaid 2: 11–22

# Myfyrdod ar Briodas

*Chwi wragedd, byddwch ddarostyngedig i'ch gwŷr fel i'r*
*Arglwydd ... Chwi wŷr, carwch eich gwragedd, fel y carodd*
*Crist yntau'r eglwys a'i roi ei hun drosti.*
Effesiaid 5:22, 25

I lawer, mae'r apostol Paul yn rhywun oedd yn gwrthwynebu, nid yn unig wragedd, ond priodas hefyd. Rhaid i'r rhai sy'n meddwl hyn ystyried goblygiadau Effesiaid 5: 21-33. Yma ceir, a hynny ganrifoedd o flaen ei amser, ddysgeidiaeth Gristnogol ragorol y mae mawr angen iddi ddod yn fwy adnabyddus. Ystyriwch y pum agwedd hyn ar y ddysgeidiaeth.

Yn gyntaf, mae'r alwad ar i wraig ymostwng i'w gŵr yn esiampl benodol o ddyletswydd Gristnogol gyffredinol. Mae'r geiriau "wragedd, byddwch ddarostyngedig" (adn. 22) yn dilyn yn union ar ôl yr alwad i fod yn "ddarostyngedig i'ch gilydd" (adn. 21). Os yw felly yn gyfrifoldeb ar y briodferch i ymostwng i'r priodfab, mae hefyd yn gyfrifoldeb arno ef fel aelod o gymdeithas newydd Duw i ymostwng iddi hithau. Nid yw'r math hwn o ymostyngiad yn unochrog. Yn hytrach, mae'n gyfrifoldeb i bob Cristion ac mae'r esiampl orau o hyn i'w gweld ym mywyd yr Arglwydd Iesu ei hunan. Yn ail, mae ymostyngiad y wraig i'w roi i'w chariad, nid i unben. Gorchymyn yr apostol yw nid, "Wragedd, ymostyngwch; wŷr, rheolwch", ond yn hytrach, "Wragedd, ymostyngwch; wŷr, carwch." Mae gwahaniaeth y byd rhwng cariad ac unben.

Yn drydydd, mae gwŷr i garu fel Crist (dair gwaith). Efallai bod ymostwng yn swnio'n anodd, ond mae cariad yn anoddach. Daw'r penllanw i'r golwg yn adnod 25 lle mae gwŷr i garu eu gwragedd "fel y carodd Crist yntau'r eglwys a'i roi ei hun drosti". Ni ellir meddwl am uwch safon i gariad na chariad Calfaria.

Yn bedwerydd, y mae cariad y gŵr, fel Crist, yn gariad aberthol er mwyn gwasanaethu. Hynny yw, roedd ei gariad a'i hunanaberth dros yr eglwys yn bositif ac yn bwrpasol, yn benodol i'w glanhau o bob anwiredd ac felly, yn dangos ei bywyd yn ei lawn ogoniant. Mae'r gŵr, fel pen y wraig, yn ddarlun o un nad yw'n gorthrymu ei wraig ond yn hytrach yn ei rhyddhau i lawnder ei phersonoliaeth.

Yn bumed, mae ymddarostwng yn agwedd arall o gariad. Er bod ymostwng a charu yn ddwy ferf wahanol, mae'n anodd gwahaniaethu rhyngddyn nhw. Beth yw ymostwng? Ildio eich hunan i rywun arall. Beth yw cariad? Ildio eich hunan i rywun arall. Felly mae rhoi eich hunan fel gŵr neu wraig i fod yn sylfaen i briodas sydd yn tyfu ac yn para.

Darllen pellach: Effesiaid 5: 21–33

# Nod Aeddfedrwydd

*Ei gyhoeddi ef [Crist] yr ydym ni, gan rybuddio pawb, a
dysgu pawb ym mhob doethineb, er mwyn cyflwyno pob
un yn gyflawn yng Nghrist.*

Colosiaid 1:28

Yr ydym yn tueddu i feddwl am Paul fel cenhadwr oedd yn ennill credinwyr, yn plannu eglwysi, ac yna'n symud yn ei flaen. Ond yn ei eiriau ei hun, nod ei weinidogaeth oedd i fynd y tu hwnt i dröedigaeth at greu disgyblion, yn benodol i gyflwyno pawb yn "aeddfed yng Nghrist", yn mwynhau perthynas gyda'r Arglwydd Iesu lle byddwn yn addoli, yn caru, yn ymddiried ac yn ufudd iddo.

Sut, felly, y mae'r Cristion yn aeddfedu? Mae'n testun heddiw yn rhoi ateb clir i ni. Trwy gyhoeddi Crist. Os yw aeddfedrwydd Cristnogol yn aeddfedrwydd yn ein perthynas â Christ, yna wrth i'n golwg ar Grist ddod yn fwy eglur, cawn ein perswadio fwyfwy ei fod yn haeddu ein hymrwymiad. Meddai Dr J. I. Packer yn y clasur o lyfr *Knowing God*, "Rydym yn gorachod o Gristnogion oherwydd bod gennym gorrach o Dduw" neu hyd yn oed "gorrach o Grist". Y gwir yw fod sawl Iesu yn cael ei gynnig yn archfarchnadoedd crefyddol y byd a phob un heb roi darlun gwirioneddol o'r Iesu go iawn. Ceir yr Iesu hwnnw sy'n encilio, Iesu sy'n glown mewn sioe fel "Godspell", Iesu Grist y seren tra enwog, Iesu'r cyfalafwr, Iesu'r sosialydd, Iesu sylfaenydd busnes modern, ac Iesu yr un sydd am ryddhau'r gorthrymedig. Y mae pob un o'r darluniau hyn yn wallus a does gan yr un ohonynt y gallu i ennill ein hymrwymiad llwyr.

I'r gwrthwyneb, mae angen inni weld Iesu fel y mae Paul yn ei gyflwyno yn adnodau 15–21. Dyma un o'r darluniau Cristolegol mwyaf prydferth ar dudalennau'r Testament Newydd. Mae'n darlunio Iesu fel delw weledig y Duw anweledig, awdur ac etifedd y greadigaeth. Ef hefyd yw'r cyntafanedig o'r meirw er mwyn iddo fod yn gyntaf ymhob peth. Yn wir mae cyflawnder y Duwdod yn trigo yng Nghrist ac yntau wedi cymodi pob peth ag ef ei hun trwy Grist. Mae gan Iesu Grist felly awdurdod dwbl fel pen y bydysawd a phen yr eglwys. Ef yw awdur y ddwy greadigaeth. Wrth inni ei weld felly, ein lle ni yw plygu ger ei fron. Mae'n bryd i ni, felly, ildio ein corach o Iesu! Ildio'r Iesu sy'n glown neu sy'n seren bop, sy'n Feseia gwleidyddol neu'n wrthryfelwr. Os fel hyn y mae Iesu'n ymddangos inni, does ryfedd ein bod yn parhau yn anaeddfed. O na fyddai'r llen yn cael ei thynnu oddi ar ein llygaid er mwyn i ni weld Iesu fel y mae yn ei gyfoeth, yr un sy'n Dduw ac yn ddyn, yr un sydd wedi dod i'n hachub! Yna byddem yn rhoi iddo'r anrhydedd sy'n ddyledus i'w enw a byddem yn tyfu i berthynas aeddfed ag ef.

Darllen pellach: Colosiaid 1: 15–29

# Yr Ydym wedi ein Huno â Christ

*Felly, os cyfodwyd chwi gyda Christ, ceisiwch y pethau*
*sydd uchod, lle y mae Crist yn eistedd ar ddeheulaw Duw.*
Colosiaid 3:1

Colosiaid 3 yw'r darlleniad a osodir ar gyfer Sul y Pasg. Mae'n mynegi'r undeb sy'n bodoli rhwng diwinyddiaeth a moesoldeb, ac yn benodol yr angen sydd inni adnabod pwy ydym er mwyn inni fod yr hyn a ddylem fod. Gyda golwg ar ymddygiad Cristnogol, mae anogaeth Paul wedi ei sylfaenu ar bwy yw'r Cristion. Yr anogaeth yw i osod eich calonnau ar y "pethau sydd uchod," a'r esboniad yw ein bod wedi marw ac wedi codi gyda Christ.

Pwy ydym ni felly? Mae Paul yn cyfeirio at bedwar digwyddiad yng ngyrfa achubol Iesu, sef ei farwolaeth, ei atgyfodiad, ei esgyniad, a'i ailddyfodiad. Ar yr un pryd mae'n ysgrifennu bod y pethau hyn nid yn unig wedi digwydd i Grist ond hefyd ein bod ni'n rhannu ynddyn nhw. Bedair gwaith y mae'n defnyddio'r gair Groeg *sun*, sy'n golygu "gyda". Os buoch farw gyda Christ (2: 20), yr ydych wedi cyfodi gyda Christ (3: 1), mae eich bywyd wedi ei guddio gyda Christ (3: 3), cewch ... eich amlygu gydag ef (3: 4). Nid yw'r datganiadau bendigedig hyn yn ffrwyth dychymyg. Yn hytrach, maen nhw'n dweud wrthym beth sy'n digwydd inni o ganlyniad i gael ein huno â Christ trwy ffydd yn fewnol a bedydd yn allanol. Mae'n wir dweud mai'r un bobl ydyn ni, gyda'r un wyneb, yr un enw, pasport, cenedl ac ymddangosiad. Ond rydym yn bobl newydd, yn mwynhau bywyd sydd wedi ei guddio â Christ. Yn wir, Crist yw ein bywyd (3: 4).

Trown yn awr o esboniad Paul ar bwy ydym os ydym yn Gristnogion i'w anogaeth ynghylch sut y dylem ymddwyn. "Ceisiwch y pethau sydd uchod," meddai (adn. 1). Ymhellach, "Rhowch eich bryd ar y pethau sydd uchod, nid ar y pethau sydd ar y ddaear" (adn. 2).

Trwy sôn am bethau "ar y ddaear", nid yw Paul yn awgrymu y dylem fod yn esgeulus o'n cyfrifoldebau daearol yn y cartref, yn ein gwaith, yn yr eglwys ac yn y gymuned. Mae'n mynd ymlaen i sôn am gyfrifoldebau gwŷr a gwragedd, plant a rhieni, gweision a meistri. Na, mae'r syniad o bethau daearol yn cael ei ailadrodd yn adnod 5, lle cyfeirir at anfoesoldeb rhywiol, amhurdeb, nwyd, blys, a thrachwant, a phechodau eraill. Rydym i roi'r rhain i farwolaeth.

Eto fyth, mae angen inni siarad â ni ein hunain i'n hatgoffa'n hunain o bwy ydym. Dim ond wrth inni wneud hyn y byddwn yn ymddwyn yn briodol.

Darllen pellach: Colosiaid 3: 11–14

# Wythnos 46: Y Llythyrau Bugeiliol

Yr oedd Timotheus a Titus yn bobl arbennig iawn yng ngweinidogaeth ac yng nghalon yr apostol Paul. Mae ei lythyron atynt yn cynnwys dysgeidiaeth bwysig gyda golwg ar fywyd yr eglwys leol.

Cefndir y tri llythyr yw absenoldeb yr apostol. Gallai hynny fod dros dro (ar gyfrif ei obaith i ymweld â nhw), neu efallai yn barhaol (ar gyfrif ei farwolaeth). Felly, ei ofid yw nid drosto'i hunan ond dros yr efengyl, yr hyn y mae'n ei alw "y ffydd", "y gwirionedd", "y ddysgeidiaeth" neu "y blaen-dâl". Beth fyddai'n digwydd i'r cwbl petai'n mynd? Ddeg gwaith mae'n annog Timotheus a Titus i ddysgu'r pethau hyn (1 Timotheus 4: 11), gan amddiffyn y gwirionedd a'i gyfleu i eraill. Roedd Timotheus a Titus hefyd i ddewis ac i apwyntio gweinidogion (Timotheus yn Effesus, Titus yn Creta), a phrif gyfrifoldeb y rhain fyddai dysgu'r gwirionedd a gwrthwynebu celwydd. Mae strategaeth Paul yn cael ei hamlinellu yn 2 Timotheus 2: 2: "Cymer y geiriau a glywaist gennyf fi yng nghwmni tystion lawer, a throsglwydda hwy i ofal pobl ffyddlon [y gweinidogion] a fydd yn abl i hyfforddi eraill hefyd." Dyma olyniaeth apostolaidd go iawn – olyniaeth yn nysgeidiaeth yr apostolion o genhedlaeth i genhedlaeth, a alluogir gan y Testament Newydd.

**Dydd Sul:** Persbectif Byd-eang yr Eglwys
**Dydd Llun:** Cyngor i Arweinydd Ifanc
**Dydd Mawrth:** Her i Ŵr Duw
**Dydd Mercher:** Cymwysterau Henuriad
**Dydd Iau:** Dau Ymddangosiad Crist
**Dydd Gwener:** Ymwrthod â Phwysau'r Byd
**Dydd Sadwrn:** Carchariad Olaf Paul

# Persbectif Byd-eang yr Eglwys

*Ein Gwaredwr, sy'n dymuno gweld pob un yn cael ei
achub ac yn dod i ganfod y gwirionedd.*
1 Timotheus 2:3–4

Yr hyn sy'n drawiadol am saith adnod gyntaf 1 Timotheus 2 yw fod Paul yn ailadrodd bedair gwaith (yn fwriadol) yr ymadrodd "pob dyn", gan olygu "pawb".

Yn gyntaf, dylai gweddïau'r eglwys fod yn rhai sy'n weddïau dros bawb – nid dros bobl yn gyffredinol ond yn benodol dros frenhinoedd ac arweinwyr cenedlaethol eraill fel y rhai sy'n diogelu'r heddwch – er ar yr adeg honno doedd yr un llywodraethwr Cristnogol yn unman yn y byd.

Yn ail, mae dymuniad Duw yn cynnwys pawb. Dymuniad Duw yw "gweld pob un yn cael ei achub" (adn. 4). Y rheswm pam fod yr eglwys â chonsýrn dros bawb yw oherwydd bod Duw ei hunan wedi mynegi'r consýrn hwn. Ymhellach, mae apêl fyd-eang yr efengyl yn gorwedd yn undod y Duwdod: "Oherwydd un Duw sydd" (adn. 5). Sylfaen gychwynnol cenhadaeth fyd-eang yw monotheistiaeth.

Yn drydydd, mae marwolaeth Crist yn ymwneud â phawb. Y mae "un cyfryngwr hefyd rhwng Duw a dynion, sef Crist Iesu, yntau yn ddyn. Fe'i rhoes ei hun yn bridwerth dros bawb" (adn. 5–6). Nid yn unig mae'n bwysig inni gyhoeddi nad oes ond un Duw; mae angen ychwanegu nad oes ond un Cyfryngwr, un Achubwr. Mae Mab Duw a ddaeth yn gyntaf, "sef Crist Iesu, yntau yn ddyn" yn ei enedigaeth, yna yn ei farwolaeth, wedi rhoi ei hunan yn iawn er ein mwyn ni. Mae'n bwysig i ni gadw'r tri gair hyn gyda'i gilydd – dyn, iawn, a chyfryngwr; maen nhw'n cyfeirio at ei enedigaeth, ei farwolaeth a'i atgyfodiad. Does neb arall mewn hanes y mae Duw wedi dod yn ddyn drwyddo, yna wedi dod yn iawn, yna yn gyfryngwr. Does gan neb arall ei gymwysterau ef.

Yn bedwerydd, roedd cyhoeddiad yr apostol yn ymwneud â phawb, oherwydd yr oedd wedi ei apwyntio'n apostol, yn gyhoeddwr, ac yn un i ddysgu'r Cenhedloedd (hynny yw, pob cenedl). Er nad oes apostolion fel Paul heddiw, mae angen dybryd am fwy o bobl i dystio, mwy o bobl i ddysgu'r efengyl.

I grynhoi felly, rhaid i'r eglwys weddïo dros bawb (adn. 1), a phregethu i bawb (adn. 7). Pam? Mae Chrysostom yn rhoi'r ateb inni yn y bedwaredd ganrif: "Byddwch fel Duw!" Oherwydd bod dymuniad Duw a marwolaeth Crist yn ymwneud â phawb, rhaid i gonsýrn yr eglwys fod yn gonsýrn dros bawb hefyd. Mae pob eglwys leol yn gymuned leol, gyda phersbectif byd-eang.

Darllen pellach: 1 Timotheus 2: 1–7

# Cyngor i Arweinydd Ifanc

*Gorchymyn y pethau hyn i'th bobl, a dysg hwy iddynt.*
*Paid â gadael i neb dy ddiystyru am dy fod yn ifanc.*
1 Timotheus 4:11-12

R haid imi gydnabod fy mod yn hoffi cymeriad Timotheus yn fawr. Mae'n debyg i ni yn ei wendid dynol. Yn sicr, mae'n bell o fod yn rhywun y buasech chi'n ei uniaethu â'r seintiau hynny mewn ffenestri lliw gydag eurgylch o amgylch eu pennau. I'r gwrthwyneb, roedd yn ddyn go iawn gyda'r holl wendidau sy'n ymhlyg yn hynny. Yn gyntaf, roedd yn gymharol ifanc a dibrofiad. Yn ail, mae'n amlwg ei fod yn brin o hyder. Felly mae Paul yn gorfod gofyn i'r Corinthiaid wneud yn siŵr ei fod yn teimlo'n gartrefol yno. Yn drydydd, mae'n amlwg fod anawsterau corfforol. Roedd rhyw wendid yn ei stumog ac mae'r apostol yn awgrymu y dylai gymryd ychydig o alcohol at bwrpas meddygol. Dyma Timotheus felly – y gŵr ifanc, swil, bregus a dynol iawn. Y perygl, wrth gwrs, oedd y byddai'r pethau hyn yn tanseilio'i weinidogaeth. Mae'n broblem barhaus i bobl ifanc. Beth yw'r ateb? Un cyfieithiad o ymateb Paul yw: "Paid â gadael i bobl edrych i lawr arnat oherwydd dy fod yn ifanc. Gwna yn siŵr eu bod yn edrych i fyny arnat oherwydd ... " ac mae'n rhoi chwe rheswm am hyn.

(1) Roedd Timotheus i osod patrwm (adn. 12). Ni fyddai pobl yn gwneud yn fach o'i ieuenctid os oeddent ar yr un pryd yn edmygu ei fywyd a'i gymeriad. (2) Roedd Timotheus i ymroi i ddarllen yr Ysgrythur yn gyhoeddus gan dynnu ei ddysgeidiaeth o'r Ysgrythur ac yn hynny ddangos ymhle roedd awdurdod ei weinidogaeth (adn. 13).

(3) Nid oedd Timotheus i anwybyddu'r ddawn a roddwyd iddo adeg ei ordeiniad (adn. 14). Ni fyddai pobl yn casáu rhoddion Duw. (4) Roedd Timotheus i fod yn ddiwyd, gan ymroi yn llwyr er mwyn sicrhau bod pawb yn gweld ei ddatblygiad (adn. 15).

(5) Roedd Timotheus i wylio'i fywyd a'i ddysgeidiaeth yn ofalus gan ddiogelu cysondeb (adn. 16). (6) Roedd rhaid i Timotheus fod yn sensitif yn ei berthynas â phobl, a thrin pobl mewn ffordd oedd yn briodol i'w rhyw ac i'w cenhedlaeth. Roedd i drin henuriaid gyda pharch, a phobl o'r un oed ag ef yn gyfartal. Roedd i drin y gwragedd mewn ffordd briodol, a phob oed â'r cariad hwnnw sy'n clymu teulu'r eglwys at ei gilydd (5: 1–2).

Gallwn fynegi'r chwe chyfarwyddyd hyn fel geiriau o orchymyn: Gwylia dy esiampl! Gwna'n eglur dy awdurdod! Ymarfer dy ddoniau! Dangos dy gynnydd! Gwylia dy gysondeb! Bydd yn ofalus o berthynas! Petai arweinwyr ifanc yn dilyn y cyfarwyddiadau hyn, tebyg y byddai pobl eraill yn derbyn eu gweinidogaeth yn llawen.

Darllen pellach: 1 Timotheus 4: 11–5: 2

# Her i Ŵr Duw

*Ond yr wyt ti, ŵr Duw, i ffoi rhag y pethau hyn, ac i roi dy*
*fryd ar uniondeb, duwioldeb, ffydd, cariad, dyfalbarhad ac*
*addfwynder. Ymdrecha ymdrech lew y ffydd, a chymer*
*feddiant o'r bywyd tragwyddol. I hyn y cefaist dy alw.*

1 Timotheus 6:11–12

M ae Paul yn cychwyn ei her i Timotheus â'r geiriau, "Ond yr wyt ti." Galwad yw hwn ar i Timotheus beidio mynd gyda'r llif ond bod yn wahanol i'r diwylliant o'i amgylch. Roedd Timotheus yn ŵr Duw ac roedd ei safonau a'i werthoedd yn dod oddi wrth Dduw, nid o'r byd. Mae Paul yn datblygu apêl driphlyg.

Yn gyntaf, yr apêl foesol: "I ffoi rhag y pethau hyn" a rhoi "dy fryd ar uniondeb, duwioldeb, ffydd, cariad, dyfalbarhad ac addfwynder." Rydym fel pobl yn rhedwyr arbennig. Rydym yn rhedeg oddi wrth unrhyw beth sy'n cael ei ystyried yn beryglus ac yn rhedeg ar ôl popeth sy'n ein denu. Beth am redeg oddi wrth ddrygioni ac yn lle hynny, rhedeg tuag at gyfiawnder? Nid yw ennill sancteiddrwydd yn rhywbeth sy'n digwydd yn naturiol. Rhaid inni redeg.

Yn ail, yr apêl athrawiaethol. Yr oedd Timotheus i ymdrechu "ymdrech lew y ffydd." Yn wyneb y ffasiwn ôl-fodernaidd sy'n cyhoeddi bod gwirionedd yn rhywbeth goddrychol a bod i bob un ohonom ei wirionedd ei hunan, mae Paul yn mynnu cyfeirio dro ar ôl tro at "y ffydd", "y gwirionedd", "y ddysgeidiaeth", "yr ernes" – corff o athrawiaeth yr oedd Timotheus i ymladd drosto, hynny yw, i'w amddiffyn a'i warchod. Nid yw ymladd yn waith rhwydd nac yn waith pleserus ond ni ellir ei osgoi oherwydd ei bod yn "ymdrech lew" dros ogoniant Duw a daioni'r eglwys.

Yn drydydd, yr apêl o brofiad. "Cymer feddiant o'r bywyd tragwyddol. I hyn y cefaist dy alw." Mae'n ymddangos yn rhyfedd fod angen apelio i arweinydd Cristnogol aeddfed fel Timotheus ar y sail hon. Roedd wedi bod yn Gristion ers nifer o flynyddoedd. Roedd wedi derbyn bywyd tragwyddol. Pam felly bod Paul yn galw arno i gymryd meddiant o'r hyn oedd yn ei feddiant yn barod? Yr ateb yw ei fod yn bosibl i feddiannu rhywbeth heb ei fwynhau yn gyfan. Wrth gloi, rydym yn nodi'r balans sydd yn yr apêl driphlyg hon. Mae cydbwysedd rhwng moesau, athrawiaeth a phrofiad. Mae rhai Cristnogion yn ymladd brwydr y ffydd ond heb geisio cyfiawnder. Mae eraill yn dda ac yn addfwyn ond heb gonsýrn dros y gwirionedd. Mae eraill yn esgeulus o athrawiaeth a moesoldeb er mwyn ceisio profiadau crefyddol. Rwy'n gweddïo y bydd i Dduw roi i'r eglwys yn yr unfed ganrif ar hugain bobl fel Timotheus sydd yn rhedeg ar ôl y tri pheth gyda'i gilydd!

Darllen pellach: 1 Timotheus 6: 11–16

# Cymwysterau Henuriad

*Fy mwriad wrth dy adael ar ôl yn Creta oedd iti ... sefydlu*
*henuriaid ym mhob tref yn ôl fy nghyfarwyddyd iti.*

### Titus 1:5

Mae Paul yn esbonio ei fod wedi gadael Titus yn Creta oherwydd bod rhai materion oedd heb eu gorffen, yn benodol dewis ac ordeinio henuriaid ymhob tref. Mae'r apostol yn mynd yn ei flaen i nodi'r cymwysterau hanfodol oedd i berthyn i'r rhain. Y mwyaf trawiadol yw y dylen nhw fod yn "ddi-fai" (adn. 6–7). Mae'n anodd dirnad beth yn union mae Paul yn ei olygu yma oherwydd ni all yr un plentyn i Adda fod "yn ddi-fai". Mae'r gair Groeg yn golygu nid yn gymaint bod "yn ddi-fai" ond "yn ddi-gyhuddiad", hynny yw gyda chymeriad cadarn. Gan fod y swydd yn un gyhoeddus, rhaid bod gan ddeiliaid y swydd enw da yn gyhoeddus. Dyna pam mae angen tystlythyrau.

Mae Paul yn mynd yn ei flaen i nodi tri chylch o fywyd lle dylai'r ymgeiswyr ddod â chymeriad di-fai. Yn gyntaf, rhaid i henuriaid fod yn ddi-fai yn eu bywyd cartref (adn. 6). Ceir cyfeiriad at eu gwragedd ac at eu plant. Mae'r ymadrodd "yn ŵr i un wraig" (adn. 6) wedi ei ddehongli mewn amryw ffyrdd, ond efallai mai'r dehongliad gorau yw gŵr o foesoldeb rhywiol difeius. Rhaid i'r plant fod yn gredinwyr a meddu hefyd ar ymddygiad priodol. Mae Paul yn dadlau'n gwbl resymol na all ymgeiswyr ofalu am deulu Duw os ydynt ar yr un pryd yn esgeulus o'u teuluoedd eu hunain.

Yn ail, rhaid i henuriaid fod yn ddi-fai yn eu cymeriad ac yn eu hymarweddiad (adn. 7–8). Mae Paul yn defnyddio un ar ddeg o dermau – pump negyddol (e.e. rhaid iddo beidio â bod yn drahaus, yn fyr ei dymer) a chwech sy'n bositif (e.e. yn lletygar, yn caru daioni, yn ddisgybledig). Y prif syniad yma yw bod rhaid i henuriad fod "yn feistr arno'i hun" (adn. 8) neu yn medru "rheoli ei hunan". Felly, mae'n rhaid i ymgeiswyr roi tystiolaeth eglur yn eu hymddygiad eu bod wedi eu haileni trwy'r Ysbryd Glân, fod yr enedigaeth newydd wedi arwain i fywyd newydd, a bod ffrwyth yr Ysbryd (a'r nawfed ffrwyth yw hunanddisgyblaeth) eisoes wedi cychwyn blodeuo yn eu bywydau.

Yn drydydd, rhaid i henuriaid fod yn ddi-fai yn eu cywirdeb athrawiaethol (adn. 9). "Dylai ddal ei afael yn dynn yn y gair sydd i'w gredu ac sy'n gyson â'r hyn a ddysgir" (adn. 9), neu (yn llythrennol) yn ôl dysgeidiaeth yr apostolion. Dim ond wedyn y bydd y bobl hyn yn medru ymarfer eu gweinidogaeth, sef i ddysgu'r gwirionedd ac i amddiffyn y praidd rhag y rhai sy'n gwrthwynebu'r gwirionedd. Yn wir mae Paul yn datguddio'i strategaeth wrth i athrawon gau amlhau (adn. 10–16). Rhaid inni gynyddu'r nifer o wir athrawon.

Darllen pellach: Titus 1: 1–11

# Dau Ymddangosiad Crist

*Oherwydd amlygwyd gras Duw i ddwyn gwaredigaeth i bawb ... a
disgwyl cyflawni'r gobaith gwynfydedig yn ymddangosiad
gogoniant ein Duw mawr a'n Gwaredwr, Iesu Grist.*
Titus 2:11, 13

Gelwir dyfodiad cyntaf ac ailddyfodiad Crist yn y Groeg yn *epiphaneia*, hynny yw yn ymddangosiad gweladwy o rywbeth oedd gynt yn anweladwy. Mewn Groeg clasurol, defnyddid y gair i ddisgrifio'r wawr. Mae enghraifft o'r gair yn Actau 27 lle mae'r llong oedd yn cludo Paul i Rufain yn cael ei tharo gan gorwynt o'r gogledd-ddwyrain. Roedd yr awyr mor dywyll fel bod yr haul, fel y sêr, yn gwneud dim ymddangosiad am lawer o ddyddiau. Mae'r gair yn ymddangos ddeg gwaith yn y Testament Newydd – pedair gwaith yn cyfeirio at ymddangosiad cyntaf Crist a chwe gwaith at ei ailddyfodiad.

Yn gyntaf, bu ymddangosiad o ras, hynny yw, ffafr anhaeddiannol Duw yn Iesu Grist. Wrth gwrs, ni ddaeth gras i fodolaeth gyda Christ ond mae'n ymddangos yn weladwy ynddo ef. Mae Paul yn personoli gras gan ddweud ei fod yn ein dysgu ac yn ein hyfforddi i ddweud 'na' wrth hunanfoddhad ac 'ie' i hunanreolaeth.

Yn ail, mae ymddangosiad o ogoniant ar ddod. Dyma ein "gobaith", yn benodol, fod yr un a ymddangosodd dros dro ar lwyfan hanes ac yna a ddiflannodd, am ymddangos eto un diwrnod. Fe ymddangosodd mewn gras. Mi fydd yn ailymddangos mewn gogoniant. Dyma fydd "ymddangosiad gogoniant ein Duw mawr a'n Gwaredwr, Iesu Grist." Mae trafodaeth hir a bywiog wedi bod ynglŷn â'r ymddangosiad hwn. A fydd yn ymddangosiad dau berson (ein Duw mawr, y Tad, a Iesu Grist) neu yn ymddangosiad un person gyda'i deitl llawn "ein Duw mawr a'n Gwaredwr, Iesu Grist"? Gan fod pob cyfeiriad arall yn y Testament Newydd at yr ymddangosiad hwn yn sôn am ymddangosiad Iesu, rydym i gymryd yn ganiataol fod y cyfeiriad yma hefyd at ailddyfodiad Crist. Mae'r adnod hefyd yn gadarnhad clir o ddwyfoldeb yr Iesu yn y Testament Newydd.

Mewn un paragraff byr mae Paul wedi uno dau ddigwyddiad mwyaf yr oes Gristnogol. Ond mae beirniaid Cristnogaeth yn barod i wylltio: "Yr ydych chwi Gristnogion yn gwbl anymarferol! Y cyfan yr ydych yn ei wneud yw poeni am y gorffennol pell a'r hyn sydd am ddigwydd yn y dyfodol pell. Pam na allwch fyw yn y presennol?" Ond dyna'r union beth y mae Paul yn ein galw ni i'w wneud. Mae'n egluro cyfrifoldebau y gwŷr hŷn, y gwragedd hŷn, y gwragedd iau a'r gwŷr iau, gan alw ar bob un ohonom i fyw bywyd duwiol yn yr oes hon. Pam? Sail ymddygiad Cristnogol yw dau ymddangosiad Crist.

Darllen pellach: Titus 2: 1–15

# Ymwrthod â Phwysau'r Byd

*Bydd pobl ddrwg ac ymhonwyr yn mynd o ddrwg i waeth,*
*gan dwyllo a chael eu twyllo. Ond glŷn di [Timotheus]*
*wrth y pethau a ddysgaist.*
2 Timotheus 3:13–14

Tebyg mai Ail Lythyr Paul at Timotheus oedd ei lythyr olaf, llythyr a ysgrifennwyd ychydig cyn ei farwolaeth. Ei gonsýrn pennaf oedd yr hyn a fyddai'n digwydd i'r efengyl pan na fyddai ef yno bellach i gyfeirio a dysgu'r eglwys.

Yn 2 Timotheus 3: 1–5, mae Paul yn rhybuddio Timotheus y bydd "y dyddiau diwethaf" (rhai yr oedd Iesu wedi eu hargychwyn) yn "amserau enbyd" (adn. 1) ac mae'n mynd ymlaen i roi darlun clir ohonynt. Mae'n rhestru un deg naw o nodweddion ac mae'n debyg mai'r mwyaf trawiadol yw cariad wedi ei gamgyfeirio. Bydd pobl yn eu caru eu hunain, yn caru arian, yn caru pleser, yn hytrach na charu Duw a daioni. Yn wir bydd ein cymdeithas "heb ddim cariad" (adn. 3). Bydd absenoldeb y cariad gwirioneddol hwn yn amharu ar berthynas pobl â'i gilydd. Gofid Paul yw y bydd Timotheus yn cael ei ysgubo ymaith gan y llif hunanganolog hwn, ac mae'n ei annog yn hytrach i sefyll yn gadarn ac i ymwrthod â phwysau diwylliant cyfoes.

Yn 2 Timotheus 3: 10 ac 14, mae Paul yn siarad â Timotheus ddwywaith gan ddefnyddio dau air unsillafog Groegaidd, *su de*, sy'n golygu "ond amdanat ti". Mewn gwrthgyferbyniad clir â diwylliant cyfoes, roedd Timotheus i fod yn wahanol ac os oedd hyn yn golygu sefyll ar ei ben ei hun, roedd rhaid iddo wneud hynny.

Mae Paul yn disgrifio Timotheus yn nhermau un oedd yn "dilyn" Paul, yn arbennig yn dilyn ei ddysgeidiaeth a'i ffordd o fyw. Y mae'n annog Timotheus trwy ddweud: "glŷn di wrth y pethau a ddysgaist" (adn. 14). Felly, mae adnodau 10–13 yn disgrifio teyrngarwch Timotheus i'r apostol yn y gorffennol ac adnodau 14–17 yn ei annog i aros yn ffyddlon yn y dyfodol. Mae ganddo reswm da dros wneud hyn – yn rhannol oherwydd yr oedd yn gwybod pwy oedd wedi ei ddysgu (yn benodol Paul, ac roedd eisoes wedi derbyn ei awdurdod apostolaidd) ac yn rhannol oherwydd yr oedd yn gyfarwydd â'r Ysgrythurau o'i blentyndod gan eu derbyn yn Ysgrythurau *theopneustos* (yn llythrennol "wedi eu hanadlu gan Dduw") ac yn dwyn elw.

Mae'r ddwy sail yn gymwys heddiw eto. Yr efengyl y mae Cristnogion yn ei chredu yw'r efengyl Feiblaidd, efengyl sy'n derbyn ei hawdurdod gan broffwydi Duw ac apostolion Crist. Rydym yn gwerthfawrogi'r cadarnhad deublyg hwn.

Darllen pellach: 2 Timotheus 3: 1–17

# Carchariad Olaf Paul

*Yr wyf wedi ymdrechu'r ymdrech lew, yr wyf wedi rhedeg*
*yr yrfa i'r pen, yr wyf wedi cadw'r ffydd.*
2 Timotheus 4:7

Nid yw Paul bellach yn mwynhau'r rhyddid cymharol a'r cysur oedd yn perthyn i'w garchariad yn ei gartref. Ddwywaith yn ei lythyron mae'n cyfeirio at ei gadwynau ac unwaith yn ei ddisgrifio'i hunan fel un "yn dioddef hyd at garchar, fel rhyw droseddwr" (2: 9). Yn ôl y sefyllfa yng ngharchar Rhufain yn y cyfnod, tebyg fod Paul mewn cell danddaearol gydag un twll yn y nenfwd ar gyfer goleuni ac aer. Doedd dim dihangfa o'r carchariad hwn ar wahân i farwolaeth. Eisoes yn ei ddychymyg roedd yn medru gweld cleddyf y dienyddiwr, oherwydd mae traddodiad yn dweud wrthym ei fod wedi ei ddienyddio (yr arfer gyda dinasyddion Rhufeinig) tua thair milltir y tu allan i Rufain.

Efallai fod y bedwaredd bennod o Ail Timotheus yn cynnwys, felly, eiriau olaf yr apostol Paul, ac maen nhw'n dysgu gwers bwysig i ni. Mae'r adnodau yn dangos ein bod, beth bynnag fo'r newid rhyfeddol y mae Iesu Grist wedi ei wneud yn ein bywyd, yn parhau yn ddynol gydag anghenion dynol. Fe welwn hyn yn Paul.

Yn gyntaf, roedd yn unig. Mae'n ysgrifennu at Timotheus, "Gwna dy orau i ddod ataf yn fuan" (4: 9). Roedd yr un apostol oedd wedi gosod ei gariad a'i obaith ar ddyfodiad Crist (adn. 8) eto'n dyheu am gwmni Timotheus. Ysgrifennodd: "Rwy'n hiraethu am dy weld a chael fy llenwi â llawenydd" (1: 4). Efallai fod rhai Cristnogion eithriadol o ysbrydol sy'n honni nad ydynt byth yn unig, nad oes dim angen cwmni ffrindiau daearol arnynt oherwydd mai Crist yw eu cwmni a'i fod ef yn ddigonol. Nid yw Paul yn cytuno â'r rhain.

Yn ail, gan fod y gaeaf yn agosáu, roedd angen dillad cynnes, felly mae Paul yn annog Timotheus i ddod â'i glogyn pan fyddai'n dod. Yn drydydd, roedd Paul yn teimlo'r angen am "y llyfrau ... yn arbennig y memrynau" (adn. 13). Dyma oedd anghenion ymwybodol Paul. Maen nhw'n anghenion i ninnau hefyd. Pan fydd yr ysbryd yn unig, mae angen ffrindiau arnom. Pan fydd ein corff yn oer, mae angen dillad arnom. Pan fydd ein meddyliau wedi diflasu, mae angen llyfrau arnom. Nid bod yn anysbrydol yw cydnabod hyn, ond bod yn ddynol.

Darllen pellach: 2 Timotheus 4: 1–8

# Wythnos 47: Y Llythyr at yr Hebreaid

Mae'r llythyr at yr Hebreaid yn llythyr dienw. Ni wyddys llawer am ei awdur nac ychwaith am y rhai a fyddai'n ei ddarllen, felly mae cryn drafodaeth am hynny'n parhau. Yr hyn a wyddom, er hynny, yw bwriad yr awdur wrth ysgrifennu. Yn rhannol oherwydd yr erledigaeth oedd ar y darllenwyr ac yn rhannol oherwydd dryswch diwinyddol, roedd perygl y byddai'r darllenwyr hyn yn gwrthgilio a hyd yn oed yn gwrthod yr efengyl. Nod yr awdur felly yw cadarnhau'r gwirionedd am waith gorffenedig Iesu Grist – ei offeiriadaeth, ei aberth a'i gyfamod – i'r fath raddau fel y byddai'n gwbl amhosibl i'w ddarllenwyr gilio oddi wrth y ffydd. Mae'r llythyr yn esboniad rhagorol ar berson a gwaith Iesu Grist, ei berson dyrchafedig a'i waith gorffenedig.

Pwy bynnag oedd yr awdur, mae'n amlwg ei fod â chymwysterau rhagorol i ddatblygu ei thema oherwydd yr oedd yn anghyffredin o gyfarwydd â stori'r Hen Destament a stori Iesu; roedd yn medru dangos bod pob disgwyliad a geir yn yr Hen Destament wedi ei gyflawni yn Iesu Grist.

**Dydd Sul:** Iesu'r Mab Dwyfol
**Dydd Llun:** Iesu'r Bod Dynol
**Dydd Mawrth:** Offeiriadaeth Iesu
**Dydd Mercher:** Yn Eistedd ar Ddeheulaw Duw
**Dydd Iau:** Anogaeth Driphlyg
**Dydd Gwener:** Diffinio a Darlunio Ffydd
**Dydd Sadwrn:** Rhedeg y Ras Gristnogol

# Iesu'r Mab Dwyfol

*Mewn llawer dull a llawer modd y llefarodd Duw gynt*
*wrth yr hynafiaid trwy'r proffwydi, ond yn y dyddiau olaf*
*hyn llefarodd wrthym ni mewn Mab.*
Hebreaid 1:1

**M**ae balans hardd ym mhenodau agoriadol y llythyr at yr Hebreaid gan fod pennod 1 yn darlunio Iesu Grist fel y Mab Dwyfol, tra bod yr ail bennod yn ychwanegu'r darlun ohono fel y Person Dynol. Mae Hebreaid 1 yn siarad am yr Iesu unigryw. Mae'n dweud pum gwirionedd sylweddol am Grist. Yn gyntaf, Iesu yw penllanw datguddiad Duw. Wrth gwrs, roedd Duw wedi bod yn ei ddatguddio ei hunan drwy hanes a hynny trwy enau'r proffwydi, ond roedd yn ddatguddiad rhannol ac yn un oedd yn datblygu, tra bod ei hunanddatgeliad yng Nghrist yn gyflawn ac yn orffenedig. Iesu Grist, felly, yw gair olaf Duw i'r byd. Mae'n anghredadwy y medrai pobl ddarganfod datguddiad uwch na mwy cyflawn na'r un a roddodd inni yn ei Fab ymgnawdoledig. Na, Iesu Grist yw penllanw'r datguddiad.

Yn ail, Iesu Grist yw Arglwydd y greadigaeth. Mae Duw wedi ei apwyntio ef "yn etifedd pob peth" (adn. 2), gan ei fod trwyddo wedi gwneud y bydysawd. Ef yw ei ddechrau a'i ddiwedd, ei ffynhonnell a'i etifedd, a rhwng y ddau "y mae'n cynnal pob peth â'i air nerthol" (adn. 3).

Yn drydydd, Iesu Grist yw Mab y Tad. "Ef yw disgleirdeb gogoniant Duw" (goleuni o oleuni, un mewn hanfod gyda'r Tad), ac "y mae stamp ei sylwedd ef arno" (ar wahân i'r Tad i'r un graddau ag y mae'r mowld ar wahân i'r sêl) (adn. 3).

Yn bedwerydd, Iesu Grist yw Gwaredwr pechaduriaid. Gan ei fod wedi cwblhau'r gwaith o buro pechaduriaid, mae'n eistedd ar ddeheulaw'r Tad.

Yn bumed, Iesu Grist yw gwrthrych addoliad yr angylion. Yn wir, y mae wedi dod "gymaint yn uwch na'r angylion ag y mae'r enw a etifeddodd yn rhagorach na'r eiddynt hwy" (adn. 4). Does dim amheuaeth nad yw'r angylion yn fodau rhyfeddol a gogoneddus ond nid yw'r rhain yn cymharu â Iesu Grist. Mae'r awdur yn awr yn casglu ac yn dyfynnu rhes o destunau o'r Hen Destament sy'n siarad mewn ffyrdd gwahanol am ogoniant Iesu, er enghraifft, "bydded i holl angylion Duw ei addoli" (adn. 6). Mae'n crynhoi'r adran hon gyda rhybudd difrifol ein bod ni i dalu sylw manwl i neges yr apostolion rhag i ninnau lithro i ffwrdd oddi wrthi (2: 1–4).

Darllen pellach: Hebreaid 1: 1–2: 4

# Iesu'r Bod Dynol

*Felly, gan fod y plant yn cydgyfranogi o'r un cig a gw
mae yntau, yr un modd, wedi cyfranogi o'r cig a gwaed*
### Hebreaid 2:14

Gan fod Iesu yn unigryw yn ei ogoniant dwyfol, testun y
ddoe, dim ond hanner y stori yw hyn. Petaem yn aros yn y f
yn euog o heresi ddifrifol, yn cadarnhau ei ddwyfoldeb on
esgeuluso'i ddyndod. Mae Hebreaid 1 yn pwysleisio bod Iesu Grist
rhannu ei fod); mae Hebreaid 2 yn pwysleisio bod Iesu Grist wedi do
ni (yn rhannu ein bod ni). Mae'r un sydd ymhob ffordd yn rhagori
dod, am gyfnod byr, yn is na nhw. Yn wir, y mae addasrwydd gwaelo
Mab Duw wedi dod yn ddyn: "Oherwydd yr oedd yn gweddu i Dduw ... w
lawer i ogoniant, wneud tywysog eu hiachawdwriaeth yn berffaith trwy
(adn. 10). Mae pedwar gwirionedd sy'n cael eu hegluro yma.

Yn gyntaf, mae'n dod i mewn i ganol ein dyndod. Mae'n cymryd a
gwaed" iddo'i hun (adn. 14). Mae'n profi gwendid y cyflwr dynol. Roed
dynol real (yn bwyta, yn yfed ac yn blino) ac emosiynau dynol real (llav
cydymdeimlad a dicter).

Yn ail, mae'n dod i ganol ein temtasiynau. Bu "iddo ef ei hun ddiodd
demtio" (adn. 18). Yn wir, cafodd ei "demtio ym mhob peth, yn yr un mo
15). Yn ei ymgnawdoliad y mae'n gosod o'r neilltu y ffaith na allai ildio i de
mae'n dod yn ddyn gan ei osod ei hun yn agored i demtasiwn. Roedd ei de
yn real iawn fel ein rhai ni er nad oedd wedi ildio iddynt erioed a'i fod felly
erioed.

Yn drydydd, mae'n dod i mewn i ganol ein dioddefaint. Mae Duw yn gwne
ein hiachawdwriaeth "yn berffaith trwy ddioddefiadau" (2:10). Nid ei fod yn am
yn yr ystyr o fod yn bechadurus, ond wrth iddo ei uniaethu ei hun â'n dyndoc
hynny'n annigonol os na fyddai wedi dioddef fel yr ydym ni'n dioddef.

Yn bedwerydd, mae'n dod hyd yn oed i ganol ein marwolaeth. "Yr ydym y
Iesu ... wedi ei goroni â gogoniant ac anrhydedd oherwydd iddo ddioddef marw
er mwyn iddo, trwy ras Duw, brofi marwolaeth dros bob dyn" (adn. 9). Nid boc
i Iesu farw, oherwydd nid oedd ganddo bechod o'i eiddo ei hun. Ond mae'n c
pechodau ni yn ei gorff ei hun, a thros ein pechodau ni y bu farw. O ganlyni
ymgnawdoliad gall Iesu Grist ein cynrychioli ni gerbron y Tad a chydymdeiml
gwendid.

Darllen pellach: Hebreaid 2: 9–18

# Offeiriadaeth Iesu

*Y mae'r lleill a ddaeth yn offeiriaid yn lluosog hefyd, am
fod angau yn eu rhwystro i barhau yn eu swydd; ond y
mae gan hwn, am ei fod yn aros am byth, offeiriadaeth na
throsglwyddir mohoni.*

Hebreaid 7: 23–24

Un o brif themâu'r llythyr at yr Hebreaid yw'r gymhariaeth â gwaith offeiriadol y Lefiaid yn yr Hen Destament ac annigonolrwydd hwn o'i gymharu ag offeiriadaeth Crist. Yn ffigwr rhyfeddol Melchisedec o'r Hen Destament wêl awdur y llythyr gysgod o offeiriadaeth Iesu. (1) Roedd Melchisedec yn frenin ac yn ffeiriad, fel Iesu. (2) Mae Melchisedec yn dangos ei fod yn rhagori ar Abraham (cyndad efi) trwy ei fendithio a derbyn degwm ganddo. (3) Mae Melchisedec yn ymddangos n y stori yn Genesis heb na rhieni na hil, sy'n symbolaidd o fywyd tragwyddol Iesu. Beth felly oedd yn annigonol am offeiriadaeth llinach Aaron yn yr Hen Destament?

Yn gyntaf, roedd eu hoffeiriadaeth yn feidrol. Ni fedrai offeiriaid yr Hen Destament aros yn eu swydd am byth ond mae Iesu'n "aros am byth" (adn. 24). Ymhellach, y mae'n "byw bob amser i eiriol drostynt" (adn. 25). Ni fydd dim yn torri ar draws nac yn terfynu ei offeiriadaeth ef.

Yn ail, yr oedd eu cymeriad yn bechadurus. Un o'r pethau amlwg oedd yn perthyn i'r system yn yr Hen Destament oedd bod rhaid i'r offeiriad offrymu aberth dros ei bechodau ei hun cyn y medrai offrymu aberth dros bechodau'r bobl. Nid oedd gan Iesu unrhyw bechodau i wneud iawn drostynt. Mae adnod 26 yn cynnwys datganiad bendigedig o berffeithrwydd Iesu: "sanctaidd, di-fai, dihalog, wedi ei ddidoli oddi wrth bechaduriaid, ac wedi ei ddyrchafu yn uwch na'r nefoedd."

Yn drydydd, ailadroddwyd eu haberthau yn ddyddiol. Roedd popeth yr oeddent yn ei gyflawni yn dymhorol oherwydd fod rhaid ailadrodd yr aberthau. Ond mae Iesu yn ei roi ei hun yn aberth dros bechod unwaith ac am byth.

Dyma ragoriaeth ddigonol offeiriadaeth Crist. Yn gyntaf, roedd ei fywyd daearol yn ddibechod. Yn ail, mae ei farwolaeth aberthol yn gyflawn. Yn drydydd, mae ei eiriolaeth nefol yn dragwyddol. "Dyma'r math o archoffeiriad sy'n addas i ni" (adn. 26).

Darllen pellach: Hebreaid 7: 11–28

# Yn Eistedd ar Ddeheulaw Duw

*Ond am hwn, wedi iddo offrymu un aberth dros bechodau*
*am byth, eisteddodd ar ddeheulaw Duw.*
Hebreaid 10:12

Yn ôl Credo'r Apostolion, "esgynnodd ef i'r nefoedd gan eistedd ar ddeheulaw Duw." Sut mae'n bosibl inni ddeall ei orseddu yn y nefoedd?

Yn gyntaf, mae Iesu Grist yn gorffwys. Mae'r darlun hwn yn deillio o brofiad dyddiol pawb ar ôl gwaith mewn swyddfa neu yn y cartref; byddwn yn eistedd i lawr a rhoi ein traed i fyny. Felly Iesu, "Ar ôl iddo gyflawni puredigaeth pechodau, eisteddodd" (1: 3). Roedd yr offeiriaid yn yr Hen Destament yn gorfod parhau â'u gweinidogaeth ddydd ar ôl dydd, wythnos ar ôl wythnos, mis ar ôl mis, ond mae Iesu yn "offrymu un aberth dros bechodau am byth" (10: 12). Roedd yr offeiriad yn sefyll bob dydd gan nad oedd seddau yn y deml, ond ar ôl i Iesu roi'r aberth, eisteddodd i lawr. Roedd y ffaith fod yr offeiriad yn sefyll yn arwydd bod eu gweinidogaeth yn anghyflawn, tra bod y ffaith fod Iesu wedi eistedd yn arwydd bod ei waith wedi ei gwblhau.

Yn ail, mae Iesu Grist yn teyrnasu. Mae wedi ei ddyrchafu i ddeheulaw Duw, i'r lle mwyaf anrhydeddus yn y bydysawd. O'r lle hwnnw mae'n danfon yr Ysbryd Glân ar ddydd y Pentecost a danfon ei bobl ar eu cenhadaeth. Eisoes y mae pob awdurdod yn y nefoedd ac ar y ddaear wedi ei roi iddo. Ond nid yw'r diafol wedi ildio'r frwydr eto.

Yn drydydd, mae Iesu Grist yn aros "hyd oni osodir ei elynion yn droedfainc i'w draed" (adn. 13). Daw'r geiriau o Salm 110: 1, geiriau y mae Iesu yn eu cymhwyso iddo ef ei hun. Yn y geiriau hyn mae Duw yn dweud wrth ei Feseia, "Eistedd ar fy neheulaw, nes imi wneud dy elynion yn droedfainc i ti." Mae'r Salm yn cyfuno dau ddarlun. Mae'r Meseia'n teyrnasu wrth aros, ac yn aros wrth deyrnasu.

Mae'r ddiwinyddiaeth gyfoethog hon yn cael ei chynnwys yn esgyniad a gorseddu Iesu Grist, hynny yw, mae'n gorffwys, mae'n teyrnasu, ac mae'n aros. Wrth orffwys, mae'n edrych yn ôl i'r gorffennol gan gyhoeddi bod ei waith iawnol wedi ei orffen. Wrth deyrnasu, mae'n goruchwylio'r presennol, gan ddanfon ei bobl allan ar eu cenhadaeth. Wrth ddisgwyl, mae'n rhagweld y dyfodol pryd y bydd ei elynion o'r diwedd wedi eu trechu ac y bydd ei deyrnas wedi dod i'w chyflawnder.

Darllen pellach: Hebreaid 10: 11–18

# Anogaeth Driphlyg

*Gan fod gennym hyder ... gadewch inni nesáu â chalon gywir ... Gadewch inni ddal yn ddiwyro at gyffes ein gobaith ... Gadewch inni ystyried sut y gallwn ennyn yn ein gilydd gariad a gweithredoedd da.*

Hebreaid 10:19, 22–24

Y tu ôl i'r anogaeth driphlyg hon y mae cynllun a gweinidogaeth y deml i'w gweld. Adeiladwyd y deml mewn dwy adran neu ystafell; y bellaf, a'r ystafell leiaf, oedd y Cysegr Sancteiddiolaf. O fewn yr adran hon yr oedd gogoniant Duw, arwydd o'i bresenoldeb, i'w weld. Roedd llen drwchus yn crogi rhwng y ddwy ystafell ac yn rhwystro mynediad i'r Cysegr Sancteiddiolaf. Ni chaniatawyd mynediad i neb ond un person (yr archoffeiriad) ar un diwrnod (Dydd yr Iawn) ac mewn un cyflwr (ei fod i ddwyn gydag ef waed yr aberth).

Mae'r awdur yn cymryd yn ganiataol y byddai ei ddarllenwyr yn gwybod hyn ac yn deall ei ddysgeidiaeth fod y pethau hyn wedi eu cyflawni yn archoffeiriadaeth ac aberth Iesu. Roedd mynediad drwy'r llen i bresenoldeb Duw yn awr yn agored i bob crediniwr.

Yn gyntaf felly, "gadewch inni nesáu â chalon gywir" (adn. 22) mewn sicrwydd ffydd, wedi ein puro'n fewnol o gydwybod euog, ac yn allanol mewn bedydd, a hynny yn rhinwedd y ffaith fod ein cyrff wedi eu golchi â dŵr pur. Mae'r mynediad cyson hwn i bresenoldeb Duw yn fraint aruthrol.

Yn ail, "gadewch inni ddal yn ddiwyro at gyffes ein gobaith" (adn. 23). Mae'r gobaith Cristnogol (sydd yn obaith sicr) wedi ei ganoli ar ddyfodiad Crist a'r gogoniant fydd yn dilyn. Ond sut medrwn ddal gafael yn dynn yn y gobaith hwn tra bod cymaint – hyd yn oed yn yr eglwys – wedi ei ildio? Does ond un ateb, "oherwydd y mae'r hwn a roddodd yr addewid yn ffyddlon" (adn. 23). Addawodd yr Arglwydd Iesu y byddai'n dod mewn grym ac mewn gogoniant mawr ac mae'n cadw'i addewid.

Yn drydydd, "gadewch inni ystyried sut y gallwn ennyn yn ein gilydd gariad a gweithredoedd da" (adn. 24). Mae'n amlwg fod yr awdur yn ystyried bod ei ddarllenwyr wedi dechrau llacio eu gafael ar gyfarfod â'i gilydd. Er mwyn diogelu gofal digonol dros ein gilydd ac er mwyn annog ein gilydd, rhaid inni bwysleisio'r angen i gyfarfod.

Dyna, felly, y bywyd Cristnogol y mae Duw yn ein galw ni iddo; bywyd o fynediad cyson i bresenoldeb Duw trwy ffydd, bywyd o ddisgwyl mewn gobaith am y Crist, a bywyd o annog ein gilydd i gariad. Dyma ddarlun triphlyg cyfarwydd o ffydd, gobaith a chariad.

Darllen pellach: Hebreaid 10: 19–25

# Diffinio a Darlunio Ffydd

*Yn awr, y mae ffydd yn warant o bethau y gobeithir*
*amdanynt, ac yn sicrwydd o bethau na ellir eu gweld.*
Hebreaid 11:1

Tebyg fod yna ddau gylch o amheuaeth sy'n gyffredin i ddynoliaeth. Y cyntaf yw dyfodol ansicr, a'r ail yw presennol anweledig. Rydym yn darganfod ein diogelwch yn y presennol, nid yn y dyfodol, ac yn y gweledig, nid yn yr anweledig. O ystyried y dyfodol, mae rhagolygon y swyddfa dywydd yn aml yn rhai na allwn ddibynnu arnynt. Gyda golwg ar yr anweledig, mae ein magwraeth wyddonol wedi meithrin ynom amheuaeth o bopeth y mae'n amhosibl ei astudio'n wyddonol.

Mae'n dod felly yn gryn sioc mai'r ddau gylch hyn o ansicrwydd dynol – y dyfodol a'r anweledig – yw'r union bethau lle mae ffydd yn arbenigo a hyd yn oed yn llwyddo! Gwaith ffydd yw delio â'r presennol anweledig a'r dyfodol sydd eto i'w wireddu. Yn syml iawn, ffydd yw'r sicrwydd fod y dyfodol yr ydym yn ei ragweld yn mynd i ddod, a bod y presennol na allwn ei weld yn real iawn er hynny.

Wrth gwrs mae anghredinwyr yn gwawdio'r ffydd Gristnogol. Yn ôl H. L. Mencken o Baltimore, "Gellir diffinio ffydd yn gryno fel credo afresymegol yn sylweddoliad yr annhebygol." Mae hyn yn ddigon digri ond yn gwbl anghywir. Nid yw ffydd yn air arall am ryw fath o ofergoeliaeth. Nid yw ychwaith yn afresymegol. Mae ffydd a rheswm bob amser yn cyd-fynd yn yr Ysgrythur. Ffydd a golwg sy'n cael eu gwrthgyferbynnu, nid ffydd a rheswm. Ymhellach, "bydd i'r rhai sy'n cydnabod dy enw ymddiried ynot" (Salm 9: 10). Maen nhw'n ymddiried oherwydd eu bod yn adnabod. Mae rhesymoldeb ymddiriedaeth yn deillio o'r ymddiriedaeth sydd gennym yn y gwrthrych a does neb yn fwy dibynadwy na Duw.

Mae hyn yn glir iawn yn yr esiamplau o Hebreaid 11. Ymhob achos, mae ffydd yn ymateb i'r hyn mae Duw wedi ei ddweud. Mae Noa yn adeiladu'r arch oherwydd bod Duw wedi ei rybuddio am y dilyw. Mae Abraham yn gadael ei gartref a'i deulu oherwydd bod Duw wedi addo cartref arall iddo a theulu di-ri'. Yn y ddau achos, gair oddi wrth Dduw ddaeth yn gyntaf. Felly y mae yn ein hanes ni. Nid ydym yn gewri ysbrydol fel Enoch, Abraham a Moses. Nid yw Duw fel arfer yn siarad â ni â llais clir, diamwys. Ond mae'n parhau i siarad drwy'r hyn a ddywedodd yn yr Ysgrythur. Ffydd yw ein hymateb i'w Air ef.

Darllen pellach: Hebreaid 11: 1–10

# Rhedeg y Ras Gristnogol

*Am hynny, gan fod cymaint torf o dystion o'n cwmpas, gadewch i
ninnau fwrw ymaith bob rhwystr, a'r pechod sy'n ein maglu mor
rhwydd, a rhedeg yr yrfa sydd o'n blaen heb ddiffygio, gan gadw
ein golwg ar Iesu, awdur a pherffeithydd ffydd.*

Hebreaid 12:1–2

Yr oedd pawb yn yr hen fyd yn gwybod am y gêmau Groegaidd. Wrth i'r diwylliant Groegaidd ymledu drwy'r Ymerodraeth Rufeinig, daeth y gêmau gydag ef. Roedd i bob dinas ei theatr lle roedd yr athletwyr yn arddangos eu gallu o flaen cynulleidfaoedd anferth – y gallu i redeg, bocsio, ymaflyd codwm, taflu gwayw, a rasio cerbydau. Mae'r bywyd Cristnogol yn cael ei gyffelybu i ras athletwr droeon yn y Testament Newydd, nid oherwydd ein bod yn cystadlu â'n gilydd, ond oherwydd bod y ras hon yn mynnu hunanddisgyblaeth sylweddol. Baich yr awdur yw ein bod ni'n "rhedeg yr yrfa sydd o'n blaen heb ddiffygio" (adn. 1). Mae'n ymddangos ei fod yn gosod allan dri pheth angenrheidiol er mwyn gorffen y ras.

Yn gyntaf, cofiwch y gwylwyr! Fe'n hamgylchynir, meddai, "gan fod cymaint torf o dystion o'n cwmpas" (adn. 1). Mae'n sicr fod y rhain yn cynnwys arwyr y ffydd yn yr Hen Destament, pobl a ddarlunnir ym mhennod 11, a phobl gyffelyb o ddyddiau'r Testament Newydd, mae'n debyg. Ond ym mha ystyr y mae'r rhain yn "dystion"? Yn sicr mae'n golygu eu bod ar un adeg wedi dwyn tystiolaeth ar y ddaear. Ond mae'n debyg ei fod hefyd yn golygu y Cristnogion sydd wedi marw ac sy nawr yn gwylio o'r nefoedd. Rwy'n tueddu meddwl mai dyma ystyr yr awdur oherwydd fe ddywedir ein bod wedi ein hamgylchynu ganddynt, sy'n awgrymu y dylem ddychmygu rhes ar ben rhes o wylwyr fel y gwelid yn theatrau Groeg. Mae cofio'r gwylwyr yn ein hysbrydoli i ymdrechu mwy.

Yn ail, rhaid ymarfer! Mae pob athletwr sydd o ddifrif yn derbyn disgyblaeth o ran bwyd, diod, ymarfer corff a chwsg. Ac yna ar gyfer y ras ei hun, mae'n gosod o'r neilltu bwysau ychwanegol a gwisg amhriodol. Mewn termau Cristnogol, mae hyn yn golygu troi cefn ar bechod a chael gwared â beichiau, a allai fod nid yn gymaint yn bechod ynddynt eu hunain ond yn sicr yn rhwystr inni yn y ras.

Yn drydydd, cadwch eich golwg ar y llinell orffen! Mae'r athletwr Cristnogol i edrych i droi ei olwg oddi wrth bopeth sy'n tynnu sylw, gan hoelio llygaid ar Iesu, sy'n sefyll ar y llinell derfyn. "Meddyliwch amdano ef," meddai'r awdur (adn. 3), ac yn arbennig am ei ddyfalbarhad wrth ddioddef y groes a phob gelyniaeth tuag ato. Felly, wedi ein hamgylchynu â thystion, yn elwa ar ymarfer difrifol, a chan hoelio ein sylw ar Iesu, byddwn yn rhedeg ein ras gyda dyfalbarhad; bydd meddwl am ildio yn y ras yn amhosibl.

Darllen pellach: Hebreaid 12: 1–3

# Wythnos 48: Y Llythyrau Cyffredinol

Yn agos at ddiwedd y Testament Newydd, cyn y llyfr olaf – Llyfr y Datguddiad, mae llythyrau cyffredinol Iago, Pedr ac Ioan. Gelwir hwy yn llythyrau cyffredinol oherwydd nad ydynt wedi eu cyfeirio'n benodol at unrhyw eglwys. Mae llythyr Iago, er enghraifft, wedi ei gyfeirio "at y deuddeg llwyth sydd ar wasgar" (Iago 1: 1), hynny yw, at Gristnogion Iddewig ymhob man.

Roedd Iago yn un o frodyr yr Arglwydd. Yn ystod gweinidogaeth Iesu nid oedd yn grediniwr, ond erbyn Dydd y Pentecost daeth i gredu. Yn wir, fe ddaeth yn un o arweinwyr cydnabyddedig yr eglwys yn Jerwsalem a Christnogion Iddewig ar draws y byd. Efallai fod ei lythyr wedi ei ysgrifennu mor gynnar â 45 OC, ac o'i fewn y mae'n gosod y pwyslais ar ymddygiad Cristnogol cyson.

Mae dau lythyr cyffredinol yn cael eu dynodi yn y Testament Newydd fel rhai a ysgrifennwyd gan yr Apostol Pedr, er bod awduraeth yr ail – gyda'r holl debygrwydd sydd rhyngddo a llythyr Jwdas – yn cael ei chwestiynu. Er bod Pedr yn delio â nifer o faterion, mae'r pwyslais cryfaf yn ei lythyr cyntaf ar y modd y dylai'r Cristion ymateb i erledigaeth. Mae cyfeiriad at ddioddefaint ymhob pennod.

Mae'n amlwg fod tri llythyr Ioan wedi eu hysgrifennu gan y disgybl annwyl, ac ef hefyd oedd awdur y bedwaredd efengyl. Os pwrpas efengyl Ioan oedd arwain y darllenydd i ffydd ac felly i fywyd tragwyddol (Ioan 20: 31), pwrpas y llythyrau yw arwain y credinwyr i'r sicrwydd eu bod wedi derbyn y bywyd tragwyddol hwnnw (1 Ioan 5: 13).

**Dydd Sul:** Ymateb i Air Duw
**Dydd Llun:** Ffydd a Gweithredoedd
**Dydd Mawrth:** Angenrheidrwydd y Groes
**Dydd Mercher:** Apêl i Weinidogion
**Dydd Iau:** Natur Gwirionedd Beiblaidd
**Dydd Gwener:** Sicrwydd Gwir a Gau
**Dydd Sadwrn:** Y Bywyd Cristnogol Integreiddiedig

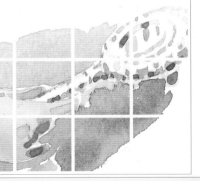

# Ymateb i Air Duw

*Byddwch yn weithredwyr y gair, nid yn wrandawyr yn*
*unig, gan eich twyllo eich hunain.*

Iago 1:22

Wrth inni ddarllen pennod gyntaf llythyr Iago trewir ni gan y rhybudd triphlyg rhag cael ein twyllo (adn. 16, 22, 26). Y modd y mae Iago yn cynnig ateb i'r twyll hwn yw Gair Duw, neu "air y gwirionedd" (adn. 18), hynny yw, y datguddiad y mae Duw wedi ei roi inni yng Nghrist ac yn y dystiolaeth Feiblaidd i Grist. Wrth inni dalu sylw i Air Duw byddwn ar yr un pryd yn osgoi'r drasiedi o gael ein twyllo. Mae angen i'n hymateb i'r Gair fod mewn dau gam.

Cam 1: gwrandawiad gofalus o Air Duw. "Rhaid i bob un fod yn gyflym i wrando, ond yn araf i lefaru" (adn. 19). Ein tuedd naturiol ymhob sefyllfa yw ymateb cyn pryd. Rydym yn rhuthro i fynegi barn gan anghofio bod "genau ffyliaid yn parablu ffolineb" (Diarhebion 15: 2). Yn aml, y peth olaf a wnawn (yr hyn ddylai fod yn gyntaf) yw atal ein tafod a gwrando. Mae hyn yn egwyddor gyffredinol sydd â chymhwysiad eang. Mae'n well gwrando na siarad. Mae gwrando parchus yn gyfrinach bwysig ymhob perthynas o harmoni. Ond mae'n arbennig o wir yn ein perthynas â Duw. Dyma'r Duw sydd wedi siarad ac sy'n galw arnom i wrando ar ei lais. Eto, byddwn o bryd i'w gilydd yn clywed yn yr Ysgrythur y pethau hynny rydym yn dymuno eu clywed yn unig – yr adleisiau hynny sy'n cadarnhau ein rhagfarnau diwylliannol – ac yna, byddwn yn colli ergyd y Gair wrth iddo'n herio i wrando.

Cam 2: gweithredu'n ufudd i Air Duw. Mae defnydd Iago o'r darlun o ddrych yn un arbennig iawn (adn. 22–23). Mae'r drych yn rhoi neges ddwbl i ni. Mae'n dweud wrthym beth ydym ac felly hefyd beth ddylem fod. Mae'r drych yn dweud, "Mae gennyt farc ar dy foch dde, felly mae'n well iti fynd i'w sychu i ffwrdd." Pryd bynnag y byddwn yn edrych mewn drych, rhaid inni weithredu ar yr hyn a welwn. Felly hefyd wrth inni edrych yn hir i mewn i ddrych Gair Duw. Mae'n dweud wrthym beth ydym a beth ddylem fod.

Mae Gair Duw i'w glywed, i'w dderbyn ac i ennyn ufudd-dod. Does dim dilyn go iawn heb yr ufudd-dod hwn.

Darllen pellach: Iago 1: 16–27

# Ffydd a Gweithredoedd

*Fy nghyfeillion, pa les yw i rywun ddweud fod ganddo ffydd,*
*ac yntau heb weithredoedd? A all y ffydd honno ei achub?*
Iago 2:14

M ae llawer o bobl am honni fod Iago a Paul wedi anghytuno gyda golwg ar y pwnc o gyfiawnhad, hynny yw, ar y ffordd y mae pechaduriaid yn cael eu derbyn ac yn cael eu cyhoeddi'n gyfiawn yng ngolwg Duw. Ymhellach, oherwydd yr anghytundeb diwinyddol ymddangosiadol hwn, gwaharddodd Luther lythyr Iago o ganon y Testament Newydd, gan ei alw'n "llythyr o wellt".

Yn sicr mae awgrym o anghytundeb rhwng y ddau apostol. Mae Paul yn dysgu "y cyfiawnheir rhywun trwy gyfrwng ffydd yn annibynnol ar gadw gofynion cyfraith" (Rhufeiniaid 3: 28), tra bod Iago yn ysgrifennu, "Fe welwch felly mai trwy weithredoedd y mae rhywun yn cael ei gyfiawnhau, ac nid trwy ffydd yn unig" (Iago 2: 24). Ymhellach, mae'r ddau apostol yn honni mai Abraham yw eu harwr.

Ond y gwir amdani yw bod yr anghytundeb yn rhywbeth mwy dychmygol na real. Roedd i Paul a Iago weinidogaeth wahanol ond nid neges wahanol. Maen nhw'n cyhoeddi'r un efengyl gyda phwyslais gwahanol. Y rheswm am y pwyslais gwahanol yw eu bod yn gwrthwynebu athrawon gau gwahanol. Gwrthwynebwyr Paul oedd Iddeweiddwyr, pobl oedd yn dysgu bod cyfiawnhad yn dod trwy gyflawni'r gweithredoedd hynny sydd yn arddangos ufudd-dod i'r gyfraith. Gwrthwynebwyr Iago, ar y llaw arall, oedd y bobl hynny oedd yn cyflwyno cyfiawnhad yn dod trwy ffydd fel uniongrededd farw.

Mae Paul yn mynnu yn ei anghytundeb â'r Iddeweiddwyr nad yw cyfiawnhad yn dod trwy weithredoedd ond trwy ffydd; mae Iago'n mynnu bod cyfiawnhad yn dod nid trwy ffydd uniongred (rhywbeth y mae'r diafol yn ei feddiannu – ac yn crynu ar gyfrif hynny!) ond trwy ffydd sy'n gweithio.

Mae'r ddau apostol yn egluro natur ffydd go iawn, hynny yw, mae ffydd go iawn yn rhywbeth byw sy'n gweithio. "Fe ddangosaf finnau i ti fy ffydd i trwy weithredoedd," ysgrifennodd Iago (2: 18); "ffydd yn gweithredu trwy gariad," ysgrifennodd Paul (Galatiaid 5: 6). Ni allwn gael ein hachub ar sail ein gweithredoedd ond ni allwn gael ein hachub heb ein gweithredoedd ychwaith. Lle gweithredoedd yw nid ennill iachawdwriaeth ond ei harddangos, nid meddiannu iachawdwriaeth ond ei phrofi. Felly, mae'r ddau apostol yn dysgu bod ffydd go iawn yn gweithio. Mae Paul yn pwysleisio bod ffydd yn cael ei harddangos mewn gweithredoedd tra bod Iago yn pwysleisio fod gweithredoedd yn dod o ffydd. Byddai'r ddau yn cytuno bod ffydd heb weithredoedd yn farw.

Darllen pellach: Iago 2: 14–26

# Angenrheidrwydd y Groes

*Ef ei hun a ddygodd ein pechodau yn ei gorff ar y croesbren,*
*er mwyn i ni ddarfod â'n pechodau a byw i gyfiawnder.*
1 Pedr 2:24

Pan ddywedodd Iesu am y tro cyntaf wrth ei ddisgyblion fod Mab y Dyn yn gorfod dioddef llawer o bethau a marw, Pedr oedd y cyntaf i ddadlau ag ef. Ni allai ddod i delerau â'r syniad o Feseia oedd yn dioddef. Ac eto dyma Pedr yn awr, tua thri degawd yn ddiweddarach, yn ei lythyr cyntaf yn arddangos ei ddealltwriaeth o angenrheidrwydd dioddefaint Iesu! Mae pob un o bum pennod y llythyr hwn yn cynnwys adran sy'n canolbwyntio ar y dioddefaint.

Mae Pedr yn gwneud dau ddatganiad am bwrpas y groes. Yn gyntaf, fod Crist wedi gadael inni esiampl (rhywbeth yr ydym eisoes wedi ei ystyried), ac yn ail ei fod wedi "dwyn ein pechodau yn ei gorff ar y croesbren" (adn. 24). Mae'r syniad o "ddwyn ein pechodau" yn fynegiant sy'n perthyn i'r Hen Destament ac sy'n golygu "dwyn cosb ein pechod". Fel arfer, y troseddwr sy'n goddef y gosb hon. O bryd i'w gilydd, serch hynny, mae Duw yn ei drugaredd anrhaethol yn darparu un i sefyll yn lle'r troseddwr, ac yn yr Hen Destament fe glywn am offrwm pechod ac yn arbennig y bwch dihangol ar Ddydd yr Iawn.

Eto, roedd yr Israeliaid duwiol yn gwybod mai symbol yn unig oedd hyn, oherwydd ni allai "gwaed teirw a geifr dynnu ymaith bechodau" (Hebreaid 10: 4). Felly, roeddent yn edrych ymlaen at y diwrnod pryd y byddai'r gwas dioddefus a ddarlunnir yn Eseia 53 yn dwyn eu pechod, ac mae Iesu'n cymhwyso'r broffwydoliaeth hon iddo ef ei hun.

Er hynny, mae problem. Os yw Crist wedi cymryd ein lle, wedi dwyn ein pechod, wedi talu ein dyled, wedi marw ein marwolaeth, ac o ganlyniad yr ydym ni wedi derbyn maddeuant, a yw hyn yn golygu (yn ôl rhai) y gallwn ymddwyn yn awr yn ôl ein dymuniad ein hunain a pharhau i bechu? Yn sicr, roedd nifer o feirniaid Paul yn barod i ddadlau hynny ac mae'n debygol fod rhai o feirniaid Pedr yn coleddu'r un farn. Ond mae'r ddau apostol yn gwadu'r cyhuddiad. Edrychwch ar y modd y mae Pedr yn mynd yn ei flaen: mae'n dwyn ein pechodau er mwyn i ni farw i bechod a byw i gyfiawnder. Felly, pwrpas marwolaeth Crist yw nid yn unig sicrhau ein maddeuant ond sicrhau ein sancteiddrwydd hefyd.

Nid oes y fath beth â Christnogaeth heb y groes. Mae Cristnogaeth heb y groes yn dwyll.

Darllen pellach: 1 Pedr 2: 18–25

# Apêl i Weinidogion

*Bugeiliwch braidd Duw sydd yn eich gofal.*
1 Pedr 5:2

Mae bugeilio fel darlun o arweinyddiaeth yn cael ei ailadrodd droeon yn y Beibl. Duw yw bugail Israel. Roedd yr arweinwyr gwleidyddol hefyd yn etifeddu'r un teitl ond yn cael eu condemnio am ganiatáu i'w defaid fynd ar wasgar (Eseciel 34). Mae Iesu'n cymryd rôl y Bugail Da sy'n adnabod, yn arwain, yn galw, yn caru, ac yn bwydo ei ddefaid, ac yn rhoi ei fywyd i lawr drostyn nhw.

Mae'n rhyfeddol fod Pedr yn apelio yma at henuriaid yr eglwys i "fugeilio praidd Duw" oherwydd dyma oedd ei weinidogaeth ef ("Portha fy nefaid" [Ioan 21: 17]) pan fu i Iesu ei ailgomisiynu ar lan Llyn Galilea. Mae'n fwy na thebyg fod Pedr yn cofio'r digwyddiad hwn wrth iddo wneud yr apêl i henuriaid eglwysig i fugeilio praidd Duw. Gellir crynhoi ei neges trwy nodi tri phwynt.

Yn gyntaf, rhaid i'w hysbryd fod yn wirfoddol: roedden nhw i wasanaethu "nid dan orfod, ond o'ch gwirfodd yn ôl ffordd Duw" (1 Pedr 5: 2). Mae'r syniad o fod yn un sy'n cael ei orfodi yng ngwasanaeth Crist yn wrthun.

Yn ail, rhaid i'w cymhelliad fod yn rhydd o unrhyw awydd am dâl: "nid er mwyn elw anonest, ond o eiddgarwch" (adn. 2). Ac eto, drwy dudalennau hanes, gwelwn ddynion drwg sydd wedi ceisio gwneud arian allan o'u gweinidogaeth. Yn yr hen fyd roedd llawer o ffug-ddoctoriaid oedd yn gwneud bywoliaeth dda trwy esgus bod yn athrawon teithiol. Mae Paul yn gwrthod ei hawl i gael ei gynnal ac yn ennill ei fywoliaeth ei hun er mwyn arddangos didwylledd ei gymhellion. Yn ein dyddiau ni mae rhai efengylwyr amharchus sy'n gwneud eu hunain yn gyfoethog trwy apeliadau ariannol.

Yn drydydd, rhaid i'w hagwedd fod yn ostyngedig: "nid fel rhai sy'n tra-arglwyddiaethu ar y rhai a osodwyd dan eu gofal, ond gan fod yn esiamplau i'r praidd" (adn. 3). Rhoddodd Iesu i'w ddisgyblion rybudd clir am hyn. Mae arweinwyr seciwlar, yn ôl Iesu, "yn arglwyddiaethu arnynt, a'u gwŷr mawr hwy yn dangos eu hawdurdod drostynt. Ond nid felly y mae yn eich plith chwi" (Marc 10: 42–43). I'r gwrthwyneb, rhaid i'r arweinydd Cristnogol ymarfer gweinidogaeth ostyngedig y gwas. Mae'r rhain yn arwain nid trwy rym ond trwy esiampl.

Darllen pellach: 1 Pedr 5: 1–11

# Natur Gwirionedd Beiblaidd

*Pobl oeddent a lefarodd air oddi wrth Dduw wrth gael eu*
*hysgogi gan yr Ysbryd Glân.*
2 Pedr 1:21

Mae ail hanner pennod gyntaf 2 Pedr yn adran ryfeddol am natur gwirionedd Beiblaidd. Yn gyntaf, mae gwirionedd Beiblaidd yn wirionedd ysgrifenedig. Mae Pedr yn ymwybodol iawn o'i feidroldeb ac yn rhagweld ei farwolaeth. Tra ei fod yn fyw, y mae'n medru parhau i atgoffa ei wrandawyr o'i ddysgeidiaeth, ond wedi iddo farw rhaid i'r ddysgeidiaeth gael ei hysgrifennu i lawr fel bod pobl yn medru ei darllen. Y tu ôl i'r cefndir dynol hwn y mae rhagluniaeth ddwyfol. Os yw Duw wedi gwneud a dweud rhywbeth unigryw yng Nghrist, mae'n rhaid darparu ar gyfer diogelu hynny; byddai'n anghredadwy y byddai Duw yn caniatáu i hyn gael ei golli. Yr Ysgrythur yw Gair Duw wedi ei ysgrifennu.

Yn ail, mae gwirionedd Beiblaidd yn wirionedd y llygad-dyst. Mae Pedr yn cyfeirio at y gweddnewidiad lle y gwelodd ogoniant Duw a chlywed ei lais: "Yr oeddem wedi ei weld â'n llygaid ein hunain yn ei fawredd" (adn. 16). Ond mae'r egwyddor hon yn gorwedd y tu ôl i bob Ysgrythur oherwydd cododd Duw dystion i gofnodi a dehongli'r hyn yr oedd yn ei wneud yn Israel. Nid oedd ystyr ei weithredoedd yn amlwg bob amser. Er enghraifft, yr oedd llawer o symudiadau llwythau yn digwydd yn y Dwyrain Agos, ac ni fyddai neb yn gwybod bod yr Exodus yn unigryw oni bai fod Duw wedi codi Moses. Eto, croeshoeliwyd miloedd o dan awdurdod Rhufain, ac ni fyddai neb yn gwybod bod croes Crist yn gwbl unigryw oni bai fod Duw wedi codi apostolion i dystio i hynny.

Yn drydydd, mae gwirionedd Beiblaidd yn wirionedd sy'n goleuo. "A pheth da fydd i chwi roi sylw iddi, gan ei bod fel cannwyll yn disgleirio mewn lle tywyll" (adn. 19). Mae pobl Dduw yn cael eu darlunio fel pererinion sy'n teithio trwy'r nos. Mae angen goleuni arnynt a'r Ysgrythur yw'r llyfr syml hwnnw sydd â phwrpas ymarferol iawn.

Yn bedwerydd, mae gwirionedd Beiblaidd yn wirionedd dwyfol. Does yr un broffwydoliaeth, medd Pedr, wedi tarddu o feddwl ac ewyllys dynion erioed, ond yn hytrach o Dduw. "Pobl oeddent a lefarodd air oddi wrth Dduw wrth gael eu hysgogi gan yr Ysbryd Glân" (adn. 21).

Diolch i Dduw am ei Air datguddiedig! Heb y Gair hwn, byddem yn ymbalfalu yn y tywyllwch. Mae wedi rhoi inni lewyrch i oleuo ein llwybrau. Oni ddylem ei ddefnyddio?

Darllen pellach: 2 Pedr 1: 12–21

# Sicrwydd Gwir a Gau

*Yr wyf yn ysgrifennu'r pethau hyn atoch chwi, y rhai sydd*
*yn credu yn enw Mab Duw, er mwyn ichwi wybod bod*
*gennych fywyd tragwyddol.*

1 Ioan 5:13

Ayw sicrwydd yn rhywbeth angenrheidiol ac yn rhywbeth y gall y disgybl ei hawlio? A yw'n briodol i ddilynwyr Iesu ddweud, "Rydym yn gwybod" – nid yn unig mewn perthynas â gwirionedd yr efengyl ond yn arbennig mewn perthynas ag iachawdwriaeth bersonol? Os ein hateb i'r cwestiynau yma yw ie, yna sut y mae'n bosibl i ni wahaniaethu rhwng gwir sicrwydd a sicrwydd gau, y realiti a'r hyn sy'n dwyll? Beth yw'r egwyddorion sy'n ein galluogi i farnu prun yw prun? Yn 1885, teitl esboniad Robert Law ar lythyr cyntaf Ioan oedd 'Profion Bywyd' (*Tests of Life*). Yn yr esboniad mae'n gosod allan dri phrawf sylfaenol, tair egwyddor er mwyn inni fedru gwahaniaethu rhwng athrawon y gwir ac athrawon gau.

Y prawf athrawiaethol oedd prun ai oedd yr athrawon yn credu yn yr ymgnawdoliad: "Dyma sut yr ydych yn adnabod Ysbryd Duw: pob ysbryd sy'n cyffesu bod Iesu Grist wedi dod yn y cnawd, o Dduw y mae" (4: 2).

Y prawf moesol oedd prun ai oedd yr athrawon hyn yn ymarfer cyfiawnder ac yn ufuddhau i orchmynion Duw: "Dyma sut yr ydym yn gwybod ein bod yn ei adnabod ef, sef ein bod yn cadw ei orchmynion" (2: 3).

Y prawf cymdeithasol oedd a oedd y bobl hyn wedi eu clymu â'r gymuned Gristnogol mewn cariad: "Yr ydym ni'n gwybod ein bod wedi croesi o farwolaeth i fywyd, am ein bod yn caru ein cyd-aelodau" (3: 14).

Mae'n ymddangos bod yr apostol Ioan, ac yntau yn ei henaint yn byw yn Effesus, yn cael ei wrthwynebu gan ŵr o'r enw Cerinthus oedd yn coleddu heresi Gnosticiaeth. Mae Ioan yn ei alw yn dwyllwr oherwydd ei fod yn gwadu person dwyfol a dynol Iesu. Roedd yn honni ei fod mewn cymdeithas â Duw tra'n cerdded yn y tywyllwch ac roedd yn gwneud honiadau sarhaus am awdurdod ysbrydol gan honni ei fod yn caru Duw ac yn casáu ei frawd. Trwy gymhwyso'r tri phrawf, mae Ioan yn tanseilio sicrwydd ffals, ond ar yr un pryd yn cadarnhau'r gwir sicrwydd sy'n eiddo i Gristnogion go iawn.

Os nad ydym ni'n Gristnogion sy'n cael ein nodweddu gan gredo iawn, gan ufudd-dod duwiol, a chariad brawdol, rydym yn twyllo'n hunain. Mae'n amhosibl ein bod wedi ein geni o'r newydd, oherwydd y mae'r rhai sydd wedi eu geni o Dduw yn credu, yn ufuddhau ac yn caru.

Darllen pellach: 1 Ioan 1: 1–10

# Y Bywyd Cristnogol Integreiddiedig

*Ac yn awr yr wyf yn erfyn arnat ... ein bod i garu ein gilydd. A*
*hyn yw cariad: ein bod yn rhodio yn ôl ei orchmynion ef.*
2 Ioan 1:5–6

Mae'n amlwg fod yr "arglwyddes etholedig a'i phlant" (adn. 1) sydd yn destun yr ail lythyr hwn yn ymdrech gan Ioan i bersonoli'r eglwys leol. Ei phrif nodwedd yw integreiddio, hynny yw integreiddio elfennau gwahanol yr ydym ni'n aml yn ddigon ffôl i ganiatáu iddynt gael eu gwahanu.

Yn gyntaf, mae gwirionedd a chariad yn perthyn gyda'i gilydd. Mae'r ddau yn cael eu nodi bum gwaith yn adnodau cyntaf y llythyr. Mae Ioan yn ysgrifennu am "y gwirionedd sydd yn aros ynom ni" (adn. 2), a'r cariad sy'n eu huno. Mae geiriau Ioan yn ein hatgoffa o ymadrodd cyffelyb gan Paul. Yn ôl Ioan, rydym i garu mewn gwirionedd. Yn ôl Paul, rydym i lefaru'r gwir mewn cariad (Effesiaid 4: 15). Yn ôl y ddau, dylai'r ddau beth gael eu hintegreiddio. Yr Ysbryd Glân yw ffynhonnell y ddau.

Yn ail, fe ddylai cariad ac ufudd-dod berthyn i'w gilydd. Mae Ioan yn atgoffa ei ddarllenwyr o'r hen orchymyn i garu ei gilydd. Ond mae'r gwrthwyneb hefyd yn wir. Os yw ufudd-dod yn cael ei arddangos mewn cariad, mae cariad yn cael ei arddangos mewn ufudd-dod. Dyma oedd yn wir yn yr Hen Destament lle mae Duw yn disgrifio ei bobl fel y rhai "sy'n fy ngharu ac yn cadw fy ngorchmynion" (Exodus 20: 6). Mae'n rhyfeddol fod Iesu wedi cymhwyso hyn i'w fywyd ei hun: "Pwy bynnag y mae fy ngorchmynion i ganddo, ac sy'n eu cadw hwy, yw'r un sy'n fy ngharu i" (Ioan 14: 21). Dyma'r ail ddarlun o integreiddio: mae ufudd-dod yn un â charu, ac mae caru yn un ag ufudd-dod ad infinitum.

Yn drydydd, mae'r Tad a'r Mab yn perthyn i'w gilydd. Nid yw'r athrawon gau "yn cyffesu bod Iesu Grist wedi dod yn y cnawd" (adn. 7). Roeddent naill ai yn dysgu bod Mab Duw yn ymddangos fel petai wedi dod yn ddynol neu ei fod wedi ei fabwysiadu i mewn i'r duwdod am gyfnod byr. Yn y ddau achos, y maent yn gwadu'r ymgnawdoliad; ac nid camgymeriad bychan Cristolegol oedd hyn, oherwydd dyma oedd yr Anghrist. Mae Ioan hefyd yn disgrifio'r athrawon fel rhai sy'n rhedeg yn eu blaen (adn. 9). Efallai fod y rhain yn honni eu bod yn meddwl ymlaen ac yn ceisio bod yn gyfoes. Gydag elfen o wawd, mae Ioan yn nodi eu bod wedi mynd mor bell yn eu blaen fel eu bod wedi gadael y Tad y tu ôl iddynt. I'r gwrthwyneb, mae Ioan yn apelio ar i'w ddarllenwyr barhau yn nysgeidiaeth yr apostolion. Ni all neb wadu'r Mab a dal gafael yn y Tad. Rwy'n gweddïo y bydd Duw yn ein harwain i fywyd Cristnogol integreiddiedig lle mae gwirionedd, cariad ac ufudd-dod yn nodweddion sydd â llewyrch parhaus arnynt!

Darllen pellach: 2 Ioan 1: 1–13

# Wythnos 49: Llythyrau Crist at y Saith Eglwys

Rydym bellach wedi cyrraedd llyfr olaf y Beibl, llyfr y Datguddiad. Yn yr adnod gyntaf honnir mai "Dyma'r datguddiad a roddwyd gan Iesu Grist" (Datguddiad 1: 1), ac yn y bennod gyntaf mae Ioan yn rhoi gweledigaeth ryfeddol i ni o'r un a gafodd ei groeshoelio unwaith, ond sydd nawr wedi ei ogoneddu. Mae'n cyhoeddi ei hun fel y "cyntaf a'r olaf ... a'r Un byw" (adn. 17–18) ac fel "llywodraethwr brenhinoedd y ddaear" (adn. 5), yr union deitl yr oedd ymerawdwr Rhufain yn ei hawlio iddo'i hun.

Yn ail bennod y llyfr mae'r olygfa'n newid. Mae'r Crist atgyfodedig sydd wedi ei ogoneddu yn awr yn gwylio dros ei eglwysi ar y ddaear. Mae'n dweud wrth Ioan am ysgrifennu llythyr at bob un o'r saith eglwys yn rhanbarth Rhufeinig Asia. Mae i'r saith llythyr yr un amlinelliad, a phob un yn cychwyn gyda honiad Crist ei fod yn adnabod eu hamgylchiadau, ac yn gorffen gyda neges o fawl neu o fai sydd yn briodol i bob eglwys, ac addewid i'r rhai sy'n gorchfygu.

Mae'n ymddangos i mi ei bod yn iawn i ystyried y saith eglwys unigol hyn yn rhai sy'n cynrychioli'r eglwys fyd-eang. Gyda'i gilydd maen nhw'n dangos inni beth yw nodweddion yr eglwys ddelfrydol.

**Dydd Sul:** Y Llythyr i Effesus – Cariad
**Dydd Llun:** Y Llythyr i Smyrna – Dioddefaint
**Dydd Mawrth:** Y Llythyr i Pergamus – Gwirionedd
**Dydd Mercher:** Y Llythyr i Thyatira – Sancteiddrwydd
**Dydd Iau:** Y Llythyr i Sardis – Didwylledd
**Dydd Gwener:** Y Llythyr i Philadelphia – Cenhadaeth
**Dydd Sadwrn:** Y Llythyr i Laodicea – Rhoi gyda'n holl Galon

# Y Llythyr i Effesus – Cariad

*Ond y mae gennyf hyn yn dy erbyn, iti roi*
*heibio dy gariad cynnar.*
Datguddiad 2:4

Cyfeiriwyd llythyr cyntaf Iesu at Effesus. Dyma brifddinas rhanbarth Rhufeinig Asia ac roedd y dinasyddion yn hoff iawn o gyhoeddi hynny. Roedd hefyd yn ganolfan fusnes lwyddiannus iawn, a dyma lle roedd y deml i'r dduwies Diana, un o saith rhyfeddod y byd.

Ymhellach, roedd llawer yn perthyn i'r eglwys yn Effesus yr oedd angen ei ganmol. Mae Iesu'n nodi'n benodol dri pheth, eu gwaith caled, y ffaith eu bod yn dyfalbarhau mewn anawsterau, a'u dirnadaeth ddiwinyddol, a chyda hynny eu hamharodrwydd i oddef unrhyw ddrygioni na thwyll. Ychydig flynyddoedd yn ddiweddarach, ar gychwyn yr ail ganrif, dienyddiwyd yr Esgob Ignatius o Antioch ar ei ffordd i Rufain. Roedd hwn wedi ysgrifennu at yr Effesiaid mewn geiriau canmoliaethus iawn: "Rydych i gyd yn byw yn ôl gwirionedd a does dim cartref i heresi yn eich plith; yn wir, nid ydych hyd yn oed yn gwrando ar unrhyw un os nad ydynt yn siarad am y pethau hynny sy'n perthyn i Iesu Grist a'i wirionedd ef."

Wedi dweud hyn, er bod yr eglwys yn Effesus yn ymddangos yn eglwys ddelfrydol, roedd gan Iesu gŵyn iddi "roi heibio [ei ch]ariad cynnar". Roedd yr holl rinweddau oedd yn perthyn i'r eglwys yn annigonol heb y cariad hwn. Does dim amheuaeth nad ar adeg eu tröedigaeth y gwelwyd y cariad amlycaf, ond bellach roedd y tân wedi marw i ryw raddau. Mae'n rhwydd cofio yma gŵyn Duw wrth Jeremeia am Jerwsalem: "Cofiaf di am dy deyrngarwch yn dy ieuenctid, ac am dy serch yn ddyweddi" (Jeremeia 2: 2). Fel yn achos Jerwsalem, felly hefyd yn achos Effesus, mae'r priodfab nefol yn ceisio ennill ei briodasferch yn ôl i'r cariad cyntaf. "Cofia, felly, o ble y syrthiaist, ac edifarha, a gwna eto dy weithredoedd cyntaf" (Datguddiad 2: 5).

Darllen pellach: Datguddiad 2: 1–7

# Y Llythyr i Smyrna – Dioddefaint

*Paid ag ofni'r pethau yr wyt ar fedr eu dioddef …*
*fe gewch orthrymder.*
Datguddiad 2:10

O s nodwedd gyntaf yr eglwys yw cariad, yr ail yw dioddefaint. Mae parodrwydd i ddioddef dros Grist yn profi didwylledd ein cariad tuag ato.

Roedd tref Smyrna (Izmir bellach) tua thri deg pump o filltiroedd i fyny'r arfordir o Effesus. Dyma'r dref nesaf y byddai'r postmon yn ei chyrraedd wrth iddo fynd o amgylch y saith eglwys. Roedd yn adnabyddus am ei gogoniant ac am ei sensitifrwydd i'r gystadleuaeth oedd rhyngddi ac Effesus.

Roedd eglwys Smyrna yn eglwys oedd yn dioddef. Mae Iesu'n eu sicrhau ei fod yn ymwybodol o'u hanawsterau, o'u tlodi, a hefyd wawd eu gwrthwynebwyr. Mae'n debyg fod y dioddefaint yn cael ei gysylltu'n bennaf â chwlt yr ymerawdwr. Roedd Smyrna yn ymfalchïo yn ei theml er clod i'r Ymerawdwr Tiberius. O bryd i'w gilydd byddai'r dinasyddion yn cael eu gorfodi i daenellu arogldarth ar y tân oedd yn llosgi ar benddelw'r ymerawdwr, gan gyffesu ar un pryd fod Cesar yn arglwydd. Ond sut oedd hi'n bosibl i Gristnogion alw Cesar yn arglwydd a hwythau wedi cyffesu Iesu yn Arglwydd?

Dyma'r anhawster a barodd i'r gŵr hynaws Polycarp, esgob Smyrna, orfod dioddef yn 156 OC. Mewn theatr anferth, gorfodwyd ef i dyngu llw yn enw Cesar ac i wrthwynebu Crist. Gwrthododd Polycarp gan ddweud, "Am wyth deg chwech o flynyddoedd yr wyf wedi ei wasanaethu ef, ac nid yw wedi gwneud dim drwg i mi. Sut felly y mae'n bosibl i mi wawdio'r brenin sydd wedi fy achub?" Mynnai'r rhaglaw gael ufudd-dod, gan rybuddio Polycarp y gallai farw yn rhaib i anifeiliaid gwylltion neu drwy dân os na fyddai'n newid ei feddwl. Ond safodd Polycarp yn gadarn. Cyneuwyd y tân, a diolchodd yr esgob duwiol i Dduw am ei gyfrif yn deilwng i rannu yng nghwpan Crist a chael ei rifo ymhlith y merthyron.

Fwy na hanner canrif cyn hyn roedd Crist wedi rhybuddio eglwys Smyrna o garchar a hyd yn oed farwolaeth. "Bydd ffyddlon hyd angau, a rhof iti goron y bywyd" (adn. 10).

Darllen pellach: Datguddiad 2: 8–11

# Y Llythyr i Pergamus – Gwirionedd

*Yr wyt yn glynu wrth f'enw i, ac ni
wedaist dy ffydd ynof fi.*
Datguddiad 2:13

Roedd yr eglwys yn Pergamus wedi ymrwymo i'r gwirionedd. Mae hyn yn rhyfeddol o ystyried ein cyd-destun crefyddol a diwylliannol. Ddwywaith y mae Iesu'n nodi ei fod yn gwybod lle mae'r bobl hyn yn byw, hynny yw "lle mae gorsedd Satan" ac "yn eich mysg chwi, lle mae Satan yn trigo" (adn. 13). Nid yw'n berffaith glir beth yr oedd Iesu'n ei olygu wrth ddefnyddio'r ymadroddion hyn ond yn gyffredinol mae'n debyg ei fod yn cyfeirio at y gymdeithas anghristnogol oedd yn eu hamgylchynu. Yn benodol, efallai ei fod yn golygu naill ai eilunaddoliaeth baganaidd neu'r cwlt imperialaidd.

Mae Pergamus wedi ei disgrifio droeon fel canolfan gref iawn i baganiaeth. Codwyd llawer o demlau ac allorau yno. Wrth gopa acropolis Pergamus roedd allor anferth i Zeus, ac roedd Pergamus yn enwog gan mai dyma ganolfan addoliad Aesculapius, duw iechyd ac iachâd.

Ond mae rhai ysgolheigion yn credu ei bod yn fwy tebygol fod gorsedd Satan yn cael ei chysylltu â chwlt imperialaidd. Yn ôl yn 29 CC rhoddwyd caniatâd i ddinasyddion Pergamus i godi teml i Awgwstws. Hon oedd y deml gyntaf i gael ei chodi i ymerawdwr oedd yn fyw, ac mae rhai yn credu bod y cwlt imperialaidd wedi ei ganoli yn Pergamus.

Er gwaethaf y dylanwadau Satanaidd hyn, nid oedd yr eglwys ym Mhergamus wedi ildio. I'r gwrthwyneb, mae Iesu yn medru ysgrifennu geiriau o longyfarchiadau i'r eglwys: "Yr wyt yn glynu wrth f'enw i, ac ni wedaist dy ffydd ynof fi, hyd yn oed yn nyddiau fy nhyst Antipas, a fu'n ffyddlon i mi ac a laddwyd yn eich mysg chwi, lle mae Satan yn trigo" (adn. 13). Mae'n rhyfeddol fod Iesu yn rhoi i Antipas y teitl "y tyst ffyddlon", teitl a roddwyd iddo ef ynghynt yn y llyfr hwn (1: 5).

Er hynny mae Iesu yn ychwanegu gair o gŵyn. Yn benodol, er bod Pergamus yn gyffredinol wedi aros yn ffyddlon iddo, roedd yn goddef yn y gymdeithas rai athrawon gau oedd yn dysgu "athrawiaeth Balaam" ac "athrawiaeth y Nicolaiaid" (adn. 14–15) – dysgeidiaeth oedd yn caniatáu eilunaddoliaeth ac anfoesoldeb.

Darllen pellach: Datguddiad 2: 12–17

# Y Llythyr i Thyatira – Sancteiddrwydd

*Gwn fod dy weithredoedd diwethaf yn fwy lluosog na'r rhai cyntaf.*
Datguddiad 2:19

Os oedd Thyatira yn enwog am unrhyw beth yn y byd, roedd yr enwogrwydd yn dod yn rhinwedd ei nodweddion masnachol yn hytrach na nodweddion gwleidyddol. Roedd yn ganolfan lwyddiannus iawn ym maes masnachu. Mae archeolegwyr wedi darganfod rhai arysgrifau sy'n dangos bod Thyatira yn ganolfan i nifer o gymdeithasau arbennig oedd yn perthyn i fyd masnach. Er enghraifft, ceid cymdeithas ar gyfer pobl oedd yn pobi, pobl oedd yn gweithio mewn efydd, pobl oedd yn gwneud dillad ac esgidiau, pobl oedd yn gwehyddu, barceriaid, lliwyddion, a phobl oedd yn gwneud crochenwaith. Mae hyn o ddiddordeb inni oherwydd o Thyatira yr oedd Lydia yn dod, un o'r rhai gafodd dröedigaeth yn Philipi. Roedd hi'n masnachu mewn defnyddiau gyda lliw porffor Thyatira ac mae'n cael ei disgrifio gan Luc fel "un oedd yn gwerthu porffor" (Actau 16: 14). Mae'n ddigon posibl, a hithau wedi ei geni yng Nghrist, iddi fod yn fodd i blannu'r eglwys Gristnogol yn Thyatira pan ddychwelodd yno.

Yn ei lythyr i Thyatira, mae Iesu'n pwysleisio sancteiddrwydd fel y nod angenrheidiol i eglwys ddelfrydol. Mae'n cychwyn ei lythyr yn nhermau cymeradwyaeth gynnes. Mae'n gwybod am eu cariad a'u ffydd, eu gwasanaeth a'u dyfalbarhad. Mae'r pedair nodwedd hyn yn rhai arbennig iawn sydd yn cynnwys y drioleg ffydd, gobaith a chariad. Mae'n werth sylwi hefyd fod Thyatira yn gwneud mwy yn awr nag oedd yn ei wneud ar y cychwyn, lle roedd Effesus wedi ildio tir wedi cychwyn da.

Ond yn anffodus nid oedd hyn yn ddarlun cyflawn o fywyd yr eglwys. Yn yr ardd hon roedd chwyn gwenwynig yn tyfu. Roedd Thyatira, er ei bod yn meddu ar rinweddau arbennig, hefyd yn euog o gydymffurfiad moesol. Roedd yr eglwys yn goddef cwmni proffwydes fileinig. Cafodd yr enw Jesebel ar ôl brenhines ddrwg y Brenin Ahab, ac roedd yn arwain rhai o aelodau eglwys Thyatira ar gyfeiliorn trwy eu perswadio bod rhyddid Cristnogol yn rhoi i Gristnogion yr hawl i ymddwyn yn anfoesol.

Roedd Iesu wedi galw arni i edifarhau ond roedd yn anfodlon. Felly, byddai ei farn yn disgyn arni ac ar ei dilynwyr os na fyddent yn edifarhau.

Mae hunanddisgyblaeth sanctaidd a thebygrwydd i Grist yn elfennau hanfodol o fywyd eglwys. Nid yw goddef yn rhinwedd os yw hynny'n golygu ei bod yn goddef drygioni. Mae Duw yn parhau i ddweud wrth ei bobl, "Byddwch sanctaidd, oherwydd yr wyf fi yn sanctaidd" (1 Pedr 1: 16, gweler Lefiticus 19: 2).

Darllen pellach: Datguddiad 2: 18–29

# Y Llythyr i Sardis – Didwylledd

*Gwn am dy weithredoedd, a bod gennyt
enw dy fod yn fyw er mai marw ydwyt.*
Datguddiad 3:1

Y llythyr a roddodd Iesu i Ioan i'w anfon i'r eglwys yn Sardis yw'r unig un sydd heb unrhyw fath o gondemniad yn ei gynnwys. Does ond angen rhai geiriau syml i ddangos bod yr eglwys hon yn fethdalwr ysbrydol, sef "enw dy fod yn fyw er mai marw ydwyt." Roedd eglwys Sardis wedi cael enw. Roedd yn adnabyddus ymhlith y chwe eglwys arall yn y rhanbarth am ei bywyd. Nid oedd dim math o athrawiaeth gau yn gwreiddio yn y gymdeithas. Does dim sôn am Balaam, na Nicolaiaid, na Jesebel.

Ond roedd yr ymddangosiad allanol yn dwyllodrus gan mai mynwent ysbrydol oedd y gynulleidfa gymdeithasol arbennig hon. Roedd enw yn perthyn iddi ei bod yn fyw ond doedd ganddi ddim hawl i'r enw. Wrth i lygaid Crist edrych o dan yr wyneb, mae'n dweud "ni chefais dy weithredoedd yn gyflawn yng ngolwg fy Nuw i" (adn. 2). Roedd yr enw da yr oedd Sardis wedi ei ennill yn enw da gyda phobl, nid gyda Duw. Mae'r gwahaniaeth hwn rhwng enw da a realiti, rhwng yr hyn y mae pobl yn ei weld a'r hyn y mae Duw yn ei weld, yn bwysig ymhob man. "Nid yr hyn a wêl meidrolyn y mae Duw'n ei weld. Yr hyn sydd yn y golwg a wêl meidrolyn, ond y mae'r ARGLWYDD yn gweld beth sydd yn y galon" (1 Samuel 16: 7).

Mae obsesiwn gyda'r hyn a welwn a chydag enw da yn arwain yn naturiol at ragrith, rhywbeth y mae Iesu'n ei gasáu. Yn wreiddiol, roedd yr *hupokritēs* yn actor oedd yn chwarae rhan ar lwyfan. Ond cymhwyswyd yr enw i rywun sy'n cymryd arno rôl arbennig. Gall rhagrith dreiddio i mewn i fywyd eglwys yn arbennig yn ei haddoliad. Nid yw'n gwneud dim gwahaniaeth a yw'r gwasanaeth yn un litwrgaidd neu anlitwrgaidd, yn ddefod Gatholig neu'n foelni Protestannaidd; gall yr un elfen afreal fod yn bresennol. Rhywbeth ffug yw rhagrith, tra bod didwylledd yn nodweddu gwir eglwys fyw.

Darllen pellach: Datguddiad 3: 1–6

# Y Llythyr i Philadelphia – Cenhadaeth

*Dyma fi wedi rhoi o'th flaen ddrws*
*agored na fedr neb ei gau.*
Datguddiad 3:8

**W**rth ysgrifennu at yr eglwys yn Philadelphia, mae Iesu yn disgrifio'i hun fel yr un sy'n dal allwedd Dafydd, a chyda'r allwedd hon mae'n medru agor drysau sydd wedi cau a chau rhai sydd wedi eu hagor. O ganlyniad, gall ddweud wrth yr eglwys yn Philadelphia "dyma fi wedi rhoi o'th flaen ddrws agored na fedr neb ei gau" (adn. 8). Mae'n debyg mai ystyr y 'drws agored' hwn yw cyfle, yn arbennig y cyfle i genhadu gan fod yr apostol Paul wedi cyfeirio at y darlun hwn droeon yn ei lythyrau. Er enghraifft, wrth ddychwelyd o'i daith genhadol gyntaf, mae'n adrodd bod Duw "wedi agor drws ffydd i'r Cenhedloedd" (Actau 14: 27), tra oedd ar ei drydedd daith genhadol, ysgrifennodd fod "drws llydan wedi ei agor imi" yn Effesus, "un addawol" (1 Corinthiaid 16: 9).

Efallai mai cyfeiriad at leoliad strategol y ddinas yw'r cyfeiriad at ddrws agored yn y llythyr at yr eglwys yn Philadelphia. Safai mewn dyffryn ffrwythlon a llydan, ac roedd y llwybrau masnachol yn ei chroesi i bob cyfeiriad. Yn ôl yr Arglwydd William Ramsay, archeolegydd o ddechrau'r ugeinfed ganrif, bwriad sylfaenwyr y ddinas yn yr ail ganrif CC "oedd gwneud y ddinas yn ganolfan i ddiwylliant Groeg ac Asia gan ledaenu iaith ac arferion y Groegiaid i bob cyfeiriad. Roedd Philadelphia yn ddinas genhadol o'r cychwyn." Felly, byddai'r hyn y bwriadwyd y ddinas i fod yn enw diwylliant Groeg yn awr yn wir yn enw'r efengyl Gristnogol. Adeiladwyd Philadelphia ar un o'r ffyrdd enwog a luniodd y Rhufeiniaid, ffordd oedd yn mynd fel saeth i galon y wlad oddi amgylch. Ni allai neb gau'r drws hwn. Roedd yr eglwys yn Philadelphia i achub y cyfle i fynd allan a chyhoeddi'r Newyddion Da gyda hyder.

Rydym yn diolch i Dduw fod llawer drws sy'n agored i genhadaeth yn y byd heddiw. Ond rhaid cydnabod bod drysau wedi eu cau mewn llefydd eraill. Un o'r rhain yw'r drws cyfreithiol, sef grym llywodraethau sy'n mynnu cyfyngu ar ryddid crefyddol. Un arall yw'r drws diwylliannol, grym syniadau sy'n creu rhagfarn ym meddyliau pobl. Y trydydd yw'r drws ethnig, grym teyrngarwch cenedlaethol sy'n cymysgu crefydd a chenedlaetholdeb. Rhaid inni gadw ein llygaid ar yr allwedd sydd yn llaw Crist.

Darllen pellach: Datguddiad 3: 7–13

# Y Llythyr i Laodicea
## – Rhoi gyda'n holl Galon

*Gwn am dy weithredoedd; nid wyt nac yn oer nac yn*
*boeth. Gwyn fyd na fyddit yn oer neu yn boeth!*
Datguddiad 3:15

Mae neges Crist i'r eglwys yn Laodicea yn hollol glir.  Roedd yn dymuno iddi gael ei nodweddu gan ymrwymiad llwyr.  Mae'n glir ei farn.  Mae'n ffafrio bod ei ddisgyblion naill ai yn frwd yn eu hymrwymiad iddo ef neu yn oer yn eu gwrthwynebiad; mae hyn yn rhagori ar fod yn glaear yn eu hymateb.

Ar draws yr Afon Lycus safai Hierapolis, dinas oedd yn meddu ar ffynhonnau poeth a ddanfonai ddyfroedd claear dros glogwyni Laodicea, ac mae'r olion o gerrig calch i'w gweld yno hyd heddiw.  Mae'r ansoddair Laodiceaidd wedi dod i mewn i'n geirfa i ddynodi pobl sydd yn glaear mewn crefydd, mewn gwleidyddiaeth, neu mewn unrhyw beth arall.  Roedd Laodicea yn cynrychioli eglwys oedd yn ddigon parchus yn allanol ond yn fewnol heb ymrwymiad, un o'r eglwysi arwynebol hyn yr ydym yn fwy na chyfarwydd â nhw heddiw.

Wrth i'r trosiad newid i "dlawd, yn ddall, ac yn noeth" (adn. 17), gofynnwn a oedd aelodau'r eglwys yn Laodicea yn Gristnogion o gwbl.  Yna, mae'r darlun yn newid i fod yn un o dŷ gwag.  Mae Iesu yn sefyll ar y trothwy yn curo, yn siarad, ac yn disgwyl.  Os ceir unrhyw unigolyn i agor y drws, fel y gwnes i yn Chwefror 1938, mae'n dod i mewn yn ôl ei addewid, nid yn unig i fwyta gyda ni ond i feddiannu'r tŷ.  Dyma hanfod yr ymrwymiad y mae Iesu'n ein galw ni iddo.

Mae'n wir fod yr eglwys bob amser wedi ofni'r hyn y mae'n ei alw yn "frwdfrydedd" (y term a ddefnyddid yn ystod y Diwygiad Efengylaidd oedd "enthusiastiaeth").  Roedd John Wesley a'i ffrindiau yn gwybod am hyn oherwydd roedd yr esgobion yn eu galw'n gyson yn bobl oedd wedi eu meddiannu gan "enthusiastiaeth".  Ond mae brwdfrydedd yn elfen hanfodol ymhob disgybl i Iesu.  Nid eithafiaeth, sef sêl heb wybodaeth, yw hyn ychwaith.

Wrth inni edrych yn ôl dros astudiaethau'r wythnos hon, rydym wedi gweld yr Arglwydd atgyfodedig yn cerdded ac yn archwilio ac yn goruchwylio ei eglwysi.  Wrth iddo wneud hyn, mae'n nodi saith o bethau y mae'n rhaid i'w eglwys eu dangos – cariad, parodrwydd i ddioddef, gwirionedd athrawiaethol a sancteiddrwydd bywyd, ymrwymiad i genhadaeth, didwylledd, a rhoi gyda'n holl galon ym mhob dim.

Darllen pellach: Datguddiad 3: 14–22

# Wythnos 50: Ystafell yr Orsedd yn y Nefoedd

O droi at Datguddiad pennod 4, rydym yn troi o edrych ar yr eglwys ar y ddaear i edrych ar yr eglwys yn y nefoedd, yn troi o olwg ar Grist ymhlith y canwyllbrennau at y Crist sydd ynghanol yr orsedd anghyfnewidiol. Yr un Crist sydd yma, ond o bersbectif cwbl wahanol.

Gwelai Ioan o'i flaen ddrws yn sefyll yn agored i'r nefoedd a llais fel utgorn yn llefaru wrtho: "Tyrd i fyny yma, a dangosaf iti'r pethau y mae'n rhaid iddynt ddigwydd ar ôl hyn" (Datguddiad 4: 1). Hwn oedd drws agored Datguddiad ac wrth i Ioan edrych drwyddo, mae'r hyn a welodd yn datblygu mewn tri cham: yn gyntaf, mae'n gweld gorsedd lle mae Duw yn rheoli dros y bydysawd; yn ail, mae'n gweld sgrôl, llyfr hanes wedi ei gau, wedi ei selio ac yn cael ei ddal yn neheulaw Duw; ac yn olaf, mae'n gweld Oen, fel un wedi ei ladd, a hwn yw'r unig un sy'n deilwng i agor y sgrôl, hynny yw, i ddehongli ac i reoli hanes.

**Dydd Sul:** Yr Orsedd Ganolog
**Dydd Llun:** Addoliad y Greadigaeth
**Dydd Mawrth:** Gwelediaeth Ioan o'r Sgrôl
**Dydd Mercher:** Gwelediaeth Ioan o Oen
**Dydd Iau:** Torri Chwe Sêl
**Dydd Gwener:** Y Ddwy Gymuned a Brynwyd
**Dydd Sadwrn:** Y Gymuned Enfawr Ryng-genedlaethol

# Yr Orsedd Ganolog

*Yr oedd gorsedd wedi ei gosod yn y nef,*
*ac ar yr orsedd un yn eistedd.*
Datguddiad 4:2

**M**ae'n arwyddocaol ryfeddol, wrth i Ioan edrych drwy'r drws agored, mai'r peth cyntaf a welodd oedd gorsedd, symbol o sofraniaeth, o fawrhydi, ac o reolaeth frenhinol Duw. Mae yna un deg saith o gyfeiriadau at yr orsedd hon ym mhenodau 4 a 5 o Datguddiad.

Roedd eglwysi Asia yn fychan ac yn ei chael hi'n anodd goroesi o'u cymharu â chryfder Rhufain. Beth allai ychydig o Gristnogion diamddiffyn ei gyflawni petai gorchymyn ymerodraethol yn eu gwahardd o wyneb y ddaear? Ac eto doedd dim angen ofni oherwydd ynghanol y bydysawd mae gorsedd. O'r orsedd hon y mae'r planedau yn derbyn eu gorchmynion. I'r orsedd hon y mae pob bydysawd yn rhoi ei ymrwymiad. Yn yr orsedd hon y mae'r arwydd lleiaf o fodolaeth yn canfod ei fywyd.

Mae popeth a welodd Ioan yn ei weledigaeth yn perthyn i'r orsedd. Mae'n defnyddio saith ymadrodd i ddynodi pa mor ganolog yw'r orsedd hon. Arni yr oedd rhywun yn eistedd. Ni ddisgrifir yr un sy'n eistedd, oherwydd mae Duw yn annisgrifiadwy. Y cyfan a welodd Ioan oedd lliwiau llachar yn fflachio fel gemau. O amgylch yr orsedd, yr oedd enfys yn symbol o drugaredd gyfamodol Duw. Ymhellach, o amgylch yr orsedd yr oedd pedwar ar hugain o orseddau eraill ac arnynt bedwar ar hugain o henuriaid yn cynrychioli'r eglwys (y deuddeg llwyth a'r deuddeg apostol). O'r orsedd daw mellt a tharanau fel o Fynydd Sinai. O flaen yr orsedd mae saith canhwyllbren yn llosgi, sy'n cynrychioli'r Ysbryd Glân. Ymhellach o flaen yr orsedd mae helaethrwydd anghyffredin, sy'n cyfeirio at holl bresenoldeb Duw, ac yn y canol, wrth ymyl yr orsedd fel math o gylch mewnol, y mae pedwar creadur byw yn cynrychioli'r greadigaeth.

Rydym am oedi ac ystyried ai hyn yw ein gweledigaeth o realiti terfynol. Mae'n gweledigaeth am y dyfodol yn tueddu i fod yn negyddol. Rydym yn meddiannu'r sicrwydd sydd yn llyfr y Datguddiad na fydd ryw ddydd ragor o newynu na sychedu, o boen na dagrau, o bechod na marwolaeth na melltith, oherwydd fe fydd y pethau hyn i gyd wedi mynd ymaith. Byddai'n well ac yn fwy Beiblaidd, er hynny, i ffocysu nid yn gymaint ar yr hyn na fydd yno ond ar y rhesymau dros eu habsenoldeb, sef presenoldeb gorsedd Duw yn y canol.

Darllen pellach: Datguddiad 4: 1–6

# Addoliad y Greadigaeth

*Teilwng wyt ti, ein Harglwydd a'n Duw, i dderbyn y*
*gogoniant a'r anrhydedd a'r gallu, oherwydd tydi a greodd*
*bob peth, a thrwy dy ewyllys y daethant i fod ac y crewyd hwy.*
Datguddiad 4:11

Y r ydym yn dychwelyd heddiw at y ddau gylch, y mewnol a'r allanol, sydd o amgylch gorsedd Duw. I'r cylch allanol mae pedwar ar hugain o henuriaid. Mae'r rhif deuddeg yn llyfr y Datguddiad bob amser yn cynrychioli'r eglwys. Mae'n hawdd dirnad felly mai'r pedwar ar hugain yw'r rhif sy'n cynrychioli'r eglwys yn y ddau Destament – y deuddeg patriarch neu benaethiaid y llwythau yn yr Hen Destament, a deuddeg apostol Iesu Grist yn y Testament Newydd. Mae eu gwisgoedd gwynion a'u coronau euraid yn arwydd o'u cyfiawnder a'u hawdurdod.

Er hynny, i'r cylch mewnol oedd o amgylch gorsedd Duw mae pedwar "creadur byw". Roeddent "yn llawn o lygaid o'r tu blaen a'r tu ôl" (arwydd eu bod yn gwylio'n gyson) ac roeddent yn debyg i lew, i lo, i ddyn ac i eryr (adn. 6–7), sy'n cynrychioli, yn ôl un esboniwr, "beth bynnag sy'n anrhydeddus, yn gryf, yn ddoeth ac yn gyflym o fewn natur."

Ddydd a nos nid yw natur byth yn peidio â moli a chanmol yr Arglwydd Dduw hollalluog, yr un oedd a'r un sydd, a'r un sydd i ddod, ac wrth iddynt wneud hynny, mae'r pedwar henuriad ar hugain yn ymuno. Felly mae natur a'r eglwys, yr hen greadigaeth a'r newydd, yn uno i gyhoeddi Duw fel yr un sy'n haeddu cael ei addoli, oherwydd trwy ei ewyllys y mae popeth wedi dod i fod ac yn cael ei gynnal.

Mae'n werth dwyn at ei gilydd addoliad Datguddiad 4 a 5. Yn y ddau mae'r henuriaid a'r creaduriaid byw yn cytuno. Ond mae'r pwyslais ym mhennod 4 ar y greadigaeth ("a thrwy dy ewyllys ... y crewyd [popeth]" [adn. 11]), tra bod y pwyslais ym mhennod 5 ar y brynedigaeth ("oherwydd ti ... a brynaist i Dduw â'th waed rai o bob llwyth ac iaith a phobl a chenedl" [adn. 9]). Mae ein Creawdwr a'n Prynwr yn haeddu ein haddoliad dwbl.

Wrth inni ymadael yn awr â'r côr nefolaidd, rhaid inni gofio eu hanthemau. Mae galwad inni ragweld ar y ddaear fywyd Duw-ganolog y nefoedd. Rydym i fyw ein bywyd yn awr mewn perthynas â gorsedd Duw nes y bydd pob meddwl, gair a gweithred yn dod o dan ei lywodraeth.

Darllen pellach: Datguddiad 4: 6–11

# Gweledigaeth Ioan o'r Sgrôl

*A gwelais yn llaw dde yr hwn oedd yn eistedd ar yr orsedd sgrôl*
*a'i hysgrifen ar yr wyneb ac ar y cefn, wedi ei selio â saith sêl.*
Datguddiad 5:1

Wrth inni edrych yn fanylach ar yr orsedd ac ar yr un sydd ar yr orsedd honno, mae Ioan yn sylwi bod sgrôl yn ei ddeheulaw sydd wedi ei gorchuddio ag ysgrifen ac wedi ei chau â saith sêl. Nid yw Ioan yn dweud wrthym beth oedd hwn, ond wrth edrych ar yr hyn sy'n dilyn, yn arbennig pan fydd y sêl yn cael ei thorri, fe welwn mai llyfr hanes yw, cofnod dan sêl o'r dyfodol na wyddom amdano eto, "pethau y mae'n rhaid iddynt ddigwydd ar ôl hyn" (4: 1).

Yng ngweledigaeth Ioan mae angel yn ymddangos, gan ofyn mewn llais uchel yr hyn y byddem ni'n hoffi ei ofyn, sef, "Pwy sydd deilwng i agor y sgrôl ac i ddatod ei seliau?" (5: 2), hynny yw, i ddadlennu'r dyfodol, heb sôn am bwy sy'n deilwng o reoli'r dyfodol. Doedd dim ateb i'r cwestiwn heriol hwn. Felly mae Ioan yn dweud, "Yr oeddwn i'n wylo'n hidl" (adn. 4). Cafodd ei oddiweddyd gan emosiwn, gan siom nad oedd neb yn deilwng i agor y sgrôl nac i edrych o'i mewn. Ni allai neb roi cynnig ar gliw i ddadlennu cyfrinach hanes.

Yna daw un o'r henuriaid ymlaen a siarad. Mae'n dweud wrth Ioan am beidio ag wylo, ac mae'n ychwanegu, "Wele, y mae'r Llew o lwyth Jwda, Gwreiddyn Dafydd [hynny yw, y Meseia], wedi gorchfygu ac ennill yr hawl i agor y sgrôl a'i saith sêl" (adn. 5) ac felly i ddatgelu cynnwys ac ystyr hanes.

Mae'n eiliad ddramatig. Mae Ioan yn edrych i weld y llew buddugoliaethus, ond er syndod iddo, yr hyn mae'n ei weld yw Oen, un sy'n edrych fel petai wedi ei ladd, ac eto'n sefyll reit ynghanol yr orsedd ac yn rhannu'r orsedd gyda Duw (gweler 3: 21). Yn y lle canolog hwn mae'n cael ei amgylchynu gan y pedwar creadur byw (natur) a chan yr henuriaid (yr eglwys). Fe'i disgrifir hefyd fel un â saith corn a saith o lygaid, sy'n cael eu hadnabod fel "saith ysbryd Duw, sydd wedi eu hanfon i'r holl ddaear" (5: 6), yn cynrychioli fwy na thebyg yr Ysbryd Glân yn ei weithgarwch cyflawn.

Felly, mae'n sylw yn cael ei symud o'r orsedd at y sgrôl ac yna o'r sgrôl at yr Oen.

Darllen pellach: Datguddiad 5: 1–6

# Gweledigaeth Ioan o Oen

*I'r hwn sy'n eistedd ar yr orsedd ac i'r Oen y bo'r mawl a'r
anrhydedd a'r gogoniant a'r nerth byth bythoedd!*
Datguddiad 5:13

Yn y weledigaeth mae'r Oen yn awr yn gweithredu. Mae'n dod at yr un sydd ar yr orsedd ac yn cymryd y sgrôl o'i ddeheulaw. Dyma'r arwydd i'r pedwar creadur byw a'r pedwar henuriad ar hugain i syrthio ar eu hwynebau o flaen yr Oen ac i ganu cân newydd, gan ddatgan ei deilyngdod i gymryd y sgrôl ac i agor ei seliau, nid yn awr oherwydd y greadigaeth, ond oherwydd y brynedigaeth.

> Oherwydd ti a laddwyd
>
> ac a brynaist i Dduw â'th waed
>
> rai o bob llwyth ac iaith a phobl a chenedl,
>
> a gwnaethost hwy yn urdd frenhinol ac yn offeiriaid i'n Duw ni;
>
> ac fe deyrnasant hwy ar y ddaear.

(adn. 9–10)

Nesaf, ceir miliynau o angylion yn ymuno i gyhoeddi teilyngdod yr Oen, oherwydd ei fod wedi ei ladd, i dderbyn saith bendith, gan fod pob grym a doethineb i'w priodoli iddo ef. Yn olaf, mae Ioan yn clywed pob creadur drwy'r bydysawd i gyd yn tystio eu mawl a'u hanrhydedd "i'r hwn sy'n eistedd ar yr orsedd ac i'r Oen" (adn. 13). Mae'r pedwar creadur byw yn cytuno â hyn gyda'u hamen, ac mae'r pedwar henuriad ar hugain yn syrthio ac yn addoli.

Mae hon yn weledigaeth ryfeddol o'r greadigaeth i gyd ar eu hwynebau o flaen Duw a'i Grist, ac mae'n wirioneddol ryfeddol fod yr Oen wedi ei gynnwys gyda deilydd yr orsedd ac yn rhannu'r orsedd gydag ef, gan dderbyn mawl cyfartal.

Os gofynnir y cwestiwn pam mai Iesu Grist yn unig sy'n abl i ddehongli hanes, rhaid inni ateb, "oherwydd ti a laddwyd". Trwy'r groes y mae wedi concro drygioni, wedi'n prynu i Dduw, wedi dioddef fel ninnau, ac yn esiampl glir o rym trwy wendid, yr Oen ar yr orsedd.

Darllen pellach: Datguddiad 5: 7–14

# Torri Chwe Sêl

*Edrychais pan agorodd yr Oen y gyntaf o'r saith sêl.*
Datguddiad 6:1

Gan fod y nefoedd a'r bydysawd wedi dathlu awdurdod unigryw yr Oen i agor y sgrôl, ac o'i weld yn ei chymryd o ddeheulaw yr un oedd ar yr orsedd, mae Ioan yn awr yn gwylio wrth i'r Oen dorri pob sêl un ar ôl y llall. Ar ôl agor pob un o'r pedair sêl gyntaf, mae un o'r creaduriaid byw yn gweiddi gyda llais fel taran, "Tyrd!" Ac yn syth mae ceffyl a marchog yn ymddangos. Dyma bedwar marchog enwog yr Apocalyps, sy'n gyfarwydd iawn i arlunwyr Cristnogol.

Mae sawl esboniwr yn dadlau bod y ceffyl cyntaf (ac yntau'n wyn, gyda'i farchog yn gwisgo coron ac yn marchogaeth "fel concwerwr i ennill concwest" [adn. 2]) yn symbol o wrthdaro milwrol. Ond yn llyfr y Datguddiad mae gwyn yn cynrychioli cyfiawnder, mae coronau a buddugoliaethau yn eiddo i Grist, ac ym mhennod 19 Crist yw'r marchog ar y ceffyl gwyn. Felly, cyn i'r marchogion eraill ledu erchyllterau rhyfel, newyn a marwolaeth, mae Crist ei hun yn marchogaeth ar flaen yr orymdaith gyda'i fwriad o ennill y cenhedloedd trwy'r efengyl. Ac mae'n llwyddo, o ystyried nifer di-ri' y rhai a brynwyd ym mhennod 7. Mae'r ail geffyl yn goch tanbaid ac yn symbol o dywallt gwaed. Mae'r trydydd yn ddu ac yn symbol o newyn, a'r pedwerydd yn wyrdd tywyll i gynrychioli marwolaeth (6: 8).

Mae torri'r bumed sêl yn datgelu eneidiau'r merthyron Cristnogol o "dan yr allor" (lle'r offrwm) sy'n apelio am gyfiawnder (adn. 9). Yna ar ôl torri'r chweched sêl ceir daeargryn a dilynir ef gan ddychrynfeydd yn yr haul, y lleuad, y sêr, yr awyr a'r mynyddoedd; ni ddylid dehongli'r rhain yn llythrennol, mae'n debyg, ond fel cyfeiriad at y cythrwfl cymdeithasol a gwleidyddol sy'n cael ei ddisgrifio mewn delweddaeth apocalyptaidd. Wedi hyn, mae'r farn yn dilyn wrth i bobl o bob safle mewn cymdeithas, o frenhinoedd i gaethweision, lefain am gael eu cuddio o wyneb Duw ac o lid yr Oen.

Mae'r ddrama agoriadol hon, wrth i'r chwe sêl gyntaf gael eu hagor, yn rhoi inni drosolwg cyffredinol o hanes rhwng dyfodiad cyntaf ac ailddyfodiad Crist. Bydd yn amser o gythrwfl treisgar a llawer o ddioddefaint, ond bydd llygad ffydd yn edrych y tu hwnt i'r cwbl at Grist, yr un sydd wedi ei goroni ac yn fuddugoliaethus, yr un sy'n marchogaeth ar geffyl gwyn, yr Oen sy'n torri'r sêl ac yn rheoli cwrs hanes.

Darllen pellach: Datguddiad 6: 1–16

# Y Ddwy Gymuned a Brynwyd

*A chlywais rif y rhai a seliwyd, cant pedwar deg a phedair*
*o filoedd wedi eu selio, o bob un o lwythau plant Israel.*
Datguddiad 7:4

**B**ydd rhaid inni aros tan Datguddiad 8 i weld y seithfed sêl yn cael ei thorri. Yn y cyfamser mae Ioan yn caniatáu inni olwg ar yr hyn sy'n diogelu pobl Duw. Mae Datguddiad 7 yn disgrifio dwy gymuned ddynol. Mae'r gyntaf (adn. 1–8) yn rhifo 144,000 ac mae'r rhain i gyd yn dod o ddeuddeg llwyth Israel; mae'r ail (adn. 9–17) yn dyrfa ddirifedi sy'n cael eu galw o bob cenedl, o bob iaith, o bob llwyth.

Ar yr olwg gyntaf, mae'n ymddangos bod dau grŵp gwahanol (rhai wedi eu rhifo a rhai heb eu rhifo, Israeliaid a Chenedl-ddynion), ac mae nifer o ymdrechion clyfar iawn wedi eu gwneud i wahaniaethu rhyngddynt. Ond o edrych yn fanylach, daw'n amlwg fod y ddau yn llun o'r un gymuned sydd wedi ei phrynu i Dduw, er ei bod yn cael ei darlunio o bersbectif gwahanol. Yn y llun cyntaf mae'r bobl yn cael eu cynnull fel milwyr wedi eu gwisgo i frwydr – yr eglwys fuddugoliaethus ar y ddaear; yn yr ail, mae'r bobl wedi eu cynnull o flaen Duw, mae eu brwydrau wedi mynd heibio – yr eglwys fuddugoliaethus yn y nefoedd.

Rydym am edrych heddiw ar y gymuned gyntaf. Fe'i gelwir yn "weision ein Duw" (adn. 3) ac mae sêl ar eu talcen i ddynodi eu bod yn eiddo iddo. Mae'r rhif 144,000 yn symbol amlwg o'r eglwys gyfan ($12 \times 12 \times 1,000$); ac fe'u hadnabyddir yn ddiweddarach yn Datguddiad 14: 3 fel "y rhai oedd wedi eu prynu oddi ar y ddaear". Yr unig reswm pam y maen nhw'n cael eu dynodi fel deuddeg llwyth Israel yw bod yr eglwys drwy'r Testament Newydd yn cael ei gweld fel "Israel Dduw" (Galatiaid 6: 16), "yr enwaediad" (Philipiaid 3: 3), a'r "hil etholedig ... yn genedl sanctaidd, yn bobl o'r eiddo Duw ei hun" (1 Pedr 2: 9), ac yn y rhain mae addewidion cyfamodol Duw yn cael eu cyflawni.

Rydym am adael tan yfory ystyriaeth o'r ail gymuned sy'n cael ei disgrifio fel "tyrfa fawr na allai neb ei rhifo" (Datguddiad 7: 9).

Darllen pellach: Datguddiad 7: 1–8

# Y Gymuned Enfawr Ryng-genedlaethol

*Ar ôl hyn edrychais, ac wele dyrfa fawr na allai neb ei*
*rhifo, o bob cenedl a'r holl lwythau a phobloedd ac*
*ieithoedd, yn sefyll o flaen yr orsedd ac o flaen yr Oen.*
Datguddiad 7:9

**M**ae'r ail gymuned, yn ôl yr hyn a ddywedir, yn rhyng-genedlaethol ac yn ddirifedi. Yn yr un modd ag y gorchmynnwyd i Abraham i gyfrif y sêr (sydd yn amhosibl) ac yna cael yr addewid y byddai ei ddisgynyddion yr un mor niferus, felly mae addewid Duw yn cael ei chyflawni yn lluosogrwydd anferth plant ysbrydol Abraham heddiw (Genesis 12: 1–3; 15: 5).

Wedyn, mae'r dyrfa ddirifedi yn sefyll o flaen gorsedd Duw yn gwisgo gynau gwynion cyfiawnder ac yn chwifio canghennau o balmwydd yn arwydd o'u buddugoliaeth. Mae'r rhain hefyd yn canu caneuon uchel o addoliad, gan briodoli eu hiachawdwriaeth i Dduw ac i'r Oen. Mae angylion, yr henuriaid a'r creaduriaid byw yn ymuno, yn syrthio ar eu hwynebau ac yn addoli Duw. Mae bywyd y nefoedd yn ddathliad cyson o lawenydd ac mae corau ar y ddaear a cherddorfeydd yn ymarfer ar gyfer y cyngerdd escatolegol hwn.

Sut felly y medrwn ni fod yn sicr ein bod yn perthyn i'r dyrfa ryngwladol hon sydd wedi ei phrynu? Mae un o'r henuriaid yn mynegi'r gofid hwn trwy ofyn y cwestiwn, "Y rhai hyn sydd wedi eu gwisgo â mentyll gwyn, pwy ydynt ac o ble y daethant?" (Datguddiad 7: 13). Mae'n mynd ymlaen i ateb ei gwestiwn ei hunan. Ar un llaw, "Y maent wedi golchi eu mentyll a'u cannu yng ngwaed yr Oen" (adn. 14). Mae'n amhosibl inni feddwl sefyll o flaen gorsedd lachar Duw yng ngharpiau budr ein meidroldeb, ond gallwn sefyll os ceisiwn lanhad gan yr Oen sydd wedi marw drosom. Ar y llaw arall, maent wedi "dod allan o'r gorthrymder mawr" (adn. 14). Gan mai disgrifiad yw hyn o bob un sydd wedi ei brynu, ni all yr adran gyfeirio at gyfnod penodol o ddioddefaint rhwng ymddangosiad yr Anghrist ac ymddangosiad Crist. I'r gwrthwyneb, rhaid bod hwn yn ddisgrifiad o'r bywyd Cristnogol cyflawn, bywyd y mae'r Testament Newydd yn fynych yn cyfeirio ato fel amser o orthrymder (gweler Ioan 16: 33; Actau 14: 22; Datguddiad 1: 9). Felly, y maent gerbron gorsedd Duw.

Mae Datguddiad 7 yn gorffen gyda'r sicrwydd bendigedig fod Duw am gysgodi ei bobl; na fyddant fyth eto yn dioddef newyn, syched, na gwres tanbaid; y bydd y bobl hyn – yn y ffordd fwyaf rhyfeddol – yn cael adnabod yr Oen fel eu bugail; ac y bydd Duw ei hun yn sychu ymaith eu dagrau (adn. 15–17).

Darllen pellach: Datguddiad 7: 9–17

# Wythnos 51: Barn Gyfiawn Duw

Uwchlaw popeth mae llyfr y Datguddiad neu'r "Apocalyps Cristnogol" yn ddathliad o fuddugoliaeth Duw. Mae'n darlunio'r frwydr barhaus sydd rhwng Duw a'r diafol, yr Oen a'r ddraig, yr eglwys a'r byd, dinas sanctaidd Jerwsalem a dinas Babilon, y briodasferch a'r butain, a'r rhai sydd wedi derbyn ar eu talcennau enw Crist, a'r rhai sydd wedi derbyn enw'r bwystfil.

Wedi dweud hyn, mae llyfr y Datguddiad yn darlunio mwy na'r ymrafael hwn; mae'n dathlu buddugoliaeth. Persbectif y llyfr yw bod Iesu eisoes wedi concro (Datguddiad 5: 5) a bod Duw yn bwriadu i'w bobl rannu ei fuddugoliaeth. Dywed Crist, "I'r sawl sy'n gorchfygu y rhof yr hawl i eistedd gyda mi ar fy ngorsedd, megis y gorchfygais innau ac yr eisteddais gyda'm Tad ar ei orsedd ef" (3: 21). Mae H. B. Swete yn ysgrifennu ar ddechrau'r ugeinfed ganrif "fod y llyfr i gyd fel sursum corda," galwad Ioan i'w ddarllenwyr i godi'u calonnau ac i weld eu dioddefiadau mewn perthynas â buddugoliaeth, teyrnasiad a dychweliad Crist.

Dyma yw cefndir hanfodol ein myfyrdodau yr wythnos hon. Rydym ar fin cael ein cyflwyno i'r ddraig goch (y diafol) a'r tri sy'n cydweithio â hi, sef dau fwystfil a Babilon y butain (yn cynrychioli Rhufain fel erlidiwr, fel eilunaddolwr, ac fel hudwr). Mae eu tynged yn sicr.

**Dydd Sul:** Y Saith Corn
**Dydd Llun:** Y Ddraig a'i Chynghreiriaid
**Dydd Mawrth:** Yr Oen a'r 144,000
**Dydd Mercher:** Saith Ffiol Digofaint Duw
**Dydd Iau:** Adnabod Babilon a'i Distrywio
**Dydd Gwener:** Y Marchog ar y Ceffyl Gwyn
**Dydd Sadwrn:** Diwedd Satan

# Y Saith Corn

*Yna gwelais y saith angel sy'n sefyll gerbron Duw; a*
*rhoddwyd iddynt saith utgorn.*
Datguddiad 8:2

M ae'n bwysig cofio (yn ôl y dull rwyf wedi ei fabwysiadu i ddehongli) fod torri'r saith sêl a chwythu'r saith utgorn yn dynodi'r un cyfnod (sy'n ymestyn rhwng dau ddyfodiad Iesu), er o bersbectif gwahanol.

Mae'n debyg mai pwrpas y cyrn oedd rhybuddio'r byd o farn gyfiawn Duw a galw pobl i edifeirwch. Yn sicr defnyddid y corn i rybuddio yn yr Hen Destament. Mae Eseciel yn ysgrifennu, "[petai'r gwyliwr yn] gweld y cleddyf yn dod yn erbyn y wlad ac yn canu utgorn i rybuddio'r bobl" (Eseciel 33: 3), byddai pobl yn cael eu dal yn gyfrifol am eu hymateb. Ymhellach, mae'r dinistr sy'n dilyn yn rhybudd yn yr un ystyr ag yr oedd cwymp tŵr Siloam yn rhybudd, rhywbeth y dehonglodd Iesu fel galwad i edifeirwch (Luc 13: 4).

Yn dilyn seinio'r utgyrn mae Ioan yn gweld angel rhyfeddol yn dal sgrôl yn dod i lawr o'r nefoedd. O ddisgrifiad Ioan, mae'n debyg mai'r Arglwydd Iesu Grist ei hun yw'r angel hwn, ac yn ei law y mae'r efengyl yr oedd Ioan i'w phregethu. Dywedir wrth Ioan am fwyta'r sgrôl a gwneud ei chynnwys yn eiddo iddo. Byddai'n blasu'n felys ar y cychwyn ond yn ddiweddarach byddai'n troi ei stumog yn sur. Ac yntau bellach wedi ei ailgomisiynu i fynd â'r efengyl i'r cenhedloedd, byddai Ioan yn darganfod melyster yr efengyl yn troi'n chwerw yn achos y rhai fyddai'n ei wrthod.

Yn sydyn mae dau dyst yn ymddangos ac mae'r rhain, mae'n debyg, yn cynrychioli'r eglwys sydd yn tystio ac yn dioddef (Datguddiad 11: 3). Rhoddir iddynt rym i broffwydo; hynny yw, i gyhoeddi'r efengyl ar hyd y cyfnod rhwng y dyfodiad cyntaf ac ailddyfodiad Iesu. Ond bydd y rhain yn cael eu herlid a'u lladd. Yn ddiweddarach byddai'r eglwys oedd wedi ei thawelu a'i merthyru yn cael ei hatgyfodi (ei thystiolaeth yn cael ei hadfer) a hynny er mawr ofid i'w gelynion.

Rhaid deall gweinidogaeth y sgrôl fechan a'r ddau dyst mewn perthynas â'r utgyrn oedd yn rhybuddio, oherwydd y mae'r neges negyddol o rybudd i'r byd yn dod gyda'r ychwanegiad bendigedig o bregethu positif yr efengyl.

Darllen pellach: Datguddiad 9: 20–10: 11

# Y Ddraig a'i Chynghreiriaid

*Ond y maent hwy wedi ei orchfygu trwy waed yr Oen a thrwy air eu tystiolaeth.*

Datguddiad 12:11

Yng ngweledigaeth agoriadol Datguddiad 12, mae tri actor – gwraig sydd ar fin rhoi genedigaeth, y bachgen y mae'n ei gario, ac yna ddraig goch anferth sydd yn barod i fwyta'r plentyn ar ei enedigaeth. Y ddraig mae'n amlwg yw'r diafol. Y plentyn yw'r Meseia, a'i dynged ef yw rheoli'r cenhedloedd. Mae'r wraig yn symbol o bobl Israel, oherwydd o'r bobl hyn ac o'r deuddeg patriarch gellir olrhain tras ddynol Iesu Grist. Ond pan anwyd y bachgen, fe'i cipiwyd gan Dduw ac mae'r wraig yn dianc i'r anialwch i geisio amddiffynfa. Mae mwy o weledigaethau yn dilyn sy'n dathlu buddugoliaethau'r Meseia. Yn wir, thema lywodraethol Datguddiad 12 yw goresgyniad pendant y diafol. Mae'n cael ei rwystro yn ei fwriad i ddifa'r Crist ac i ddifa ei eglwys.

Mae cynghreiriaid y diafol yn awr yn cael eu cyflwyno un ar ôl y llall. Maent yn cael eu henwi fel y bwystfil o'r môr; y bwystfil o'r ddaear; a Babilon, putain goegwych. Mae awgrym fod y rhain yn ceisio ymddangos fel parodi o'r Drindod. Mae'r tri hefyd yn cynrychioli dinas ac ymerodraeth Rhufain, er o safbwyntiau gwahanol. Yn gyntaf, mae'r bwystfil o'r môr yn cynrychioli Rhufain fel y grym oedd yn erlid. Roedd gan yr Iddewon bob amser ofn y môr, felly mae bwystfil sy'n dod allan o'r môr yn rhywbeth ofnadwy yn eu golwg. Yn ail, mae'r bwystfil o'r ddaear yn cynrychioli Rhufain fel system o eilunaddoliaeth, gyda chyfeiriad penodol at gwlt yr ymerawdwr. Nid oedd i'r bwystfil hwn rôl annibynnol. Yn hytrach, mae ei weinidogaeth yn gyfan gwbl mewn perthynas â'r bwystfil cyntaf, ac roedd yn ddarostyngedig i hwnnw. Mae'n gwneud i bobl addoli'r bwystfil hwnnw. Yn drydydd, mae Babilon y butain yn cynrychioli'r dylanwad llygredig: mae'n "peri i'r holl genhedloedd yfed gwin llid ei phuteindra" (14: 8). Felly, mae'r tri chynghrair sy'n gweithio gyda'r diafol yn cael eu dynodi fel Rhufain yr erlidiwr (y bwystfil cyntaf), Rhufain yr eilunaddolwr (yr ail fwystfil neu'r proffwyd gau), a Rhufain yr hudwr (Babilon y butain).

Drwy'r byd i gyd heddiw mae'r un ymosodiad triphlyg ar yr eglwys yn cael ei ymladd gan y diafol ac fe welwyd hyn ym mhenodau cynnar llyfr yr Actau – corfforol (erledigaeth), moesol (cyfaddawd), a meddyliol (dysgeidiaeth ffals). Mae tri chynghrair y diafol yn parhau i fod ar waith.

Darllen pellach: Datguddiad 12: 1–12

# Yr Oen a'r 144,000

*Edrychais, ac wele'r Oen yn sefyll ar Fynydd Seion, a*
*chydag ef gant pedwar deg a phedair o filoedd, a'i enw ef*
*ac enw ei Dad wedi eu hysgrifennu ar eu talcennau.*
Datguddiad 14: 1

Byddai'n anodd cael gwrthgyferbyniad cliriach na'r darluniau a geir gan Ioan ym mhenodau 13 ac 14 o lyfr y Datguddiad. Mae elfen o ryddhad wrth inni droi oddi wrth y ddraig a'r bwystfil cyntaf â'i gartref yn y môr, at yr Oen sy'n sefyll ar dir cadarn a sanctaidd; o erledigaeth a'r perygl o ferthyrdod i sicrwydd Mynydd Seion; o anghyflawnder y rhif 666 i gyflawnder y 144,000; ac yn olaf, oddi wrth y rhai sydd wedi derbyn arwydd y bwystfil ar eu talcen (13: 16) at y rhai sydd ag enw'r Oen a'i Dad wedi ei ysgrifennu ar eu talcennau.

Mae Ioan yn awr yn clywed cerddoriaeth fendigedig, ac mae'n cyffelybu'r sŵn i raeadr, mae'n clywed ergyd o daran, a cherddorfa o delynorion. Ynghanol y cyfan, mae côr yn canu cân newydd, yn dathlu, mae'n debyg, fuddugoliaeth yr Oen. Am y 144,000, mae'r rhain wedi eu prynu, maent wedi bod yn ffyddlon i Grist fel ei briodasferch wyryfol, ac yn dilyn yr Oen ble bynnag y mae'n mynd.

A ninnau felly wedi ein sicrhau o ddiogelwch pobl Dduw, rydym yn barod yn awr ar gyfer y neges sy'n cael ei dwyn gan dri angel. Yn sylfaenol i'w gweinidogaeth mae'r argyhoeddiad y "daeth yr awr iddo [i Dduw] farnu" (14: 7). Ymhellach, mae Ioan yn darlunio hyn yn nhermau cynhaeaf grawn a chynhaeaf grawnwin. Crist yw'r un sy'n cynaeafu, a bydd ei farn yn radical, yn distrywio pob amlygiad o ddrygioni.

Cyn i Ioan ddisgrifio tywallt saith ffiol digofaint Duw, fydd yn ein hatgoffa o'r plâu yn yr Aifft, mae'n cymharu Exodus Israel o'r Aifft â'r brynedigaeth a sylweddolwyd trwy Grist. Fel yr ymgasglodd yr Israeliaid wrth ymyl y Môr Coch, a hwythau'n fuddugoliaethus dros lu Pharo, mae Ioan yn gweld tyrfa ddirifedi o bobl yn sefyll ar yr hyn sy'n ymddangos fel môr o wydr a thân, wedi ennill buddugoliaeth dros y bwystfil a'i ddelw. Yn yr un modd ag y defnyddiodd Miriam ei thabwrdd i ddathlu buddugoliaeth Duw, felly mae pobl fuddugoliaethus Duw yn dathlu gyda'u telynau. Fel y canodd Moses a Miriam gân o fawl i Dduw, felly mae Cân Moses (yr un oedd yn fuddugol yn yr Hen Destament) bellach wedi dod yn Gân yr Oen (yr un sy'n fuddugol yn y Testament Newydd).

Darllen pellach: Datguddiad 14: 1–5

# Saith Ffiol Digofaint Duw

*Clywais lais uchel o'r deml yn dweud wrth y saith angel,*
*"Ewch ac arllwyswch ar y ddaear saith ffiol llid Duw."*
Datguddiad 16:1

Mae cliw sylweddol i ystyr Datguddiad 15 ac 16 i'w gael mewn dau ymadrodd. Yn gyntaf, "Ynddynt hwy y cwblhawyd digofaint Duw" (15: 1). Yn ail, " Y mae'r cwbl ar ben!" (16: 17). "Cwblhawyd" ac "ar ben". Mae'n un gair yn y Roeg yn y ddau achos, a hynny yn yr amser perffaith, gan nodi fod gwaith Duw o farn wedi ei gyflawni unwaith ac am byth ac efallai yn cael ei gymharu â'r gair "Gorffennwyd" (Ioan 19: 30) ar y groes. Roedd y farn flaenorol (y saith sêl a'r utgyrn) yn rhannol; mae'r farn sy'n cynnwys y ffiolau yn derfynol. Gellir mynegi'r peth fel hyn: gall llygad ffydd weld yn nhoriad y saith sêl ewyllys goddefol Duw, yn chwythu'r utgyrn bwrpas diwygiadol Duw, ac yn y tywallt o'r ffiolau gyfiawnder dialgar Duw.

Mae'r pedair ffiol gyntaf, fel y pedwar utgorn cyntaf, wedi eu targedu yn yr un drefn ar y ddaear, y môr, dŵr croyw, a'r haul. Mae siarad am y ddaear, y môr, y dŵr a'r haul, yn adleisio'n consýrn cyfoes am yr amgylchedd. Mae gennym gonsýrn am amrywiaeth y ddaear, yr hyn sy'n byw yn y moroedd, y gallu i gael dŵr glân, a gwarchod yr haen osôn i'n hamddiffyn rhag llygredd a'i effeithiau. Mae tywallt y pumed ffiol yn peri bod teyrnas y bwystfil yn cael ei throi yn dywyllwch ac yn chwalfa, gan greu dioddefaint mawr. Ond "ni bu'n edifar ganddynt [y bobl]" (Datguddiad 16: 9, 11). Fel Pharo, maent yn caledu eu calonnau.

Mae'r chweched ffiol yn cael ei thywallt ar Afon Ewffrates, symbol o'r grymoedd gwrth-Dduw oedd yn ymgynnull ar gyfer y frwydr olaf ar "ddydd mawr Duw, yr Hollalluog" (adn. 14). A rhag i bobl Dduw ofni'n ormodol oherwydd hyn, mae Iesu ei hun yn ymyrryd ac yn llefain, "Wele, rwy'n dod fel lleidr!" (adn. 15), gan ein rhybuddio i fod yn barod. Tebyg nad yw'r brwydrau hyn i'w dehongli'n llythrennol, eto, mae'r cyfan yn symbol o frwydr derfynol rhwng yr Oen a'r ddraig, rhwng Crist a'r Anghrist.

Wrth i'r dilyniant hwn o'r seliau a'r utgyrn orffen gydag uchafbwynt yr Ailddyfodiad, felly hefyd drefn y ffiolau. Mae Crist yn dod mewn grym a gogoniant i chwalu holl fyddinoedd drygioni.

Darllen pellach: Datguddiad 16: 17–22

# Adnabod Babilon a'i Distrywio

*Syrthiodd, syrthiodd Babilon fawr, y ddinas honno sydd*
*wedi peri i'r holl genhedloedd yfed gwin llid ei phuteindra.*
Datguddiad 14:8

Hyd yn hyn yn llyfr y Datguddiad, does ond dau gyfeiriad byr at Fabilon, ond nid yw'r un o'r ddau yn dweud wrthym beth yw'r symbol sydd y tu ôl i'r gair. Bellach, mae dwy bennod gyfan yn cael eu neilltuo i egluro "Babilon". Mae pennod 17 yn ei disgrifio inni, tra bod pennod 18 yn manylu'n ddarluniadol ar y chwalfa a ddioddefodd.

Rydym yn medru dod i adnabod Babilon trwy un o'r saith angel sy'n gwirfoddoli i hyfforddi Ioan. Mae'r angel yn dangos iddo butain ac yna'n mynd yn ei flaen i esbonio i Ioan beth oedd wedi ei weld. Roedd y wraig yn eistedd ar fwystfil coch (yr un bwystfil a ddisgrifir fel bwystfil y môr). Dywed Richard Bauckham, "Yr oedd y diwylliant Rhufeinig, fel dylanwad oedd yn llygru, yn marchogaeth ar gefn grym milwrol Rhufain." Mae Ioan yn gweld bod y wraig "yn feddw ar waed y saint" (17: 6). Wrth grynhoi, mae'r angel yn dweud wrth Ioan, "Y wraig a welaist yw'r ddinas fawr sydd â'r frenhiniaeth ganddi ar frenhinoedd y ddaear" (17: 18).

Bellach, a ninnau'n gwybod pwy yw Babilon, mae Ioan yn mynd yn ei flaen i ddisgrifio'r modd y cafodd ei gorchfygu. Ni fyddai Rhufain yn cael ei gorchfygu yn llythrennol o ganlyniad i fuddugoliaeth Alaric y Goth tan tua thri chant ac ugain o flynyddoedd yn ddiweddarach. Ac eto, mae Ioan yn defnyddio amser gorffennol y ferf yn broffwydol, gan fynegi sicrwydd barn Duw fel petai wedi digwydd yn barod. "Syrthiodd, syrthiodd Babilon fawr!" (14: 8) Mae tri grŵp o bobl yn cael eu henwi ym mhennod 18, sef y brenhinoedd, y marsiandïwyr, a morwyr y byd. Mae'r tri grŵp gyda'i gilydd yn galaru am fod Babilon wedi ei distrywio: "Gwae, gwae'r ddinas fawr" (18: 10). Mae'r bennod yn cloi gyda chyfuniad o ddathliad a galar – dathliad o gyfiawnder Duw yn ei farn a galarnad dros ddiflaniad pob agwedd dda ar ddiwylliant – sain cerddoriaeth, gallu crefftwyr, paratoi bwyd i'r teulu, a llawenydd a gorfoledd priodasferch a phriodfab.

Yn y ganrif gyntaf, "Babilon" oedd Rhufain. Ond mae Babilon wedi llwyddo trwy hanes a thrwy'r byd i gyd. Babilon yw'r Ffair Wagedd. Gellir adnabod proffil Babilon yn rhwydd o'r bennod – eilunaddoliaeth, anfoesoldeb, afradlonedd, dewiniaeth, gormes a balchder. Parhau mae'r alwad frys ar bobl Dduw i ddod allan o Fabilon er mwyn osgoi cael eu llygru.

Darllen pellach: Datguddiad 18: 21–24

# Y Marchog ar y Ceffyl Gwyn

*Wele geffyl gwyn; enw ei farchog oedd Ffyddlon a Gwir,*
*oherwydd mewn cyfiawnder y mae ef yn barnu ac yn rhyfela.*
Datguddiad 19:11

Mewn gwrthgyferbyniad â thawelwch y ddinas oedd wedi llosgi, mae Ioan yn awr yn clywed rhywbeth sydd fel cynnwrf tyrfa ddirifedi yn gweiddi "Halelwia!" Mae'r gair yn cael ei ailadrodd bedair gwaith ar ddechrau pennod 19 a hynny fel halelwia nefol gôr. Y rheswm dros yr alwad hon i foli Duw oedd cyfiawnder ei farn a goruchafiaeth ei lywodraeth. Ymhellach, mewn gwrthgyferbyniad â chwalu'r butain Babilon, mae priodas yr Oen wedi cyrraedd, ac mae ei briodferch wedi ymbaratoi (adn. 7).

Nesaf, mae Ioan yn gweld y nefoedd ar agor, ac o'i flaen y mae ceffyl gwyn a'i farchog yn gwisgo llu o goronau, hyn i gyd yn symbol o'i awdurdod trwy'r bydysawd. Mae ei wisg wedi ei maeddu â gwaed yn arwydd ei fod yn cludo gydag ef lwyddiant ei farwolaeth aberthol. Rhoddir iddo'r teitl rhyfeddol Brenin y Brenhinoedd ac Arglwydd yr Arglwyddi. Does dim amheuaeth nad yr Arglwydd Iesu Grist ei hun yw'r marchog hwn, yn llawnder ei frenhiniaeth ddwyfol, yn mynd rhagddo mewn barn, gyda lluoedd y nefoedd yn ei ddilyn.

Disgwylir bod y frwydr olaf ar ddod nesaf, oherwydd mae'r ddwy fyddin – y ddwyfol a'r ddiafolaidd – bellach yn sefyll ac yn gwrthwynebu'i gilydd. Ond i'r gwrthwyneb, does dim yn digwydd, oherwydd mae Iesu eisoes wedi ennill y fuddugoliaeth dros ddrygioni trwy ei farwolaeth a'i atgyfodiad. Yn hytrach, mae grymoedd drygioni yn awr yn cael eu chwalu mewn trefn wahanol i'r modd y cawsant eu cyflwyno. Yn gyntaf, daw Babilon, oedd eisoes wedi ei distrywio. Nesaf, daw'r bwystfil o'r môr (y grym oedd yn erlid) a'r bwystfil o'r ddaear, a elwir hefyd "y proffwyd gau," symbol o ffug grefydd sy'n gyfrifol am berswadio pobl i addoli'r ymerawdwr neu ei ddelw (adn. 20). Mae'r ddau yn cael eu taflu i lyn o dân ac yn cael eu distrywio. Mae hyn yn gadael tynged y ddraig tan y bennod nesaf, pennod y byddwn yn ei hystyried yfory.

Darllen pellach: Datguddiad 19: 11–16

# Diwedd Satan

*A bwriwyd y diafol … i'r llyn tân a brwmstan, lle mae'r*
*bwystfil hefyd a'r gau broffwyd.*
Datguddiad 20:10

**M**ae Datguddiad 20 yn ei rhannu ei hun yn naturiol i dri pharagraff – y mil o flynyddoedd (adn. 1–6), y frwydr olaf (adn. 7–10), a'r farn olaf (adn. 11–15).

Yn gyntaf, y mileniwm. Mae cyfeiriad at y mileniwm chwe gwaith, a phob tro gyda phwyslais gwahanol. Yn ystod y mileniwm, bydd y diafol yn cael ei rwymo, fe ryddheir y cenhedloedd, ac fe godir y saint a'r merthyron i deyrnasu gyda Christ. Mae'n sicr fod hyn yn gyfeiriad at yr holl gyfnod presennol rhwng y dyfodiad cyntaf ac ailddyfodiad Crist. Os oes rhywun yn haeru nad yw'n ymddangos bod y diafol wedi ei gadwyno, atebwn trwy ddweud bod hyn yn broblem trwy'r Testament Newydd, oherwydd ymhob man fe gadarnheir trwy ei farwolaeth a'i atgyfodiad fod Iesu wedi diarfogi a chadwyno'r diafol (gweler er enghraifft Marc 3: 27). Ymhellach, nid yw Ioan yn dweud bod y diafol wedi ei gadwyno mewn perthynas â phopeth, ond yn benodol mewn perthynas â'r cenhedloedd, sy'n esbonio pam fod cymaint o dröedigaethau yn eu plith (gweler Datguddiad 7: 9).

Yn ail, wrth i'r cyfnod yma o fil o flynyddoedd ddirwyn i ben, mae Ioan yn dweud wrthym y bydd Satan yn cael ei ryddhau o'i garchar am gyfnod byr ac y bydd yn twyllo'r cenhedloedd eto. Hynny yw, bydd cenhadaeth yr eglwys yn cael ei gwrthwynebu ac yn cael ei chyfyngu. Bydd y diafol yn casglu pobl wrthwynebus ar gyfer un ymosodiad olaf yn erbyn yr eglwys. Ond bydd Crist yn achub y blaen ar y frwydr fel y marchog ar y ceffyl gwyn. Yna bydd y ddraig yn cael ei thaflu i mewn i'r llyn o dân i gyfarfod â'r ddau fwystfil, ac yno ni fydd diwedd ar eu dioddefaint.

Yn drydydd, gyda'r diafol a'r ddau fwystfil a'r butain wedi eu distrywio, daeth yr amser i farnu unigolion o flaen yr orsedd wen. Yn ôl Ioan, "barnwyd y meirw ar sail yr hyn oedd yn ysgrifenedig yn y llyfrau, yn ôl eu gweithredoedd" (20: 12). Yn sicr, nid yw'n dweud bod pechaduriaid yn cael eu cyfiawnhau gan eu gweithredoedd da. Na, rydym ni bechaduriaid yn cael ein cyfiawnhau trwy ras Duw yn unig, trwy ffydd yng Nghrist sydd wedi ei groeshoelio. Ar yr un pryd, byddwn yn cael ein barnu gan ein gweithredoedd, oherwydd bydd Dydd y Farn yn ddydd cyhoeddus, a gweithredoedd da fydd yr unig dystiolaeth gyhoeddus ac eglur fydd yn cael ei chyflwyno i gadarnhau cywirdeb ein ffydd. "Mae ffydd heb weithredoedd yn farw" (Iago 2: 26). Y mae enwau'r gwir gredinwyr wedi eu hysgrifennu yn Llyfr Bywyd yr Oen (Datguddiad 13: 8, 20: 15).

Darllen pellach: Datguddiad 20: 1–15

# Wythnos 52: Nefoedd Newydd a Daear Newydd

Mae Datguddiad 20 yn cloi gyda'r gymhariaeth ofnadwy rhwng y rhai sydd wedi'u cofrestru yn Llyfr y Bywyd a'r rhai sy'n gorfod wynebu'r ail farwolaeth, ac felly, rhwng bywyd a marwolaeth, sef y ddwy dynged sy'n wynebu dynoliaeth. Mae penodau 21 a 22 (dwy bennod olaf llyfr y Datguddiad) hefyd yn sôn am yr ail farwolaeth, ond mae'r ffocws ar fywyd – Llyfr y Bywyd, dŵr y bywyd, a phren y bywyd.

Mae bywyd tragwyddol yn golygu adnabyddiaeth bersonol o Dduw trwy Iesu Grist fel y dysgodd Iesu ei hun (Ioan 17: 3). Mae Ioan yn darlunio hyn yn awr mewn tair ffordd – diogelwch yn ninas Duw, y Jerwsalem Newydd; cael ffordd yn ôl i bren y bywyd yng Ngardd Eden; a'r berthynas agos sydd rhwng y priodfab a'r briodasferch mewn priodas. Mae Ioan yn neidio o un darlun i'r llall – y ddinas, yr ardd, a'r briodas – heb unrhyw awgrym o anghysondeb. Mae'r tri yn cynrychioli ein cymdeithas agos a phersonol gyda Duw sydd yn cychwyn yn awr (unwaith y byddwn wedi ein cymodi ag ef trwy Grist) ac a fydd yn cael ei selio yn ei ddyfodiad.

**Dydd Sul:** Popeth yn Newydd
**Dydd Llun:** Y Ddinas Sanctaidd
**Dydd Mawrth:** Yr Ardd
**Dydd Mercher:** Geiriau'r Broffwydoliaeth Hon
**Dydd Iau:** "Rwy'n Dod yn Fuan!"
**Dydd Gwener:** Y Briodas
**Dydd Sadwrn:** Yr Eglwys sy'n Disgwyl

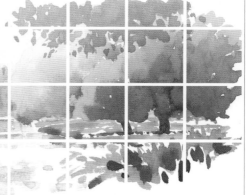

# Popeth yn Newydd

*Yna dywedodd yr hwn oedd yn eistedd ar yr orsedd,*
*"Wele, yr wyf yn gwneud pob peth yn newydd."*
Datguddiad 21:5

Mae'r wyth adnod gyntaf o Datguddiad 21 yn amrywiaethau ar thema newydd-deb. Gwelai Ioan nefoedd newydd a daear newydd, a byddai'r Jerwsalem Newydd yn disgyn i'w chanol. O ganlyniad, "Y mae'r pethau cyntaf wedi mynd heibio" (adn. 4), ac mae Duw yn cyhoeddi, "Yr wyf yn gwneud pob peth yn newydd!" (adn. 5). Gwnaed yr addewid am fydysawd newydd yn gyntaf i Eseia (Eseia 65: 17; 66: 22). Mae Iesu ei hun yn siarad am hyn: "pan enir yr oes newydd" (Mathew 19: 28, yn llythrennol, "genedigaeth newydd"), ac mae Paul yn ysgrifennu am y digwyddiad fel rhyddhau'r greadigaeth o'i chaethiwed i farwolaeth (Rhufeiniaid 8: 18–25).

Mae'n bwysig, felly, i gadarnhau nad yw ein gobaith Cristnogol yn edrych ymlaen at ryw fath o nefoedd annelwig, ond i fydysawd sydd wedi ei adnewyddu mewn perthynas â'r byd presennol o ran ei barhad a'i newid. Yn yr un modd ag y mae'r Cristion yn greadigaeth newydd yng Nghrist, yr un person ond wedi ei drawsffurfio, ac yn yr un modd ag y bydd ein corff atgyfodedig yr un fath â'n corff daearol gyda'i hunaniaeth wedi ei diogelu (cofiwch glwyfau gweladwy'r Iesu atgyfodedig), eto wedi ei arfogi â grym newydd, felly hefyd bydd y nefoedd newydd a'r ddaear newydd, nid yn cymryd lle'r bydysawd presennol (fel petai wedi ei greu *de novo*) ond yn fydysawd sydd wedi ei ail-wneud, wedi ei buro o bob amherffeithrwydd presennol. Mae Ioan yn ychwanegu'r manylyn, "nid oedd môr mwyach" (Datguddiad 21: 1), oherwydd mae'r môr yn symbol o anesmwythdod a gwahanu.

Yna mae Ioan yn clywed llais Duw yn siarad ag ef gan esbonio ystyr disgyniad y Jerwsalem Newydd: "Wele, y mae preswylfa Duw gyda'r ddynoliaeth; bydd ef yn preswylio gyda hwy, byddant hwy yn bobloedd iddo ef, a bydd Duw ei hun gyda hwy, yn Dduw iddynt" (adn. 3). Mae'r cyhoeddiad bendigedig hwn yn rhyfeddol oherwydd ei fod yn cynnwys amodau'r cyfamod sy'n cael eu hailadrodd dro ar ôl tro yn yr Ysgrythur: "Byddant hwy yn bobloedd iddo ef, a bydd Duw ei hun gyda hwy, yn Dduw iddynt."

Canlyniad y berthynas fyw hon rhwng Duw a'i bobl yw na fydd mwyach unrhyw boen na dagrau, dim galar na marwolaeth. Mae'r pethau hyn yn perthyn i'r hen fyd colledig ac mae hwnnw wedi mynd heibio. Dim ond Duw all wneud hyn, oherwydd ef yw'r Alffa ac Omega, y dechrau a'r diwedd (adn. 6).

Darllen pellach: Datguddiad 21: 1–8

# Y Ddinas Sanctaidd

*A dangosodd imi'r ddinas sanctaidd, Jerwsalem,*
*yn disgyn o'r nef oddi wrth Dduw.*
Datguddiad 21:10

Yr ydym eisoes wedi gweld (tudalen 425) bod Ioan yn medru cymysgu ei ddarluniau yn rhwydd iawn. Pan welodd y ddinas sanctaidd, y Jerwsalem newydd, roedd "wedi ei pharatoi fel priodferch wedi ei thecáu i'w gŵr" (adn. 2). Ac yn awr, ac yntau wedi ei wahodd i weld priodasferch yr Oen, mae'n cael golwg ar "ddinas sanctaidd, Jerwsalem" (adn. 10). Mae'r rhan fwyaf o bennod 21 yn cael ei rhoi i ddisgrifiad manwl o'r ddinas sanctaidd, y Jerwsalem Newydd, oedd yn disgleirio â gogoniant Duw. Ar ddeuddeg porth y ddinas mae enwau deuddeg llwyth Israel wedi eu cerfio, ac ar eu seiliau y mae enwau'r deuddeg apostol wedi eu cerfio. Mae'r ddinas yn giwb, fel y Cysegr Sancteiddiolaf yn y Deml. Er bod rhaid i ni gytuno â'r Dr. Bruce Metzger fod y Jerwsalem Newydd yn "nonsens pensaernïol" (ciwb o tua phymtheg cant o filltiroedd, fyddai'n ymestyn o Lundain i Athen), mae'r symbolaeth yn glir. Mae'r ddinas sanctaidd yn anferth, yn gaer ddiogel a chadarn sydd yn cynrychioli'r eglwys gyflawn o'r Hen Destament a'r Newydd ac yn symbol o'r sicrwydd a'r heddwch sydd i berthyn i bobl Dduw.

Roedd y ddinas a welodd Ioan nid yn unig yn anferth a diogel ond hefyd yn brydferth, gan fod pob un o'i deuddeg sail wedi ei haddurno â gemwaith gwahanol, pob un o'i deuddeg porth wedi ei wneud o un perl, a stryd y ddinas wedi ei gwneud o aur pur. Wedi deall maint a lliw rhyfeddol y Jerwsalem Newydd, mae Ioan yn tynnu sylw at y pethau sydd ar goll yno. Yn gyntaf, nid yw'n gweld teml yn y ddinas. Wrth gwrs nad yw'n gweld teml! Yr Arglwydd a'r Oen yw'r deml. Mae eu presenoldeb trwy'r ddinas i gyd; does dim angen adeilad arbennig iddynt. Yn ail, nid oes angen haul na lleuad, oherwydd y mae gogoniant Duw yn llewyrchu, a'i oleuni ef yn gwbl ddigonol ar gyfer y cenhedloedd.

Yma rhaid cyfeirio'n arbennig at adnodau 24 a 26: " [Bydd] brenhinoedd y ddaear yn dwyn eu gogoniant i mewn iddi," a "Byddant yn dwyn i mewn iddi ogoniant ac anrhydedd y cenhedloedd." Ni ddylem betruso rhag datgan y bydd trysorau diwylliannol y byd yn harddu'r Jerwsalem Newydd. Ond ar yr un pryd, ni fydd dim amhur fyth yn cael mynediad i'r ddinas nac unrhyw un sy'n euog o weithredoedd gwarthus neu dwyllodrus, dim ond y rhai sydd wedi'u cofrestru yn Llyfr Bywyd yr Oen (adn. 27).

Darllen pellach: Datguddiad 21: 15–27

# Yr Ardd

*Yna dangosodd yr angel imi afon dŵr y bywyd,*
*yn ddisglair fel grisial, yn llifo allan o orsedd Duw a'r Oen.*
Datguddiad 22:1

**M**ae'r ddinas bellach wedi ei thrawsffurfio i fod yn ddinas â gardd, gyda'r pwyslais ar yr afon, pren y bywyd, a'r orsedd.  Yn gyntaf, yr afon.  Mae'r dŵr sy'n glir fel y grisial yn llifo allan o'r orsedd (symbol o ras sofran Duw) ac i lawr canol prif stryd y ddinas.  Oherwydd hyn mae'r dŵr ar gael i'r sychedig bob amser.

Yn ail, pren y bywyd.  Mae Ioan yn gweld y pren yn tyfu ar ddwy lan yr afon.  Roedd mynediad i'r pren wedi ei wahardd ar ôl y cwymp, ond yn awr mae'r gwaharddiad wedi ei godi.  Efallai fod Ioan yn gweld un goeden yn unig bob ochr i'r afon, ond mae'n well gen i farn rhai esbonwyr sydd, yn unol â phroffwydoliaeth Eseciel 47, yn sôn am sawl pren bywyd yn rhedeg ar hyd glannau'r afon ac yn dwyn ffrwyth sydd ar gael i bawb.  Oherwydd hyn gall y newynog fwyta a'r sychedig yfed nes eu bod yn gwbl fodlon.  Bob mis bydd ffrwyth newydd ar gael, tra bydd y dail ar gyfer iachâd y cenhedloedd yn arwydd o'r manteision positif y mae'r efengyl yn eu dwyn i'r byd Cenhedlig.  Mae Ioan yn ychwanegu na fydd melltith mwyach, cyfeiriad arall sy'n ddarlun o'r hyn a gollwyd yng Ngardd Eden.

Yn drydydd, mae Ioan yn symud ymlaen o'r afon a'r goeden at yr orsedd.  Adferir yr orsedd i ganol y greadigaeth fel yn Datguddiad 4 a 5, a bydd pob bywyd yn ddarostyngedig i reolaeth Duw.  Ymhellach, bydd ei weision yn ei addoli a "chânt weld ei wyneb" (adn. 4).  Dywedodd Duw yn glir wrth Moses, "Ni chei weld fy wyneb, oherwydd ni chaiff neb fy ngweld a byw" (Exodus 33: 20).  Y cyfan y mae'r ddynoliaeth wedi ei weld hyd yma yw gogoniant Duw, sef disgleirdeb allanol y bod mewnol.  Rydym wedi gweld ei ogoniant ym mherson a gwaith ei Fab ymgnawdoledig.  Ond un diwrnod, bydd y gorchudd yn cael ei godi a "chawn ei weld ef fel y mae" (1 Ioan 3: 2), hyd yn oed "wyneb yn wyneb" (1 Corinthiaid 13: 12).  Mae'r weledigaeth hardd hon yn rhan hanfodol o bwrpas terfynol Duw ar gyfer ei bobl.

Darllen pellach: Datguddiad 22: 1–5

# Geiriau'r Broffwydoliaeth Hon

*Gwyn ei fyd y sawl sy'n cadw geiriau*
*proffwydoliaeth y llyfr hwn.*
Datguddiad 22:7

**M**ae un adnod ar bymtheg olaf llyfr y Datguddiad yn ffurfio math o atodiad neu epilog, gan gynnwys amrywiaeth o rybuddion ac anogaethau.

Mae Ioan yn awyddus iawn i sicrhau awdurdod y llyfr hwn. Iesu ei hun, meddai Ioan, oedd wedi rhoi'r neges hon i'r eglwysi drwy angel. O ganlyniad, fe "welodd a chlywodd" Ioan yr hyn a gofnododd, ac roedd ei eiriau yn "ffyddlon a gwir" (adn. 6–8). Mewn gwirionedd proffwydoliaeth sydd yma, hynny yw, datguddiad oddi wrth Dduw. Er mwyn nodi hyn mae Ioan yn defnyddio ymadrodd penodol (gyda mân amrywiadau) bum gwaith, sef "geiriau proffwydoliaeth y llyfr hwn" (adn. 7–19).

Mae cyfrifoldeb darllenwyr Ioan gyda golwg ar y datguddiad hwn yn gwbl glir. Y maent i'w "gadw" (adn. 9), hynny yw, ei gredu ac ufuddhau iddo. Nid ydynt i'w roi "dan sêl" nac i'w guddio (adn. 10) ond yn hytrach ei hysbysu i eraill. Wrth wneud hyn ni ddylent ychwanegu na thynnu oddi ar y geiriau, oherwydd os bydd rhywun yn ychwanegu unrhyw beth at y llyfr hwn, bydd Duw yn ychwanegu iddo ef y farn sy'n cael ei disgrifio ynddo, ac os bydd rhywun yn cymryd unrhyw beth i ffwrdd o'r llyfr, bydd Duw hefyd yn cymryd i ffwrdd ei ran ef yn y pren a'r ddinas (adn. 18–19).

Cefndir apêl a rhybuddion Ioan yw ei fod yn rhagweld bod y farn ar fin dod, oherwydd pan ddaw Crist, bydd gwahanu ofnadwy rhwng y rhai sydd wedi golchi eu dillad a'r rhai sydd heb, rhwng y rhai sydd yn mwynhau mynediad i'r Jerwsalem Newydd a'r rhai sy'n cael eu gwahardd.

Felly mae Iesu Grist, oedd wedi sylfaenu'r cwbl fel Creawdwr, yn awr yn mynd i ddod â'r cyfan i ben fel Barnwr. Ef yn wir yw'r "Alffa ac Omega, y cyntaf a'r olaf, y dechrau a'r diwedd" (adn. 13). Rhoddwyd yr union deitlau hyn i Dduw ac i Grist ym mhennod 1 (adn. 8, 17) ac felly maent yn awr yn y bennod olaf. Gyda'r haeriadau bendigedig hyn mewn perthynas â Christ y mae Ioan yn agor ac yn cau ei lyfr.

Darllen pellach: Datguddiad 22: 6–13

# "Rwy'n Dod yn Fuan!"

*Wele, yr wyf yn dod yn fuan, a'm gwobr gyda*
*mi i'w rhoi i bob un yn ôl ei weithredoedd.*
Datguddiad 22:12

U n o'r pethau rhyfeddol am Datguddiad 22 yw bod Iesu yn llefain deirgwaith, "Yr wyf yn dod yn fuan!" (adn. 17, 12, 20). Sut ydym i ddehongli hyn? A yw'r geiriau yn golygu bod Iesu'n rhagweld y byddai ei ailddyfodiad yn digwydd bron yn union, a'i fod ef wedi camgymryd? Mae nifer yn cynnal y farn hon, ond does dim angen ei dal am nifer o resymau.

Yn gyntaf, mae Iesu ei hun yn dweud nad oedd yn gwybod dydd ei ddyfodiad (Marc 13: 32); dim ond y Tad oedd yn gwybod hyn. Mae'n annhebygol felly y byddai nawr yn cyhoeddi rhywbeth nad oedd yn ei wybod ynghynt. Nid oedd yn anwybodus o'i anwybodaeth.

Yn ail, mae Iesu a'i apostolion yn annog ei ddilynwyr mewn llefydd eraill i briodi ac i gael plant, i ennill bywoliaeth, ac i fynd â'r efengyl i bellafoedd y ddaear. Nid yw'r cyfarwyddiadau hyn yn gyson â chredo mewn ailddyfodiad oedd ar fin digwydd.

Yn drydydd, mae Iesu yn rhagfynegi cwymp Jerwsalem o fewn oes ei gyfoeswyr, ac mae'n anodd, ambell waith, i benderfynu a yw'n cyfeirio at hyn neu at y diwedd.

Yn bedwerydd, y mae llenyddiaeth "apocalyptaidd" yn dod gyda'i gonfensiynau llenyddol ei hun. Er enghraifft, mae'n mynegi beth fydd yn digwydd yn sydyn yn nhermau'r hyn fydd yn digwydd yn fuan. Dyma oedd yn wir hefyd ym mhroffwydoliaethau'r Hen Destament.

Sut felly mae deall yr adferf 'buan'? Rhaid inni gofio bod yr oes newydd eisoes wedi gwawrio gyda'r digwyddiadau rhyfeddol o enedigaeth Crist, ei farwolaeth, ei atgyfodiad a'i esgyniad, ac nad oes bellach ddim ar galendr escatolegol Duw cyn yr ailddyfodiad. Yr ailddyfodiad yw'r digwyddiad nesaf ar ei amserlen. Yr oedd, ac mae'n dal i fod yn wir i ddweud, meddai Charles Cranfield, "fod yr ailddyfodiad ar fin dod." Mae'r disgybl Cristnogol felly'n cael ei nodweddu gan ffydd, gobaith a chariad. Mae ffydd yn cydnabod yr hyn sydd eisoes wedi ei sylweddoli gan yr Arglwydd Iesu Grist. Mae gobaith yn edrych ymlaen at yr hyn sydd eto i ddigwydd gyda golwg ar ein hiachawdwriaeth. Ac mae cariad yn nodweddu ein bywyd yn awr yn y cyfamser. Felly, gall buan fod yn amhenodol yn gronolegol, ond yn ddiwinyddol yn gwbl gywir.

Darllen pellach: Marc 13: 28–37

# Y Briodas

*A gwelais y ddinas sanctaidd, Jerwsalem newydd, yn
disgyn o'r nef oddi wrth Dduw, wedi ei pharatoi fel
priodferch wedi ei thecáu i'w gŵr.*
Datguddiad 21:2

Yn unol ag arferion Iddewig roedd priodas yn rhywbeth a ddigwyddai mewn dau gam, y dyweddïad a'r briodas. Roedd y dyweddïad yn cynnwys cyfnewid addewidion a rhoddion ac yn cael ei ystyried yn rhywbeth oedd bron yr un mor derfynol â'r briodas ei hun. Gellid galw'r ddau oedd wedi dyweddïo yn ŵr a gwraig, a phetai gwahanu, byddai angen ysgariad. Roedd y briodas yn dilyn rywbryd ar ôl y dyweddïad ac yn ei hanfod yn ddigwyddiad cyhoeddus a chymdeithasol. Cychwynnai gyda phrosesiwn o ddathliad, oedd yn cael ei nodweddu gan gerddoriaeth a dawnsio, lle roedd y priodfab a'i ffrindiau yn mynd i nôl y briodasferch, a fyddai wedi ei pharatoi ei hun. Byddai wedyn yn dod â'r briodasferch yn ôl gyda'i ffrindiau a'i berthnasau i'w gartref ar gyfer y wledd briodas, rhywbeth a allai bara am wythnos. Yn ystod y wledd byddai'r priodfab a'r briodasferch yn derbyn bendith gyhoeddus gan eu rhieni ac yna'n cael eu tywys i'r ystafell wely, lle byddent yn selio eu priodas mewn cyfathrach rywiol.

Nid yw'r Beibl yn arddangos unrhyw embaras gyda golwg ar ryw a phriodas. Yn wir, y mae'r darlun o briodas sy'n arwyddo cyfamod rhwng Duw ac Israel yn un amlwg a chlir. Mae cariad Duw tuag at Israel yn cael ei ddarlunio'n arbennig gan Eseia, Jeremeia, Eseciel a Hosea, mewn termau corfforol eglur.

Mae Iesu ei hun yn honni, mewn datganiad clir, mai ef yw priodfab ei ddilynwyr, ac felly gan ei fod yn parhau gyda hwy, byddai'n amhriodol iawn iddynt i ymprydio. Yna mae Paul yn datblygu'r darlun ymhellach. Mae'n darlunio Crist fel y priodfab sydd wedi caru ei briodasferch, ei eglwys, ac wedi ei roi ei hun drosti er mwyn iddo gael ei chyflwyno iddo ef ei hun heb frycheuyn ac yn llawn gogoniant (Effesiaid 5: 25–27). Wrth i Paul ychwanegu bod y "dirgelwch hwn yn fawr" (Effesiaid 5: 32), mae'n debyg mai awgrymu y mae fod y profiad o un cnawd mewn priodas yn symbol o undeb Crist gyda'i eglwys.

Darllen pellach: Eseciel 16: 7–8

# Yr Eglwys sy'n Disgwyl

*Y mae'r sawl sy'n tystiolaethu i'r pethau hyn yn dweud, "Yn
wir, yr wyf yn dod yn fuan." Amen. Tyrd, Arglwydd Iesu!*
Datguddiad 22:20

Wrth iddo orffen llyfr y Datguddiad mae Ioan yn parhau i ddefnyddio delweddau dyweddïad a phriodas. Mae wedi awgrymu eisoes fod y briodas ar ddod. Mae'n dweud wrthym ei fod wedi clywed y dyrfa ddirifedi oedd wedi eu prynu yn canu'r halelwia "oherwydd daeth dydd priodas yr Oen, ac ymbaratôdd ei briodferch ef" (19: 7). Yn wir, "rhoddwyd iddi hi i'w wisgo liain main disglair a glân" (19: 8). Yn yr un modd, y mae'r angel eisoes wedi dweud wrth Ioan, "Gwyn eu byd y rhai sydd wedi eu gwahodd i wledd briodas yr Oen" (19: 9). Mae Ioan hefyd wedi disgrifio'r Jerwsalem Newydd fel dinas "yn disgyn o'r nef oddi wrth Dduw, wedi ei pharatoi fel priodferch wedi ei thecáu i'w gŵr" (21: 2; gweler adn. 9).

Ond ble mae'r priodfab? Nid yw i'w weld yn unman. Nid cyfrifoldeb y briodferch yw nôl y priodfab; cyfrifoldeb y priodfab yw nôl y briodferch. Y mae hi wedi paratoi ei hunan. Mae wedi gwisgo ac mae wedi ei haddurno. Bellach, ni all wneud dim ond aros iddo ymddangos – er ei bod yn cymryd yr hyfdra o fynegi ei dyhead amdano: "Y mae'r Ysbryd a'r briodferch yn dweud, Tyrd!" (22: 17). Prif waith a gweinidogaeth yr Ysbryd Glân yw dwyn tystiolaeth i Grist a phrif ddyhead y briodferch yw croesawu'r priodfab.

Felly mae llyfr y Datguddiad yn dod i ben, yn gadael yr eglwys yn disgwyl, yn gobeithio, yn hyderu, yn dyheu – y briodferch yn edrych ymlaen at weld y priodfab yn galw amdani, yn dal gafael yn ei addewid driphlyg ei fod yn dod yn fuan, ac yn cael ei hannog gan eraill sy'n adleisio ei galwad: "Amen. Tyrd, Arglwydd Iesu!"

Yn y cyfamser, mae'n hyderus y bydd ei ras yn ddigonol iddi (adn. 21) nes bydd y wledd briodas dragwyddol yn cychwyn a hithau'n cael ei huno â'r priodfab am byth.

Darllen pellach: Datguddiad 22: 14–21